de Bibliotheek
Breda
Centrum

D0310493

Wat de nanny zag

Van dezelfde auteur

Het geheime leven van een ploetermoeder
Vriendschap, liefde en andere stommiteiten

FIONA NEILL

Wat de nanny zag

A.W. Bruna Fictie

Oorspronkelijke titel
What the Nanny Saw
Vertaling
Marga Blankestijn
Omslagillustratie en -ontwerp
Ingrid Bockting

ISBN 978 90 229 9911 0
NUR 302

Dit boek is gedrukt op papier dat het keurmerk van de Forest Stewardship Council (FSC®) mag dragen. Bij dit papier is het zeker dat de productie niet tot bosvernietiging heeft geleid. Een flink deel van de grondstof is afkomstig uit bossen en plantages die worden beheerd volgens de regels van FSC. Van het andere deel van de grondstof is vastgesteld dat hiervoor geen houtkap in de laatste resten waardevol bos heeft plaatsgevonden. Daarom mag dit papier het FSC Mixed Sources label dragen. Voor dit boek is het FSC-gecertificeerde Munkenprint gebruikt. Dit papier is 100% chloor- en zwavelvrij gebleekt en wordt geleverd door Arctic Paper Munkedals AB, Zweden.

Voor John en Mags

Je kunt beter ruwweg gelijk hebben dan er precies naast zitten.

– John Maynard Keynes

DEEL 1

1

Juli 2008

'Wanneer merkte je voor het eerst dat er iets aan de hand was?'

Ali Sparrow zuchtte. Iedereen stelde haar dezelfde vraag. En telkens gaf ze zorgvuldig hetzelfde antwoord. Alleen had ze meer originaliteit verwacht van Foy Chesterton, de man die onlangs op zijn zeventigste verjaardagsfeest alle coupletten van *American Pie* had gezongen en de driehonderd gasten bij het afscheid een gesigneerde editie van zijn zelf uitgegeven autobiografie had aangeboden. Al leek de goede afloop daarvan nu wel wat voorbarig.

Ali was de zitkamer in gelopen op zoek naar afzondering en een excuus om de voorwerpen op de ronde mahoniehouten eettafel op haar gemak te bekijken, voordat de antiquair arriveerde. Net als Foy, in feite. Maar tegen de tijd dat ze de bekende weerbarstige grijze haardos uit een fauteuil bij de haard zag opduiken, was het voor hen allebei al te laat om zich terug te trekken zonder dat het leek alsof ze elkaar wilden ontlopen.

'Je moet toch dingen hebben gezien, gesprekken hebben gehoord...' Zijn stem aarzelde toen hij haar met zijn blauwe ogen om de rand van de stoel heen aankeek. 'Nanny's hebben altijd een panoramisch overzicht, Ali. Mensen vergeten immers dat jullie in de kamer zijn. Jullie gaan in de omgeving op. Net als het behang. *N'est-ce pas*?' Zijn stem was diep en smeltend, alsof elk woord een verborgen betekenis omvatte. Met één hand streek hij de voorkant van zijn mosterdkleurige corduroy broek glad en met de andere beklopte hij de zitting van een rechte eetkamerstoel naast hem, als teken dat ze naast hem moest komen zitten.

'Je kunt ons helpen. Je kunt Bryony helpen. Ze heeft je toch altijd goed behandeld? We proberen allemaal te begrijpen wat er gebeurd is. Die stommiteit van Nick...'

'Stommiteiten,' wilde Ali hem corrigeren. In plaats daarvan staarde ze naar de stoel tot de rode en groene zijden strepen voor haar ogen dansten. Ze had deze kamer altijd al intimiderend gevonden. Niet vanwege het imposante meubilair, de harde bronzen beelden van Caffieri aan weerszijden van de schoorsteenmantel of de leunstoelen in hun spookachtige kleuren, met de luchtige franje aan de randen. Na meer dan twee jaar was ze de bitonale formaliteit van het vertrek wel gewend. Het intimiderende zat hem in wat zich hier afspeelde. Dit was de plek waar iedereen ter verantwoording werd geroepen en zij vormde geen uitzondering. Ze liep naar Foy toe, zich ervan bewust dat haar rol in de afgelopen maand onmerkbaar was veranderd en dat ze hem niet langer naar de mond hoefde te praten, maar ze wist niet zeker hoe veel ze hem ter wille kon zijn.

Ali was zich er vaag van bewust dat hij naar haar blote voeten keek. Behalve Foy droeg niemand schoenen in de zitkamer, tenzij er een feest was. Dat was een van Bryony's regels. Ali genoot van het tapijt – het was zo hoogpolig, dat je het als gras tussen je tenen voelde en je voetsporen door de kamer zag als je achteromkeek. Maar blote voeten hadden iets kwetsbaars, vooral als de rest van je lichaam bedekt was en je voor iemand stond die toch al het aangeboren vermogen bezat om je je kwetsbaar te laten voelen. Instinctief krulde ze haar tenen in het tapijt, maar het was te laat. Hij had de gouden ring om haar tweede teen en de kleine tatoeage op de wreef al opgemerkt.

'Alleen maar decoratie,' zei Ali, vooruitlopend op zijn volgende vraag. 'Net als behang.' Ze bleef staan, omdat ze wist dat ze misschien nooit meer overeind zou komen als ze eenmaal ging zitten. De drang om haar hart uit te storten zou onweerstaanbaar kunnen blijken, en dan zou ze zichzelf uit haar rol in dit drama schrijven. Bovendien had ze over nog geen twee uur een afspraak met Felix Naylor voor wat hij een 'inleidend gesprekje' noemde en hij had haar strenge instructies gegeven om uitsluitend tegen hem te praten, omdat niemand anders te vertrouwen was.

'Schitterende carrière, politicologie gestudeerd in Oxford, een MBA van Harvard, financieel analist, partner, vicepresident, directeur, managing director op zijn vijfendertigste. Een visionair beleggingsbankier,' prevelde Foy; hij plukte woorden uit de krant en zei op ruzieachtige toon tegen zichzelf: 'Dit heeft hij anders mooi niet zien aankomen, is het wel?'

Ali reageerde niet.

'Dus wanneer merkte je iets?' drong Foy aan. Hij vouwde de krant dicht op zijn schoot. Het was *The Guardian*. Hij vouwde hem dubbel, streek het papier zo vaak glad dat de palm van zijn hand zwart werd, en vouwde hem nog eens op, alsof het een origamiproject was. Tot het schandaal twee weken geleden aan het licht kwam, had Ali Foy nog nooit een andere krant zien lezen dan *The Daily Telegraph* en ze probeerde een passend grapje te bedenken om deze onverwachte verandering van politieke voorkeur te benadrukken. Zelfs nu, ontredderd door de gebeurtenissen van de afgelopen paar weken, was Foy nog iemand die mensen graag aan het lachen wilde maken. Toen zag Ali dat hij weer een artikel over Bryony en Nick aan het lezen was en ze besloot van koers te veranderen.

'Alles blijft altijd een beetje vreemd als je bij andermans gezin intrekt,' antwoordde Ali, en ze merkte tot haar genoegen dat haar nervositeit toen de vraag haar voor het eerst werd gesteld, was vervangen door iets wat leek op kalm zelfvertrouwen.

Het was haar eerste verdedigingslinie en zo dicht bij de waarheid als ze momenteel durfde te komen. Ze wendde zich half naar Foy en somde een paar opzettelijk onbeduidende voorbeelden op ter illustratie van haar status als buitenbeentje in Holland Park Crescent 94, in de hoop dat het hem zou afleiden van wat ongetwijfeld weer een vernietigend artikel over zijn dochter en schoonzoon was. Wat had het voor zin om alles te lezen wat er over hen werd geschreven, vroeg Ali zich af. Het veranderde niets. Ze werden er alleen maar somberder van.

'De hond gromt nog steeds tegen me als ik de kamer binnenkom, ik ben de enige zonder bijnaam hier in huis en als ik de telefoon opneem klinken mensen teleurgesteld,' zei ze, haar lijstje standaardantwoorden door elkaar husselend, zodat ze minder ingestudeerd zouden klinken. In de afgelopen paar weken had ze ontdekt dat ze de meest volhardende ondervrager, zelfs Bryony's jongere zusje Hester, tevreden kon stellen met een variatie op dit antwoord.

'Kom op, Ali, dat kan stukken beter,' zei Foy vermoeid. Het was een van zijn standaardzinnetjes. Een van de weinige die hij in het Engels gebruikte – *alea iacta est* en *carpe diem* waren zijn vaste favorieten. Al was het idee dat de teerling was geworpen volgens Ali volkomen in tegenspraak met het concept van het plukken van de dag. Vooral nu. Dat herinnerde haar aan een nog toepasselijker en tot nog toe onaangeboord voorbeeld van haar status als buitenbeentje: de uitdrukkingen die Foy had bedacht en die zijn hele familie had overgenomen om commentaar te kunnen geven op mensen zonder dat iemand anders begreep wat ze bedoelden. *Chesteranto*, noemde hij het.

Zo werd Nick verondersteld momenteel 'eind veertig tot vijftig' te zijn. Dat was de code voor een depressie, al leek 'depressief' een understatement voor hoe Nick zich moest voelen. Het klonk niet monumentaal genoeg. Bryony was voortdurend 'in de branding' en snauwde iedereen af die op het verkeerde moment haar pad kruiste, en de zeventienjarige Izzy beschreef een journalist die Ali onlangs aan het eind van de straat had aangesproken als 'bedreigend', wat betekende dat hij gevaarlijk aantrekkelijk was. Ali had die uitdrukkingen nog nooit gebruikt. Net zomin als Nick, iets wat nu veelbetekenend leek. Al leek zo ongeveer alles nu, door het prisma van het schandaal bezien, veelbetekenend.

'Ik weet dat je je hier meer thuis voelt dan waar dan ook,' zei Foy, de krant luidruchtig nog kleiner opvouwend, alsof dat de inhoud van het artikel op de binnenpagina minder grievend zou maken. Hij probeerde haar aan het praten te krijgen. Toch trok Ali even een gezicht bij de onmiskenbare waarheid van zijn opmerking. Ze had niet zo iemand willen worden wiens leven volkomen verweven was met dat van haar werkgever. In de tijd dat ze hier werkte, had ze daar genoeg voorbeelden van gezien. Dit soort gezinnen trok dat soort werknemers aan. Maar bij de Skinners intrekken leek op verhuizen naar een exotisch land, terugkeren naar je eigen land leek een onmogelijk vooruitzicht. Mét hen was het leven simpelweg opwindender dan zonder hen. Vooral nu.

Ali vertrok haar gezicht vooral omdat Foys opmerking haar een schuldgevoel bezorgde, aangezien ze de telefoontjes van haar ouders al meer dan een week niet had beantwoord. Er stonden zes bewaarde berichten op haar mobiel waar ze iets mee moest. Vier van haar ouders. Een van Felix Naylor en een van Mira, de Oekraïense nanny met wie ze bevriend was.

Voor het eerst sinds ze hier was komen wonen, hadden haar ouders berichten achtergelaten op het antwoordapparaat van de Skinners. Bryony had ze gisteren plichtsgetrouw voor haar afgespeeld. Ze zaten ingeklemd tussen een nietszeggend berichtje van een collega van Bryony die hoopte dat ze de storm goed doorstond en zich afvroeg wat ze haar klanten moest vertellen, en een dringender verzoek om Sophia Wilbraham te bellen, een moeder van de school van de kinderen, die iets verderop in de straat woonde. Dezelfde Sophia Wilbraham die, zo herinnerde Ali zich, bij haar onverwachte thuiskomst na een geannuleerde treinreis haar man in bed aantrof met de nanny die ze al vijf jaar in dienst hadden. Indertijd leek het alsof er geen groter schandaal kon bestaan.

Daarmee vergeleken waren de berichten voor Ali heel banaal. Het eerste en meest gênante kwam van haar moeder, die vroeg of alles goed was met haar en opperde dat ze misschien wel een poosje naar huis wilde komen tot alles overgewaaid was. Het was niet de gespannen toon in haar moeders stem waar Ali zich aan ergerde, maar het verraad dat erin besloten lag – dat ze de Skinners zou verlaten nu ze haar het hardst nodig hadden. Het tweede bericht, van haar vader, zei kalmpjes dat ze niet alles geloofden wat ze in de krant lazen en dat het fijn zou zijn om Ali's versie van de gebeurtenissen te horen. Terwijl hij gedag zei, klonk de stem van haar moeder op de achtergrond om te zeggen dat de buren vragen stelden die ze niet kon beantwoorden.

Met één wenkbrauw opgetrokken zei Bryony: 'Dat klinkt afschuwelijk. Je kunt ze maar beter terugbellen voordat de alliums uit schaamte hun kopjes laten hangen.'

Ali had willen opmerken dat het fenomeen van de naturalistische beplanting nog niet was aangeslagen in Cromer. Daar heersten nog steeds de lathyrus en de Oost-Indische kers, maar ze was er niet eens van overtuigd dat Bryony die beschrijving van haar eigen zorgvuldig aangelegde tuin zou herkennen. Vervolgens had ze Bryony willen laten weten dat hun buren in Cromer het al niet netjes vonden om hun ondergoed buiten aan de waslijn te hangen, en dat het idee dat zij haar ouders met nieuwsgierige vragen zouden lastigvallen ronduit lachwekkend was, om haar gerust te stellen. Maar Bryony luisterde al niet meer.

'Ali, je negeert me,' klaagde Foy. Ze merkte ineens dat hij weer tegen haar praatte. Ze nam zich voor om die avond haar ouders te bellen, al wist ze dat haar goede bedoelingen tegen die tijd onvermijdelijk door een nieuw drama overschaduwd zouden zijn. De collega van Bryony die deze crisis een storm noemde, vergiste zich. Een storm had een begin en een einde. Een storm ging voorbij. Hier kon je geen beschutting tegen zoeken, en hoewel Ali dacht te weten hoe het was begonnen, had ze geen idee hoe het zou aflopen.

'Wat ik probeer te zeggen, is dat jij hier op je plaats bent,' zei Foy welwillend. 'Dat is bij geen van de anderen ooit zo geweest.' Hij wees met een schaar naar Ali om zijn woorden kracht bij te zetten en vouwde toen *The Guardian* weer open om het artikel uit te knippen. Sinds de crisis besteedde Foy het grootste deel van zijn dagen in Holland Park Crescent aan het doornemen van de kranten en het doorzoeken van internet naar artikelen over Nick en Bryony. Hij las alles wat hij kon vinden over de bankencrisis en de kredietcrisis. Ali kon het niet over haar hart verkrijgen om hem te vertellen over het dikke pak gefotokopieerde artikelen van een persknipselbureau dat Bryony van de mat griste zodra het daar elke ochtend om halfzeven neerplofte.

Hij glimlachte haar hartelijk toe. Dat was tegenwoordig een zeldzaam evenement. Foy was aangeslagen door de gebeurtenissen. Zijn ogen waren waterig van berouw. Ze zochten medeleven, maar vonden dat nauwelijks. Tita, al vijfenveertig jaar zijn echtgenote, leek hem de schuld te geven van wat er gebeurd was. Zijn jongste dochter Hester kwam een paar keer in de week overdreven hulpvaardig zijn, haalde kussentjes en schonk ongewenste kopjes thee in. Het was haar manier om zwijgend te benadrukken dat Bryony, in haar ogen haar vaders lievelingetje, niet alleen eindelijk tegen de lamp was gelopen, maar in zekere zin zijn aftakeling versnelde.

'Probeer me maar niet met gevlei aan de praat te krijgen,' glimlachte Ali ondanks zichzelf.

'Dus je weet wel meer dan je vertelt,' zei Foy.

'Bewaar de analyse maar voor later,' zei Ali, weer één van Foys favoriete zinnetjes citerend.

'Misschien is er voor mij wel geen later meer,' zei Foy half spottend. 'Mijn lichaam is de strijd aan het opgeven.'

'Doe niet zo melodramatisch,' zei Ali.

'Weet je dat ik vannacht heb gedroomd dat ik weer jong was?' zei Foy. 'Dat is me in geen jaren meer gebeurd. Volgens mij is het een teken dat ik er bijna geweest ben.'

Hij liet het krantenknipsel op een stapel op de grond vallen, haalde diep adem en legde een hand op elke armleuning. Hij spreidde zijn vingers zo wijd als ze konden en klemde ze diep in de dure bekleding om grip te krijgen. Vervolgens probeerde hij zichzelf uit de stoel omhoog te hijsen. Zijn armen trilden van de inspanning en even zweefden zijn heupen boven de zitting. Binnen een paar tellen zakte hij echter met een troosteloos gezicht omlaag.

'Verrekte benen,' mompelde hij.

Ali wendde haar blik af en keek naar de tafel, omdat ze wist dat hij niet wilde dat ze de vernedering in zijn ogen las. Ze hoorde hem kreunen terwijl hij op adem kwam.

'Ik was op een feest met al mijn vrienden,' hijgde Foy, zonder aandacht te besteden aan wat er zojuist was gebeurd. 'Zij waren ouder geworden, maar ik zag er nog hetzelfde uit als toen ik begin dertig was. Er bleven maar mensen op me af komen om me te vertellen dat ik er zo goed uitzag. Julian Peterson, ken je die nog? Bryony's peetvader. Hij vertelde me alles over zijn prostaatproblemen, dat hij vier of vijf keer per nacht zijn bed uit moest om te piesen, maar dat zijn stroom tot een gedruppel was verworden. En hij zei dat de dokter de eerste was geweest die in de afgelopen vijfentwintig jaar een vinger in zijn reet had gestoken.'

'Ik kan me niet voorstellen dat meneer Peterson zoiets zou zeggen,' zei Ali ongelovig. Ze herinnerde zich de beleefde, stille man die elke zomer minstens een paar keer kwam lunchen in het vakantiehuis van de familie op Corfu.

'Nou, het was ook een droom,' erkende Foy, blij dat hij eindelijk haar volle aandacht had. 'Ik kon het ook niet geloven, want hij is maar een klein beetje minder preuts dan Eleanor en ze zijn al vijftig jaar getrouwd en ik kon me gewoon niet voorstellen dat zij dat bij hem zou doen.'

'Absoluut niet,' beaamde Ali, die zich afvroeg met welke mate van verwarring of ontzetting ze deze onverwacht intieme uitbarsting het snelst een halt zou kunnen toeroepen.

'Toen besefte ik dat het allemaal alleen maar een smoesje was om mij te overweldigen met zijn superieure medische kennis,' vervolgde Foy. 'Hij begon over een gedeeltelijke prostatectomie en hoe de dokter een resectoscoop in zijn penis stak.'

'Maar meneer Peterson is toch helemaal geen dokter?' vroeg Ali.

'Klopt,' zei Foy instemmend. 'Hij was plaatsvervangend directeur-generaal van de BBC. Maar Julian herinnert me altijd graag aan zijn superieure intelligentie en aan het feit dat ik nooit naar de universiteit ben geweest.'

'Is dat zo?' zei Ali, met haar eigen gebrek aan kwalificaties in gedachten.

'Daarna zei hij dat het hem impotent had gemaakt,' zei Foy. 'En ik kreeg een enorm gevoel van dankbaarheid, een tsunami van voldoening die door mijn hele lichaam stroomde. Want je gaat je oud voelen door het verlies van wellust, niet omdat je iemands naam vergeet, en op dat moment voelde ik me alsof ik een belangrijke slag had gewonnen.'

'En wat zei u toen?' vroeg Ali.

'Ik liep weg omdat ik Eleanor aan de andere kant van het vertrek zag,' legde Foy dromerig uit. 'Van achteren. Ze zag er prachtig uit. Haar rug was bloot. Ze droeg een citroenkleurige jurk die ik al een halve eeuw niet had gezien, zo'n modelletje uit de jaren vijftig met een wijde rok. Ik streelde met mijn vingers langs haar rug en voelde haar tegen me aan leunen. Ze had de rug van een jong meisje, als je begrijpt wat ik bedoel. Haar huid was egaal, zonder losse plooien of ontsierende moedervlekken. Ik fluisterde in haar oor dat we de trap op moesten gaan om bij al die oude mensen weg te komen.'

'Goh,' zei Ali.

'We hebben een paar jaar lang iets met elkaar gehad, als we allemaal op vakantie waren. Jaren geleden,' verklaarde Foy haastig, om verdere onderbrekingen te voorkomen. Hij wachtte niet tot Ali reageerde, in de terechte veronderstelling dat zijn rokkenjagerij alom bekend was. 'Maar toen ze zich omdraaide was haar gezicht even oud en gerimpeld als dat van alle anderen in het vertrek, behalve het mijne. Ik realiseerde me dat ik er nu niet meer onderuit kon, nu ik haar eenmaal een oneerbaar voorstel had gedaan.'

Hij zweeg even en Ali besefte dat hij weer probeerde om uit de stoel te komen. Hij sloot zijn ogen om energie te verzamelen, haalde diep adem en duwde weer omlaag op de armleuningen. Deze keer lukte het, en langzaam schuifelde hij naar de tafel waar Ali stond.

'Wat denk jij?' vroeg hij.

'Deed u het?' vroeg Ali. 'Hebt u het doorgezet?'

'Wat denk jij dat het allemaal betekent?' vroeg Foy.

'Ik denk dat Nicks therapeut er wel iets over te melden zou hebben,' zei Ali met een voorzichtige glimlach. Dit was niet het soort gesprek dat ze ooit met de vader van Bryony had verwacht te hebben. Maar de regels waren onherkenbaar veranderd sinds Felix Naylor veertien dagen geleden was binnengekomen met de waarschuwing dat er in de City geruchten gingen over Nick. Een ramp bracht mensen ertoe om meer over zichzelf te onthullen dan ze in normale omstandigheden verstandig zouden vinden.

'Ha,' zei Foy triomfantelijk. 'Ha, ha! Ik wist wel dat ik van jou iets interessants te horen zou krijgen. De vraag is, weet Bryony ervan?' Onmiddellijk besefte Ali haar vergissing en verslagen stak ze haar handen in de lucht.

'Hij is hooguit een paar keer bij haar geweest,' zei ze met tegenzin, ondertussen berekenend met hoeveel informatie Foy genoegen zou nemen en wat hij er precies mee kon doen. 'Tegen het einde, toen alles in duigen begon te vallen. Ik denk niet dat Bryony ervan afwist.'

'Waarom ging hij in therapie?' vroeg Foy.

'Heel veel mensen gaan in therapie,' zei Ali schouderophalend. 'Vooral rijke mensen. Een van Bryony's vriendinnen heeft haar therapeut zelfs meegenomen op skivakantie. Ze kon geen week zonder hem.'

'Beleggingsbankiers niet,' mompelde Foy. 'Zeker de grote bazen niet.' Hij was langzaam verder gesloft tot hij vlak naast Ali stond. Op de zijkant van zijn gezicht zag ze een plekje grijze stoppels waar het scheermes aan voorbijgegaan was. Het deed Ali denken aan scheerbeurten in een ziekenhuis of een bejaardenhuis. Zijn gezicht werd er oud en kwetsbaar door. Zijn ribbenkast rees en daalde iets te snel, omdat hij moeite had met ademhalen nu hij rechtop stond. Ali zag dat zijn overwinningsroes al snel werd overschaduwd door de vraag hoe hij deze informatie ten gunste van Bryony kon aanwenden. 'Nick is een belangrijke figuur. Het zou als een teken van zwakheid worden gezien. Men zou aan zijn oordeel gaan twijfelen. Aan de directietafel is geen plaats voor emotionele incontinentie. Daar draait het om het uitstralen van zelfvertrouwen. Niemand heeft zin om miljoenen te overhandigen aan een zwakke weifelaar.'

'Hij wist niet dat ik het wist,' loog Ali.

'Een spion in ons midden?' vroeg Foy.

'Iemand anders heeft het me verteld,' zei Ali.

'Een vriend?' vroeg Foy, op zoek naar details.

'Zoiets,' gaf Ali toe.

'Ik kan me niet voorstellen dat Nick naar een zielenknijper ging.' Foy schudde ongelovig zijn hoofd. 'Hij was altijd zo luidruchtig gekant tegen alles wat alternatief was. Mijn god, hij wilde zelfs geen kruidenthee drinken omdat hij dacht dat mensen hem slap zouden vinden.'

'Was het verhaal in uw droom waar?' vroeg Ali. Foy knikte.

'Wat gebeurde er toen?' vroeg Ali.

'Ik werd wakker omdat ik moest piesen,' lachte Foy. 'Toen ging de telefoon, en het was Julian die me vertelde dat hij niets kon doen om me te helpen de verhalen over Nick en Bryony binnen de perken te houden. Hij zei dat hij niemand meer kende bij de directie van de BBC, ook al werkt zijn zoon daar, en dat we maar het beste de gordijnen kunnen dichttrekken en hopen dat er iets ergs gebeurt in Afghanistan, zodat wij van de voorpagina's verdwijnen. Dus werd het weer een slapeloze nacht.'

Ze stonden in kameraadschappelijk stilzwijgen naast elkaar te kijken naar het tafereel op de tafel voor hen. Het deed Ali denken aan een ingewikkelde tombola. Behalve dat de voorwerpen niets willekeurigs hadden, en in plaats van goedkope zeepjes in pastelkleuren en badschuim waar je uitslag van kreeg, lagen er duur uitziende juwelen en zilverwaren die Ali nog nooit had gezien. Er lag een diamanten peervormige broche bij met een handgeschreven etiket eraan met CARTIER, ROND 1920 erop, en een Franck Muller-horloge.

'Het is een hele verzameling,' zei Foy met een frons. 'Die brengt in elk geval brood op de plank. Ze hebben de bankrekeningen bevroren. Heeft Bryony je dat al verteld?'

'Ik heb het in de krant gelezen,' zei Ali.

'Ze moeten leven van driehonderdvijftig pond in de week,' snoof Foy.

Een belachelijk idee, beaamde Ali. Ze zag dat Foy op zijn voorhoofd een ingewikkeld netwerk van horizontale en verticale lijnen had ontwikkeld. De felle strijd tussen boosheid en zelfmedelijden was erin af te lezen, dacht Ali, voordat ze haar aandacht weer op de tafel vestigde. Een streepje zonlicht dat door het raam naar binnen kroop, verlichtte een gouden armband, waarop aan elk uiteinde een groen geëmailleerde kikker zat. De kikkertjes hadden smaragden ogen en hun rug was bezet met kleine diamanten wratjes. Er lag een paar bijpassende oorbellen naast. Ali verbaasde zich erover. Bryony zou nooit zoiets opzichtigs dragen en Nick was veel te voorzichtig om zonder haar zegen zoiets exotisch voor zijn vrouw te kopen. Niet dat er nog veel mensen waren die het woord voorzichtig met Nick Skinner zouden combineren.

Ali wierp een blik op de ramen om zich ervan te verzekeren dat de gordijnen dicht waren. Vervolgens pakte ze de armband en sloot hem om haar pols, waarna ze met een vinger over de diamanten wratjes streelde. Het deed haar huiveren, net als wanneer de tweeling 's nachts met de tanden knarste of als Izzy tot bloedens toe aan het velletje rond haar vingernagels peuterde. Ze hield de armband tegen het licht en draaide haar pols heen en weer, zich afvragend wanneer iemand zoiets lelijks zou dragen.

'Neem hem maar mee, Ali. Je verdient het,' zei Foy kortaf. Ali vroeg zich af waar hij het over had en merkte toen pas dat ze naar de andere kant van de tafel was gelopen met de armband nog om haar pols. 'Ik heb hem voor Bryony gekocht bij haar verloving, maar ze heeft hem nooit gedragen. Hij komt uit de dierenserie van David Webb, een van die dingetjes die zo populair waren in de jaren zeventig. Ik dacht dat de kikker een mooi symbool was voor de eerste keer dat ik een Britse supermarkt wist te overreden om mijn gerookte zalm te gaan verkopen.' Ali keek niet-begrijpend.

'Nou, het is een waterdier,' vervolgde Foy, die Ali's stilzwijgen verkeerd begreep. 'Als ze een met diamanten bezette zalm hadden gehad, had ik die gekozen. Het was symbolisch.' Hij snapte het niet. Het was de egocentriciteit van het cadeau die haar verbaasde, het feit dat alles om hem draaide, zelfs bij de aanvang van de relatie tussen Nick en Bryony.

'Hij is waarschijnlijk rond de vijftienduizend pond waard en ik weet niet hoe jij de komende zes maanden betaald moet worden. Neem hem maar mee als salaris,' drong Foy aan. 'Of als huwelijkscadeau, voor als je eindelijk aan de man komt.'

'Ik heb geen vriendje,' zei Ali stijfjes.

'Heb jij geen vriendje?' herhaalde Foy zogenaamd onthutst.

'Mijn werk was niet bepaald bevorderlijk voor relaties,' legde Ali uit; ze merkte dat ze over haar werk praatte in de verleden tijd. 'En de armband is niet van u, dus u kunt hem ook niet weggeven.'

'Ik heb hem gekocht,' zei Foy korzelig.

'Het was een geschenk,' zei Ali vastbesloten.

'Dat is het probleem met jou, Ali,' verzuchtte Foy. 'Je bent onkreukbaar.'

'Wat probeer je weg te geven, paps?' Bryony kwam de kamer in. Ze overtrad haar eigen regels door in een paar Uggs binnen te komen banjeren en een dun modderspoor achter te laten dat zich in het hoogpolige tapijt zou werken. Haar haar was uit haar gezicht gekamd en in een slordige paardenstaart in haar nek gebonden. Een paar lokken waren al ontsnapt; het verleende haar een soort gekwetste schoonheid. De spanningen hadden Bryony van haar eetlust beroofd en ze was afgevallen. Haar groene ogen overheersten haar gezicht. Haar spijkerbroek en haar kasjmieren trui slobberden om haar heen. Zonder make-up zag ze er nog breekbaarder uit dan anders. Het was moeilijk te geloven dat ze al zesenveertig was.

Bryony droeg geen werkkleding meer, al stond ze nog steeds eerder op dan iedereen om haar e-mail te checken en een tijdje op de loopband te stampen, voordat ze met haar kinderen ging ontbijten. Tegen Ali benadrukte ze hoe belangrijk routine was, en ze wees erop dat Winston Churchill gedurende de hele Tweede Wereldoorlog elke ochtend om precies dezelfde tijd was opgestaan, hetzelfde ontbijt had genoten en de kranten in dezelfde volgorde had gelezen, alvorens in zijn bunker te verdwijnen.

'Ik bemoei me met Ali's welzijn voor het geval ze buiten de boot valt.' Ali maakte de armband meteen los en legde hem behoedzaam naast de oorbellen. 'Waarom verkoop je deze tafel niet?'

Bryony gaf geen antwoord.

'Je zou deze tafel moeten verkopen,' drong Foy aan. 'Het is toch een Jupe? Die moet aardig wat waard zijn.'

'Nick heeft hem gekocht toen we tien jaar getrouwd waren,' zei Bryony, met een beschermend gebaar het glanzende tafelblad strelend. 'Er zijn er maar een paar van deze maat in Europa.'

'Ik denk niet dat je de komende jaren een erg populair adres zult zijn voor dinertjes,' zei Foy. 'Als je deze tafel verkoopt, maak je genoeg cash vrij voor de hypotheek van de komende zes maanden, dat is dan één ding minder om je zorgen over te maken.'

'Bemoei je er niet mee, pap,' zei Bryony ferm.

'Ik probeer gewoon praktisch te zijn,' zei Foy, zich omdraaiend om de afstand te berekenen die er nu tussen hem en de fauteuil was ontstaan.

'De tafel blijft staan,' zei Bryony vastbesloten. 'Ik wil hem houden voor als Nick thuiskomt.'

'De spiegels dan?' Hij wees naar een paar achttiende-eeuwse Italiaanse vergulde spiegels aan weerszijden van de haard. 'Daar zou je een goede prijs voor kunnen krijgen.'

De avond tevoren had er al een verhitte discussie gewoed over de tafel, al was toen de locatie en niet de waarde ervan het onderwerp geweest. Bryony had gezegd dat de antiekhandelaar de voorwerpen absoluut in natuurlijk daglicht moest zien en dat de tafel daarom naar de andere kant van de kamer moest worden verschoven, evenwijdig aan de ramen, die van de vloer tot het plafond reikten en uitkeken op Holland Park Crescent.

Haar zus Hester protesteerde heftig tegen het idee om de tafel dichter bij de glurende lenzen van de fotografen te zetten, die zich van tijd tot tijd met hun keukentrapjes aan de overkant van de halvemaanvormige straat verzamelden. Zelfs een dergelijke minieme verandering kon hen een nuttige nieuwe invalshoek voor een artikel bezorgen, vooral als ze met hun telelenzen precies konden oppikken wat er op de tafel lag. Ze hadden allemaal gewacht tot ze uitgepraat was. Hester had haar mening wel wat samenhangender kunnen verwoorden, maar ze was niet noodzakelijkerwijs helemaal objectief. In dezelfde ademtocht vertelde ze iedereen dat het probleem met het bezit van het grootste huis aan een van de duurste straten in Londen – naast het vanzelfsprekende pr-probleem in de huidige situatie – vooral de locatie in het midden van de halve cirkel was, die fotografen zo'n geweldige breedbeeldoptie bood.

'Als je nou onderwijzeres was en in mijn straat in Stoke Newington woonde, was alles natuurlijk veel eenvoudiger,' had Hester opgemerkt, waarmee ze lucht gaf aan een van haar duurzamere verwijten.

'Als ik onderwijzeres was in Stoke Newington, stonden er geen fotografen buiten,' antwoordde Bryony droogjes. Foy had gelachen, en zo Bryony tot winnaar uitgeroepen.

'Wat vind jij, Ali?' had Foy gevraagd. Een van de weinige verdiensten van de huidige crisissituatie was dat mensen Ali naar haar mening vroegen. In het begin veronderstelde ze dat het een tactiek was om te zorgen dat zij hen niet in de steek zou laten zoals Malea, de Filipijnse huishoudster die de bui had zien hangen en op Dag Drie was overgelopen naar een gezin op de school van de tweeling. Toen dacht ze dat het kwam omdat ze een onpartijdige toeschouwer was van de crisis die zich voor haar ogen afspeelde, en dat haar mening daarom waardevol was. Pas gisteren, na de discussie over de tafel, had ze begrepen dat ze door haar aanwezigheid een gesprek konden vermijden over het enige onderwerp dat werkelijk het bespreken waard was: klopte het allemaal wat de kranten over Nick beweerden?

Na een paar minuten had Ali Bryony gelijk gegeven. Niet omdat dat gemakkelijker was - onenigheid met Hester was veel lastiger - maar omdat ze nu eenmaal gelijk had. Ze merkte op dat de meeste foto's na de middag werden genomen, als de zon de fotografen niet langer verblindde. Daarom bood ze aan om te zorgen dat de gordijnen halfgesloten bleven en zo te verhinderen dat iemand zou zien wat zich de volgende ochtend in de eetkamer afspeelde.

Dat betekende voornamelijk beletten dat de zevenjarige tweeling, Hector en Alfie, de gordijnen openschoof. Sinds het schandaal twee weken geleden was losgebarsten, verlangde de tweeling ernaar om gefotografeerd te worden, zodat hun foto in de krant zou komen en ze hun schoolvriendjes konden laten zien hoe beroemd ze waren. Ali had niet de moed hun te vertellen dat het een zinloze exercitie was, omdat ze waarschijnlijk in september niet meer naar hun school in Kensington zouden terugkeren en ze in de kom-je-bij-me-spelenpoule toch al naar de laagste divisie waren afgezakt.

Foy had hun plan daarentegen aangemoedigd. Hij hielp de jongens met het opstellen van ingewikkelde strategieën om stiekem de eetkamer in te glippen en zich onder de meubels te verschuilen tot het vertrek leeg was en ze zich in het zicht van de ramen konden opstellen. Hij kocht Commando-stripboeken uit de Tweede Wereldoorlog voor hen en keek ter inspiratie samen met de jongetjes naar *The Great Escape*. Hij moedigde hen aan om in het hele huis voorraden op te slaan.

Daarom trof Ali rottende klokhuizen en koekjesverpakkingen aan onder de hoge walnoothouten ladekast en lege pakken sinaasappelsap tussen de kussens van de stoelen. Bryony kon het niet schelen. Ze regelde een binnenhuisarchitect als een van de kamers veranderd moest worden, en had verder slechts een functionele belangstelling voor haar omgeving. En hoewel Ali de rol van vijand vervulde in het spel van de tweeling, was ze eerder een dubbelagent, want het fleurde haar op dat zij vrolijk speelden en afgeleid werden van de crisis. Dat compenseerde voor alle nachten dat ze boven in het huis bij haar in bed kropen, en voor alle ochtenden waarop ze tussen drijfnatte lakens wakker werd.

De twee oudere kinderen waren lastiger. In het begin had Izzy's telefoon voortdurend gebeefd van belangstelling. Haar opwinding over het feit dat ze het middelpunt van de aandacht was, nam al snel af toen de implicaties van wat er gebeurde tot haar doordrongen. Vaak vond Ali haar aan de keukentafel, waar ze de krantenartikelen over haar ouders zat te lezen. Al snel beantwoordde ze geen sms-berichten meer. Ali spoorde haar aan om naar haar vriendinnen te gaan, maar Izzy zag ertegenop om tussen de fotografen bij de voordeur door te moeten rennen, voor het geval ze een onflatteuze foto van haar zouden nemen.

Jake was een heel ander verhaal. Sinds hij thuis was gekomen van de universiteit, liep hij in en uit wanneer het hem uitkwam. Behalve Ali leek niemand te merken wat hij uitvoerde. Hij had niet meer over zijn vader gesproken vanaf het moment dat de eerste artikelen in de krant verschenen. Eén keer was ze Jake tegengekomen op de trap, toen zij opstond met de tweeling en hij onderweg was naar bed. Onvast stond hij midden op de overloop.

'Hij heeft het gedaan, Ali,' zei Jake, en hij greep haar arm zo stevig vast dat ze het bloed kon zien wegtrekken waar zijn vingers om haar polsen geklemd zaten. Ali maakte zijn hand los.

'We weten niets zeker,' probeerde ze hem te troosten.

'Hij was al nooit eerlijk,' hield Jake vol. 'Dat weet je.'

'Hij heeft mij altijd goed behandeld,' zei Ali.

'Je bent al net zo verblind als de rest,' fluisterde Jake.

Hoe zou ze tweeling vandaag eens bezighouden, vroeg Ali zich af. Ze moest ze het huis uit zien te krijgen. De naaste buren hadden zich eerst bereid getoond hun veilige doorgang te verlenen door hen over de tuinmuur, door hun souterrain en via hun voordeur incognito Holland Park in te laten vluchten. Een paar dagen geleden was de ladder aan hun kant van de muur echter op mysterieuze wijze verdwenen.

Bryony vermoedde dat de Darkes de drijvende kracht waren achter een in de buurt verspreide anonieme folder met de eis dat de Skinners met hun 'mediacircus' naar hun buitenhuis moesten verdwijnen. Het idee dat zij de pers onder controle kon houden maakte Bryony aan het lachen. 'Klanten betalen me honderdduizenden ponden om dat te doen,' had ze Ali gisteren verteld, 'en sommige van de lui die deze verhalen schrijven ken ik al bijna twintig jaar. En toch heb ik geen invloed op wat ze over mijn eigen gezin neerpennen. Vind je dat niet ironisch?' Ali had het hart niet om te zeggen dat het huis in Oxfordshire nog steeds niet bewoonbaar was, zelfs niet na een jaar lang verbouwen.

'Ali, heb jij enig idee hoe ze hieraan zijn gekomen?' Ali werd zich ervan bewust dat Bryony weer tegen haar praatte. Ze schrok op toen Bryony haar over de tafel een krant toeschoof, die op de vloer belandde.

'Je zou je moeten beklagen. Je fotocredit is zo klein dat je naam nauwelijks te lezen is,' zei ze. Ali raapte de krant van de vloer. Het duurde even voordat ze de foto herkende, omdat ze het origineel in kleur had genomen en deze in zwart-wit was afgedrukt: het was een foto van de hele familie in Corfu, afgelopen zomer.

'Absoluut geen idee,' zei Ali. Ze keek naar de tafel links van de eetkamerdeur en zag een lege plek waar de foto had gestaan.

'Iemand moet hem hebben gestolen,' zei Foy met een ongelovig schouderophalen. 'Dit is mijn Conrad Black-moment,' lachte hij, zo hard dat hij er benauwd van piepte. 'Alleen ben ik gekleed als een Griekse boerin, niet als kardinaal Richelieu.'

De foto was onderdeel van een ingewikkelde grap die Foy op een middag na een lange lunch tijdens hun zomervakantie in Griekenland had bedacht. Hij had onlangs een olijfboomgaard van acht hectare gekocht ter ere van zijn pensionering en grapte dat hij herenboer ging worden. De olijfbomen produceerden genoeg olie voor ongeveer honderd literflessen en Foy wilde een foto waarop iedereen verkleed was als een Corfiotische boerenfamilie om op de etiketten van de flessen te drukken, omdat het zijn vrienden zou amuseren.

Indertijd had het een geïnspireerd idee geleken. Hij had een lange zwarte rok, schort en omslagdoek geleend van de Griekse kokkin. Ali had de tweeling overgehaald zich in traditioneel Grieks kostuum te hullen, geen geringe prestatie want daar kwamen korte plooirokjes en lange witte maillots aan te pas. De rest droeg zwarte broeken en overhemden.

Foy had zijn ene arm om Tita heen geslagen, die met een uitgestreken gezicht naast hem stond, en de andere om Hester. Haar man, Rick, was nergens te bekennen. De tweeling zat aan hun voeten met een jampot waar een paar dode krekels in zaten in hun handen. Aan het einde van de rij, naast Jake en Izzy, stonden Bryony en Nick. Nick trok Bryony naar zich toe, weg van de rest van haar familie, in de richting van een paar kippen die het tafereel binnen zwierven. Arme Nick, dacht Ali, hij maakte geen schijn van kans. Naast de foto stond een afbeelding van Foys Olijfolie. En daarnaast een foto van Foys jacht, *De dreiging*, aangelegd bij het rotsige strand aan de voet van het landgoed.

CLASSIC CHESTERON EXTRA VIRGINE stond erop. Eronder stond in kleinere letters SUPERIEURE OLIJFOLIE, DIRECT VAN OLIJVEN EN UITSLUITEND MECHANISCH GEPERST. ZUURGRAAD 0,1-0,8%.

'Met al die publiciteit kan ik de olijfolie op eBay voor een fortuin verkopen, denk je niet, Ali?' vroeg Foy. 'Onze beruchtheid geeft er vast een zeker cachet aan.'

'Maak je geen zorgen om geld, pap,' zei Bryony bestraffend. 'Nick zorgt wel dat alles in orde komt.'

'Als wat ze over hem zeggen waar is, gaat hij misschien wel de gevangenis in,' zei Foy ferm.

'Hij heeft een goede advocaat,' zei Bryony. 'En de FSA, de financieel toezichthouder, heeft een heel slechte naam wat vervolgingen betreft. Je moet niet alles geloven wat je leest.'

'Als hij het niet heeft gedaan, waarom heeft hij dan een verdwijntruc uitgehaald?' vroeg Foy.

'Hij is zichzelf niet,' zei Bryony, en ze keek Foy aan met een staalharde blik waardoor ze precies op hem leek. 'En hij denkt dat zij wel zullen verdwijnen als hij niet in de buurt is.'

Ze maakte een gebaar naar het raam en naar de overkant van Holland Park Crescent, waar de journalisten en paparazzi zich bijna elke ochtend verzamelden.

'Wanneer heb je hem voor het laatst gesproken?' vroeg Foy.

'Een paar dagen geleden,' antwoordde Bryony vaag.

'Weet je waar hij is?' vroeg Foy. Bryony haalde haar schouders op.

'Zijn verdwijning is het verhaal geworden,' zei Foy, waarmee hij precies echode wat Ali dacht.

'Ik wil het nieuws zien,' zei Bryony, haar vader negerend. Ze zette de televisie aan die na Malea's vertrek vanuit de keuken naar de eetkamer was verplaatst. Onmiddellijk verscheen *Bloomberg News* op het scherm. Een financieel verslaggever die als gast op hun meest recente kerstborrel was geweest, praatte over de bank waar Nick werkte. Bryony zette de televisie harder en maande Foy en Ali tot zwijgen.

'Liquiditeitscrisis... Aandelen zakken met twaalf procent... onrustige beleggers... blootstelling aan *subprime*...' Het afgelopen jaar had Ali onder het dak van de Skinners genoeg gesprekken beluisterd om te weten dat het allemaal geen goed nieuws was en dat het iets met Nick te maken had.

'Waar heeft ze het over?' vroeg Foy aan Bryony, naar het scherm wijzend.

'Er gaan geruchten dat PIMCO geen zaken meer wil doen met Lehman Brothers,' zei Bryony.

'Wie?'

'De grootste obligatiebelegger ter wereld wil geen zaken meer doen met Lehman,' zei Bryony kortaf.

'Wat betekent dat?' vroeg Foy.

'Dat ze genaaid zijn,' zei Bryony.

Ali ging dichter bij Bryony en Foy staan. Dit was vast het moment waarop de glazig kijkende verslaggeefster eindelijk zou onthullen wat Nick precies geacht werd te hebben uitgevoerd. Tegen de tijd dat Ali naast Foy stond, was de verslaggever echter al overgeschakeld naar een paar onwaarschijnlijk genaamde Amerikaanse hypotheekverstrekkers die geen kapitaal meer hadden. Freddy Mac en Fannie May. Klinkt als een stelletje pornosterren, dacht Ali.

'Dat zou goed nieuws kunnen zijn,' zei Foy hoopvol. 'Het kan de aandacht afleiden van Nick.'

'Of hem midden in de storm zetten,' zei Bryony. 'Vergeet niet dat hij nog steeds voor Lehman Brothers werkt.'

'Weet je dat "krediet" van het Latijnse woord voor "geloven" komt?' zei Foy plotseling. 'Ik vraag me af of Nick dat wist.'

2

Felix Naylor zat te wachten aan een tafeltje in de hoek van het café. Hij was vroeg, wat Ali eerder als een teken van agressie opvatte dan beleefdheid. Hij wilde de touwtjes in handen hebben. Toen Ali aan kwam lopen keek hij op en schonk haar een snelle glimlach, legde zijn krant op de vloer en schoof de stoel naast hem achteruit. Er klonk muziek. *Noah and the Whale*.

Het café zat vol studenten. Het was een goede keus, vond Ali. Ze wist uit ervaring dat er geen zelfzuchtiger volk was dan jonge studenten. Niemand zou enige belangstelling voor hen hebben. En met zijn T-shirt, spijkerbroek en artistiek verwarde haardos ging Felix op in de omgeving, op een manier die voor iemand als Nick onmogelijk zou zijn geweest.

Ali ging zitten en keek om zich heen. Tegenover haar bekeek een jongen een sms-bericht en vroeg aan zijn vriend of het feit dat het meisje met meerdere kussen had ondertekend, betekenisvoller was dan als ze er maar eentje had gebruikt. En of het van belang was dat de kussen in hoofdletters waren. De vriend keek onverschillig. Hij wilde zich niet mengen in een plotlijn die kennelijk al veel te vaak was besproken.

Aan de buurtafel bespraken een jongen en een meisje ernstig of Robinson Crusoe symbool stond voor het individualisme dat tot de opkomst van het kapitalisme had geleid. 'Wisten jullie dat Daniel Defoe in zijn boek over reizen in Groot-Brittannië verslag deed van tweehonderd schepen die uit Great Yarmouth vertrokken en zonken in de Duivelsmuil?' wilde ze vragen. 'En dat Robinson Crusoe op zijn eerste reis schipbreuk leed voor de oostkust van Engeland? Dat kan zijn inspiratie zijn geweest.'

Een paar jaar eerder zou ze zich volkomen ongedwongen in de discussie hebben gemengd. Nu leek het onvoorstelbaar dat ze er ooit aan had kunnen deelnemen. Ze legde een hand op tafel om haar evenwicht te hervinden, dankbaar voor de vastigheid en de duurzaamheid van het dikke eikenhout, eigenschappen die in haar eigen leven momenteel ontbraken.

Het was moeilijk geweest om het huis te verlaten, want zolang ze binnen was, had Ali het idee dat haar leven onweerlegbare waarheden kende. Ze was zowel geliefd als verliefd. Ze was onmisbaar. Ze was getuige van een gebeurtenis van historisch belang, of in elk geval was ze ongewild betrokken bij nieuws dat het hele land bezighield. Maar zodra ze een voet buiten de deur zette, werd dat alles vervangen door een duizelingwekkende onzekerheid omdat ze er gewoon van kon weglopen, zonder dat iemand haar achterna zou komen of haar afwezigheid zelfs maar zou opmerken.

'Ben je gevolgd?' vroeg Felix, die haar nervositeit aanvoelde maar zich in de reden vergiste.

'Ik ben alleen maar de trouwe nanny,' zei Ali schouderophalend. 'In mij zijn ze niet echt geïnteresseerd.' Als een postscriptum voegde ze er 'gelukkig' aan toe, voor het geval het klonk alsof ze teleurgesteld was over het gebrek aan aandacht. In feite was er een ondernemende tabloidverslaggever met haar meegelopen tot het einde van de straat, aandringend op informatie over de gebeurtenissen achter de gesloten deuren van Holland Park Crescent. In navolging van Bryony's instructies had ze haar hoofd omlaag en haar mond stijf dicht gehouden, tot hij het ten slotte had opgegeven.

Aan de telefoon had Felix niet gezegd waarover hij haar wilde spreken. Ali veronderstelde dat het eigenbelang was. Hij was journalist. Zij was een bron. Ze verdacht hem er zelfs van dat hij de foto had weggenomen die in de krant van vandaag stond. Ze had in de afgelopen maand genoeg tabloids gelezen om te weten dat iedereen die iets met de Skinners te maken had, potentieel omkoopbaar was.

De personal trainer die de afgelopen twee jaar elke dag aan huis kwam, had een verhaal verkocht over Bryony's schoonheids- en gezondheidsrituelen, inclusief de driemaandelijkse koffieklysma's en chemische peelings. Malea was geïnterviewd in een stuk over het leven en de stijl van bankiersechtgenotes, waarin niet werd vermeld dat Bryony zelf een uitermate succesvolle carrière had. De wekelijkse bezorgde merkkleding en accessoires van Net-à-Porter werden wel vermeld, net als de schilder die elke maand de vingerafdrukken op de muren kwam overschilderen in een kindonvriendelijke tint wit, en het feit dat Bryony na haar bevalling in het Portland-ziekenhuis meer dan duizend pond had uitgegeven aan een fotoalbum van de pasgeboren tweeling. Gelukkig verdiende de naamloze inwonende nanny die tevens dienstdeed als mentor van de kinderen slechts een kort zinnetje aan het slot.

Daarna stond in een weekendbijlage een artikel waarin een 'vriend van de familie' werd geciteerd die de Skinners beschreef als 'een gezin dat op de rand van de afgrond leefde'. Elk gezin leefde op de rand van een afgrond, dacht Ali terwijl ze het artikel vluchtig doornam. Er stonden insinuerende anekdotes in over feesten die Jake en Izzy bijgewoond zouden hebben waar minderjarige seks en verdacht drugsgebruik plaatsvonden. Er stond een foto in van Izzy op haar magerst en weer die foto van een blowende Jake in de tuin van zijn studentenhuis in Oxford. De zogenaamde 'vriend van de familie' suggereerde ook dat Nick belangstelling had voor jongere vrouwen. In de volgende zin werd verteld dat een van zijn naaste vrienden een verhouding had met de zeventwintigjarige nanny van zijn kinderen. Foy werd beschreven als een 'feestbeest', een eufemisme voor tal van zonden.

'Hoe is het met Bryony?' vroeg Felix.

'Gaat wel.'

'En de kinderen?'

'Het is natuurlijk moeilijk, maar ze houden zich goed.'

'Je weet dat Bryony een oude vriendin van mij is?'

'Ik weet dat jij met haar ging voordat ze Nick ontmoette.' Er kwam een serveerster die Ali een kop thee bracht.

'Ik heb haar aan Nick voorgesteld.'

'Ik geloof dat ik dat al wist.'

'Ik wil openhartig met je praten, Ali,' zei Felix met een ernstig gezicht.

'Ik ben niet te koop.'

'Wat denk je dat ik van je wil?'

'Ik denk dat je mij informatie wilt ontfutselen die jij kunt gebruiken om meer kranten te verkopen,' zei Ali. 'Ik denk dat je gebruik wilt maken van je relatie met de Skinners om je eigen belangen te bevorderen en tegelijkertijd snel geld te verdienen. Of je wilt me overreden om mijn kant van het verhaal aan de hoogste bieder te verkopen.'

'Ik ben Max Clifford niet,' protesteerde Felix, zo driftig in zijn thee roerend dat het over de rand van het kopje in het schoteltje klotste en op de voorkant van zijn T-shirt spetterde. Hij leek het niet te merken.

‘Zulke artikelen schrijf ik niet eens. Ik doe financieel nieuws, de economie, zaken, de aandelenmarkt. Ik werk voor een kwaliteitskrant, niet voor een tabloid.’

‘De foto van hen die ik in Corfu had gemaakt, verkleed in Griekse kostuums, stond anders in jouw krant,’ zei Ali beschuldigend. ‘Jullie zijn allemaal hetzelfde.’

‘Ik heb die foto niet gestolen,’ ontkende Felix. ‘Heel veel kranten hadden hem.’

‘Hoe weet je dan dat hij weg is?’ vroeg Ali boos.

‘Omdat Bryony me dat heeft verteld,’ zei hij. ‘Luister, ik weet dat het momenteel moeilijk is om te weten wie je kunt vertrouwen en ik vraag je niet om mij te vertrouwen. Wat ik wil weten, is of ik jou kan vertrouwen.’

Ali keek hem fronsend aan. Hij had een van die eeuwig jonge gezichten waar de rimpels achteraf op leken te zijn getekend door een kleuter, bij wijze van grap. Hij had blozende wangen, eerder van de drank dan van de frisse lucht, dacht Ali, en hij had een bijna meisjesachtig gevormde mond in dezelfde tint als zijn wangen. Hij had een bijna gênant openhartig gezicht, alsof hij een kinderlijke onschuld had bewaard die het onmogelijk maakte om hem van iets achterbaks te verdenken. Hij leek ontworpen om er zo onvervaarlijk mogelijk uit te zien. Als iemand die gewend was andermans geheimen te bewaren. Ali herkende een verwante geest.

‘Dit is geen truc. Ik ben niet zo ingewikkeld. Als ik machiavellistischer was, was ik misschien wel met Bryony getrouwd,’ zei hij, haar gedachten lezend. ‘Maar ik heb je alleen maar gevraagd om te komen omdat ik nog steeds om haar geef.’

‘Ik weet niet hoe ik je kan helpen.’

‘Begrijp je wat er aan de hand is? Begrijp je waar Nick van beschuldigd wordt?’

‘Ik geloof dat hij wordt beschuldigd van corruptie en dat zijn financiën worden onderzocht door de toezichthouder op de financiële markten en dat het allemaal te maken heeft met wat er momenteel bij al die banken gebeurt.’

‘Een goede samenvatting.’ Hij zweeg even. ‘Weet je dat er in Londen allerlei geruchten rondgaan over Bryony en Nick? Er zijn mensen aan het graven naar verhalen. Op zoek naar lijken in de kast.’

'Wat voor verhalen?'

'Ze proberen erachter te komen hoe dit allemaal heeft kunnen gebeuren. Heb jij een theorie? Wat kan een man ertoe hebben gebracht om zo'n rampzalige reeks beslissingen te nemen, zo in tegenspraak met zijn fundamenteel voorzichtige aard? Heb jij gemerkt dat er iets mis was? Leek hij op wat voor manier dan ook uit zijn evenwicht?' Ali zette haar elleboog op tafel en legde haar hand op haar kin, haar meest bedachtzame pose aannemend.

'Alles blijft altijd een beetje vreemd als je bij andermans gezin intrekt,' begon ze. Felix stak zijn hand op.

'Dat klinkt als een ingestudeerd antwoord. Als dat het enige is wat je me te bieden hebt, kan ik net zo goed meteen opstappen. Begrijp je wel hoe ernstig dit allemaal is?'

'Luister eens, soms vind je iets raar om de verkeerde redenen. Wat ik bedoel is dat je instinct wel correct kan zijn, maar je conclusies niet. En je moet niet vergeten dat ik uit een heel andere wereld kom, dus de dingen die ik raar vond, kunnen voor iemand van hun afkomst wel volkomen logisch zijn.'

'Ik wil helemaal oprecht tegen je zijn, Ali, want jij bent de enige die in de positie is om me te helpen.' De groeven in het gezicht van Felix verdiepten zich tot hij er zo ongerust uitzag dat Ali vreesde dat hij op het punt stond om te gaan huilen.

'Wat is er dan?' vroeg Ali.

'Ze zeggen dat Nick niet alleen handelde.'

Hij keek haar doordringend aan en Ali realiseerde zich dat hij in haar gezichtsuitdrukking zocht naar een antwoord op zijn vraag.

'Wat bedoel je?'

'Het eerste onderzoek heeft een paar interessante aanwijzingen opgeleverd die erop wijzen dat Bryony er ook bij betrokken moet zijn geweest. Nick had toegang tot informatie die alleen Bryony kon hebben. Begrijp je wat dat betekent?'

'Niet echt.'

'Dat betekent dat Bryony een verdachte wordt. En als ze schuldig wordt bevonden, zou ze weleens naar de gevangenis kunnen gaan.' Hij boog zich voorover en greep haar arm. 'Ik geloof niet dat ze zoiets overmoedigs heeft kunnen doen.'

'Ik weet niet hoe ik kan helpen.'

'Vertel me alles, Ali, echt alles wat je hebt gezien bij de Skinners thuis. Zelfs details waarvan je denkt dat ze niet belangrijk zijn. Ik zal proberen alles in elkaar te passen en misschien kan Bryony nog gered worden, zelfs als Nick wordt veroordeeld. We kunnen elkaar een paar keer per week ontmoeten, zodat jij me jouw kant van het verhaal kunt vertellen.' Hij zweeg weer even om haar de tijd te geven zijn voorstel te laten bezinken. 'Er is nog iets wat je moet weten. Er zijn mensen die suggereren dat jij en Nick iets met elkaar hadden. Dat jij zijn oordeel negatief beïnvloedde, en dat zij hem hielp in een laatste poging om hun huwelijk te redden.'

Ali deed haar mond open om iets te zeggen, maar het leek wel alsof zijn woorden haar adem hadden doen stokken. Ze bewoog haar lippen, maar produceerde geen geluid.

'Je hoeft je tegenover mij niet te rechtvaardigen. Ik wil je alleen laten weten dat je moet oppassen. Je wordt niet meer gezien als een onschuldige toeschouwer. Je bent een prooi geworden, en ik ben een van de weinigen die je kan beschermen.'

Hij haalde een notitieblok en een bandrecorder uit zijn zak.

'Zullen we nu beginnen?'

3

Augustus 2006

De vacature stond achter in *The Spectator*. Verborgen tussen de rubrieksadvertenties. Discreet lettertype. Misschien Times New Roman. Geen opvallend kader.

> 'Moderne Mary Poppins gevraagd om voor een druk Londens gezin te zorgen. Universitaire graad vereist. Rijbewijs zonder aantekeningen. Reislustig. Werkervaring met kinderen gewenst. Loyaliteit en discretie essentieel.'

Aan de eetkamertafel van het huis van de Skinners in Londen herlas Ali de fotokopie van de advertentie die Bryony daar had laten liggen en overwoog wat de volgorde van de lijst van vereisten zou kunnen betekenen. Tijdens het lezen draaide ze knopen in haar haar, uit bezorgdheid over eventuele verborgen aanwijzingen die ze niet had gezien. Ze verschoof ongemakkelijk in haar stoel, sloeg één been over het andere en zette het meteen weer op de grond, omdat ze merkte dat de grijze wollen rok die ze voor het sollicitatiegesprek had geleend van haar veel kleinere flatgenoot omhoogkroop langs haar dijen, zodat de achterkant van haar benen onbehaaglijk aan de leren zitting van haar stoel kleefde. Ze probeerde zich voor te stellen welke eigenschappen de Skinners niet zouden willen zien in een nanny en schoof de zoom naar haar knieën, blikte toen omlaag naar haar zwarte bloes en sloot het bovenste knoopje. 'Geen wraakzuchtige flirt. Geen decolleté. Geen anorexia.'

Ze haalde een spiegeltje uit haar linnen tas en controleerde haar make-up. Een paar dagen geleden had ze haar haar kastanjebruin geverfd en ze herkende zichzelf amper. Nu leken haar wenkbrauwen veel te licht. Ze likte aan een vinger en streek ze glad om ze een paar tinten donkerder te maken. Misschien leek het wel alsof je iets te verbergen had als je je haar verfde voor een sollicitatiegesprek, bedacht Ali. Maar eigenlijk was ze tevreden over wat ze zag. Het haar paste bij haar amandelvormige bruine ogen en contrasteerde mooi met haar blozende huid.

Ze dacht aan het advies van haar vriendin toen ze gisteravond laat een goedkope fles wijn deelden aan de tafel van hun flat in het centrum van Norwich. Rosa probeerde haar nog steeds over te halen zich in te schrijven bij *Sugar Daddies.* Ze had Ali de website laten zien om haar ervan te overtuigen dat elke paar maanden voor vijfhonderd pond met een succesvolle man van middelbare leeftijd naar bed gaan minder vernederend was dan een baantje als nanny aan te nemen.

'Soms willen ze alleen maar met je eten,' zei Rosa. 'Natuurlijk zijn ze oud genoeg om je vader te zijn, maar meestal zijn ze vriendelijk en vrijgevig. En als je er eentje echt niet aantrekkelijk vindt, hoef je het niet te doen. Je hebt het helemaal zelf in de hand.'

In een felle, door de wijn aangewakkerde discussie bespraken ze of je lichaam verkopen voor seks een acceptabele postfeministische oplossing was voor het probleem van de studiefinanciering. Rosa, die het jaar daarvoor met twee mannen mee was geweest, vond van wel.

'Ooit zijn wij die veertigers die getrouwd zijn met dat soort mannen,' had Ali gezegd. 'Stel je voor dat je je vader tegenkwam op die website.'

'Het is gewoon een transactie,' zei Rosa.

'Het is een vorm van prostitutie,' zei Ali. Even keek Rosa onthutst.

'Nou, neem die baan in elk geval niet als de vader ook maar enigszins wellustig kijkt,' zei Rosa opgewekt.

Pragmatisch als altijd, zei Maia dat Ali moest vragen of er wel huishoudelijke hulp was, anders moest ze straks op vier kinderen passen en ook nog wc's schoonmaken. Tom raadde haar aan om weifelend te kijken, ongeacht het salaris dat haar geboden werd. Rosa, die uit een vroeger gegoede familie kwam, adviseerde haar om niet verliefd te worden op haar werkgever en vertelde over nanny's die het stockholmsyndroom hadden opgelopen en zelfs de verschrikkelijkste gezinnen niet meer konden verlaten. Hoewel ze er niet op doorging, was het duidelijk dat ze het over zichzelf had, want haar oude nanny woonde nog steeds bij hun thuis. Om twee uur 's ochtends had Ali vastberaden gemeld dat ze naar bed ging, omdat ze over acht uur op haar sollicitatiegesprek in Londen moest zijn.

Ali keek nog eens naar de advertentietekst. De universiteit en het rijbewijs waren natuurlijk gebruikelijke beroepskwalificaties. Vakjes die aangekruist of leeg gelaten konden worden. Het ging om de rest. Maar betekende het iets dat discretie als laatste werd genoemd, terwijl dat toch duidelijk een belangrijkere eigenschap was dan reislustigheid? Waren loyaliteit en discretie eigenlijk hetzelfde? Waarom vroegen ze niet om een niet-roker? Ze beklopte haar zak en voelde de geruststellende omtrek van een pakje Silk Cut. En waarom Mary Poppins, en niet Jane Eyre?

Eigenlijk maakte het allemaal niet uit, want Ali struikelde al bij de eerste hindernis: ze was niet afgestudeerd. Nog niet. Maar als dat een dealbreker was geweest, was ze vast niet door de eerste twee sollicitatierondes gekomen. Ze kon een brief over het onderwerp zien zitten in een doorzichtige plastic map waar ALI SPARROW NR. 5 op stond. Die lag boven op een stapel papieren naast het koffertje dat Bryony open had laten staan toen ze twee minuten na aanvang van het interview van tafel opstond om een telefoontje af te handelen, met een geluidloos 'Sorry, deze moet echt even,' terwijl ze het vertrek verliet.

'De evaluatie van de journalist is correct, dus ik weet niet of Merrill Lynch er veel aan kan doen,' had Bryony in de telefoon gezegd. 'Wat mij niet helemaal duidelijk is, is wie Felix Naylor die cijfers heeft gegeven. Je weet hoe lek Goldman Sachs is.'

Toen ze bij de deur was, schatte Bryony met een snelle blik van Ali naar het openstaande koffertje Ali's betrouwbaarheid in. Vervolgens trok ze de deur stevig achter zich dicht. 'Ik bel Felix wel even om het de kop in te drukken. Hij kan mij citeren als een bron die bekend is met de situatie.'

Allemaal erg spannend en raadselachtig. Ali was eerder gevleid dan beledigd dat Bryony haar buiten gehoorsafstand wilde hebben. Het gaf haar het gevoel dat ze ertoe deed. Alsof ze inderdaad iets belangwekkends kon horen en echt zou begrijpen waar ze het over had. Onder studenten was privacy een onbekend concept, bedacht Ali. De enige keer dat zij een vertrek uit liep vanwege een telefoongesprek was als haar ouders opbelden over haar zus, want ook al was het nieuws altijd hetzelfde – Jo was weggegaan of Jo was thuisgekomen – Ali's moeder wilde niet dat iemand hun gesprekken afluisterde.

Ali vond de manier waarop Bryony's hele houding was veranderd toen ze de telefoon aannam intrigerend. Onder het praten stond ze van de tafel op, rechtte haar schouders verschillende keren en stak haar kin vooruit, alsof ze probeerde een laagje huid af te werpen. Haar bleke huid bloosde niet en haar golvende haar deinde soepel mee. 'Luister goed,' zei ze zachtjes in de telefoon. 'Ik geef hem wel iets beters over een van mijn Russen, dan laat hij het misschien wel vallen.' Haar ogen versmalden zich enigszins zodat haar oogleden zwaarder leken en ze perste haar lippen op elkaar. Ali bewonderde de elegantie waarmee ze achterwaarts de deur uit liep op haar duur uitziende hoge hakken. Het was voor het eerst dat ze een vrouw ontmoette die zoveel macht uitoefende.

Ali bedacht ineens dat ze de vrouw met wie ze de eerste twee gesprekken had gevoerd, nooit had gevraagd wat de Skinners precies deden. Ze meende dat het een slechte indruk zou maken, maar ze was ook zo ambivalent over de baan dat het haar niet echt had kunnen schelen. Nu bleek dat niet alleen Bryony's man, maar ook Bryony zelf een aanzienlijke carrière had en dat maakte de baan om de een of andere reden interessanter. Ze werd geen ondermoeder van een verwend City-vrouwtje, zoals een van haar vrienden had gesuggereerd, ze zou de hoeksteen van het gezin worden en de carrière ondersteunen van een van die vrouwen die Ali eigenlijk alleen van glanzende tijdschriftpagina's kende. Voor het eerst sinds ze haar cv met begeleidend schrijven naar het conciërgebureau had gestuurd dat voor de Skinners op zoek was naar een nieuwe nanny, dacht Ali dat ze deze baan misschien wel graag wilde hebben.

Na een blik door de lege kamer leunde ze impulsief over de tafel, tilde de plastic map behoedzaam uit het koffertje en begon de inhoud te lezen. Misschien zou haar dat een voorsprong geven op de concurrentie. Ali wist niet of ze blij of bezorgd moest zijn over de stapel zorgvuldig aan elkaar geniete papieren die erin zat. Het verbaasde haar dat er kennelijk zoveel over haar te vertellen was.

Het eerste document was een brief met het briefhoofd van de universiteit East-Anglia van haar mentor Engels, die bevestigde dat Ali een jaar vrij nam om 'haar financiële situatie veilig te stellen' en daarna hopelijk weer terug zou komen om af te studeren. Professor Will MacDonald getuigde van haar goede karakter en benadrukte dat ze een modelstudente was die consequent op hoog niveau presteerde. Haar oog viel op andere zinnen. Ze was 'bereidwillig,' 'loyaal en flexibel,' 'gemotiveerd' en 'methodisch en welbespraakt.' Hij vertelde dat Ali de lievelingsoppas was van zijn drie kinderen en dat hij en zijn vrouw erg op haar gesteld waren. Op dat punt hield Ali op met lezen. Zijn woorden maakten haar bijna aan het huilen. Het was sentimenteel en genotzuchtig om een referentie te lezen, omdat degene aan wie je gevraagd had om zoiets te schrijven natuurlijk iets aardigs zou neerzetten.

Ze legde de brief weg en bekeek de kopie van haar rijbewijs die eraan bevestigd was. Het was vlekkeloos. Een bewijs dat ze nauwelijks achter het stuur van een auto had gezeten sinds ze het een paar jaar geleden had gehaald. Toen ze in Norwich woonde, was er geen reden geweest om ergens heen te rijden en haar ouders hadden maar één auto die ze niet graag uitleenden voor het geval er een probleem was met Jo.

Daaronder zat de brief van drie pagina's van het conciërgebureau dat de Skinners voor een fors maandelijks bedrag aanhielden om allerlei administratieve zaken te regelen, van het inhuren van een nieuwe nanny tot het vinden van kaartjes voor een uitverkocht concert van Coldplay. Hij was ondertekend door de vrouw met wie Ali de eerste twee sollicitatiegesprekken had gevoerd. Er stond in dat een strafbladonderzoek negatief was uitgevallen en dat ze weliswaar schulden had, maar ook een krediet van vijfduizend pond dat was goedgekeurd door de bank in Cromer waar haar rekening liep. Haar schuld hield verband met de kosten van levensonderhoud als student. Haar grootste uitgave, afgezien van haar deel van de huur voor het huis met drie slaapkamers dat ze met vrienden deelde in een wijk aan de verkeerde kant van Norwich, waren sigaretten en kleren van Topshop. Ze was nog nooit te laat geweest met het betalen van haar huur of haar gas-, water- en stroomrekeningen.

Ali vroeg zich even af hoe ze al die toch duidelijk vertrouwelijke informatie hadden verkregen. Ze werd echter gegrepen door het verhaal over haar achtergrond dat ze in het volgende document vond. Het was voor het eerst dat ze haar leven zo beschreven zag. De details op de eerste bladzijde waren redelijk onschuldig. Haar opleiding op plaatselijke scholen werd vermeld. Er stond in dat ze op de lagere school was gekozen voor het verbredingsprogramma, op de middelbare school in de topklasse had gescoord, en een verantwoordelijke en gemotiveerde leerling was geweest, ondanks de problemen van haar oudere zus. Vanwege de problemen van haar oudere zus, corrigeerde Ali de aantekeningen. Er zat zelfs een fotokopie van haar laatste schoolrapport bij.

Vervolgens werd een kort beeld van haar ouders geschetst. Haar vader was visser en haar moeder werkte parttime bij de gemeente. Er stond dat haar goede eindexamenresultaten haar een plaats aan de universiteit van

East-Anglia hadden bezorgd. Daarna volgde een korte, kille beschrijving van Cromer: 'Een kleine stad met een problematische economie, afhankelijk van seizoentoerisme en de krabindustrie. Op zeker moment had Cromer het hoogste aantal geregistreerde heroïneverslaafden in East-Anglia. Ooit was het een modieuze bestemming voor victoriaanse reizigers.'

Schandalig, vond Ali. Hoe konden ze Cromer beschrijven zonder de zee te vermelden? Ze was beledigd. Het was net alsof ze een cruciaal element van haar persoonlijkheid vergeten waren. Haar ouderlijk huis stond zo dicht bij het water, dat het opspattende water tegen haar slaapkamerraam sloeg als het stormde. Dat zei veel meer over haar dan welk schoolrapport dan ook. 's Nachts zette ze soms haar raam open om de stem van de zee te horen en het humeur van het water te peilen, zonder het te kunnen zien. In een storm klonk de zee altijd boos, maar soms werd die woede getemperd door een treurig geweeklaag waardoor Ali bijna medelijden kreeg met het gebrek aan zelfbeheersing van het woeste water. 's Zomers werd het water soms lichtgevend turkoois. Mensen lieten zich verleiden door zijn omhelzing en de meesten werden ook weer losgelaten. Maar elke augustus werd er wel iemand, meestal een overmoedig kind, door de sterke dwarsstromingen in het water meegesleurd.

Cromer mocht dan een gat zijn, Ali wist zeker dat de ritmes ervan werden beheerst door primitieve hogere krachten. Ali's vader bewaarde de lieve vrede in zijn verstandhouding met de zee door rituelen en routines; hij luisterde een paar keer per dag naar de scheepsberichten en paste zich aan de veranderende winden aan zoals iemand moeiteloos tussen twee talen schakelt. Ali had echter weinig vertrouwen in de melodische tonen van de scheepsberichtenlezers, noch in het irrationele gewicht dat haar vader toekende aan zijn reeks zelfopgelegde regels. Op een heldere dag kon ze uit haar slaapkamerraam helemaal naar het verdronken dorp Shipden kijken, dat tweehonderd jaar geleden door de zee verzwolgen was.

Voor Ali was de zee een verleidelijke vriend die nooit helemaal te vertrouwen was. Net als de Skinners, naar later zou blijken. Maar dat kon Ali niet weten toen ze daar in hun eetkamer zat te wachten. En zou het iets hebben uitgemaakt, als ze het wel had geweten? Dus bleef ze lezen en likte de huid rond haar mond, op zoek naar de smaak van zout op haar tong. Ze herinnerde zich dat ze op school had geleerd dat zout voor de mens even essentieel is als water, en dat ze indertijd het idee had nooit dichter bij een vorm van geloofsovertuiging te zullen komen.

Er stond dat Ali noch haar ouders in plaatselijke kranten voorkwamen, afgezien van een artikel van tien jaar geleden in *The Eastern Daily Press*, toen haar vader een krab van bijna drie kilo had gevangen. Gegeneerd zag Ali dat er een kleurenkopie van dat artikel in het dossier zat, met een foto van haar vader in zijn gele vissersbroek met de krab in zijn hand. Er stond zelfs in dat een verre verwant in Great Yarmouth die broeken had uitgevonden. Ali had haar vaders glimlach, dat zei iedereen. Hier zag ze het voor het eerst zelf. 'Een leven zonder gevolg,' zei ze hardop, terwijl ze de pagina over zichzelf snel doornam.

In tegenstelling tot de mensen die hier woonden. Bij aankomst had Ali ongelovig naar het huis staan kijken. Het was een statig, Regencyachtig gebouw met stucornamenten en een zuilengang van het smeedijzeren hek aan het einde van het pad tot boven aan de acht treden naar de voordeur. Omdat het in het midden van de ronde halvemaan van de straat stond, en het het enige huis was met een dubbele voorgevel, leek het alsof alle andere huizen er eerbiedig naartoe gebogen stonden. Alles sprak hier van gewicht, van de blauwe gedenksteen op de voorgevel die verkondigde dat er ooit een beroemde wetenschapper onder dit dak had gewoond, tot de Francis Bacon boven de schoorsteenmantel.

Aan het andere eind van de eettafel lag een hoog opgetaste stapel kranten. Alle koppen gingen over het gisteren verijdelde plan om trans-Atlantische vliegtuigen op te blazen. Ali glimlachte bij de herinnering aan haar moeder die had gebeld om te zeggen dat het leven in Londen te gevaarlijk was.

Ali hoorde een geluid buiten de eetkamer en sloeg snel om naar de volgende pagina in de plastic map. Haar tijd was vast bijna om. Er waren minstens tien minuten voorbijgegaan sinds Bryony de kamer uit gegaan was. Dit stuk was gemakkelijker te lezen omdat er hele zinnen met gele stift gemarkeerd waren. In de eerste stond dat Ali onlangs een einde had gemaakt aan een relatie met een andere student. Daar had iemand een uitroepteken naast gezet. De tweede zei dat Ali een oudere zus had met 'psychische problemen'. Daarnaast had iemand in een priegelig zwart handschrift 'Interessant!' genoteerd. Ze stond abrupt op en legde de map boos terug waar ze hem had gevonden. Ze was verbolgen, niet zozeer over het feit dat ze al deze informatie over haar hadden opgediept, als wel over het achteloze gebruik van uitroeptekens.

Ali streek haar korte donkere haar en haar rok glad. Ze zou het huis ongezien verlaten en de vrouw bij het conciërgebureau bellen om haar te laten weten dat er iets tussen was gekomen. Toen ze haar jasje al aanhad en met rasse schreden onderweg was naar de eetkamerdeur, hoorde ze een laag gegrom.

'Kom maar op, laat je eens zien,' zei ze. Het grommen stopte en vastbesloten liep Ali weer naar de deur, maar toen ze de deurknop aanraakte, hoorde ze de hond weer. Deze keer stootte hij een enkele blaf uit. Hij kwam overeind en Ali zag dat het een klein, zandkleurig mopshondje was. Hij had zijn tanden ontbloot en zijn nekharen stonden rechtovereind. Het was niet het soort hond dat Ali bij Bryony vond passen. Zij zou iets gladharigs en langbenigs hebben uitgezocht.

'Allemaal praatjes,' zei Ali, terwijl ze haar hand naar zijn halsband uitstak en hem haastig weer terugtrok toen het mopshondje naar voren vloog en naar haar vingers hapte. Ze deed een stap achteruit en weer begon de hond te grommen. Ali besloot even te wachten tot de hond gekalmeerd was en dan te ontsnappen.

Op de fragiel ogende halfronde tafel aan de andere kant van de deur vond ze een stapel gebonden boeken, waarvan er een geschreven was door een gewezen minister. Ze keek erin en zag een met de hand geschreven opdracht van de schrijver aan zijn 'dierbare vrienden, Nick en Bryony Skinner'. Als het zulke dierbare vrienden waren, waarom zette hij hun achternaam er dan bij? Erachter stond een ordentelijk bataljon foto's. Er bestaat een evenredig verband tussen de rijkdom van mensen en het aantal foto's van zichzelf dat ze in hun huis tentoonspreiden, dacht Ali. En algemeen gold: hoe professioneler de foto's, hoe disfunctioneler het huishouden. Dat zei Rosa tenminste altijd. Deze foto's zaten allemaal in duur uitziende zilveren lijstjes.

In het midden stond een grote foto van een groep van acht mensen gezeten aan een eettafel. Het bestek lag nog twee rijen dik en er stond een even aantal wijnglazen. Er waren geen vrouwen bij. Ali vermoedde dat de man van middelbare leeftijd in het midden die zijn onaangeraakte glas champagne ophief naar de fotograaf, Nick Skinner was. Hij keek met een welwillende blik naar de camera alsof hij de fotograaf een enorme gunst bewees. Zijn andere arm hield hij strak voor zijn borst, waarmee zijn houding een curieuze mengeling van vrijmoedigheid en terughoudendheid was. Hij had het voorkomen van iemand die gewend was aan dergelijke aandacht.

De man aan zijn rechterkant klemde zijn onderarm vast. Ali herkende het gezicht, maar kon er geen naam bij vinden. Toen ze een maand later in het huis kwam wonen, vertelde een van de kinderen haar dat het een belangrijke man was bij de Bank of England en vroeg of Ali ook niet vond dat hij eruitzag als een personage uit *De wind in de wilgen*. Maar nu richtte Ali haar aandacht weer op Nick. Zijn tanden waren onnatuurlijk wit, vond ze, maar misschien was dat te wijten aan het contrast met het zwarte smokingjasje. Hij had donker haar, kortgeknipt, zo glad als dat van een otter. Zelfs op zijn vijfenveertigste was hij nog een knappe man. Ali bekeek het volle glas wijn en het halflege bord eten dat voor hem stond, naast de lege borden en glazen van zijn disgenoten. Hij was iemand die oplette wat hij at en dronk en zich ergerde als hij omlaag blikte naar andermans buik en vond dat de zijne daar ongunstig bij afstak.

Ernaast stond een trouwfoto. Ali herkende Bryony meteen. Ze viel in het niet bij de twee fysiek imposante mannen aan weerszijden van haar. De langste was Nick. De ander was haar vader, vermoedde Ali. Ze hadden ieder een arm om Bryony heen geslagen maar ze leek los te staan van hen beiden, alsof ze van hen wegliep, naar de camera toe. Bryony droeg het soort trouwjurk dat Ali zou kiezen als zij ooit ging trouwen. Handgemaakt door Vera Wang, zou ze algauw ontdekken. Aan het einde van de rij, enigszins apart van de groep, stond een slordige figuur met wild, donker haar die met een champagneglas naar de camera proostte. Hij was een oplichter, besloot Ali. Later hoorde ze van de kinderen dat hij Felix Naylor heette en dat hij ooit verliefd was geweest op Bryony. 'Nog altijd verliefd ís,' had Izzy de tweeling gecorrigeerd.

De deur ging ineens open en Ali voelde zich opgelaten toen ze met de trouwfoto nog in haar hand een oudere versie van Nick Skinner aankeek. Zijn haargrens had zich teruggetrokken en er zaten een paar rimpels bij zijn ooghoeken, maar verder was hij niet veranderd. Het waren goede veranderingen, besloot Ali, omdat ze hem een zekere ernst verleenden die hij op de foto nog niet bezat.

'O god, ik heb het sollicitatiegesprek gemist hè?' zei hij met een uitgestoken hand en een innemende glimlach. 'Bryony vermoordt me.'

De manier waarop hij dat zei suggereerde dat Bryony waarschijnlijk zo gewend was aan dergelijke tekortkomingen dat ze geen spier zou vertrekken. Onhandig zette Ali de foto weer op de tafel en terwijl ze stijfjes zijn hand schudde, legde ze uit dat de hond haar de kamer niet uit wilde laten.

Hij krabbelde de hond tussen zijn oren en zei: 'Leicester was een verjaarscadeautje van Bryony's ouders, hij stond bepaald niet op ons verlanglijstje! Hij is zo doorgefokt dat hij een soort hondse dementie heeft ontwikkeld, zodat hij mensen wel binnenlaat maar niet meer laat vertrekken. Hij zou eigenlijk dood moeten zijn.'

'Kunt u er niets aan doen?' vroeg Ali beleefd.

'Nou, ik veronderstel dat we het onvermijdelijke zouden kunnen verhaasten,' zei Nick, terwijl hij zijn vingers in de vorm van een pistool tegen Leicesters hoofd zette en de trekker overhaalde. 'Dat hadden we jaren geleden al moeten doen, maar Bryony zei dat het niet aardig zou zijn tegenover haar vader.'

'Ik bedoelde aan de psychische problemen,' stamelde Ali.

'Je zult het niet geloven, maar een paar jaar geleden had Leicester inderdaad zijn eigen zielenknijper,' lachte Nick. Ali keek hem nerveus glimlachend aan.

'Een van Bryony's wildere ideeën. Leicester had een extreem scatologische reactie ontwikkeld op situaties waar hij geen controle over had. Bijna een jaar lang bezocht hij een dierenpsycholoog. Drie maanden lang ging hij naar de dierenversie van The Priory, en hij kwam er volledig genezen vandaan,' verklaarde Nick, schijnbaar opgelucht dat hij iets had gevonden om over te praten. 'Al is hij sindsdien wel aan de antidepressiva en een speciaal dieet.'

'Wat deed hij dan?' vroeg Ali.

'Elke keer als Bryony's vader op bezoek kwam, pleegde hij een vuil protest, zoals de Noord-Ierse hongerstakers die hun fecaliën op de muur smeerden,' lachte Nick. 'De dierenpsycholoog verdacht mij ervan dat ik het hem had geleerd. Maar er is nooit enig bewijs gevonden om die verdenkingen te staven.' Weer lachte hij. 'Hij poepte vooral graag in mijn schoonvaders schoenen. Hoe duurder, hoe beter.'

Ali's nieuwsgierigheid was sterker dan haar terughoudendheid en ze vroeg: 'Waarom deed hij dat dan?'

'Volgens de therapeut lag het aan ons,' zei Nick, 'zijn ouders. Hij wilde zelfs dat we met de hond in gezinstherapie zouden gaan. Toen hebben we toch maar voor thuiszorg gekozen.'

Ali vroeg zich half af of hij dit gesprek met haar zou voeren als hij niet op de hoogte was geweest van het verleden van haar zus. Vrijwel meteen besloot ze echter dat ze paranoïde was en dat Nick Skinner haar gewoon op haar gemak wilde stellen.

'Zo te zien was het een mooie bruiloft,' stamelde Ali met een gebaar naar de trouwfoto die ze net weer had neergezet.

'We zijn in Griekenland getrouwd,' vertelde Nick. 'Bryony's vader heeft al jaren een huis op Corfu. We gaan er elke zomer heen. Ben je ooit in Griekenland geweest?'

'Nee,' zei Ali.

'Nou, dat komt dan wel als je eenmaal begonnen bent,' zei Nick. Toen zweeg hij alsof hij niet zeker wist wat hij nu moest doen. 'Hoe ging het gesprek?'

'Dat is er nog niet echt geweest,' zei Ali.

'Ik heb je dossier gelezen,' zei Nick onhandig. 'Heel indrukwekkend. Heeft Bryony je verteld waar we naar op zoek zijn?'

'Zo ver zijn we niet gekomen,' zei Ali. Hij gebaarde naar de tafel en Ali liep met hem mee. Ze zag dat haar sigaretten naast haar stoel op de grond waren gevallen.

'Ik ben een roker,' biechtte Ali op.

'Bryony ook,' zei Nick met een glimlach. 'Maar ze zal het niet toegeven. Ze denkt dat ik het niet weet.' Hij ging tegenover haar zitten, deed zijn das af en maakte de twee bovenste knoopjes van zijn overhemd los. Vervolgens draaide hij langzaam zijn hoofd een paar keer naar links en rechts om zijn nek te strekken. Het had iets kwetsbaars om hem zich op die manier te zien blootgeven. Langzaam werden het putje waar de sleutelbenen bij elkaar kwamen, net onder zijn keel, een fijn laagje donzig borsthaar en de resten van zomers bruin aan haar blik onthuld. Ali was gewend aan jongens in T-shirts en spijkerbroeken. Haar mentor op de universiteit droeg soms een overhemd, maar nooit een das.

'Dit stoort je toch niet?' vroeg Nick, toen hij zag dat Ali naar hem staarde. Ali voelde dat ze bloosde van verlegenheid.

'Ik vond dat ik mijn pak maar moest uittrekken om er minder formeel uit te zien,' zei Nick vrolijk. 'Maar ik kan de das wel weer omdoen, als het te enerverend voor je is.'

Tot Ali's opluchting kwam Bryony weer binnen en Nicks aanwezigheid aan tafel tegenover Ali leek haar niet te verbazen. Triomfantelijk schudde ze met haar BlackBerry in de lucht.

'Goed nieuws?' vroeg Nick.

'Niets waar ik over mag praten,' zei Bryony kort. 'Laten we zeggen dat ik een goeie ruil heb gedaan. Eén verhaal de kop ingedrukt en van een ander verhaal over een Russische oligarch op zoek naar een voetbalteam hebben ze het aas gegrepen. Je brengt kennelijk geluk, Ali Sparrow,' zei ze met een hartelijke glimlach. Ze droeg een bord roereieren waarvan Ali aannam dat het haar ontbijt was, maar in plaats van naar de tafel liep ze ermee naar de hond en zette het naast hem neer.

'Hij is dol op Malea's roereieren,' zei ze terwijl ze door zijn vacht woelde. 'Leicester is een van 's werelds ware excentriekelingen. Hou je van honden? Wij gaan er altijd maar van uit dat mensen automatisch voor hem vallen.'

'Meestal wel,' zei Ali, toen Leicester van zijn zijden troon sprong en zijn roereieren verorberde, met één oog op Ali gericht.

Bryony ging naast Nick zitten. Ze verwijderde een paar klemmetjes zodat haar vossenrode haar langs haar gezicht viel en haar donkere, broeierige echtgenoot half uit het zicht verdween. Ali kneep haar ogen een beetje toe, alsof ze naar de zon keek die achter een wolk vandaan kwam. Bryony keek even snel op haar horloge, een gebaar waardoor Ali ervan overtuigd was dat ze alleen uit beleefdheid nog verderging met het sollicitatiegesprek. Weer ging de telefoon. Deze keer negeerde Bryony de oproep en ze begon in hoog tempo haar kinderen te beschrijven.

'Jake is bijna achttien. Hij zit in zijn laatste jaar op Westminster School. Hij is lui. Maar met de juiste aandacht zou hij het heel goed kunnen doen. Hij moet een beetje opgejut worden.' Ze maakte een vuist om dat punt te onderstrepen. 'Hij heeft een sterke wil en hij is goedgebekt, dus we hebben iemand nodig die hem kan organiseren. Eerder met de stok dan met de wortel, als je begrijpt wat ik bedoel.' Dat deed Ali niet. Ze maakte een snelle berekening en kwam tot de slotsom dat ze maar vier jaar ouder was dan Jake. Ze wilde net opmerken dat haar autoriteit daar wellicht onder te lijden zou hebben, maar Bryony was al op zijn jongere zusje Izzy overgegaan.

'Izzy is weliswaar drie jaar jonger, maar ze is heel geconcentreerd,' zei ze goedkeurend. 'Ze komt vragen om overhoord te worden en ze laat het je weten als ze hulp nodig heeft, maar ze is van zichzelf aardig gedisciplineerd. Je moet wel op de koekjes letten. Op haar leeftijd wil je geen extra vet opslaan. Ze is een getalenteerd celliste, en je zult haar moeten helpen met het opzetten van een goed oefenschema. Ze heeft een uur per dag nodig. Ze speelt mee in een kwartet op school.' Bryony zweeg even om op adem te komen en Nick glimlachte Ali vanaf de overkant van de tafel bemoedigend toe. Hij leek weinig geneigd om iets aan het gesprek toe te voegen.

'De tweeling is vijf jaar oud. Ze hebben veel tijd met elkaar doorgebracht en ik wil ze graag aanmoedigen om wat meer van elkaar afgezonderd te leven. Ze zijn identiek en een beetje te afhankelijk van elkaar. Vanaf september gaan ze vijf dagen per week naar school. Je zult ze moeten halen en brengen en naar al hun buitenschoolse activiteiten brengen. Je regelt speelafspraken, helpt ze hun pengreep te verfijnen en hun pianolessen te oefenen.'

'Hun pengreep?' herhaalde Ali onnozel.

'Schrijven, spellen, dat soort dingen,' zei Bryony, wuivend alsof ze de vraag met een hand wilde wegtikken. Ze boog zich naar Ali toe. 'Ik ben van mening dat elk moment van de dag een leermoment voor ze kan zijn. Als je in de auto zit, zet je BBC 4 of Classic FM op, 's avonds lees je ze fatsoenlijke literatuur voor en woorden die ze niet kennen schrijf je op het schoolbord in hun slaapkamer. En ik wil graag dat je elke avond twintig minuten met ze rekent. Het is belangrijk om een vaste regelmaat aan te houden.'

Bryony bleef over de tweeling praten zonder hun naam te noemen. Ze zei dat ze de neiging hadden ontwikkeld om elkaars zinnen te beginnen en af te maken, dat ze op een niet-autistische manier geobsedeerd waren door Thomas de Stoomlocomotief, en dat ze enig talent vertoonden op het voetbalveld. Ze wilde graag dat ze hun eigen vriendjes maakten en afzonderlijk bij die vriendjes thuis gingen spelen.

Ali vond de objectiviteit van Bryony's oordeel opmerkelijk. Ze probeerde zich voor te stellen dat haar eigen moeder op een dergelijke objectieve manier verslag zou doen van haar kinderen.

'Jo heeft een lage vervelingsdrempel en dient zichzelf af en toe verdovende middelen toe, hetgeen leidt tot ernstige stemmingswisselingen. Jo heeft een kortlopende visie op het leven, waardoor ze het moeilijk vindt om plannen te maken voor de toekomst. Jo is een risiconemer die het lastig vindt om de gevolgen van haar daden te aanvaarden. Er bestaat een omgekeerde correlatie tussen het gedrag van Jo en dat van haar jongere zusje Ali. Ali heeft geleden onder de onevenredig grote hoeveelheid aandacht die aan Jo wordt besteed. Ali ervaart een overmatig verantwoordelijkheidsgevoel jegens haar zus en zou voordeel hebben bij een tijdelijke afzondering van haar familie om zichzelf te vinden.'

Haar moeder zou nooit tot zo'n afstandelijke analyse in staat zijn. Ze zou afdwalen in anekdotes of afgeleid raken door de golf van emoties die de meeste gesprekken over Jo tegenwoordig begeleidden.

Bryony's versie van het moederschap beviel Ali wel, omdat het zoveel minder gevoelsmatig was. Bryony vertegenwoordigde de mogelijkheid om kinderen te krijgen zonder jezelf erin te verliezen. Het was geen versie van het moederschap waar Ali bekend mee was.

'Ik zie dat je elf GCSE's hebt en hoge eindexamencijfers,' zei Bryony en schoof een vel papier naar Nick, die zijn blik erover liet gaan en een waarderend gefluit liet horen. 'Dan zul je de kinderen natuurlijk kunnen helpen met hun schoolwerk. Wij maken allebei lange dagen, dus dat is wel een prioriteit.'

'Vanzelfsprekend,' zei Ali.

'Latijn?' vroeg Bryony. Ali knikte.

'Heb je afgezien van het oppassen nog meer ervaring met kinderen?' vroeg Bryony.

Ali begon uit te leggen dat de meisjes op haar school, als onderdeel van een programma om het aantal tienerzwangerschappen te verlagen, allemaal een dag lang een namaakbaby te verzorgen hadden gekregen. De pop was geprogrammeerd om te huilen als hij geen eten kreeg of als zijn luier niet geregeld werd verschoond. Ze was volkomen verantwoordelijk gebleken.

'En de andere meisjes in je klas?' vroeg Nick.

'Eentje liet de pop per ongeluk van het eind van de pier vallen, en een ander meisje was al zwanger en ze begon spontaan melk af te scheiden,' zei Ali, blij dat ze een werkwoord had gevonden dat een beetje wetenschappelijk klonk.

Nick en Bryony keken haar even zwijgend aan. 'Zo'n programma kennen we niet,' zei Nick uiteindelijk met een glimlach. Bryony keek ontzet.

'We zouden ook verwachten dat je ons helpt met de organisatie van het huishouden,' zei Bryony, om het gesprek weer op bekend terrein te brengen. 'Van verjaarspartijtjes tot kleren ophalen bij de stomerij, de auto naar de garage brengen voor een beurt en kleding kopen voor de kinderen. Zou je bereid zijn om dat te doen?'

'Natuurlijk,' zei Ali geestdriftig.

'Heb jij nog vragen voor ons?' vroeg Bryony ineens. Ali mompelde iets over autorijden in Londen, wat wel heel iets anders was dan rijden in Cromer.

'Je kunt Addison Lee gebruiken,' zei Bryony.

'Is dat jullie chauffeur?' vroeg Ali. Nick en Bryony lachten allebei en Ali voelde dat ze bloosde.

'Het is de naam van een taxibedrijf,' legde Nick uit. 'Daar hebben we een rekening lopen.'

Dat was wat ze zich jaren later van het sollicitatiegesprek herinnerde. Er waren geen vragen over het herkennen van de symptomen van hersenvliesontsteking of wat te doen als een kind zich verslikte – twee vragen die Rosa's moeder volgens haar altijd aan nieuwe nanny's stelde.

Hier werd echter vooral gesproken over Ali's vermogen om de levens van vier kinderen te organiseren en over de uren die ze geacht werd te werken. Ali vergeleek het met studieschema's voor examens en zij spraken opnieuw hun tevredenheid uit over haar academische kwalificaties. De Skinners vonden het fijn dat ze de kinderen met hun schoolwerk kon helpen en dat ze goed kon zwemmen. Ze beaamden dat het jammer was dat ze niet kon skiën, maar dat konden de drie andere sollicitanten ook niet. Ali merkte op dat koken een probleem zou kunnen zijn en zij verklaarden dat ze een Filipijnse huishoudster hadden, Malea, die de meeste maaltijden verzorgde en het huis schoonhield. Nick zei gekscherend dat ze zichzelf op deze manier nog uit de competitie zou praten. Ali antwoordde met de verklaring dat ze niet kon beloven langer dan twaalf maanden in dienst te blijven. Er volgde meer gelach, omdat Ali daarmee onwillekeurig zijn opmerking staafde.

Toen boden ze haar een bonus van twee keer haar collegegeld als ze voor zes maanden langer wilde tekenen. Dat zou betekenen dat Ali het volgende academische jaar nog niet met haar opleiding verder zou kunnen gaan, maar ze stemde zonder aarzelen in met hun voorwaarden. Wat waren achttien maanden immers op een mensenleven, dacht Ali.

'Zijn er nog andere dingen die jullie over mij willen weten?' vroeg Ali.

Ze dacht aan een recent gesprek met Rosa, over het idee dat iedereen drie belangrijke dingen had meegemaakt waardoor hun karakter ten goede of ten kwade bepaald was. Rosa noemde het alcoholisme van haar moeder, het feit dat ze elke vier jaar waren verhuisd omdat haar vader in het leger zat, en dat haar jongere zusje haar vriendje had afgepakt.

'Ik ben een goed mens die iets slechts heeft gedaan. Ik heb mijn zus een keer geholpen om heroïne te scoren. Ik inhaleer niet,' had Ali Rosa verteld. Die drie waren meteen bij haar opgekomen, en vervolgens even snel weer vergeten.

'Vanzelfsprekend zul je een geheimhoudingsovereenkomst moeten tekenen. En we willen graag dat je je Facebook-account opheft. In onze familie zijn we erg gesteld op onze privacy,' zei Bryony. 'Is dat een probleem?'

'Helemaal niet,' zei Ali, waarmee ze hun inbreuk op haar privacy negeerde.

'En als je een vriendje hebt, willen we graag dat je die houdt,' zei Bryony.

'Ik heb geen vriendje,' zei Ali ferm.

'Dan denk ik dat we alles wel gehad hebben,' zei Bryony en efficiënt maakte ze een stapel van de dossiers zodat de map met NANNY NR. 6 bovenop lag. 'Tussen hoeveel gezinnen moet je kiezen?'

'Pardon?' zei Ali verward.

'Hoeveel andere sollicitatiegesprekken heb je nog?'

Ali wist niet goed wat ze moest zeggen. Haar blik ging van Bryony naar Nick en ze zag hem buiten het gezichtsveld van zijn vrouw drie vingers opsteken.

'Eh... drie,' zei Ali.

'Je zou een kamer op de vijfde verdieping krijgen, tegenover die van de tweeling en om de hoek van Izzy,' zei Bryony. 'Je hebt er een prachtig uitzicht op de tuin en er zit een kleine kitchenette bij en een zitkamer. Het enige nadeel is dat je geen eigen badkamer hebt. Ik hoop dat je dat geen al te groot probleem vindt.'

'Helemaal niet,' zei Ali, die niet wilde vertellen dat ze nog nooit een eigen badkamer had gehad.

'En we hebben een druk sociaal leven,' zei Bryony, opkijkend van haar lijst. 'Dus je zou soms 's avonds thuis moeten zijn om te helpen oppassen. Vroeger hadden we een nanny voor de weekenden maar dat werd te onrustig, dus nu zoeken we iemand die alles kan doen.'

'Prima,' zei Ali.

4

September 2006

'*Olio* Chesterton,' riep Foy op zangerige toon alsof hij op de markt stond. 'Eerste persing. Extra vergine. Laat Malea er een *stifado* mee maken.' Hij bleef staan op de onderste trede van de trap die van de benedenverdieping naar de keuken in het souterrain leidde, tot hij zeker wist dat iedereen naar hem keek en haalde toen triomfantelijk een fles troebele vloeistof uit een rieten strandmand.

Voor een Londense september was hij bepaald ongepast gekleed in een modderbruine korte broek, een perfect gestreken overhemd met korte mouwen en bootschoenen met enkelsokken. Zijn kuiten en bovenbenen waren gebruind en gespierd van twee maanden elke dag tennissen op Corfu, zijn gezicht even donker en gerimpeld als een van de olijven van zijn boerderij. Toen hij de keuken in liep, bukte Foy even instinctief zoals alle lange mannen en richtte zich meteen weer op. De enorme ruimte leek niet groot genoeg om al zijn energie te omvatten. De tweeling vloog op hem af en klemde zich rond zijn benen. Hij gaf geen krimp.

'Waar is Leicester?' baste hij. Leicester blafte vanuit de tuin en wierp zich woedend tegen de glazen deur toen hij besefte dat hij buitengesloten was van de festiviteiten.

'Bedankt paps,' zei Bryony, die aan kwam lopen en hem de olijfolie uit handen nam. 'Misschien moeten we het bewaren? Heeft olijfolie bijzondere jaren? Wordt het met de jaren beter?' Ze gaf hem een vluchtige kus op elke wang.

'Net als ik, bedoel je?' zei Foy. Hij boog zich overdreven ver voorover om onder elke arm een jongetje te pakken. 'Jullie zouden elke dag een lepel van dat spul moeten innemen zodat jullie net zulke sterke botten krijgen als je opa,' sprak hij hen toe, terwijl zij zwoegden om zich aan zijn greep te ontworstelen. Met veel geluiden van walging begroeven Hector en Alfie hun neus in zijn hals en woelden door zijn zachte grijze haar tot het alle kanten op stond.

'Heb je ook iets voor ons?' bedelden ze. Zonder omhaal liet hij ze op de grond vallen, beklopte al zijn zakken en trok zijn schouders op.

'Helemaal vergeten!' zei hij met een tragisch gezicht. Hij zag Izzy bij de keukentafel staan en wenkte haar bij zich. Als een goochelaar trok hij een felgekleurde sarong en een bijpassende bikini uit de mand en gooide die met een boog hoog over de hoofden van de tweeling. Izzy greep ze toen ze tussen haar gestrekte armen fladderden. De tweeling maakte gebruik van de afleiding om naar de mand te rennen, maar Foy ving hen en tilde hen lachend op, terwijl hun beentjes wanhopig door de lucht peddelden.

'Voor mijn allermooiste kleindochter,' zei hij theatraal.

'Dankjewel,' zei Izzy behoedzaam. Ze keek net lang genoeg naar de bikini om te zien dat het topje en het broekje niet veel meer waren dan stukjes touw met vier driehoekjes ertussen. Ze propte de bikini in de sarong en vouwde ze zorgvuldig tot een bal die klein genoeg was om achter de broodrooster te verstoppen. Zelfs in de zomerse hitte van Corfu was het al moeilijk geweest om haar ervan te overtuigen geen spijkerbroeken en T-shirts met lange mouwen te dragen. Als ze het zwembad al in ging, droeg ze een conservatief zwart badpak met een shirt eroverheen. Het idee dat ze ooit zoiets nietigs zou dragen was belachelijk. Ze wreef over haar buik, walgde van de mollige kinderlijke lijnen en ademde in tot ze haar ribben kon voelen. Toen ontspande ze weer en begon inwendig een van de mantra's te declameren die ze op een pro-ana-website had gevonden: 'Niets smaakt zo lekker als slank zijn.'

'Wat heb ik hier nog meer?' vroeg Foy terwijl hij in de mand rommelde en er een schaakset van olijfhout uit haalde. 'Waar is mijn slimste kleinzoon?' Aan de keukentafel stak Jake lui een hand op. Foy deed alsof hij hem niet zag. Dus kwam Jake overeind om het schaakspel te halen. Foy trok hem naar zich toe en mompelde woelend door zijn lange haar dat hij ernaar uitkeek om te leren schaken van zijn oudste kleinzoon en hoeveel plezier het hem deed dat zijn school hem Oxford of Cambridge had geadviseerd.

'Trek je broek eens op, Jake,' riep hij uit toen Jake terugslofte naar de keukentafel. Voor de vorm hees Jake even aan de riemlus in zijn rug, maar zijn broek zakte meteen weer omlaag en onthulde zijn onderbroek.

'We hebben een vreselijke fout gemaakt, Tita! We hebben niets voor de tweeling meegenomen,' riep Foy naar boven om zijn vrouw naar beneden te laten komen. Langzaam verscheen Tita. Ze kwam voorzichtig, zijdelings lopend van de trap, en hield zich stevig aan de leuning vast omdat ze recentelijk bang was geworden om te vallen. Ze had het aan niemand verteld en soms zagen mensen haar trage, waardige gang van trappen en door kamers aan voor hooghartigheid.

Op de vloer naast de onderste trede doorzocht de tweeling koortsachtig de tas aan Foys voeten, hun gezichten steeds roder naarmate de tranen prikten. Ze haalden een ongelezen exemplaar van *The Telegraph* tevoorschijn, een pak foto's, en een gezwollen roman van John Grisham die te lang te dicht bij het zwembad had gelegen. Ze negeerden hun grootmoeder, die onder elke arm een gelijkvormig pakje droeg.

'Ze zitten ingepakt,' gebaarde Tita naar de pakjes.

'Natuurlijk,' zei Foy. Ondertussen was het een dubbele bluf geworden. Klaarblijkelijk had Tita het winkelen voor haar rekening genomen en het was niet duidelijk of Foy echt was vergeten om iets voor hen mee te brengen, of deed alsof. De tweeling was te opgewonden om te horen wat hun grootmoeder eigenlijk zei en bleef rumoerig in de zak rommelen, als een stel zwerfhonden op zoek naar eten.

Ondertussen stond Tita op dezelfde trede als Foy. Naast hem zag ze er bleek uit. Het was niet alleen haar huid – ze zette altijd een hoed met een brede rand op als ze op Corfu naar buiten ging, al was het maar om de auto's op de oprijlaan van de Rothschilds te tellen – maar ook de lichte linnen jurk die ze had uitgekozen en de roze lippenstift van Elizabeth Arden, die altijd zulke komische kusafdrukken achterliet op alle wangen die ze zoende. Hij was zo vitaal en aanwezig, en zij zag eruit alsof ze aan de grond genageld moest worden om niet weg te zweven.

Foy nam de pakjes van Tita aan en hield ze de tweeling voor. Ze juichten luid en rukten het effen bruine papier eraf om twee houten bootjes te onthullen, met de hand gesneden uit olijfhout van hun grootvaders boomgaard. Op het ene bootje stond HECTOR op de zijkant, op het andere ALFIE. Wild krijsend renden ze met de boten hoog in de lucht om de keukentafel heen.

'Heb je Nick en Bryony de olijfolie al gegeven?' vroeg Tita boven de herrie uit.

'Ik kon niet langer wachten,' zei Foy verontschuldigend. 'Wat deed je daarboven toch?'

Tita wierp hem een afkeurende blik toe. Met een nukkig pruilmondje zette ze een hand op haar heup. Vroeger was dat haar meest verleidelijke pose geweest. Nu deed het haar vaag op een travestiet lijken. In haar op elkaar geperste lippen vormden zich rafelige eilandjes van gebarsten lippenstift.

Snel kwam Bryony tussenbeide met: 'Je hebt geen enkele zelfbeheersing, papa,' maar ze keek alsof ze onmiddellijk spijt had van die opmerking. 'Dan is het maar goed dat jij niet op mij lijkt,' zei Foy. Het was duidelijk een berisping. Ali leerde al snel dat Foy alle positieve eigenschappen van zijn kinderen en kleinkinderen voor zichzelf opeiste. Eventuele slechte eigenschappen dichtte hij toe aan Tita's kant van de familie ('koppig, te voorzichtig en dominant') of aan die van Nick ('onverdraagzaam, pietluttig en lijdzaam agressief'), ook al had hij de ouders van Nick slechts één keer ontmoet, twintig jaar geleden op de bruiloft van zijn dochter.

'Om je vraag te beantwoorden, ik was de auto aan het parkeren,' verklaarde Tita, terwijl ze eindelijk de keuken in liep en een glas pakte van het dienblad dat Malea haar voorhield.

'Dankjewel, Malea,' zei ze, zonder een blik omlaag om de ondermaatse huishoudster aan te kijken.

'Oma, ik kan niet geloven dat je de auto neemt om die vijfhonderd meter hierheen te rijden,' merkte Jake op. 'Wat betekent dat wel niet voor uw ecologische voetafdruk?'

'Wat denk je van de jouwe?' reageerde Foy. 'Toen ik zo oud was als jij, was ik nog nooit op een ander continent geweest. Jij vliegt elke vakantie wel naar een of ander verafgelegen buitenland.'

'Wat is een continent?' vroeg Alfie terwijl hij zijn boot op de keukenvloer neerzette.

'Dat is als je in je broek plast,' antwoordde Izzy. 'Zoals Hector.'

Hector vloog op Izzy af en wierp zich met al zijn kracht tegen haar bovenbenen om haar op de grond te krijgen. Toen dat hem niet lukte, beukte hij met zijn vuistjes op haar benen tot ze om genade smeekte.

'Dat is incontinent,' riep Jake boven het lawaai uit.

'Dat is mijn voorland,' zei Foy, maar niemand luisterde naar hem. Iedereen schreeuwde Hector toe dat hij moest ophouden. Hij bleef zich echter als een stormram op Izzy werpen. Izzy stond stevig op haar benen en gaf geen centimeter toe, wat Hector nog woedender maakte.

Ali stond op de achtergrond naar het schouwspel te kijken; ze wist niet zeker of ze tussenbeide moest komen. Aan de ene kant zat zij het verst af van de herrie, op de bank naast de enorme schuifdeuren naar de tuin. Aan de andere kant had Bryony haar gevraagd om bij de lunch aanwezig te zijn om een oogje op de tweeling te houden. Ze had de noodzaak onderstreept om ze redelijk stil te houden aan het andere eind van de tafel, en benadrukt hoe belangrijk het was dat ze niet met hun vingers aten. Ze had niets gezegd over ruzies beslechten.

Ook wist Ali niet wat ze moest doen toen Hector Izzy bij haar lange donkere haar greep en Izzy reageerde met een schop van haar zwaar uitziende enkellaars tegen zijn kuit. In de boeken over kinderverzorging die ze keurig opgestapeld op het bureau in haar slaapkamer boven in Holland Park Crescent had aangetroffen toen ze afgelopen zaterdag bij de familie was ingetrokken, stond nergens iets over vechtende kinderen. Ze herinnerde zich vaag dat ze vroeger met haar zus had gekibbeld, maar ze wist niet meer hoe haar ouders daarop hadden gereageerd. En als Nick en Bryony in de kamer waren, moest zij hun gezag toch niet ondermijnen door zich ermee te bemoeien?

'Hou daarmee op, jullie!' brulde Foy, die er het dichtste bij stond, maar ze namen geen enkele notie van hun grootvader.

Met zijn broers boot in zijn handen liep Alfie vastberaden naar Hector toe, kennelijk onaangedaan door het lawaai en zonder geraakt te worden door rondzwaaiende ledematen. Ali veronderstelde tenminste dat het Alfie was, want die had binnen een week al bewezen minder opvliegend te zijn dan Hector. Hun temperament was het enige dat hen van elkaar onderscheidde, hoewel Ali het vermoeden had dat ze op sommige dagen deden alsof ze elkaar waren.

Alfie zei iets tegen zijn tweelingbroer dat voor alle anderen onverstaanbaar was. '*Tigil mo yan*, Hector.'

Hun identieke blauwe ogen ontmoetten elkaar en ineens liet Hector Izzy's haar zachtjes door zijn vingers wegglijden. Net zo plotseling als het was begonnen, bedaarde het conflict. Hector pakte de boot aan van zijn broertje en ze liepen samen weg om te gaan spelen. Bryony wierp Ali een blik toe.

'Wat zei hij?' vroeg Tita. 'Was dat Engels?'

'Tweelingtaal,' zei Bryony achteloos. 'Nou, mam, vertel eens wat je de afgelopen week hebt gedaan.'

Ze stak haar arm door die van haar moeder en voerde haar mee naar de dichtstbijzijnde bank aan de tuinkant van de enorme open keuken. Ze zaten nu zo dicht bij Ali dat ze Tita kon horen mopperen over het gepensioneerdentempo dat Foy helemaal niet aanstond. In de verwachting dat ze voorgesteld zou worden schoof Ali een losse lok haar achter haar oor, maar Bryony, noch haar moeder keek haar kant op.

Ongemakkelijk in haar eentje bij de schuifdeur voelde Ali haar nervositeit weer prikken. Ze vroeg zich af of ze iets verkeerd had gedaan. Bryony was lastig te peilen. Ze gaf nauwgezette instructies voor schijnbaar onbenullige taken, maar nam later nooit de moeite om te kijken of Ali zich inderdaad aan haar opdracht had gehouden.

Aan het begin van de week had ze Ali bijvoorbeeld bijna twintig minuten toegesproken over de optimale methode om tafels te overhoren. 'Vooruit, achteruit, vooruit, achteruit, willekeurig. Achteruit, vooruit, achteruit, vooruit, willekeurig,' had ze gezegd, even ritmisch als een metronoom, 'en dan weer vooruit, achteruit, vooruit, willekeurig, vooruit, achteruit.' Ze liet Ali een paar keer herhalen wat ze had gezegd en legde toen uit dat het volgens wetenschappelijk onderzoek van cruciaal belang was om kinderen dingen drie keer te laten opzeggen, zodat de herinnering correct in de frontale cortex werd opgeslagen.

'Maar de tweeling doet toch zeker nog geen tafels?' had Ali gevraagd.

'Als ze er nu vast een paar leren, hebben ze het later gemakkelijker,' zei Bryony. 'Het is altijd goed om een stukje voor te liggen.'

Op dinsdag had ze zelfs gebeld om te vragen hoe vaak Ali ze de dag tevoren had overhoord.

'Dat weet ik niet meer precies,' had Ali gezegd.

'Dan moet je dat opschrijven in het dagboek,' suggereerde Bryony.

De volgende avond had Bryony haar ongerustheid uitgesproken over de geheimtaal die de tweeling soms gebruikte om met elkaar te communiceren. Kennelijk waren de jongens late praters geweest, en hun eigen taaltje was tegelijk met hun eerste woordjes ontstaan. Bryony had Ali gevraagd om het onderwerp te bestuderen en te zien of het iets was wat bij tweelingen hoorde, en er over een paar weken op terug te komen met conclusies. Ze had haar ook opgedragen om de woorden te analyseren en te ontcijferen wat ze betekenden om een rudimentair woordenboek samen te stellen. Om niet lastig en onwillig te lijken had Ali er maar mee ingestemd.

Ze vond het wel verbazend dat Bryony niet eerder iets aan het probleem had gedaan, als het haar zoveel zorgen baarde als ze beweerde. Maar tegelijkertijd was ze blij dat haar zo'n serieuze zaak werd toevertrouwd, ook al was ze pas een paar dagen in dienst.

Tot dusver had Ali ondanks al haar inspanningen pas twee woorden verzameld. Op dit moment was ze echter te ver bij de tweeling vandaan om te horen wat ze zeiden. Ze zag dat Bryony opkeek van de bank en naar de tweeling wees terwijl ze geluidloos de woorden 'pen en papier' vormde. Al even geluidloos wees Ali omhoog om aan te geven dat haar notitieboek op haar kamer lag. Bryony staarde haar iets langer aan dan aangenaam was, maar werd al snel afgeleid door Jake die zijn grootvader vroeg naar het bedrijf in gerookte zalm dat hij vroeger leidde.

'Hoeveel vluchten maakten jullie met die gerookte zalm door heel Groot-Brittannië?' vroeg Jake zijn grootvader aan de keukentafel. 'Je hebt me een keer verteld dat het eerst allemaal naar Polen werd gevlogen om verpakt te worden en dan weer hierheen om verkocht te worden. Je mag wel een heel stuk van de Amazone kopen om een dergelijke hoeveelheid koolstofuitstoot te compenseren.'

'Daar zouden we het niet over hebben,' zei Bryony op zangerige toon.

Eerder dat jaar had de zakenpartner van Foy waar hij al vijfentwintig jaar mee samenwerkte een staatsgreep opgezet om hem uit de directie te werken van de onderneming die hij in de jaren zeventig had opgezet. Hoewel het in vriendelijke woorden zoals pensionering was verpakt en Foy een belangrijk klinkende, maar onbeduidende titel kreeg, was hij in feite uitgekocht en werkloos achtergebleven. De haastige aankoop van de olijfboomgaard vorig jaar was een idee van Bryony om hem op te monteren en een nieuw project te geven. Iedereen had strenge instructies om niet over enige vorm van vis te beginnen.

'Die gerookte zalm betaalt anders wel jouw schoolgeld,' zei Foy. 'Ik zou er maar niet over klagen. Ik wou alleen dat ik die vis in formaldehyde had gelegd en aan het Tate Modern had verkocht.'

'Zeg, toevallig betaal ik het schoolgeld hier,' viel Nick hem luid in de rede.

Hij stond bij het lange, smalle keukeneiland dat het middelpunt vormde van het andere eind van de keuken, de flessen wijn te bekijken die hij uit het souterrain had opgediept. Hij leek op een eenzaam vliegtuig dat per ongeluk van de landingsbaan gereden was. Het was voor het eerst dat hij iets zei sinds zijn schoonvader de keuken was binnengekomen. Nu was het zijn beurt om zichzelf op de vingers te tikken. Wat moest hij zo nodig bewijzen?

'Hallo, Nick, hoe staan de zaken?' vroeg Foy en hij beende naar het einde van het keukeneiland om zijn schoonzoon de hand te schudden. Voor een man van achtenzestig bewoog hij zich opmerkelijk soepel. 'Zijn de stieren of de beren aan de macht?'

Nick lachte hardop, alsof het de eerste keer was dat Foy die vraag stelde. In de loop der jaren had hij zijn schoonvader al vaak uitgelegd dat de grillen van de aandelenmarkt geen impact hadden op het dagelijkse ritme van zijn werk, maar Foy negeerde hem gewoon omdat hij de vraag zo leuk vond klinken.

'Eigenlijk profiteren we nog steeds van de rentedaling. Dat betekent namelijk dat mensen geen goed rendement krijgen op hun obligaties of spaargeld,' zei Nick en hij zette de fles neer die hij had staan bekijken. 'We verdienen goud geld op die gestapelde beleggingsproducten, *collaterized debt obligations*. Een eindeloos feest.'

Foy keek hem bevreemd aan, omdat Nick niet het gebruikelijke patroon volgde. De vraag van Foy was altijd het teken voor Nick om hem naar zijn meest recente nieuws te vragen.

'Dat klinkt boeiend,' zei Foy, zonder zijn gebrek aan geestdrift te kunnen verbergen.

'Dat is het ook,' zei Nick, de toon van zijn schoonvader opzettelijk verkeerd interpreterend. 'De huizenprijzen stijgen, mensen lenen geld voor goedkope spullen uit China. Iedereen wordt rijk, vooral de Chinezen, en zij houden de rentevoet laag door Amerikaanse schatkistcertificaten te kopen.'

'Ga je die fles wijn nog openmaken of moet ik het voor je doen?' vroeg Foy joviaal en hij stak zijn hand uit naar de fles Girardin Puligny-Montrachet die Nick in zijn hand had. Bezitterig hield Nick de hals van de fles vast. De kurkentrekker bleef op het werkblad liggen.

'We bundelen leningen, tellen ze bij elkaar op en verkopen ze door omdat obligaties verschillende rentes opleveren, afhankelijk van het risico,' zei Nick. 'Het zijn vooral subprime-hypotheken, maar het kunnen ook creditcardleningen zijn, of schuldpapieren van opkomende markten, het maakt niet echt uit. Wij verkopen ze door aan een bedrijf dat we zelf hebben opgezet, zodat het risico uit onze boekhouding verdwijnt, en vervolgens worden ze weer in verschillende stukken opgedeeld en doorverkocht. Zo krijgen wij een vergoeding voor elke deal, en de afbetalingen leveren weer andere inkomsten op.'

'Wie koopt er nou schulden van onbekenden?' vroeg Foy ongelovig.

'Mensen zoals jouw pensioenfonds, bijvoorbeeld, of je bank,' zei Nick. 'Mensen die op zoek zijn naar het beste rendement op hun investering.'

'Maar je moet toch weten aan wie je je geld uitleent, voor het geval ze het niet kunnen terugbetalen?' merkte Foy op.

'We hebben formules om het risico van een lening te bepalen en kredietbeoordelaars zoals Moody's die de schuld een cijferwaardering geven,' zei Nick schouderophalend. 'Het is praktisch onfeilbaar. Hoe dan ook, zo lang mensen geld verdienen, stellen ze geen vragen. Die gestapelde CDO's zijn riskanter voor beleggers, maar hun rendementen zijn veel hoger.'

Foy schudde zijn hoofd en pakte de flesopener. Uit de manier waarop hij ermee stond te draaien, bleek duidelijk dat hij geen idee had hoe hij hem moest gebruiken.

'Hoe meer *leverage*, hoe meer potentieel rendement. Dat is onze mantra,' vervolgde Nick. Uit vergaderingen met beleggers wist hij dat er in elke discussie een moment aanbrak waarop mensen niet wilden toegeven dat ze er niets meer van begrepen en zich simpelweg overgaven aan zijn superieure kennis van het jargon. 'Wij opereren aan de uiterste grenzen van de financiële wereld.'

'Waar niemand ooit voet aan land heeft gezet,' schertste Jake.

'Net als de olijf, is de aandelenmarkt zowel een goede dienaar als een harde meester,' zei Foy ten slotte in een variatie op een citaat van Lawrence Durrell.

'Zo is het precies,' beaamde Nick.

'Dus je verkoopt nog steeds alleen maar stukjes papier,' zei Foy.

'Jazeker, maar de inkt heeft een andere kleur,' antwoordde Nick kortaf en hij liet zijn greep op de fles verslappen.

'Er moet toch iets mis zijn met een wereld waarin de mensen niet alleen uitgeven wat ze verdienen, maar ook wat ze niet verdienen,' besloot Foy.

Hij deed geen poging om zijn favoriete argument, dat de groei van de financiële sector in Londen de dood betekende voor vernieuwingen in Britse productie, naar voren te brengen. Iedereen in het vertrek begreep dat Nick zojuist een debat had gewonnen. Alleen begreep niet iedereen waar het debat eigenlijk over ging.

'Je bent vervelend, pap,' riep Jake kregel vanuit het midden van het vertrek, waar hij met één iPod-dopje in zijn oor zat te bladeren in het muziektijdschrift *Kerrang!*; het andere zwierf in een schotel met boter.

'Waar heeft papa het over?' vroeg Izzy aan haar moeder.

'Over zijn werk,' zei Bryony. 'Maak je geen zorgen. Niemand begrijpt wat hij precies doet. Zelfs ik niet.'

'Ga je die fles openmaken? Of wil je wachten tot we nog meer eer bewijzen aan de hogepriester der financiën?' Nick pakte de flesopener.

'Niets wijst zich meer vanzelf,' klaagde Foy. 'Moet je dat ding nou zien. Je hebt een hele handleiding nodig om zo'n gadget te bedienen.'

'Dat was een cadeautje van mijn team,' zei Nick. 'Het is waarschijnlijk de meest evolutionaire flesopener op de markt. Je kunt tweeduizend flessen wijn openmaken voordat je ook maar hoeft te overwegen om hem te laten uitlijnen.'

'Het is net als die elektrische peper-en-zoutmolens,' ging Foy verder. 'Ik kan me niet aan de indruk onttrekken dat het fallische van al die uitvindingen moet compenseren voor het feit dat mannen te lang in muffe kantoren naar spreadsheets staren op hun beeldscherm en te weinig jagen en verzamelen in de buitenlucht. De zalmindustrie hield mij tenminste nog fit.'

'Ik ben volkomen fit,' zei Nick. 'Ik ga vier keer in de week joggen. En met alle internetwinkels is jagen en verzamelen tegenwoordig verbazend overbodig.'

Foy wendde zich als een geslagen hond van Nick af en liep met gespreide armen op Malea af, die uit de voorraadkamer in het souterrain onder de keuken kwam. De vertrekken onder de keuken waren het domein van Malea. Daar begon de productielijn voor de drie maaltijden die ze elke dag bereidde. Daar sliep ze en waste ze zich, en daar bevond zich de frontlinie voor de grote was. Achterin, aan de kant van de tuin, bevond zich een kamer die overdag dienstdeed als speelkamer en 's avonds als televisie- en snookerruimte voor Jake en zijn vrienden. Het was ook Malea's lievelingsplek om te strijken. Malea keek vergenoegd maar gegeneerd toen Foy haar optilde en knuffelde.

'Honing met walnoten,' zei hij en hij duwde haar een paar potten in handen.

‘Meneer Chesterton, u verwent me,’ zei ze verlegen. Iedereen giechelde. Jake verschoof ongemakkelijk in zijn stoel omdat hij degene was die Malea dat had leren zeggen, zonder haar over de reclame van Ferrero Rocher te vertellen. Hoewel de rijkdom van zijn ouders zijn wereldbeeld had begrensd, was hij op zijn zeventiende wijs genoeg om te weten dat het niet cool was om iemand die zijn broeken streek voor schut te zetten.

‘Een voorproefje van Griekenland, om je over te halen ons een keertje te bezoeken,’ zei Foy.

Nick was druk in de weer met flessen wijn om zijn ergernis over zijn schoonvader te verbergen. Het was niet aan Foy om Malea uit te nodigen in Griekenland. Ze werkte voor hem en Bryony, niet voor Foy en Tita, en ze hadden haar hier thuis nodig, ook als zij er zelf niet waren. Bovendien was het meer dan belachelijk om te denken dat de onverzettelijke kenau van een Griekse huishoudster die voor zijn schoonvader werkte een dergelijke indringster ooit zou accepteren.

‘Pis toch niet altijd tegen mijn paaltjes, vent,’ hoorde Ali Nick tot haar schrik binnensmonds mompelen. Hij probeerde zich te concentreren op de wijnflessen. Malea, die kennelijk niet ingewijd was in het visembargo, vertelde Foy trots dat ze ter ere van hem zalm en croûte op het menu had gezet. Foy gaf geen krimp.

‘Dan hoop ik maar dat het wilde zalm is. Dat gekweekte spul zit vol rotzooi,’ zei hij venijnig.

Nick keek verbaasd op. Foy noemde de gekweekte zalmindustrie altijd revolutionair. Hij beweerde altijd dat hij de massa zalm had leren eten, dat hij democratie op de eettafel had gezet door zalm in supermarkten te gaan verkopen, dat hij de volksgezondheid al verbeterde lang voordat visolie in de mode kwam. Maar die opruiende Che Guevara-taal was verdwenen. Dit was een heel nieuwe invalshoek.

‘Die vissen zijn net zo slecht af als batterijkippen,’ zei hij. ‘Ze zitten onder de vlooien en ze worden volgepompt met meer chemicaliën dan een Oost-Europese gewichtheffer. God weet wat dat met het libido van een man doet.’

‘Verdomme,’ zei Nick ineens. ‘Die verrekte kurk is gebroken.’ Hij hield de fles omhoog tegen het licht van het raam en zag kleine stukjes kurk op het oppervlak drijven.

‘Ik dacht dat die flesopener onfeilbaar was,’ zei Foy spottend. Nick pakte de fles Puligny-Montrachet van vijftig pond en schonk hem leeg in de gootsteen. Hij deed het met een volkomen nonchalante houding, wetend dat zijn zuiniger aangelegde schoonvader zich eraan zou ergeren.

'Waarom gieten we het niet door een zeef?' opperde Foy.

'Ach, waar deze vandaan kwam staan er nog veel meer,' zei Nick met een gebaar omlaag naar zijn wijnkelder, die zich onder de vloer bevond. 'Dan nemen we gewoon alleen de Meursault. Zalm moet ook eigenlijk iets sterkers hebben dan een Montrachet, vind je niet, Foy?'

Foy luisterde niet. Hij had net Ali in beeld gekregen, die opgelaten bij het raam stond.

'En wie ben jij?' baste Foy. Ali keek hem beduusd aan. Ze wees met een hand op zichzelf en probeerde 'Ik?' te zeggen maar produceerde geen geluid. In de week sinds ze in Holland Park Crescent was komen wonen, was Ali eraan gewend geraakt dat ze onzichtbaar was. In Cromer ontmoette ze voortdurend mensen die ze kende, of ze nu in de rij stond bij de slager of over het strand wandelde. Zelfs in Norwich kwam ze geregeld medestudenten tegen, of vrienden die naar de stad waren verhuisd op zoek naar werk.

In Londen zag ze echter geen bekende gezichten. Ze was geen moeder en ze maakte geen deel uit van de groep Oost-Europese nanny's die in hun verschillende talen vol keelgeluiden stonden te lachen en te praten in het park. Het maakte Ali duidelijk hoezeer haar identiteit werd gevormd door haar relatie met het bekende. Ze vond het jammer dat ze het recente aanbod van haar vader om met hem mee de zee op te gaan niet had aangenomen. Het was jaren geleden dat ze mee was geweest. Misschien had ze dan kunnen zien welke aspecten van haarzelf naar boven kwamen in zwaar weer, wanneer alles wat niet essentieel was, werd weggestript, en daar zou ze nu zeker baat bij hebben gehad. Foy wendde zich alweer af.

Het was de afgelopen week wel gebeurd dat ze de hele dag met niemand anders had gepraat dan met de kinderen en Malea, die duidelijk meer belangstelling had voor haar dagelijkse soaps op de televisie in de keuken dan voor een gesprek met Ali. De eerste twee avonden had ze plichtsgetrouw tot elf uur 's avonds aan de keukentafel gewacht tot Bryony thuiskwam van haar werk. Ze had zorgvuldig een lijst opgesteld met de hoogtepunten van de dag, in de hoop gerustgesteld te worden dat ze het goed deed. Maar ze verscheen nooit. De derde avond gaf Ali het op en ze ging om tien uur naar bed. Ze liep langs Izzy's deur en zag haar achter de computer zitten.

Boven haar hoofd hoorde ze Jake rondlopen in zijn slaapkamer op de zolderverdieping, af en toe meezingend met een nummer op zijn iPod. Ze verlangde naar gezelschap en scrolde door haar contacten in de nieuwe BlackBerry die Bryony haar had gegeven. Het was een spartaanse lijst. Er stonden drie nummers in voor Jo, maar die waren waarschijnlijk allemaal ter ziele, omdat Jo haar telefoon kwijt was of geen beltegoed meer had. En zelfs als ze haar wel te pakken kreeg, was de kans dat ze op dit uur van de avond geheel van de wereld was te groot om een telefoontje te riskeren. Dan waren er nog Rosa, Tom, Maia, haar ouders en Will MacDonald. Impulsief deletete ze de gegevens van haar mentor als overbodig. Rosa nam echter meteen op.

'Hallo daar, vreemdeling,' zei Rosa hartelijk, ook al was het minder dan een week geleden dat ze een afscheidsfeestje voor Ali had gegeven. Ali begreep het wel. Universiteitsvriendschappen waren gebaseerd op dagelijks contact en zij was nu al uit de running. 'Hoe gaat het?'

'Goed,' zei Ali. 'Ingewikkelder dan ik had verwacht. Het is moeilijk om in zo'n korte tijd met zoveel verschillende mensen een relatie aan te gaan, maar Hector en Alfie zijn schattig. En mijn kamer is gigantisch. Je moet maar komen logeren. Vriendinnen mogen op bezoek komen.'

'Te gek,' zei Rosa. Ali merkte dat haar aandacht al was afgeleid en wist dat het moeilijk zou zijn om haar weg te lokken van het intense, eenzelvige wereldje van de universiteit.

'Hoe is de nieuwe flatgenoot?'

'Wat?'

'Het meisje dat mijn kamer heeft overgenomen.'

'Goeie keus van je,' zei Rosa. 'Ze is te gek.' Ali hoorde een stem op de achtergrond.

'Wie heb je bij je?'

'Kan ik niet over praten,' giechelde Rosa.

'Nieuwe liefde?' vroeg Ali door.

'Nieuwe lust,' bevestigde Rosa. 'Kan ik je straks bellen?'

'Ik moet om halfzeven op, dus misschien beter morgen,' zei Ali.

'Prima,' zei Rosa.

Het telefoongesprek versterkte Ali's gevoel van isolement. Bryony communiceerde natuurlijk wel met haar, maar het was een virtuele relatie via de BlackBerry, in korte, beknopte zinnetjes op vreemde tijden. 'Izzy cello?' was er eentje. 'Jake weekendplannen?' vroeg een andere. 'Tweeling MMR?' Nick was niet in beeld. Ze had hem de hele week maar één keer gezien.

'En wie ben jij?' Foy richtte zijn aandacht weer op Ali. 'Behalve iemand die mensen twee keer dezelfde vraag laat stellen.'

De plotselinge aandacht van Foy was Ali bijna nog minder welkom dan de verwaarlozing daarvoor. Ze had spijt van het korte spijkerrokje en de legging die ze droeg en wenste dat ze iets minder opvallends had gedragen. Ze wikkelde haar vest strakker om zich heen en trok de mouwen omlaag. Ze zag er niet serieus genoeg uit.

'Sorry, pap, ik had jullie aan elkaar moeten voorstellen,' zei Bryony verontschuldigend. Ali stak haar hand zo ver mogelijk uit om Foy op afstand te houden.

'Dit is Ali, onze fantastische nieuwe nanny,' zei Bryony met een waarderende arm om Ali's schouder. 'Wees aardig tegen haar, want ze is pas dit weekend bij ons komen wonen.'

'Wat is er met die andere gebeurd?' vroeg Foy.

'Die werd zwanger,' hielp Tita hem herinneren.

'Ik dacht dat dat die daarvoor was?' zei Foy.

'Nee, dat was degene die de tweeling steeds in de speelkamer opsloot als zij...'

'Daar zouden we het niet meer over hebben,' viel Bryony haar zangerig in de rede.

'Je kunt toch niet zo'n knappe nanny hebben met een jongen van bijna achttien in huis,' zei Foy theatraal. Gelukkig zat Jake met zijn oortjes in aan tafel en hoorde hem niet.

'Zulke dingen kun je niet zeggen, papa. Ze heeft Engels gestudeerd aan de universiteit van East-Anglia,' verklaarde Bryony om haar vader af te leiden. 'Ze helpt de kinderen met hun schoolwerk en ze past op terwijl ik aan het werk ben. Net als Jane Eyre.'

Ali keek gegeneerd.

'Wat hebben we voor Ali?' riep Foy naar Tita. Tita zweefde naar Ali toe en stak zwijgend haar hand uit zodat Ali die kon schudden. De hand was klein en benig en deed Ali denken aan de zwaluwen die onder de dakrand buiten haar slaapkamerraam in Cromer nestelden.

'Aangenaam kennis met u te maken, mevrouw Chesterton,' zei Ali nerveus.

'Wat denk je van een pot honing?' stelde Tita voor.

'Wat moet een meisje zoals dit nou met een pot honing?' zei Foy laatdunkend. 'Hebben we nog een sarong, Tita?' Tita schudde haar hoofd.

'Dan moeten we maar iets voor je uitzoeken als je naar Corfu komt,' zei Foy. 'Van de zomer kom je natuurlijk mee.'

'Dat weet ik nog niet,' zei Ali een beetje zenuwachtig; het was niet duidelijk of het een stelling was of een vraag, en hoewel Bryony het specifiek over vakanties had gehad in het sollicitatiegesprek had ze geen bestemming genoemd of gezegd dat ze uitgenodigd zou worden.

'Meestal komt de nanny een maand met de kinderen,' verduidelijkte Foy, 'en dan komen Bryony en Nick de laatste twee weken, al brengt Nick meestal meer tijd door met zijn BlackBerry dan met ons.'

Zijn toon was gekscherend maar niemand lachte behalve Ali, die er snel mee ophield. Bryony keek beledigd. Ali veronderstelde dat ze van streek was, omdat Foy haar man bekritiseerde.

'Je weet best dat ik ook heel hard werk,' zei Bryony verdedigend.

Ze prevelde iets over Nick zoeken, die nu de lunch ophield door een andere fles wijn uit het souterrain te halen. De tweeling was nergens te bekennen. Ali wist niet zeker of ze hen moest gaan zoeken.

'Misschien kan ik helpen met de olijvenoogst?' opperde ze beleefd.

'Dat gebeurt 's winters,' zei Foy. 'En het duurt maanden.' Tot Ali's opluchting verontschuldigde Foy zich en hij ging terug naar boven, mompelend over een zwakke stroom en de perikelen van een onbetrouwbare prostaat.

'Honing zou heerlijk zijn,' zei Ali tegen Tita. Tita glimlachte welwillend, maar het waren haar doordringende groene ogen, niet haar met lippenstift besmeurde mond, die Ali's aandacht trokken. Het waren ogen die alles zagen, maar niets lieten zien. Zelfs met de onverzoenlijke blik van de jeugd zag Ali dat Tita een vrouw was wier leven vooral was bepaald door haar schoonheid. Haar haar mocht dan grijs zijn en opgestoken in een onmodieuze knot, en door de manier waarop ze haar benen net iets te ver uit elkaar neerzette leek ze nogal fors, maar ze was nog altijd een vrouw die de aandacht trok.

'Negeer hem maar, liefje,' zei Tita. 'Hij is net een kind in een snoepwinkel als hij met iemand kennismaakt, maar hij verliest al snel zijn belangstelling. Het gaat allemaal om de eerste vijf minuten. Hij bedoelt het niet kwaad. Foy is een heel doorzichtig mens.' Ze keek geringschattend, maar de opmerking werd met trots uitgesproken.

'Met een grote persoonlijkheid,' beaamde Bryony, die weer binnen was gekomen met Nick en een nieuwe fles wijn.

Ze hoorden de Grote Persoonlijkheid de trap af bonken met de tweeling op zijn hielen.

'Kijk nou eens,' zei hij luid. Hij had de foto in zijn hand die meestal aan de muur in het toilet boven hing, een locatie die er een air van luchtigheid aan moet verlenen die hij in bijvoorbeeld de eetkamer niet zou hebben gehad. Het was een ingelijste foto van Foy uit de jaren tachtig, gemaakt op de stoep van Downing Street 10, na een vergadering van vooraanstaande zakenlieden met Margaret Thatcher. Maggie Thatcher, in een blauw mantelpak, boog zich naar Foy en negeerde de man aan haar linkerhand. Het zag eruit alsof ze hem een belangrijke vraag stelde. Hij boog zich ook naar haar toe, zodat haar gezicht bijna zijn hals raakte.

De foto had in een aantal grote kranten gestaan. Foy had de hand weten te leggen op het origineel en er een klein onderschrift aan toegevoegd: GEEF ZE DAN VIS! Hij had de foto aan Bryony gegeven 'ter inspiratie' toen ze haar eigen financiële pr-bureau had opgezet, zestien jaar geleden. Bryony was ontroerd geweest, tot ze merkte dat hij dezelfde afdruk aan haar zus Hester had gegeven. Maar toen was het al te laat om hem van de wc-muur te halen zonder haar vader te kwetsen.

Foy stak de ingelijste foto in de lucht en riep iedereen dichterbij. Bij de onderste trede verzamelde zich een klein groepje. Vooraan stond de tweeling, hard zuigend op zuurtjes die ze in hun grootvaders jaszak hadden gevonden. Achter hen stonden Bryony en Tita in precies dezelfde houding: armen over elkaar, beide voeten naar buiten. Izzy stond wat achteraf, samen met Jake, die zo beleefd was geweest om zijn iPodoortje te verwijderen. Nick kwam aanslenteren met een nieuwe fles wijn. Zelfs Malea verliet haar fornuis om te kijken wat er aan de hand was. Alleen Ali bleef op afstand.

'Wat is er mis mee, Foy?' vroeg Tita.

Foy duwde haar de foto in handen met de woorden: 'Zie je dat niet?'

Iedereen drong naar voren. Foy was rood aangelopen, maar toen ze zijn vertrouwde gelaatstrekken vergeleken met de foto, werd duidelijk dat er iets mis was. Het gezicht op de foto was een veeg geworden. Het leek alsof Foys gezicht was uitgelopen, zodat zijn arendsneus en zijn kin in elkaar overliepen. De ogen waren niet langer blauw en zaten op de verkeerde plek. Foys gezicht was nauwelijks te onderscheiden van dat van Thatcher, die een even radicale metamorfose had ondergaan. Het fotopapier was hier en daar gekreukt en de hoeken waren omgekruld.

'Hij is nat geworden,' zei Bryony verwonderd. 'Wat raar dat ik dat niet eerder heb gezien.'

'Misschien een lekkende leiding?' opperde Nick behulpzaam. 'Of heeft iemand het raampje open gelaten?'

'Het is de enige foto die beschadigd is,' zei Foy.

'Wat een pech, Foy,' zei Jake, en voor een keertje werd hij niet op zijn vingers getikt voor het gebruik van zijn grootvaders voornaam.

'Ruik er eens aan,' zei Foy dringend.

Bryony snoof er voorovergebogen aan en deinsde onmiddellijk achteruit. Ze gaf de foto door aan Nick die er voorzichtig aan snuffelde en een paar keer slikte alsof hij zijn best deed om niet te kokhalzen.

'Waar ruikt het naar?' vroeg Foy.

'Urine,' zei Nick walgend.

'Iemand heeft over me heen gepiest!' riep Foy. Zijn ogen flitsten beschuldigend het vertrek door.

'Dat moet de tweeling zijn geweest,' zei Tita.

'Hoe zouden die nou bij de foto kunnen?' zei Foy boos tegen haar.

'Misschien zijn ze op de wc-pot gaan staan,' suggereerde Nick.

'Het was vast een spelletje,' zei Izzy. 'Ze proberen altijd wie het verste kan plassen.'

'Het is gewoon pech dat ze jou als doelwit hebben gebruikt,' zei Bryony.

'Wanneer hebben ze dat dan gedaan?' vroeg Foy. 'Het moet vandaag zijn geweest.'

Ali, nog steeds op dezelfde plek bij de bank geworteld, besefte dat alle ogen op haar gericht waren.

'Ik was het niet,' stamelde ze zenuwachtig.

'Natuurlijk was jij het niet,' zei Bryony getergd, 'maar jij hebt de hele ochtend op de tweeling gelet, wanneer kunnen ze dit gedaan hebben?'

‘Ik weet het niet,’ zei Ali met een blik op de tweeling. Ze stonden in hun vreemde taal tegen elkaar te fluisteren.
‘Hou nou eens op!’ krijste Bryony. ‘Praat gewoon. Hou op met dat rare gedoe.’
‘Wat zeggen ze? Wat zeggen ze?’ herhaalde Tita, tot Foy opperde dat het niet hielp om dat te vragen.
‘Wij hebben het niet gedaan,’ zeiden ze tegelijkertijd.
‘Ali, ik wil dat je dit tot op de bodem uitzoekt,’ zei Bryony. Het was Ali niet duidelijk of de strengheid van Bryony’s toon bedoeld was om de tweeling angst aan te jagen – de jongetjes stonden aan weerszijden van haar met hun snoepjes in hun wang geplakt – of om Foy te kalmeren, die onmiddellijke vergelding eiste.
‘Ja, natuurlijk,’ zei Ali, al had ze geen idee hoe ze een dergelijk onderzoek in vredesnaam zou moeten uitvoeren.
Nicks BlackBerry begon te rinkelen. Hij keek naar het scherm.
‘Sorry, ik moet deze echt opnemen,’ zei hij, zichtbaar opgelucht dat hij een excuus had om de keuken te verlaten. ‘Het gaat over de deal. De cijfers zijn zo gecompliceerd dat het computersysteem het hele weekend nodig heeft om ze te verrekenen.’ Toen ging hij weg, en voor zover Ali zich kon herinneren kwam hij niet meer terug.

‘*Sum ergo edo*,’ zei Foy met een glimlach, opgemonterd door de komst van het eten, zijn uitbarsting kennelijk vergeten. ‘Ik denk, dus heb ik honger.’ Malea zette de zalm en croûte op het keukeneiland en Foy boog zich eroverheen om van de geur te genieten. Hij snoof overdreven en prees de kwaliteiten van haar kookkunst tot Malea zich blozend terugtrok bij de Aga, waar ze kleine porties asperges op bordjes legde.
‘Wat een zaligheid,’ verklaarde hij. ‘Des te meer na een maand vol *spetsofai* van Andromeda. Een ramp voor mijn spijsvertering. Ik moet elke middag slapen.’
‘Nog tien minuten, meneer Chesterton,’ zei Malea terwijl ze de zalm weer in de oven zette. ‘Eerst de asperges.’
‘In Engeland doet u precies hetzelfde,’ merkte Jake op. ‘Trouwens, u slaapt altijd na de lunch, waar u ook bent.’
Foy pakte het vleesmes dat Malea op het werkblad had gelegd. Hij hield het omhoog zodat het licht op het witte lemmet viel, draaide het van de ene kant naar de andere en onderzocht het handvat alsof hij

een eeuwenoud kunstvoorwerp in handen had.

'Wat is dit? Het lijkt wel een samoeraizwaard,' zei Foy.

'Het is Japans,' zei Bryony. 'Het moet een van de beste messen ter wereld zijn. Het was een cadeautje voor Nick toen hij een of andere deal had gesloten. Voorzichtig met het lemmet, het is keramiek.'

Op aandringen van Malea liep Foy naar de tafel en zette zich aan het hoofd in de enige stoel met armleuningen. Ali stond weifelend achter hem, onzeker of ze moest aanschuiven of naar boven vertrekken, zodat de familie samen kon eten. Ze bood niet aan om Malea te helpen. Nadat een poging om de kinderen hun pasta te serveren eerder die week kort was afgewezen, was de boodschap duidelijk: de keuken was Malea's territorium en elke poging om te helpen kon als bemoeizucht worden opgevat. Ali telde de plaatsen om te ontdekken of er voor haar gedekt was.

'Wat doe je?' vroeg Foy ongeduldig. 'Je maakt me zenuwachtig. Ga ergens zitten.'

'Ik weet niet of...' prevelde Ali.

Ze keek naar Bryony voor een aanwijzing, maar die was druk in gesprek met Tita over de plannen van haar jongere zus om een nieuw bestaan op te bouwen als levenscoach.

'Waarom zou iemand Hester willen betalen voor advies?' vroeg Tita ongelovig, terwijl ze een stoel naast die van haar man achteruitschoof. 'Ze kan zelf al niets beslissen.'

'Misschien is het de homeopathische aanpak, genezen met een dosis van de kwaal,' lachte Bryony, die tegenover Tita plaatsnam. 'Het is in elk geval minder buitenissig dan helen met kristallen.'

'Ik ben zo opgelucht dat ze dat idee heeft laten varen,' zei Tita. 'Ik heb echt geen geduld met al die newagepraatjes. Weet je dat ze de laatste keer dat ik haar zag beweerde dat we allemaal baat zouden hebben bij gezinstherapie?'

'En wat zei jij?' Bryony bleef Tita vragen stellen.

'Ik vroeg waarom,' zei Tita. 'Ze zei dat jij vroeger toen jullie klein waren een streep op de slaapkamervloer hebt getrokken om je territorium af te bakenen. Kennelijk bedeelde je jezelf een veel groter stuk toe, en dat hebben wij laten gebeuren.'

'Verder nog iets?' vroeg Bryony.

'Ze zei dat ik een afstandelijke moeder was en Foy een dominante vader, en dat we haar vermogen om zelf te denken gedwarsboomd hebben. Toen vroeg ik haar dus hoe ze dan verklaarde dat jij zo besluitvaardig bent,' zei Tita, duidelijk ontdaan door deze gebeurtenissen.

'Nou, het kostte haar anders heel wat tijd om te besluiten welke man ze wilde trouwen,' onderbrak Foy haar. 'Die arme Felix Naylor zat nog steeds in spanning toen ik Bryony naar het altaar bracht.'

'Ali, ga alsjeblieft zitten,' vervolgde hij.

'Ik weet niet zeker of ik hier wel moet zijn,' lachte Ali nerveus, terwijl ze van Foy wegliep naar het midden van de tafel.

'Dat is een van de grote existentiële vragen,' zei Jake, die naast Tita ging zitten en zijn grootmoeder een glas water inschonk.

'Is er ook water met prik?' riep hij naar Malea.

Jake moest haar ongemak toch aanvoelen? Ali keek hem aan op zoek naar solidariteit, maar vond niets. Jakes onverschilligheid tegenover haar stak haar meer dan Izzy's zorgeloze onbeleefdheid. Zijn ambivalentie versterkte haar gevoel van isolement in dit nieuwe leven. Als je bepaald werd door de mensen om je heen, wat betekende het dan als je grotendeels genegeerd werd? Ze had geprobeerd om contact met hem te leggen, aangeboden om te helpen met een essay over man-vrouwrelaties in *Het verhaal van de dienstmaagd* en gevraagd naar de muziek waar hij van hield (The Libertines, Daft Punk, Kaiser Chiefs - Ali had vals gespeeld en op zijn iPod gespiekt). Maar hij had geen belangstelling.

'In godsnaam, Bryony, waar moet die mus van een Sparrow haar nestje bouwen? Ze fladdert om de tafel heen als een ontsnapte zalm die terug wil in zijn kooi,' baste Foy.

Bryony wees naar de stoel tegenover Foy aan het andere eind van de tafel en gebaarde dat Hector en Alfie aan weerszijden van haar moesten gaan zitten, met Izzy en Jake als een bufferzone tussen de tweeling en de volwassenen.

'Het is gewoon een informele lunch,' zei Bryony afwezig. Ali keek naar de intimiderende, keurige rijen bestek, de verschillende maten wijnglazen, de placemats en de gevouwen servetten op elk bord. Ze ging aan het eind van de tafel zitten en voelde zich tentoongesteld. Malea zette een bord asperges voor haar neer en Ali prevelde een gegeneerd bedankje. Ze pakte mes en vork op om te gaan eten. Naast haar giechelde Hector.

'Asperges eet je niet met mes en vork,' zei Alfie met een verlegen glimlach. 'Die mag je met je vingers eten.'

'Dankjewel,' zei Ali en ze legde het met gesmolten boter besmeurde mes terug op tafel.

'Waar is je vader?' vroeg ze aan Hector.

'Aan de telefoon,' zei Izzy, die lusteloos aspergepunten over haar bord heen en weer schoof.

'Papa is altijd aan de *telepono*,' zeiden Hector en Alfie in koor. Ze aten broodjes in plaats van asperges. Ze namen op precies hetzelfde moment een hap en ruilden de broodjes over de tafel heen en weer tot ze op waren.

'Je bedoelt de telefoon,' zei Ali om hun uitspraak te corrigeren; over hun tafelmanieren zei ze maar niets, omdat haar dat een beetje sterk leek van iemand die zich door een stel vijfjarigen moest laten adviseren over het juiste gebruik van het bestek.

'Dat is zijn werk,' zei Izzy, alsof zijn afwezigheid een verklaring behoefde.

Malea kwam langs met wijn en Ali legde haar hand op haar glas.

'Je bent geen groot drinker?' vroeg Foy, alsof dat Ali verdacht maakte.

Ali schrok en morste water uit haar glas. Hector doopte zijn vinger in het plasje en tekende kringen op de tafel.

'Niet echt,' zei Ali.

'Waar kom je oorspronkelijk vandaan?' vroeg Foy. Ali begreep het verband met zijn vorige vraag niet echt.

'Cromer,' zei Ali. 'Dat is een kleine stad in het noorden van Norfolk.'

Malea ruimde de borden af, ook dat van Ali. Daardoor voelde ze zich nog slechter op haar gemak, alsof zij de ongelijke status van Malea onderstreepte. Geen van de kinderen stond op om te helpen. Ze bleven zitten tot Malea terugkwam met borden zalm voor iedereen.

'Ik heb weleens gejaagd in die contreien,' zei Foy.

Hij wendde zich tot Bryony en vroeg haar naar haar plannen voor Corfu, komende zomer. Ali sneed voorzichtig een plakje zalm af en duwde het op haar vork maar het wilde niet blijven plakken, dus ging ze over op de groenten, die beter meewerkten. Ze had geen trek. Maar Tita kennelijk evenmin, en op het bord van Bryony lag slechts een kinderportie. Er woedde een debat over de vraag of ze een of twee weken zouden komen.

'Laat Nick dan hier, zodat hij door kan met zijn werk,' zei Foy.
'Het is voor mij anders net zo moeilijk om vrij te nemen,' zei Bryony berispend.
'Nou, dan breng je de mus mee, zodat je in elk geval een keertje echt uitrust,' zei Foy. 'Ben je ooit in Griekenland geweest, Ali?'
Hij wachtte haar antwoord niet af, maar begon de deugden van Corfu aan te prijzen. Ali besloot dat Foy iemand was wiens vragen in wezen een excuus waren om zijn eigen meningen te verkondigen.
'We hebben een oude olijvenboerderij gekocht in het noordoosten, voordat het in de mode raakte,' verklaarde hij. 'En ik heb net een olijfgaard van acht hectare op de kop getikt. Het is een heerlijk toevluchtsoord voor ons allemaal en het is groot genoeg om meerdere gezinnen tegelijk te herbergen. Zelfs Nick komt erheen. Die is dan in elk geval lijfelijk aanwezig, al zit hij meestal met zijn hoofd ergens anders.'
Dit bracht Nicks afwezigheid bij de lunch onder de aandacht, hoewel Izzy en Tita de plaats die hij had moeten bezetten langzaam hadden ingenomen.
'Je raakt wel gewend aan Nicks verdwijntrucs, Ali,' zei Bryony met een glimlach. 'Hij is er wel, maar hij is er niet. Het is net de onzichtbare man.'
Net als ik, dacht Ali; geleidelijk begon het haar te dagen dat de rol waarvoor ze auditie had gedaan bij de Skinners veel gecompliceerder was dan ze had voorzien. De Skinners hadden haar nodig, maar wilden haar aanwezigheid niet werkelijk voelen. Ze zochten iemand die de landkaart van hun gezinsleven kon bewandelen zonder een al te grote voetafdruk achter te laten. Ze zou een kameleon moeten leren zijn.
Hun afstandelijkheid accentueerde haar eenzaamheid. Later zou ze zich realiseren dat het haar ook vrijheid bezorgde. Maar op dit moment merkte Ali alleen dat ze haar ouders miste. Ze dacht aan hun zondagse lunch, die een paar uur eerder plaatsvond. Haar vader die in slaap viel, omdat hij sinds drie uur die ochtend op was om te zien of er krab in zijn fuiken zat. Haar moeder die luidruchtig de borden afruimde en intussen aan Ali vroeg welke boeken ze voor haar studie aan het lezen was.
Het was een geïdealiseerde versie van hun gezinsleven, omdat haar moeder in werkelijkheid alleen maar over haar zus zou hebben gepraat. Achttiende-eeuwse literatuur kon niet op tegen het drama van Jo's bestaan, al had Hogarth wellicht inspiratie kunnen opdoen in de lieder-

lijke onderwereld waarin zij haar leven leidde. Heel even miste Ali zelfs Jo, de Jo van vroeger in elk geval. Ze herinnerde zich zondagmiddagen met haar vrienden in Norwich, het ontspannen gebabbel, de goedkope grappen en de troostende wetenschap dat ze haastig terug kon naar Cromer als er een probleem was. Ze wenste dat ze die avond op de kinderen van haar mentor kon passen, in plaats van op Alfie en Hector.

Ze dacht aan het activiteitenschema aan de muur van haar kamer en vroeg zich af hoe ze kon controleren of Izzy echt Henry James las, hoe ze de tweeling kon dwingen om een halfuur met haar te rekenen als ze uit school kwamen, en hoe ze naar hun piano-oefeningen moest luisteren terwijl ze niet eens noten kon lezen. Jake had ze meteen al opgegeven, voordat ze zelfs maar een poging had gedaan.

5

September 2006

'Gaspedaal rechts. Rem in het midden. Koppeling links,' herhaalde Ali als een mantra in zichzelf toen ze op de eerste ochtend van het nieuwe schooljaar van de tweeling behoedzaam vanuit een zijstraat een drukke hoofdweg insloeg. Ze feliciteerde zichzelf, omdat het haar was gelukt in de tweede versnelling helemaal van Holland Park Crescent hierheen te rijden. Haar kuit deed pijn door het stijf indrukken van de koppeling als ze stilstond in het verkeer, haar klamme handen zaten vastgeplakt aan het leren stuur van de grote BMW en onder haar armen kleefden donkere schaduwen van zweet. Maar door onnodig schakelen te vermijden had ze wel het risico van een afslaande motor verminderd. Langzaam gleed ze met haar tong langs haar bovenlip. Ze proefde zout.

De radio stond aan. Ali ontspande bij het nieuws over nieuwe terroristische aanslagen, omdat er grotere rampen bestonden dan voor het eerst sinds ze twee jaar geleden haar rijbewijs had gehaald door Londen te rijden in andermans handgeschakelde auto. Toen Bryony haar over de keukentafel achteloos de sleutels had toegeworpen met de vraag of ze wilde rijden, zodat zij haar telefoontjes kon afwerken, was Ali ervan uitgegaan dat het allemaal wel weer terug zou komen. Net als fietsen. Maar op dit moment voelde ze zich even slecht op haar gemak als een olifant op een ijsbaan. De auto, een enorme SUV met vierwielaandrijving en drie rijen stoelen, was een groot lomp beest dat niet wilde meewerken met zijn onhandige meesteres en hysterisch reageerde op de minste verandering in de druk van haar handen of voeten. Nerveus keek Ali opzij naar Bryony en vroeg zich af of ze iets had gemerkt. Tot haar opluchting zat ze door de berichten op haar BlackBerry te scrollen.

'Ali,' zei Bryony zonder op te kijken, 'heb ik je al verteld dat Nick en ik rond het laatste weekend van oktober vier nachten weg zijn?'

'Ik geloof van niet.'

'We gaan naar Idaho, naar de ranch van Nicks baas. Het is een jaarlijks evenement. Tegen die tijd weet je overal wel raad mee, denk je niet?'

'Natuurlijk,' zei Ali, die zich graag gewillig wilde tonen, maar niet kon praten en rijden tegelijk. Gelukkig liep het verkeer vast en kon ze de auto stilzetten, haar voet resoluut op de koppeling.

'Ik zal je de details mailen,' zei Bryony. 'Izzy heeft die zaterdagavond een feestje, maar we regelen wel een taxi om haar tegen middernacht op te halen.' Een paar tellen later hoorde Ali de bevredigende 'ping' waarmee haar splinternieuwe BlackBerry aangaf dat er een bericht in haar inbox terechtkwam.

Bryony zette de verwarming op zijn hoogste stand. Ze had het altijd koud. Waarschijnlijk omdat ze te mager is, dacht Ali, die elke ochtend om zes uur wakker werd als Bryony's personal trainer aanbelde. De hete lucht blies in Ali's gezicht waardoor haar ogen droog aanvoelden en haar neusgaten zich vulden met de geur van verbrand stof.

Bryony's telefoon ging. Het was Nick. Hij wilde even de gastenlijst voor hun kerstborrel bijwerken, in het licht van Tony Blairs aankondiging dat hij binnen een jaar zou aftreden als minister-president.

'Brown krijgt de baan, maar Cameron gaat de verkiezingen winnen,' zei Bryony zelfverzekerd, 'en we hebben te nauwe banden met Blair. Laten we Ed Balls en Yvette Cooper van de lijst halen en in hun plaats de Camerons en de Goves uitnodigen.'

Het telefoontje werd even abrupt beëindigd als het begonnen was.

Ali kreeg een stijve rug. Zelfs zonder haar baas naast zich in de passagiersstoel zou deze eerste rit een uitdaging zijn geweest. Maar Bryony's spontane beslissing om Ali de snelste weg naar school te laten zien had de druk nog versterkt, vooral toen ze voorstelde dat Ali zou rijden voor het geval zij haar telefoon moest beantwoorden.

Ze droeg een luchtig paars chiffonzijden bloesje dat zachtjes opbolde in de hete lucht die de verwarming door de wagen blies. Het was een kleur paars die de meeste roodharigen zorgvuldig zouden hebben vermeden, maar op de een of andere manier kwam Bryony ermee weg. Door de voorruit zette de vroege ochtendzon haar haar in vuur en vlam, zodat ze er magnifiek uitzag. Als ze een man was, zou ze een imposante verschijning worden genoemd, besloot Ali.

Bryony maakte een envelop open en Ali zag dat ze fotokopieën van artikelen uit de kranten van vandaag doornam. Af en toe las ze iets hardop voor.

'French Connection in het rood... eens kijken wat *The Times* te vertellen heeft... Terreurwaarschuwing kost BAA dertien miljoen pond... dat kon erger... Scottish Power bespreekt fusie... goed van Felix dat hij daar iemand aan de praat heeft gekregen...'

'Hoort dat allemaal bij je werk?' vroeg Ali ten slotte, toen Bryony in haar handtas reikte om er een pakje zaden uit te halen. Ze scheurde het open en begon ze elegant op te eten, een voor een, ook al waren ze piepklein en had ze het hele pakje in één hap naar binnen kunnen gooien. Bryony keek verrast, want hoewel ze gewend was om naar haar werk te worden gereden en vaak met de chauffeur praatte, was ze niet gewend dat iemand haar vragen stelde.

'Inderdaad,' zei ze met een glimlach.

'Wat doe je eigenlijk precies?' vroeg Ali.

'Ik leid een financieel pr-bureau,' vertelde Bryony, die het waardeerde dat Ali de enige sollicitant was die kennelijk niet de moeite had genomen om haar te googelen. 'Mijn klanten zijn bedrijven die mij en mijn team betalen om hen te adviseren over mediarelaties. Ik praat namens hen met journalisten. Als een van mijn klanten door een ander bedrijf wordt gekocht, of als ze hun resultaten gaan publiceren of als er iemand wordt aangenomen of ontslagen, bedenken wij een communicatiestrategie om die dingen aan de media uit te leggen.'

'Dat klinkt best interessant,' zei Ali.

'Dat is het ook,' zei Bryony. Ze boog zich naar voren om Radio 4 aan te zetten. 'Ik moet hier even naar luisteren. Een van mijn klanten wordt geïnterviewd.'

Ali zweeg toen de presentator van het ochtendnieuwsprogramma *Today* de CEO aankondigde van een Brits bedrijf dat zojuist een concurrent had opgekocht, en daarmee naar de top van de woningbouwliga was gestegen. Het was een pittig debat waarin John Humphrys voornamelijk leek te suggereren dat de huizenmarkt op instorten stond, en Bryony's klant de kwestie ontweek door te praten over de toename van hypotheken van honderd procent, die starters op de woningmarkt in staat moesten stellen om de huizen te kopen die zijn bedrijf ging bouwen. Toen was het afgelopen.

'Keurig,' zei Bryony. 'Hij heeft zich voor de verandering eindelijk eens een keer aan zijn tekst gehouden. Vertel eens, wat lees je op het moment?'

'Ik ben bezig met *Feminism in Eighteenth Century England* van Katharine Rogers,' zei Ali. 'Voor mijn studie. Ik probeer bij te blijven met de leesteksten zodat ik niet zoveel hoef in te halen als ik volgend jaar weer begin.'

'Ik bedoelde eigenlijk, welke boeken laat je de kinderen lezen?'

'O, sorry. Jake heb ik zijn eigen gang laten gaan. Izzy is met *Spaar de spotvogels* bezig en ik laat de tweeling kennismaken met de vrolijke wereld van *Stoute Hendrik*.'

'Kun je dat in het vervolg in het dagboek zetten, zodat ik er niet naar hoef te vragen?'

Bryony haalde een nieuw pak papier uit haar tas. Er stond VERTROUWELIJK op, en PROJECT ODYSSEUS. Bryony begon het document snel door te nemen. Ali ving een glimp op van de inhoud. Een Oekraïens bedrijf wilde een Britse tegenhanger kopen. Interessant, dacht Ali, die nog meer vragen had. Maar Bryony's telefoon ging en daarmee was hun gesprek ten einde.

Het verkeer kwam weer op gang. In de achteruitkijkspiegel keek Ali naar de tweeling. Ze zaten strak ingesnoerd in hun autostoeltjes, maar ze hadden hun armen naar elkaar uitgestoken en hun mollige vingertjes in elkaar vervlochten. Toen ze haar zagen kijken, legden ze allebei precies tegelijk hun wijsvinger tegen hun lippen om haar tot zwijgen te manen. Hun band was even griezelig als vertederend. Ze was er vrij zeker van dat Alfie links zat en Hector rechts. Koppeling en gaspedaal. Of was het gaspedaal en koppeling? Snel keek ze ter geruststelling omlaag naar haar voeten. Ze kon de tweeling dan misschien nog niet uit elkaar houden, van die pedalen moest ze wel zeker zijn.

Vanaf de achterbank hoorde Ali hen tegen elkaar mompelen in hun vreemde taaltje. '*Nakakatawa sya*,' zei een van de jongetjes ernstig. De ander knikte: '*Alam ko*.' De woorden klonken oud, als een ondoorgrondelijke verloren taal, gered uit de binnenlanden van het Amazonegebied. Ali herhaalde ze heel zachtjes en de jongens giechelden uitbundig. Ze leken het niet erg te vinden om na de vakantie terug naar school te gaan, een opluchting voor Ali, die geschrokken was van de intensiteit van al hun reacties.

Aan het eind van de week zouden ze bespreken wat ze moesten doen aan wat Bryony de 'taalkwestie' noemde. Ali had weinig concreets te melden, behalve dat het verbazend was dat ze een taal nodig hadden, omdat ze toch al onderhuids communiceerden. Ze wilde Bryony eigenlijk vertellen dat aandacht het probleem wellicht zou verergeren, maar ze wist dat ze het niet zou durven. Ze had al begrepen dat het identificeren van een probleem in Bryony's ogen al de helft van de oplossing was. Ze regelde haar leven met lijstjes. Hoe moest ze anders zo georganiseerd zijn?

Ali wist de auto tot een beheerster ritme te dwingen, terwijl ze door een bredere straat reden, dankbaar voor de bus voor haar, omdat het betekende dat zij niet harder hoefde te rijden. De weg kwam haar vaag bekend voor. Dat kon ook te wijten zijn aan de generieke aard van de winkels. Starbucks. Habitat. Marks & Spencer. Het soort winkels dat je aantrof in wijken waar mensen uit de hoogste belastingschijf woonden. Geen Lidl of tweedehandszaak in zicht. Ze ontspande zich een beetje, zodat het bloed weer in haar handen terug kon stromen en wist de draad van Bryony's telefoongesprekken op te pikken.

Aan de beltoon (een nummer van de Black Eyed Peas dat Jake gedownload had) kon Ali horen dat Bryony op haar privélijn werd gebeld. En aan de manier waarop Bryony op haar onderlip beet en naar het scherm staarde tot het refrein van *Where is the love* begon, zag Ali dat ze aarzelde om het gesprek aan te nemen.

'Misschien is het wel een goed idee om biologisch te gaan, pap,' hoorde ze Bryony op gelijkmatige toon zeggen. 'Je klaagt altijd dat de supermarkten je marges afknijpen. Biologisch kun je voor een hogere prijs aan gespecialiseerde outlets verkopen. Pas klaagde je nog tegen Nick dat de vis onder de vlooien zat.'

Ze had het tegen Foy. Ali kon zijn stem horen bassen door de telefoon. Oude mensen schreeuwden altijd aan de telefoon, vooral als het mobieltjes waren.

'Stinkbiologisch,' riep Foy terug. 'Allemaal flauwekul. Dit land gaat helemaal naar de knoppen. Weet je dat de dokter me, toen ik vorige week voor mijn rug kwam, acupunctuur in mijn heiligbeen voorstelde?'

'Acupunctuur is heel effectief,' onderbrak Bryony zijn tirade, duidelijk in de hoop het gesprek een andere richting te kunnen geven.

'Niemand steekt een naald in mijn reet!' zei Foy. 'En ik ga nooit van mijn leven akkoord met biologische zalm! God, tegen de tijd dat ik een nieuwe heup nodig heb, geven ze je waarschijnlijk *Dark Rescue Remedy* in plaats van morfine.'

'*Bach Rescue Remedy*,' corrigeerde Bryony hem.
'Het is allemaal de schuld van je zus,' vervolgde Foy. 'Met haar homofobische kletspraatjes. Verrekte geitenyoghurtbreiers.'
'Homeopathisch,' corrigeerde Bryony. Hij negeerde haar.
'Ik begrijp niet wat Fenton ineens bezielt. Hij gaat veel te veel met die verrekte prins Charles om. Ik zweer je dat ik hem tegen de vissen zag praten, de laatste keer dat we in Schotland waren,' draafde Foy door. 'Om ze te vragen of ze genoeg ruimte hadden om te zwemmen.'
'Hoe reageerde jij?' vroeg Bryony, die zich afvroeg hoe haar vaders jongere zakenpartner hem in vredesnaam de baas bleef.
'Ik herinnerde hem eraan dat vissen een geheugen van drie seconden hebben,' brulde Foy. 'Hij gaat dat idee aan de raad van bestuur voorleggen hoor. Hij heeft een of ander stom plan om gevlekte lipvissen in te voeren die de vissenluizen op moeten eten in plaats van chemicaliën te gebruiken omdat die slecht zijn voor het milieu.'
'Dat klinkt als een goed plan,' zei Bryony.
'Het is een godsgruwelijk slecht plan, misschien keert die lipvis zich wel tegen de zalm, net als de grijze eekhoorn tegen de rooie, misschien is het wel een invasieve soort zoals die Amerikaanse signaalkreeft, misschien...'
'Luister, zelfs als ze het doen, dan ben jij toch al lang weg,' onderbrak Bryony hem. Ze had meteen spijt van haar vergissing. 'Ik bedoel dat het nog jaren duurt, voordat die vis biologisch mag heten en tegen die tijd is het waarschijnlijk uit de mode.' Dat bracht Foy echter niet tot bedaren. Ali trok een meelevend gezicht naar Bryony.
'Ze zullen me moeten verzuipen in die verrekte visbakken, voordat ik me terugtrek uit die godvergeten Freithshire Fisheries,' zei Foy. 'Ik ga mijn levenswerk niet achterlaten in de handen van die klootzak van een Fenton.' Bryony hield de telefoon een stukje van haar oor tot hij stopte om te vragen of ze er nog was.
'*De hufterio non morarium*,' antwoordde Bryony, een van Foys lievelingszinnetjes waarmee hij zijn preken graag beëindigde. Even bleef het stil. Toen lachte Foy.
'Je hebt gelijk,' zei hij. 'Ik laat me door die hufters niet meer gek maken.' Hij klonk al minder nijdig.
'Kun je dan nu alsjeblieft ophouden met vloeken, want ik heb de kinderen achterin en Ali naast me aan het stuur,' zei Bryony, met een zucht

van opluchting omdat zijn woede eindelijk uitgeraasd was. 'En haar eerste indruk van jou was al niet gunstig.'

'Ik begrijp het, ik begrijp het,' zei Foy belangstellend, 'vertel, heeft de mus al ontdekt wie die foto van mij op jullie toilet heeft bevuild? Hester heeft gelijk, er is echt iets mis met die tweeling. Waarschijnlijk te veel biologisch eten. Net als die stomme hond.'

De bus sloeg af, waarmee de weg zich zorgwekkend vrij van verkeer voor haar uitstrekte. Ze moest wel harder gaan rijden. Behoedzaam drukte Ali op het gaspedaal. De auto zwenkte protesterend naar links. Ze vervloekte Foy omdat hij was begonnen over wat er dat weekend was gebeurd. Behalve een paar grapjes van Jake over 'het Pisgate-schandaal' op zondagavond was het onderwerp van de agenda gezakt en vervangen door onbeduidendere zorgen. Had Nick Ali al bijgeschreven op de autoverzekering? Wie van de kinderen had zonder toestemming Bryony's laptop gebruikt? Ali had Bryony al drie dagen willen vragen naar richtlijnen over de beste manier om een bekentenis uit de tweeling te krijgen, maar ze had haar pas vanmorgen echt gezien en toen was er geen gelegenheid geweest om te praten.

Het eerste ontbijt na de schoolvakantie was een rampzalige aangelegenheid. Alfie en Hector overhalen om hun uniform aan te trekken was nog lastiger dan pudding in een geldautomaat stoppen. Ze wilden zich beslist achterstevoren aankleden – eerst sokken en schoenen, en onderbroek en shorts op het laatst. Elk paar sokken werd afgewezen omdat de naden op de verkeerde plek zaten en aan hun tenen kriebelden.

'Proberen jullie me soms op de kast te krijgen?' vroeg Ali hen.

'Zo zijn ze altijd,' zei Izzy aan de andere kant van de tafel. Ze had haar nagels zwart gelakt. Ali deed alsof ze het niet zag. Uiteindelijk gaf Malea haar twee paar bovenmaatse, naadloze enkelsokken. Haar ronde, platte gezicht was uitdrukkingsloos, maar Ali dacht dat ze medelijden zag in haar donkere ogen. Of misschien was het wantrouwen.

Toen wilden ze beslist ondergoed met precies dezelfde figuurtjes uit *Thomas de Stoomlocomotief* dragen. Ali vertrok weer naar boven en kwam terug met minstens tien onderbroeken, die ze op de keukentafel uitspreidde. Ze had zesenzeventig treden geteld, van boven in het huis tot in het souterrain. Onderweg was ze gestruikeld over Leicester, die graag op de onderste trede van de trap naar de gang lag te slapen. Hij had dreigend gegromd en Ali had terug gegromd, met ontblote tanden, omdat ze ergens had gelezen dat het belangrijk was om dominante honden te laten weten wie de baas was.

'Bingo,' zei ze hijgend en ze koos twee onderbroeken met een groene trein op de voorkant. Ze keek op de BlackBerry die Bryony haar had gegeven en berekende dat ze nog vijf minuten overhad voordat ze te laat zouden komen op hun eerste schooldag.

'Dat zijn Daisy en Henry,' zei Alfie vol afschuw. 'Daisy is een meisjestrein.'

'Hoe zie je het verschil dan?' vroeg Ali, verwoed op de onderbroek zoekend naar een aanwijzing.

'Ze heeft blauwe oogschaduw op,' zei Hector.

'Dat zie je alleen als je heel goed kijkt,' zei Ali, 'en ik weet zeker dat het verder niemand opvalt.'

'Maar wij weten het wel,' zeiden ze allebei tegelijk. Ze klonken bijna verontschuldigend.

'Ze vallen binnen het spectrum,' droeg Izzy bij, terwijl ze twee geroosterde boterhammen met een dikke laag chocopasta naar binnen propte, voordat Bryony beneden kwam. Ze keek op van het boek dat ze aan de ontbijttafel zat te lezen. TWILIGHT, stond er voorop. Geen spoor van *Spaar de spotvogels*. Haar schooltas stond naast haar op tafel. Het was een grote roze leren tas met een heleboel gespen. CHLOE, luidde het etiket aan de zijkant.

'Wat bedoel je precies?' vroeg Ali.

'Autistische kinderen zijn dol op *Thomas de Stoomlocomotief*,' zei Jake schouderophalend aan het andere eind van de tafel. Het was voor het eerst dat hij iets zei sinds hij beneden gekomen was.

'Is dat een officiële diagnose?' vroeg Ali, geïrriteerd omdat Bryony haar daar niets over had verteld. Zorgvuldig streek ze nog een onderbroek met een groene trein op de voorkant glad op de keukentafel.

'Dat is Edward,' zeiden Alfie en Hector eenstemmig, treurig met hun hoofd schuddend, terwijl ze liefhebbend over de onderbroek aaiden.

'Dat zegt onze tante over ze,' verduidelijkte Izzy. 'Als ze mama op de kast wil krijgen. Tante Hester weet altijd precies welke knoppen ze moet hebben. Dat zegt oma tenminste.'

'Het zijn gewoon controlfreaks,' zei Jake, en hij richtte zijn telefoon op de tweeling. 'Het zit in de genen. Kijk maar naar mama.'

Jake stond op. Hij liet een bord met half opgegeten toast op tafel staan en vroeg Malea om een witte cricketbroek te halen.

'Waarom haal je die zelf niet?' suggereerde Ali.

'Is goed, Ali,' zei Malea, die de trap naar de waskamer al af liep. Het was praktisch de langste zin die ze ooit tegen Ali had uitgesproken. Malea wist alles te vinden. Ze besteedde haar dagen aan het verplaatsen van voorwerpen van het ene vertrek naar het andere en transformeerde op magische wijze allerlei kleine verzamelingen chaos tot volmaakte orde.

'Ik weet niet waar Malea ze bewaart,' schokschouderde Jake.

Volledig rechtop was hij centimeters langer dan Ali, maar hij had de ineengedoken onzekerheid van iemand die nog niet in zijn vel gegroeid is. Hij was nog aan het ontluiken. Zijn handen waren zo groot dat de kom die hij vasthield eruitzag als een klein kopje. Hij zette hem op tafel en slenterde naar de trap, zorgvuldig zijn shirt uit zijn broek trekkend.

'Kun je haar vragen om hem boven bij de voordeur neer te leggen, Ali?' vroeg hij. Ali keek hem aan en vroeg zich af of hij haar soms probeerde te provoceren. Toen zei hij 'alsjeblieft' op een manier die leek te beduiden dat Ali pedant deed. 'Ik moet mijn ov-kaart zoeken.'

Jake ging met de metro naar school. Ali vond het een vervoersmethode voor zeer gevorderden; zij was de vrijdag daarvoor met de tweeling aan het verkeerde eind van de District Line terechtgekomen. Hij stond al onder aan de trap toen hij zich omdraaide en bijna achteloos terug slenterde naar Hector en Alfie, waar hij zich op zijn hurken liet zakken zodat zijn gezicht op hun hoogte was. Hij haalde zijn vingers door zijn haar tot het alle kanten op stond.

'Op het eiland Sodor zijn de treinen nooit te laat,' zei hij streng tegen Alfie en Hector. Hij raapte twee onderbroeken van tafel en gaf hen er elk eentje. 'Donald en Douglas,' zei hij ernstig, wijzend naar de treinen. 'Zij zijn een tweeling, net als jullie, en ze willen met jullie mee naar school. Ze willen niet te laat komen.' Alfie en Hector trokken gehoorzaam hun onderbroek aan en keken tussen hun lange bruine wimpers door verwonderd naar Jake.

'Waar is het eiland Sodor?' vroeg Ali.

'Daar woont *Thomas de Stoomlocomotief*,' antwoordden Hector en Alfie in koor.

'Bedankt, Jake,' zei Ali, maar hij was de keuken al uit. Toen kwam

Bryony binnen, zag hoe laat het was en stond erop met Ali mee te gaan naar school om haar de kortste weg te laten zien.

Ali zag de rij auto's achter zich en drukte voorzichtig op het gaspedaal tot hij niet verder kon. De auto protesteerde kreunend en de toerenteller liep op naar de vijf. Het kon nooit al te ingewikkeld zijn om naar de volgende versnelling te schakelen, zei Ali tegen zichzelf. Ze keek naar de versnellingspook om zich te oriënteren. Van één naar twee was alleen maar een stukje omlaag, een simpele polsbeweging. Dat kon toch niet zo moeilijk zijn? Van twee naar drie was de echte nachtmerrie. Omhoog naar het niemandsland in het midden, en dan overdwars en weer naar boven. Van vier naar vijf was volstrekt onbekend terrein. Iets wat Ali nog nooit had meegemaakt. Maar naar twee moest wel binnen haar vermogen liggen.

Ali dacht aan alles wat ze had gedaan dat meer moed vereiste dan schakelen. Ze had aan de noodrem getrokken in de trein van Norwich naar Cromer toen haar zus, trippend op magische paddenstoelen, de deur wilde openmaken om op het dak te klimmen; ze was uit een muistroom gezwommen aan het strand van Cley; ze was met een getrouwde man naar bed geweest. Ze was bij een gezin gaan wonen dat ze niet kende, had een baan aangenomen waar ze helemaal niet voor gekwalificeerd was, in een stad waar ze niemand kende. Bryony was weer aan de telefoon. Deze keer was het haar kantoorlijn.

'Jij bent de journalist, Felix, doe gewoon je werk. Het enige wat ik je kan vertellen is dat je de juiste vragen stelt aan de verkeerde persoon,' lachte Bryony. 'Er komt morgen een persbericht, dus je hebt ongeveer zes uur de tijd om de massa voor te zijn.'

'Kun je me niet een klein beetje meer geven dan dat?' vroeg Felix. Het volume van Bryony's telefoon stond zo hoog dat Ali elk woord kon verstaan.

'Ga vanavond mee iets drinken.'

'Kan niet. Ik moet naar een diner,' zei Bryony, op zachtere toon. 'Je weet hoe druk ik het heb. We nodigen je wel een keertje uit voor het eten. We zijn altijd op zoek naar loslopende mannen om een even aantal gasten te krijgen.'

Toen ze had opgehangen belde Bryony onmiddellijk een nummer uit haar adresboek.

‘De *Financial Times* heeft het door,’ zei ze. ‘Ik weet waar het lek zit. Het is een van de analisten bij Merrill. Brain Budd is er geweest. We moeten er nu mee aan de slag, voordat dat het hoofdartikel wordt.’ Ze legde de telefoon neer.

‘Wat er ook gebeurt in je leven,’ zei Bryony met haar blik recht voor zich uit, ‘zorg altijd dat je jouw kant van het verhaal het eerst laat horen, Ali.’

Bemoedigd door Bryony’s kennelijke ongevoeligheid voor haar situatie stak Ali haar linkerhand uit naar de versnellingspook, in de hoop haar gezag over de auto te kunnen laten gelden. Met haar andere hand klemde ze het stuur steviger vast. In plaats van stabieler te worden, zwenkte de auto echter naar het midden van de weg. Even stak hij zelfs over naar de andere rijstrook. Ze zag de mensen op de stoepen laatdunkend naar haar kijken, ongetwijfeld mompelend over moeders in glimmende tractors die ze niet in de hand hadden. Snel haalde Ali haar hand weg van de pook en terug naar het stuur, waarbij ze ongewild de ruitenwissers aanzette. Nijdig piepend schoven ze op maximale snelheid heen en weer over de voorruit.

‘Shit,’ zei Ali.

‘Shit,’ herhaalde de tweeling opgetogen vanaf de achterbank.

‘Leg je hand op de mijne, en als ik het zeg, trap jij de koppeling in,’ zei Bryony bedaard.

Ali knikte gehoorzaam, opgelucht dat iemand anders de leiding nam. Ze was te jong voor deze baan. De verantwoordelijkheden waren haar te veel. Op de avond na Pisgate had ze Hector in bad laten zitten en toen ze terugkwam was hij vast in slaap, met zijn hoofd bijna onder water. Toen ze hem uit het water sleurde, panisch benauwd dat hij verdronken was, had ze zijn hoofd zo hard tegen de kraan gestoten dat er een smal stroompje bloed uit zijn neus druppelde.

Wat Izzy ook op haar kamer aan het doen mocht zijn, Ali wist dat het geen huiswerk was, want deze week had ze al twee keer haastig onder het ontbijt logaritmes en Latijnse werkwoorden zitten leren. En ook al drong Bryony erop aan dat ze in de gaten moest houden waar Jake heen ging en met wie, en ook al lag ze ongerust wakker tot ze hem thuis hoorde komen, ze vond het te gênant om hem ernaar te vragen. En bovendien was ze al drie dagen achter elkaar vergeten om de cavia’s Laurel en Hardy eten te geven.

Hoe konden ze van een twintigjarige verwachten dat ze een zeventienjarige in de gaten hield? Dat wist Jake, en hij maakte er misbruik van. Bryony beweerde wel dat Ali de lacunes vulde waar zij geen tijd voor had, maar in werkelijkheid hield Ali het hele schip op zee. Bryony en Nick waren bijna nooit thuis, omdat ze altijd aan het werk waren. In feite was de zondag dat Foy en Tita waren komen lunchen de enige keer geweest dat ze Nick thuis had gezien. En ze had niemand om mee te praten. Toen ze haar vrienden had gebeld, hadden ze haar uitgelachen.

'Pak het geld aan en ga ervandoor,' adviseerde Rosa. 'Blijf zes maanden en kom dan hier voor het laatste semester. Je kunt wel bij mij op de kamer.'

'En je nieuwe vriendje dan?'

'Die komt hier alleen als het hele huis leeg is. Te ingewikkeld.'

'God, het is toch niet een van die getrouwde kerels van die website, hè?' vroeg Ali.

'Nee,' lachte Rosa. 'Dat heb ik alweer opgegeven. Hun ego's waren nog groter dan hun bankrekening. Er bestaat waarschijnlijk zelfs een correlatie tussen die twee.'

'Is de vader aantrekkelijk?' vroeg Maia, net nadat Ali Hectors bijnadoodervaring had beschreven.

'Ben je al naar een nachtclub geweest?' vroeg Tom.

'Ik zag je zus in de stad,' zei Rosa. 'Ze wist niet dat je vertrokken was.'

'Te veel, te veel, te veel,' leken de heen en weer racende ruitenwissers te zeggen. Bryony stak haar hand uit om ze uit te schakelen, met haar rechterhand nog boven de versnellingspook.

Ali keek even naar Bryony's hand om zich te oriënteren. Hij was bleek en doortrokken van dunne blauwe adertjes, als een onrijpe stiltonkaas. Ze reikte weer naar de versnellingspook en voelde het benige handje op de hare. Hij was warmer dan ze had verwacht. Haar elegante vingers vlochten zich door die van Ali. Ze had haar nagels gelakt in de kleur van haar bloes.

'Koppeling intrappen,' zei Bryony, en ze stak de nagels in Ali's hand om haar bevel kracht bij te zetten. Ali trapte hard op het pedaal.

'En omlaag,' zei Bryony. Samen trokken ze de pook naar beneden.

'Rijden is net als leven,' zei Bryony, toen ze de manoeuvre met succes hadden afgerond. 'Het is een combinatie van bluf en vaardigheid. Ik kan je helpen met de vaardigheid, maar de bluf moet je zelf ontwikkelen.

Londen zit vol bluffers.' Ze wees naar een moeder die hen inhaalde.

'Zij rijdt daar alsof ze er recht op heeft,' verduidelijkte Bryony. 'Jij kunt ook zo rijden. Je hoeft alleen maar de juiste instelling te ontwikkelen.'

Ali voelde een druppeltje zweet langs haar gezicht glijden. Ze stak haar tong uit om het op te vangen. Maar ze was te laat en het droop omlaag op haar blauwe T-shirt. Er viel nog een druppel op haar T-shirt zodat de twee zweetvlekken samensmolten. Bryony deed alsof ze het niet merkte en droeg haar op om links af te slaan en te parkeren op een gele streep.

Zwijgend stapten ze allemaal uit de auto. Op de stoep klemde de tweeling zich aan Bryony vast. Een van hen, Hector misschien, stak een handje uit naar Ali. Ze nam het in de hare. Het voelde aan als een stukje warme toffee, zacht en plakkerig. Hij keek vriendelijk naar Ali op, in de wetenschap dat hij de macht om gunsten te verlenen in handen had. De tweeling zou elkaar altijd harder nodig hebben dan iemand anders, had Bryony uitgelegd in een van hun gesprekken over het loswerken van de knopen waarmee ze verbonden waren.

'We lopen die laatste honderd meter wel even,' zei Bryony. 'Dan kun je meteen hun onderwijzeres ontmoeten.'

Bryony opperde dat het wellicht verstandig zou zijn als Ali de metro naar huis nam en zij met de auto naar haar werk ging. Ali knikte dankbaar, niet zeker wat ze moest zeggen. Ze vond het te gênant om toe te geven dat ze geen idee had hoe ze met de ondergrondse weer in Holland Park Crescent moest komen.

Er kwam een andere moeder naar Bryony toe die vragen stelde over de vakantie. Het was een grote vrouw, van het soort dat lelijke cirkelrokken van lawaaiige stoffen droeg en lippenstift met te veel roze, alsof ze haar gebrek aan ijdelheid wilde benadrukken. Had Nick vrij kunnen nemen? Was het gelukt om een weekje naar Corfu te gaan? Hoe ging het met haar ouders?

'Het was heerlijk, Sophia,' zei Bryony. 'We moesten een paar keer heen en weer maar alles bij elkaar zijn we er toch twee weken geweest.'

Sophia Wilbraham vuurde vragen op Bryony af en lachte hartelijk om al haar antwoorden, ook al bevatten die maar net genoeg informatie om beleefd te zijn. Achter Sophia, twee stappen terug en twee opzij, zag Ali een andere vrouw staan, meer van haar eigen leeftijd. Ali stond naast

Bryony te wachten tot ze voorgesteld zou worden. Bryony zei niets. Even bleven ze alle vier ongemakkelijk staan zwijgen, terwijl Sophia wachtte tot Bryony haar dezelfde vragen stelde.

Toen die reactie uitbleef, begon Sophia over hun eigen vakantie in Costa Rica, waar ze vulkanen, regenwouden en wolkenwouden hadden bezocht en een week aan de Caribische kust hadden doorgebracht, en dat alles in minder dan twee weken. Vervolgens contrasteerde ze dat met hun vorige vakantie in Jordanië, waar ze de woestijn in waren getrokken op kamelen en een paar fantastische archeologische vindplaatsen hadden bezocht.

'Minder cultuur, maar de kinderen hebben enorm veel geleerd over het milieu,' zei Sophia. Niet genoeg om de milieuschade van al die lange vluchten op te merken, dacht Ali, die zich de totale verveling herinnerde van haar eigen schoolvakanties, meestal in Cromer, al waren er wel een paar reisjes naar Portugal geweest voor Jo's verval. Ali realiseerde zich ineens dat deze kinderen nu al bereisder waren dan zij ooit zou zijn.

'Het reisbureau had een stel Garifuna-indianen uit Nicaragua weten te regelen, zodat de kinderen over de inheemse cultuur konden leren, en elke dag kwam er iemand om ze een uur Spaanse les te geven.'

De wind kreeg greep op de rok van de vrouw zodat die opbolde bij haar heupen, alsof iemand haar opblies. Was Jake op dat feestje geweest waar de politie een inval had gedaan van het weekend, vroeg ze glimlachend. Er ging een halve seconde voorbij waarin Bryony inademde, om vervolgens te antwoorden dat hij zaterdagavond had zitten leren voor zijn examens. Ze keek even naar Ali, die weer een knoop in haar maag kreeg van de spanning. Ze had geen idee waar Jake was geweest, al wist ze wel dat hij pas om twee uur 's nachts thuisgekomen was. De vrouw wilde hen niet met rust laten. Ze vroeg dringend aan Bryony of ze soms een bijlesleraar Engels wist voor haar zestienjarige dochter.

'Ik zoek iemand die Thomas Hardy voor haar kan ontsluiten,' zei ze intens, haar rug naar Ali toekerend.

'Zit die gevangen in jullie kelder?' vroeg een van de jongetjes even ernstig.

'Ze doet *Far from the Madding Crowd*,' zei de vrouw met een welwillende glimlach naar de tweeling. 'Maar ze zegt dat ze er niets van begrijpt. Vooral niet van die landbouwdingen. Terwijl we haar in Costa

Rica toch een paar boeren hebben laten zien die met ossen aan het ploegen waren. Ik heb haar lerares gesproken, en die zegt dat ze het boek gewoon nog een keer moet lezen.'

'Ik geloof niet dat ik iemand weet,' zei Bryony.

'Hardy is lastig,' zei Ali, die zich niet langer kon inhouden. 'En voorbeschikking is een moeilijk concept voor tieners. Ik denk dat ze beter eerst *Tess of the d'Urbervilles* kan lezen om daarna *Far from the Madding Crowd* weer op te pakken. Als je het concept van verboden liefde uit Tess snapt, is Bathsheba's dilemma gemakkelijker te begrijpen.'

Achteraf vroeg ze zich af op wie ze eigenlijk indruk had willen maken. Probeerde ze te compenseren voor haar geknoei in de auto door Bryony eraan te herinneren dat er andere redenen waren waarom ze haar had aangenomen? Probeerde ze die vreemde vrouw te dwingen om haar bestaan te erkennen? Of realiseerde ze zich ineens dat er nog andere manieren waren om geld te verdienen in Londen?

Hoe dan ook, het had een averechtse uitwerking. De vrouw vroeg of ze een vriendin van de familie was en dankbaar voor de aandacht legde Ali uit dat ze voor de Skinners werkte en dat ze bijna klaar was met haar bachelor Engelse literatuur. De vrouw maakte een halve pirouette zodat ze tegenover Ali stond en vroeg of ze soms wat extra geld wilde verdienen met bijlessen op haar vrije dagen.

'Dat zal helaas niet gaan,' viel Bryony haar verontschuldigend in de rede. 'Ali werkt fulltime voor ons en als ze vrij heeft, gaat ze naar haar ouders in Norfolk.' Het werd gezegd alsof het een onveranderlijke routine was, die in de loop der jaren was ontstaan en waar niet aan te tornen viel. Bryony legde een beschermende arm om Ali's schouders. De vrouw bond eindelijk in.

'We moeten nog een schema afspreken voor Martha en Izzy om hun kwartet te oefenen, toch?' zei ze. 'Zal ik dat met Ali regelen?'

'Ja, graag,' zei Bryony.

'Dan heb ik haar gegevens nodig,' zei Sophia met een triomfantelijke klank in haar stem, en ze liep weg met Ali's mobiele nummer in haar contactenlijst.

'Ik wist dat dit een probleem zou worden,' zei Bryony zo giftig dat Ali bang was dat iemand haar zou horen. 'Sophia Wilbraham laat niet los. Ze is net een supertanker die door de oceaan stoomt en alles wat haar in de weg vaart, laat kapseizen. En zag je hoe ze suggereerde dat Jake op dat feestje was? Omdat ik een werkende moeder ben, wil ze per se dat mijn kinderen mislukken.'

'Het spijt me echt,' zei Ali, niet helemaal zeker waar ze zich voor verontschuldigde en geschrokken van de felheid van Bryony's reactie op die vreemde kaasstolp van een vrouw. 'Ik heb sinds mijn rijexamen niet meer in een handgeschakelde auto gereden.'

'Ongelooflijk dat ze je zo flagrant en onder mijn ogen probeert te kapen,' zei Bryony bedachtzamer. 'Een nanny-napping in je eerste werkweek. Onvoorstelbaar.'

'Wat bedoel je?' vroeg Ali verward.

'Het is jouw schuld niet,' zei Bryony terwijl ze de weg af liepen. 'Dat is een risico dat erbij hoort als we iemand zoals jij aannemen.'

'Het was gevaarlijk en ik had het niet moeten doen,' zei Ali.

'Vergeet die auto nou maar,' zei Bryony bijna ongeduldig. 'We kopen wel een kleine automaat en je kunt nog wat lessen nemen. Of heb je liever zo'n elektrisch autootje? Mensen van jouw generatie zijn toch zo milieubewust? Of als je helemaal niet wilt rijden, kun je gewoon steeds de taxi gebruiken.'

'Is dat niet een beetje voorbarig?' stamelde Ali, die nog niet had begrepen dat Bryony in het algemeen alleen vragen stelde waarop ze zelf het antwoord al wist. 'Ik bedoel, misschien beval ik wel helemaal niet. Mijn proefperiode is nog niet eens voorbij. Ik ben pas tien dagen bij jullie.'

Bryony wuifde haar bezwaren weg en liet de hand van Alfie, of misschien was het Hector, los om een bericht te tikken op haar BlackBerry. De privélijn, zag Ali.

'Jake heeft binnenkort toch ook een auto nodig om te leren rijden,' zei ze.

Bryony's royale reactie bracht Ali van haar stuk. Indertijd weet ze dat aan de kosten die de aanschaf van een auto voor haar met zich meebracht en aan het ongemakkelijke gevoel dat ze werd omgekocht. Daarna kreeg ze het idee dat het niet uitmaakte dat Bryony haar probeerde te kopen, het ging erom dat zij het niet waard was om gekocht te worden. Waardoor ze op het idee kwam dat Bryony's beoordelingsvermogen misschien niet zo best was. Waardoor ze weer moest denken aan de manier waarop haar zus soms reageerde.

Nog veel later besefte ze pas dat het de ongepastheid was die haar dwarszat. Ze had het onderwerp van Bryony's toorn moeten worden, en niet van haar begrip. Ali was lichtzinnig geweest toen ze zonder enige oefening achter het stuur van de auto was gaan zitten. Maar Bryony was nog lichtzinniger toen ze haar gedrag tolereerde. Bryony had haar prioriteiten niet op een rijtje.

'Goed gezien,' zei Rosa diezelfde dag tijdens een telefoongesprek op de late avond. 'Professor MacDonald zou trots zijn op je inzicht. Hij vroeg van de week nog hoe het met je ging. Hij wilde weten of je baas het model van Mr Rochester had of van Sir Pitt Crawley.'

'Wat heb je hem verteld?'

'Ik zei dat je ons helemaal vergeten was,' giechelde Rosa. 'We hadden een werkgroep over Frances Burney, of ze al dan niet de literaire peetmoeder van Jane Austen was.'

'Natuurlijk is ze dat,' zei Ali. 'Ze noemt haar in *Northanger Abbey* en herinner je je die laatste regel van Burneys tweede boek niet?'

'Nee,' zei Rosa.

'"Dit heel onaangename verhaal... is het resultaat van haar eigen trots en vooroordelen,"' citeerde Ali. '*Quod est demonstrandum.*'

'Kijk, daarom mis ik je nou zo,' kreunde Rosa. 'Wanneer kom je op bezoek?'

'Ik moet meestal werken in de weekenden,' zei Ali.

'En met kerst en nieuwjaar dan?'

'Ze hebben gevraagd of ik mee ga skiën om op de tweeling te passen. Als ik ga, verdubbelen ze mijn salaris die week.'

'Goh, ze moeten wel steenrijk zijn.'

'Zijn ze ook,' zei Ali en ze liep van de schoorsteen weg voor het geval Jake boven was en haar gesprek kon horen.

'Ze zijn in elk geval niet saai,' zei Rosa.

'De Skinners zijn niet gewoon of gemiddeld,' antwoordde Ali, 'maar ik weet in elk geval zeker dat zij vreemd zijn, en niet ik.' Ze merkte dat Rosa er genoeg van had om over mensen te praten die ze niet kende. Dus vertelde ze dat ze bij thuiskomst van de schoolrit ontdekte dat de mopshond in haar schoen had gepoept.

'We zijn in een machtsstrijd verwikkeld,' schertste Ali.

'Dat betekent in elk geval dat je meetelt,' zei Rosa.

6

Oktober 2006

'Ben jij de nieuwe nanny van de Skinners?'

Ali was te verbijsterd om antwoord te geven. Ze bracht de tweeling nu al bijna een maand naar school en dit was de eerste keer dat iemand het woord tot haar richtte. Tenzij je hun onderwijzeres meetelde, die haar twee keer terzijde had genomen: een keer om te vertellen dat de tweeling liever met elkaar leek te spelen dan met de andere kinderen, en een paar dagen later weer om Ali te laten weten dat ze niet afzonderlijk naar het toilet wilden en dat ze een taal spraken die niemand op school kon identificeren, hoewel de muziekleraar dacht dat het misschien Swahili zou kunnen zijn. Dat was het niet. Ali was ijverig naar de boekhandel van de School voor Afrikaanse en Oriëntaalse taal en cultuur in Bloomsbury gegaan om een woordenboek te kopen van een deel van de honderd pond die Bryony elke dag neerlegde voor dagelijkse uitgaven. Maar toen ze Swahili-woorden op hen uitprobeerde, reageerden Hector en Alfie onbewogen.

'*Czy ty jestes' nionia pavistwa Skinner*?' herhaalde de volhardende vrouw in het Pools terwijl ze de zwaar uitziende duokinderwagen met een slapende baby onderin op de rem zette. Ze was bleek en klein, en ze had een asymmetrische pony die één oog bedekte.

'*Czu pochoozisz a Ukneiny czy ze slowacji*?'

'Ik ben Engels,' zei Ali nadrukkelijk en ze vroeg zich af of het woord nanny niet bestond buiten de Engelse taal of dat het een van die woorden was die de hele wereld overgingen, zoals hamburger of pornografie. Alleen wist Ali al dat het geen nieuw woord was. De avond voor haar eerste sollicitatiegesprek had ze nog snel wat onderzoek gedaan en ze had ontdekt dat 'nanny' een negentiende-eeuws koosnaampje voor Annie was. Die uitleg was waarschijnlijk even prozaïsch als de baan waarnaar ze solliciteerde, vermoedde Ali indertijd.

'Ze is onze nanny,' zeiden Alfie en Hector in koor. Ze waren uit school gekomen zoals ze bijna elke dag deden, hand in hand onder het zingen van *Two Little Boys*, een liedje over twee vrienden die samen vechten in de Amerikaanse burgeroorlog dat ze bij muziekles hadden geleerd.

'Zou ik jou laten sterven als mijn paard plaats heeft voor twee?' zongen ze terwijl ze het speelplein af marcheerden. Eerst had Ali het aandoenlijk gevonden. Maar na een poosje zag ze dat andere kinderen hen vuil aankeken als ze het lied inzetten. Ze merkte dat ze beschermende gevoelens ontwikkelde toen ze zag hoe die nabijheid waar zij niet buiten konden hen vervreemdde van andere kinderen. Nu drongen regels van het liedje zich in verder volkomen rationele conversaties.

'Wat willen jullie graag worden als je groot bent?' had hun grootvader hen onlangs gevraagd.

'Als wij groot zijn, worden we soldaat en is ons paard geen speelgoed meer,' had Alfie plechtig tegen Foy gezegd.

Toen de baby onder in de kinderwagen begon te huilen tilde de vrouw hem behendig op en legde hem tegen haar schouder. Hij was piepklein en mauwde als een hongerig poesje, terwijl ze hem troostte met een bekend liedje in een vreemde taal.

Ali dacht aan haar verstandhouding met de tweeling. Ze voelde zich net een komiek die een fatsoenlijke act in elkaar probeerde te zetten. Het was merendeels improvisatie. *Hit and miss*. Meestal mis. De boeken over opvoeden die Bryony in Ali's kamer had neergelegd met gele Postits bij de belangrijkste passages, waren nutteloos. 'Geluidloos maar dodelijk,' zei Izzy, nadat Ali had ontdekt dat ze een lievelingshandschoen van Bryony aan haar kamerdeur hadden vastgelijmd, of in de provisiekamer letterlijk alle blikjes cola light hadden geopend en er zo veel mogelijk hadden leeggedronken, alvorens alles op de grond weer uit te braken.

Haar meest succesvolle strategie om Hector en Alfie bezig te houden, was verhalen vertellen in het accent van Norfolk waar Ali vrijwel haar hele leven lang vanaf probeerde te komen. De legende van Zwarte Shuck en zijn wraak voor misdragingen zoals je zusje slaan of niet in bad willen, waren veel effectiever dan een time-out op de trap. En de jongens hadden beslist een goed oor voor dialect.

De vaardigheid waarmee de vrouw de baby wist te kalmeren benadrukte Ali's tekortkomingen. Als zij de tweeling meenam naar het park, ging ze *Tristam Shandy* zitten lezen, een van haar teksten voor achttiende-eeuwse literatuur, terwijl zij speelden, met het argument dat zelfs hun eigen moeder niet op handen en voeten in de zandbak rondkroop, waarom zou zij dat dan wel doen? Ze kocht de jongens om met suikerzoete snoepjes waar ze hyperactief van werden en kalmeerde hen vervolgens met alle tv-programma's die Bryony verboden had. Van haar zus had ze in de loop der jaren heel wat opgestoken over uppers en downers.

'Ik ben Mira,' zei de vrouw; ze stak een hand uit om Ali de hand te schudden terwijl ze met de andere de baby tegen haar schouder hield. De kreten van de baby werden al minder klaaglijk en zijn ogen vielen dicht. Mira wiegde ritmisch heen en weer, steeds iets sneller als het mauwende geluid sterker dreigde te worden.

'Sorry,' zei ze verontschuldigend. 'Ik moet hem weer in slaap zien te krijgen. Geef me een paar minuten.'

Het was voor het eerst dat iemand Ali aansprak op het schoolplein. Sophia Wilbraham negeerde haar sinds het incident op de eerste schooldag, hoewel het effect van die vermeende belediging afgezwakt werd door het feit dat alle anderen hetzelfde deden. Als ze de tweeling ophaalde, had Ali het gevoel dat ze buiten een Venn-grafiek viel. Alle anderen waren met elkaar verbonden. De lange, glanzende Amerikaanse moeders overlapten deels met hun rondborstigere, in strepen uitgedoste Engelse tegenhangers en een kleine wisselende kluwen werkende moeders, die begroetingen uitwisselden met de nanny's uit Australië en Nieuw-Zeeland. Laatstgenoemden hielden zich afzijdig van alle andere buitenlandse nanny's, die op hun beurt kuddes vormden naar nationaliteit.

Er waren vrolijke, luidruchtige Filipina's die vaker lachten dan iedereen, verlegen Indiase vrouwen in slippers en sari's die nooit oogcontact maakten, en dan de groep waar Mira toe behoorde, die met elkaar communiceerde in de taal die er die dag toevallig op de ascendant stond. Soms liet Ali zich meeslepen in het kielzog van de verschillende gesprekken die door de straat waaiden. Dan sloot ze even haar ogen en probeerde zich dergelijke gesprekken voor te stellen tussen de ouders op haar oude school in Cromer.

'Wij gaan Cape Cod doen dit jaar... David probeert een villa in Toscane los te peuteren van een van zijn klanten... Bombay is gewoon te nat in de zomer... er is een vijfsterrenhotel waar je de komodovaranen kunt zien... vergeet Portland, ga toch in Cedars Sinai bevallen...'

En toen gisteren: 'Hij heeft mijn zoontje gebeten... hij heeft mijn dochtertje gebeten... de schoolpsycholoog moet echt eens naar hem kijken... hij heeft een nieuwe nanny... zijn ouders zijn nooit thuis.' Ali wist dat ze over Hector praatten en dat ze heel goed wisten dat ze binnen gehoorsafstand stond. Ze voelde een steek van pijn en woede voor hem, maar was te onzeker van zichzelf om iets terug te zeggen.

Ali werd zich ervan bewust dat Mira de baby voorzichtig weer in de kinderwagen had gelegd en wachtte tot zij iets zou zeggen. Omdat ze bang was dat ze onvriendelijk leek, vertelde ze wat meer over zichzelf en zei dat ze uit een kustplaatsje in het oosten van Engeland kwam en naar Londen was gekomen om een baan te vinden om haar studielening af te betalen.

'Het is het deel van Engeland dat eruitziet als een hoofd,' legde Ali uit. 'De oostenwind komt rechtstreeks over zee vanuit de Oeral. En sommige vogels ook, de spreeuwen natuurlijk, en soms krijgen we ook kleine zanglijsters. Wij hebben waarschijnlijk dezelfde lucht ingeademd toen we klein waren. Waar kom jij vandaan?'

'We vroegen ons af of je koffie met ons zou willen drinken?' vroeg Mira, Ali's poging tot geografische insluiting negerend. Ali knipperde even met haar ogen. Niemand die ze had ontmoet leek enige belangstelling te hebben voor haar leven voordat ze in Londen kwam werken. Misschien was dat altijd zo in een stad vol migranten. Iedereen leefde in de tegenwoordige tijd. Ze dacht aan de keren dat ze had geprobeerd met Malea een gesprek te beginnen over de Filipijnen. Waar kom je precies vandaan? Heb je daar nog familie? Ga je ooit nog terug? Malea ontweek elke vraag met een raadselachtige lach, alsof Ali een grapje maakte.

En toen had Jake gisteren op de trap stilgestaan om haar te vertellen dat Malea drie kinderen van zichzelf had die bij hun grootmoeder woonden, op vijf uur met de bus vanuit Manilla. De jongste was even oud als de tweeling en ze had hem al bijna twee jaar niet gezien.

'Dat is afschuwelijk,' zei Ali. Maar Jake was al naar zijn kamer verdwenen.

'Ik word geacht rechtstreeks naar huis te gaan en met elk van de jongens een halfuur te rekenen,' zei Ali tegen Mira. 'We hebben een nogal strak schema.'

Hector trok aan haar hand en pleitte: 'Alsjeblieft, Ali, mogen we naar Starbucks?'

'Ik smeek het je, Ali,' zei Alfie melodramatisch.

Ali lachte.

'We zullen het niet tegen mama zeggen,' zei Hector.

Inwendig maakte Ali een snelle rekensom. Bryony zou tot laat werken. Morgen zou vandaag voor de tweeling een verre herinnering zijn. 'Dat zou heel leuk zijn.'

'We konden niet besluiten of je eenzaam was of afstandelijk,' zei Mira.

Ali vond het een onbehaaglijk idee dat ze het onderwerp van hun gesprek was geweest. Eenzaam of afstandelijk waren geen bijvoeglijke naamwoorden die iemand met zichzelf in verband wilde brengen. Maar de manier waarop Mira afstandelijk zei, vond ze wel leuk, met de nadruk op de tweede lettergreep zodat die in de lucht bleef zweven. Het was kennelijk een woord dat ze pas had geleerd, want ze gebruikte het bij deze eerste ontmoeting verschillende keren. Het deed Ali denken aan de manier waarop Hector en Alfie met nieuwe woorden experimenteerden.

'Eenzaam,' zei Ali. 'Maar niet ongeneeslijk.' Ze vroeg zich af of Mira dat zou begrijpen, maar wilde niet neerbuigend doen door een ander woord te zoeken.

'Goedaardig eenzaam,' zei de vrouw waarderend. 'Jij moet een Oekraïense ziel hebben.'

Ze liepen naar de drukke straat die Ali herkende van de eerste en laatste keer dat ze de jongetjes met de auto naar school had gebracht.

'Er zijn nog steeds punks maar ze worden door de gemeente betaald om buitenlandse toeristen te trekken... zij zijn heel afstandelijk... een amandelcroissant bij het Bluebird Café kost drie pond... Tesco Metro blijft bijna tot middernacht open... bus 22 en bus 11 zijn de enige bussen die geen zijstraten inslaan...' vertelde Mira, blij dat ze in de positie was om een Engelse te informeren over haar eigen land.

'Hoe heet deze straat?' vroeg Ali toen ze een lange man voorbijliepen met een rode hanenkam en zoveel ringen in zijn wenkbrauw dat die wel een gordijnrail voor lilliputters leek.

'The Kings Road,' zei Mira. 'Ik kan me niet voorstellen dat je die niet kent! Het is zo'n belangrijke straat dat er een lidwoord voor komt. Alleen de belangrijkste straten van Londen hebben lidwoorden.' Ze begon aan een opsomming: 'The Earl's Court Road, The Portobello Road, The Finchley Road, The Limehouse Link...'

Haar manier van praten was bizar. Ze sprak elk woord zorgvuldig uit en haar grammatica was bijna perfect, maar ze klonk zo ouderwets.

'Hoe lang woon je al in Engeland?' vroeg Ali.
'Vele jaren,' zei Mira vaag.
'Waar heb je Engels leren praten?' vroeg Ali.
'Ik heb jaren geleden Engelse literatuur gestudeerd aan de universiteit van Kiev,' zei Mira schouderophalend.
'Literatuur?' vroeg Ali. Mira knikte.
'Welke boeken lazen jullie?' Mira antwoordde niet meteen, maar zette de kinderwagen stil, frunnikte met de baby en vroeg Hector en Alfie of ze het naar hun zin hadden op school.
'*Spaar de spotvogels, Voor wie de klok luidt,* Shakespeare, Byron, wat we maar te pakken konden krijgen,' zei ze ten slotte. 'Het is heel lang geleden.'
'Hoe heb je dan met zo'n goed accent leren praten?' vroeg Ali door.
'We luisterden naar bandopnames,' zei Mira. 'En soms luisterde mijn vader naar de Amerikaanse radio, maar dat was gevaarlijk.'
'Waarom?'
'Tijdens het communisme was dat verboden,' legde ze uit.
'Waren jullie blij toen de muur viel?' vroeg Ali.
'Nieuw regime. Andere problemen,' zei Mira.
'Zoals?'
'Corruptie,' zei Mira kortaf. 'We zijn er.'
Ze gingen het café binnen en Mira stuurde de kinderwagen behendig tussen de tafeltjes door. Er zat een klein groepje vrouwen, die Ali herkende van het schoolplein. Ze zaten allemaal naast identieke wandelwagens van meerdere verdiepingen met baby's onderin en hier en daar een peuter met een biologisch vruchtensapje bovenin.
Ze ging zitten, dankbaar voor het gezelschap, en wist verrassend bekwaam een magere latte met een extra shot koffie te bestellen. Hector en Alfie zaten aan een tafeltje naast Ali met een ander jongetje uit hun klas dat Ali herkende.
Het intrigeerde haar dat deze nanny's Engels met elkaar spraken. Al klonk het door de verkeerde uitspraak, de zware accenten en de aarzelende cadans als een ander soort Engels. Ze spraken de woorden op dezelfde manier verkeerd uit. Een rollende 'r' die van de punt van de tong kwam in plaats van uit de glottis. Misschien praat iedereen wel zo over vijftig jaar, dacht Ali terwijl ze aan haar koffie nipte. Het kan op zijn minst een dialect of een soort patois worden.

Mira stelde Ali aan iedereen voor. Ze hadden allemaal exotisch klinkende namen: die met de peuter heette Raisa, de oudere vrouw met het voortdurend bezorgde gezicht was Ileana, en dit was Katya. Ze glimlachten allemaal hartelijk en gaven haar een hand. Ali herkende Katya als de nanny die achter de vrouw in de cirkelrok had gestaan aan het begin van het schooljaar. In feite, herinnerde Ali zich, had Katya onopvallend drie stappen achter Sophia Wilbraham en een stap naar rechts gestaan, een techniek die ze ook bij andere nanny's die hun bazen of bazinnen vergezelden had opgemerkt. De etiquette tussen nanny en werkgever was even byzantijns als die aan het hof van Lodewijk de Vijftiende.

Katya was lang en bleek. Haar haar was strak uit haar gezicht geborsteld en in een staart gebonden. Ze droeg geen make-up. Wel een vormeloze witte bloes op een spijkerbroek, maar zelfs in deze minimalistische outfit zag Ali dat ze heel mooi was. Na Ali met een snelle glimlach te hebben verwelkomd ging ze verder met haar verhaal.

Ali nam een slok koffie en was dankbaar voor de gelegenheid om naar haar te kijken. Het was zonde dat ze haar dagen verspilde aan het verzorgen van de kinderen van iemand anders, dacht Ali. Ze zou op MTV te zien moeten zijn, of als model voor Stella McCartney of presentatrice van een kookprogramma over Oost-Europese cuisine moeten zijn.

Er zat een klein kind op haar schoot, tegen haar borst genesteld. Hij sliep half; zijn duim stak in zijn mond en met zijn andere vingers kneedde hij een voddig stukje stof. Ze streelde zijn blonde krullende haar, wikkelde het in lokken om haar vingers.

'Zijn moeder is een lang weekend naar New York,' legde ze uit. 'Ik vertel haar dat Thomas haar vreselijk mist, maar alleen omdat zij dat graag wil horen. Wat ik trouwens vreemd vind, want als ik zijn moeder was, zou ik willen dat hij gelukkig was als ik er niet was, vind je ook niet, Ali? Zou jij niet blij zijn als hij gelukkig is bij mij?'

Ali knikte, dankbaar dat ze bij het gesprek betrokken werd.

'Maar eigenlijk is het leven simpeler als zij weg is, want dan hebben we een ritme. Hij valt eerder in slaap, omdat hij niet ligt te wachten tot zij 's avonds boven komt, en Leo is liever tegen hem.' Ze boog zich voorover, aaide het jongetje naast Alfie en Hector over zijn hoofd en drukte een snelle kus op het verhit uitziende gezichtje van Thomas. Het kind deed een oog open en glimlachte haar aanbiddend toe. 'Als hij niet kan slapen, laat ik hem bij mij liggen en soms blijft hij er de hele nacht.'

'Vindt de moeder dat niet erg?' vroeg Ali, blij dat de tweeling die neiging niet had. 'Ik bedoel, de moeder van de tweeling is heel precies wat hun routines betreft, ik kan me niet voorstellen dat ze zoiets goed zou vinden.'

'Sophia weet het niet en haar man vindt het niet erg,' zei Katya met een glimlach. 'Maar ik denk dat je kunt verwachten dat een kind gesteld raakt op een andere vrouw, als je hem dertien uur per dag bij haar laat. Denk je niet? We zijn gelukkig samen.' Ze gaf hem weer een kus en legde een beschermende arm om hem heen.

'Natuurlijk,' zei Ali, die het er helemaal niet mee eens was. Het idee dat zij een moedervacuüm zou opvullen voor Hector en Alfie stond haar tegen. Die verantwoordelijkheid wilde ze niet.

'Wat doet ze dan de hele dag als jij voor Thomas zorgt en zij niet werkt?' vroeg Ali.

'Ze gaat naar de sportschool,' zei Katya. Iedereen lachte.

'*Moloko, Katya, moloko bud'laska*,' mompelde het jongetje. Hij deed zijn ogen niet open. Katya haalde een flesje met melk uit haar tas.

'*Dakoyu*.'

'Hij spreekt beter Oekraïens dan Engels,' vertelde Katya trots.

'Waarom spreken jullie allemaal Engels met elkaar?' vroeg Ali.

'Omdat we elkaar niet allemaal kunnen verstaan,' zei Mira met een glimlach en ze streek haar pony glad zodat die haar ene oog bedekte. 'Oekraïners uit het zuiden verstaan Pools omdat we een Poolse invasie hebben gehad, en die uit het noorden verstaan Russisch omdat ze een Russische invasie hebben gehad. Ik spreek het allebei omdat ik op school Russisch heb geleerd, toen Oekraïne nog communistisch was.'

Ze vervolgde haar uitleg met de verklaring dat Tsjechen en Slovaken elkaar wel konden verstaan, maar dat de talen sinds de afscheiding uit elkaar groeiden. Sprekers van die talen verstonden echter wel weer Pools, omdat het allemaal West-Slavische talen waren die in het Latijnse alfabet werden geschreven. Macedoniërs en Bulgaren konden elkaar wel verstaan, maar Bulgaars was een Zuid-Slavische taal die het cyrillische alfabet gebruikte.

Het zou een goed onderwerp zijn voor het taalkundige deel van haar doctoraat, dacht Ali. Misschien kon ze zelfs in haar vrije tijd een essay schrijven om Will MacDonald te bewijzen dat ze echt haar studie af wilde maken.

'Maar eigenlijk is Ileana het echte probleem, want zij is Roemeens,' glimlachte Mira. 'Ze spreekt vier talen, maar die kunnen wij geen van alle verstaan.' Ze vroeg Ileana om een Engelse zin in het Italiaans, Frans, Spaans en ten slotte in het Roemeens te vertalen om de overeenkomsten te laten horen.

Ileana streek haar rok glad en zei ernstig: 'Zij sluit altijd het raam voor het eten.'

'*Ila semper femestram claudit antequam cenat*, is het Latijn,' zei ze, en liet Ali de zin hardop herhalen. Ze deed hetzelfde in het Italiaans, Frans, Spaans en Portugees, en eindigde met het Roemeens.

'*Ea inchide totdeauna fereastra inainte de a cina*,' zei Ileana triomfantelijk. Iedereen klapte, met inbegrip van iemand aan een ander tafeltje.

'Hoe ben jij in Londen terechtgekomen, Mira?' vroeg Ali. Er ontstond een ongemakkelijke stilte. Ileana keek naar haar handen. Katya sloot het flesje melk af.

'Is een lange verhaal, Ali,' zei Mira, met een zeldzame grammaticafout.

'En hoe is het daar?' vroeg Katya ineens aan Ali.

'Hoe is wat waar?' antwoordde Ali.

'Hoe is het om voor de Skinners te werken?'

'Prima,' zei Ali, omkijkend om te zien of Alfie en Hector meeluisterden, maar die waren druk met het melkschuim van hun *babycinno*, dat ze afschepten om er een snor mee te maken. Ze zag de teleurstelling op Katya's gezicht.

'Ik ben er nog niet zo lang. Het is allemaal nog een beetje vreemd. Ze zorgen wel goed voor me.'

Ze zweeg, zich bewust van het feit dat ze niet genoeg had opgeleverd. Als ze vriendinnen werden, zou ze hen misschien vertellen wat ze wist na bijna twee maanden bij de Skinners: Bryony at niet; Izzy at heel veel maar braakte het weer uit, meestal Cumberland-worstjes die bij de slager op Holland Park Avenue elf pond per vijfhonderd gram kostten; de vriendjes van de tweeling hadden allemaal rare namen (Ster, Oceaan, Cantaloupe); Nick had weinig slaap nodig, en de vloerverwarming in de keuken stond altijd aan, zelfs als het zo heet werd dat Malea de schuifdeuren naar de tuin open moest zetten. Ze had kunnen vertellen dat er vanaf een centraal paneel in de keuken muziek door de tien kamers op de onderste twee verdiepingen kon worden gestuurd en dat ze pas deze week een nieuwe kamer had ontdekt in het souterrain: een thuisbioscoop met stoelen die breed genoeg waren voor twee volwassenen. Of ze had de tassen vol kleren kunnen vermelden die elke week door Net-à-Porter werden bezorgd. Sommige jurken kostten duizenden ponden. Dat wist Ali omdat ze de bonnen in de bovenste la van het bureau in Bryony's kantoor had zien liggen. Veel van de tassen stonden in Bryony's kleedkamer, vol kleren in vloeipapier die nooit gedragen zouden worden omdat ze nooit tijd had om ze te passen.

Ze dacht aan de honderd pond zakgeld die Bryony elke ochtend op de keukentafel liet liggen en de irritatie op haar gezicht als Ali haar 's avonds het wisselgeld terug probeerde te geven; het feit dat de voorraadkamer van onder tot boven vol stond met eten en drinken, als een supermarkt, omdat Bryony elke week precies dezelfde internetbestelling deed, ook als de gigantische Amerikaanse koelkast al helemaal vol stond; ze herinnerde zich hoe ze een paar nachten geleden wakker was geworden van harde stemmen die ergens in huis ruziemaakten en dacht dat het Nick en Bryony waren, maar de volgende ochtend ontdekte ze dat Nick nog in Azië zat; en ze dacht aan de verontschuldigende uitdrukking op Jakes gezicht toen hij haar over Malea's kinderen vertelde. Hoewel ze zeker wist dat hij vaker tegen haar loog dan de andere kinderen, betoonde Jake zich op willekeurige momenten onverwacht vriendelijk, zodat Ali zich minder alleen voelde in Holland Park Crescent.

'Nick en Bryony zijn weinig thuis. Ze lijken erg hard te werken,' legde ze uit. 'Nick is vaak op reis. Sinds ik begonnen ben heb ik hem pas vier of vijf keer gezien.'

'Dat is goed,' zei Katya. 'Het kan verwarrend zijn voor de kinderen als er te veel mensen zijn die ze vertellen wat ze moeten doen.'

Hoe zou het goed voor de tweeling kunnen zijn om bijna nooit met hun vader samen te zijn, vroeg Ali zich af. Zij was als kind urenlang bij haar vader geweest. Maar zou het iets hebben uitgemaakt als ze dat niet had gedaan? Dan had ze niet geweten dat het bij aflandige wind veilig was om te gaan vissen. Belangrijker nog, dan had ze niet geweten dat je beter op het land kon blijven als de wind van noordoost tot oost blies. Als het zulk weer was, zei haar vader dat krimpende winden en uitgaande vrouwen niet te vertrouwen waren. Ze glimlachte bij de herinnering. En dan zou ze ook niet hebben geweten dat de zeebodem bij Cromer uit zand, krijt en vuursteen bestaat, en dat de krabben er dankzij die combinatie kleiner en zoeter zijn.

Ali vroeg zich af hoe het zou zijn om voor iemand als Sophia Wilbraham te werken en zei: 'Merk jij daar dan iets van?'

'Nee,' zei Katya glimlachend. 'Er is een heel duidelijke structuur en er staat er maar één aan de top. Wij noemen Sophia de dominatrix.' Ze schaterde het uit. Mira keek afkeurend naar Katya, alsof Ali zoveel vertrouwen nog niet waard was.

'Zij is iemand die niet bang is voor haar eigen tong,' zei Mira, haar metaforen vermengend zodat Ali moest glimlachen. 'Maar ze heeft een goed hart.'

'En een dikke kont,' zei Katya.

'Katya vindt haar niet meer aardig, omdat ze denkt dat Sophia haar kwijt wil,' verklaarde Mira.

'Sophia's man heeft me verteld dat ze me te knap vindt om bij een gezin te wonen en dat ik te veel maaltijden kook met hem in gedachten,' zei Katya, Thomas wiegend in haar armen. 'Alsof ik hem probeer te verleiden met mijn *kapusniak*.'

'Kapusniak is een Pools gerecht,' voegde Raisa toe.

'Ook Oekraïens trouwens,' zei Mira. Het gesprek verviel tot een discussie over de oorsprong van verschillende Oost-Europese gerechten.

'En wat heb je toen gedaan?' kwam Ali tussenbeide, geïntrigeerd door deze dynamiek.

'Ik heb uitgezocht wat haar lievelingseten was en ben dat gaan klaarmaken,' zei Katya schouderophalend.

'Ga jij ook naar Corfu met de familie, net als de andere nanny's?' vroeg Mira.

'Natuurlijk,' zei Ali, al had Bryony daar niets over gezegd.

Waarom loog ze tegen Mira? Later besloot ze dat het was omdat ze niet wilde erkennen hoe slecht op haar gemak ze nog steeds was bij Bryony. Hoewel ze elkaar twee of drie keer per dag spraken, en het ongewoon was als Bryony haar niet om de paar uur een e-mail stuurde, was hun relatie functioneel en volkomen gespeend van context. Deze week had ze een e-mail ontvangen over het probleem van 'onvoldoende tandenpoetsen' van de tweeling, een paar dagen later gevolgd door een e-mail die haar waarschuwde voor de gevaren van overdadig tandenpoetsen. Die werd al snel gevolgd door een tijdschriftartikel over het stimuleren van intellectuele belangstelling bij kleine kinderen, met het voorstel dat Ali elke dag een stukje uit de krant zou knippen om met de tweeling te bespreken in de tijd tussen hun rekenwerk en hun pianolessen.

Ze dacht aan de meest recente e-mail, verstuurd om 5.53 uur die ochtend, toen Bryony waarschijnlijk aan het opwarmen was in de sportruimte in het souterrain. Onderwerpregel 'nalopen', wat Ali aan huiswerklessen deed denken, tot ze de bijlage las die haar opdroeg om in elke kamer in het huis op zoek te gaan naar problemen die de aannemer wellicht over het hoofd had gezien tijdens de meest recente verbouwing. Ontbrekende fittingen in kasten en badkamers, wankele toiletpotten, ontbrekende gordijnhaken, losse bedrading, kapotte lampen, slordig schilderwerk, voegproblemen, lekkende radiators. Bryony's lijst was eindeloos en uiterst volledig.

Toen herinnerde ze zich hun eerste overleg nadat ze de baan had gekregen. Terugkijkend was het weinig meer dan een uitgebreide lijst van alles wat ze wel en niet moest doen. Ze moest de tweeling wel elke avond minstens twintig minuten voorlezen, maar niet meer dan dertig, en ze moest afwisselen tussen fictie en non-fictie, in een verhouding van ruwweg zestig-veertig. Op dat punt had Bryony voorgesteld dat Ali misschien aantekeningen wilde maken en haar over de eetkamertafel heen een pen en een schrift toegeschoven.

Daarna had ze een uitgebreide verhandeling gehouden over gezonde snacks en verboden etenswaren, waaronder vrijwel alle soorten snoep. Dit was vooral belangrijk voor Izzy, volgens Bryony, omdat ze weinig discipline had en aankwam. Ali mocht Malea echter wel vragen om suikervrije bosbessenmuffins te maken met honing in plaats van suiker, en op vrijdag mocht iedereen een biologische chocoladereep (op voorwaarde dat die minstens zestig procent cacao bevatte). Vervolgens besprak ze koolhydraten in bewoordingen die Ali deden denken aan de strijd tegen het terrorisme. Ze verstopten zich in etenswaren. Ze moesten worden ontdekt en ontmaskerd en voor hun daden aansprakelijk worden gesteld.

'Ze maken overduidelijk deel uit van de as van het kwaad,' had Ali gekscherend gezegd, maar Bryony had niet gereageerd omdat ze al was overgestapt op beeldschermtijd. Ze aanvaardde Ali's verklaring dat het moeilijk zou zijn om in de gaten te houden hoe lang Jake en Izzy precies achter de computer zaten, omdat hun computer op hun slaapkamer stond. De tweeling mocht niet meer dan een halfuur per dag televisiekijken. Computerspelletjes waren helemaal uit den boze. Aan het eind opperde Bryony achteloos dat Ali wellicht beter niet 'verwikkeld' kon raken in de nannymaffia, die te veel tijd spendeerde aan roddelen in cafés.

'Hoe lang ben jij al bij Thomas?' vroeg Ali aan Katya, met de woorden die ze zou gebruiken als ze een vriendin naar haar nieuwe vriendje vroeg.

'Sinds zijn geboorte. Bijna,' zei Katya met een glimlach. 'Ze hadden eerst een kraamverpleegster. Maar toen merkten ze dat die Thomas medicijnen gaf om hem de hele nacht te laten doorslapen. Ik werkte al zes jaar bij hen als schoonmaakster, dus toen hebben ze de kraamverpleegster ontslagen en mij de baan gegeven.'

'Wat vreselijk,' zei Ali. Ze zweeg even. 'Wat is een kraamverpleegster?'

'Dat is iemand die betaald wordt om voor pasgeboren baby's te zorgen,' legde Katya uit. 'Het verdient heel erg goed, maar je verandert elke drie weken van baan. De moeders kunnen echt neurotisch zijn en je moet 's nachts voortdurend je bed uit.'

'Tenzij je de baby verdooft,' zei Ali. Iedereen lachte. Hector en Alfie kwamen kijken wat er aan de hand was.

'Ik vind het hier heel leuk,' zei Hector. Ze verplaatste haar knie en trok hem op schoot. Voor zover ze zich kon herinneren was dit de eerste keer dat hij spontaan een knuffel kwam halen. Ze gaf hem een half opgegeten plakje cake en zijn lijfje ontspande zich tegen haar aan, tot hij bijna languit op zijn rug lag. Hij begon weer datzelfde liedje te neuriën. Zachtjes wikkelde Ali een van zijn krullen om haar vinger; het haar gleed als zijde door haar handen.

Ze herinnerde zich Bryony's meest recente e-mail en zei: 'Je moet naar de kapper, Hector.'

'Nee,' antwoordde Hector onverzettelijk.

'Als je bij het leger gaat, knippen ze al je haar af,' plaagde ze hem. Hij fronste zijn voorhoofd alsof hij niet wist of hij haar moest geloven. Alfie kwam naast hen staan. 'In het leger scheren ze het af tot op je schedel.' Ze maakte het geluid van een elektrisch scheerapparaat en deed alsof ze hun haar knipte met haar vingers, waarbij ze de achterkant van hun nek kietelde tot ze hulpeloos giechelend in elkaar zakten.

'Jongens, ik heb iets voor jullie omdat jullie zo braaf zijn,' zei Katya. Ze zocht in haar tas tot ze voor elk een lolly had gevonden.

'Dankjewel, Katya,' zeiden ze met hun hoge stemmetjes in koor terwijl ze het papier lostrokken. Hun suikerinname van vanmiddag was de grootste overtreding van de regels sinds Ali in dienst was gekomen. Ze zou er waarschijnlijk niet op aangesproken worden. De jongetjes lagen vast al in bed voordat Bryony thuiskwam. En morgenavond zou ze hun heus niet vragen of ze een dag eerder snoep hadden gegeten. De lolly's leverden haar nog twintig minuten in het gezelschap van Mira en haar vriendinnen op. Ze vond het heerlijk om met deze groep vrouwen in het warme café te zitten, ook al kon ze maar sporadisch iets bijdragen aan het gesprek. Ze genoot van de manier waarop ze elkaar gemoedelijk beklaagden en plaagden, en advies gaven over het omgaan met driftbuien of het niet laten aanbranden van custardvla. Katya was indiscreet en amusant. Mira's werkgevers liepen bij een relatietherapeut. De oudste dochter van Sophia ging met haar bijlesleraar Engels naar bed. Bryony had een aanbod afgeslagen om in *Vogue* te verschijnen als een van de succesvolste Britse zakenvrouwen. Mira berispte Katya zonder overtuiging.

'Niets tegen mama zeggen,' zei Ali tegen Hector en Alfie, 'anders kunnen we hier niet meer heen.' Ze knikten ernstig. Ali wendde zich weer tot Katya.

'Hoe heb je Mira leren kennen?' vroeg ze.

'Onderweg hierheen vanuit Oekraïne,' zei ze.

'Je moet heel jong geweest zijn,' zei Ali.

'Zeventien,' zei Katya. 'Maar nu ben ik een oudere en wijzere vrouw.'

'Zaten jullie op dezelfde vlucht?' vroeg Ali. Katya glimlachte.

Met een nerveuze blik op Mira zei ze: 'We zijn over land gekomen, Ali. Het was een lange reis. Er was veel tijd om elkaar te leren kennen. Ik zat in moeilijkheden. Mira hielp me.'

'Kom je volgende week weer, om dezelfde tijd?' vroeg Mira ineens.

'Dat zou ik heel leuk vinden,' zei Ali meteen. Het zou goed zijn voor Hector en Alfie, en voor haar. Ze zouden allemaal minder eenzaam zijn.

'En de tweeling kan bij Thomas en Leo komen spelen,' stelde Katya voor.

'Dat zou geweldig zijn,' zei Ali. 'Ze worden niet vaak bij andere kinderen thuis uitgenodigd.'

'Ik kook dit weekend voor iedereen,' zei Katya. 'Wil jij ook komen?'

'Nick en Bryony gaan dit weekend weg,' legde Ali uit. 'Een andere keer. Misschien kan ik voor jullie koken.'

'Kun je koken?' vroeg Katya.

'Eigenlijk niet, nee,' lachte Ali. Het gepraat over eten herinnerde Ali eraan dat de Skinners die avond een etentje gaven en dat Bryony vroeg thuis zou zijn.

'Shit,' zei ze met een blik op haar horloge.

'Shit,' zei de tweeling haar na, terwijl ze hen haastig voor zich het café uit dreef en een taxi zocht. De bus zou sneller zijn geweest, maar Bryony had niet graag dat de tweeling met het openbaar vervoer reisde.

Terug in Holland Park Crescent had Bryony het te druk met haar zorgen over gasten die op het laatste moment hadden afgezegd en een wijnkelner die zich ziek had gemeld om zich op te winden over Ali's schending van het middagschema. Toen ze de voordeur achter zich dichttrok, hoorde Ali vanuit de eetkamer gespannen stemmen ratelen.

'Het slaat een gat in mijn tafelschikking!' zei Bryony. 'We hebben het hele feest om hen heen gepland. Ik wilde zo graag dat hij Felix zou ontmoeten, zodat hij hem kon vertellen dat Northern Rock op schema ligt om aan de voorspellingen van de analisten te voldoen zodat we vervelende artikelen over de besmetting door de Amerikaanse huizenmarkt konden vermijden.' Nick had zijn telefoon op de speaker staan. Ali kon hem binnensmonds horen vloeken.

'Politici zijn zo verdomd onbetrouwbaar,' mompelde hij. 'Een grove inschattingsfout, als je het mij vraagt. Als de ster van Blair allang gevallen is, zijn wij er nog. Het zijn allemaal kuttenkoppen.'

De tweeling keek met grote ogen naar Ali.

'Wat zijn politici?' vroeg Alfie ten slotte. Ali glimlachte opgelucht en fluisterde hem een korte uitleg toe.

'Hij was heel verontschuldigend,' zei Bryony. 'Er is iets gebeurd. Hij is teruggeroepen om een speech te schrijven voor morgen. Het heeft waarschijnlijk iets te maken met Blairs aankondiging op de partijconferentie.' Ze zweeg even. 'Misschien moeten we dan mijn vader en moeder maar vragen? Zij vinden het niet erg om stoelen op te vullen en de vrouw van die vermogensbeheerder wil een huis kopen op Corfu. Kunnen ze gezellig over olijven praten.'

Nick kreunde.

'Hoor eens, als ik de Wilbrahams kan verdragen, kun jij Foy en Tita wel aan,' onderhandelde Bryony bedreven. Waarom zou je mensen te eten vragen die je niet eens aardig vindt, vroeg Ali zich af terwijl ze de jassen van de tweeling ophing in de vestibule naast de zitkamer. Waarom deed Bryony al die moeite voor mensen die ze zou ontlopen als ze hen op straat zag aankomen? Hoewel Bryony, aan het buiten geparkeerde busje met DINNERS OF DISTINCTION op de zijkant te zien, natuurlijk niet zou koken. Of afwassen. Of zelfs maar een glas wijn inschenken. Ali pakte de huistelefoon van de haak en belde naar beneden om Malea te vragen of het eten al op tafel stond of dat ze de tweeling eerst in bad kon stoppen.

'Ali, ben jij dat?' riep Bryony uit de zitkamer. 'Kun je even komen? Stuur de tweeling maar naar Malea.'

Ali trok haar schoenen uit en liep de kamer in. Bryony zat aan het tafeltje naast het raam. Naast haar lag een map voorzien van een etiket met DINER 06-10-06 erop. Twee BlackBerry's gaven knipperend aan dat er berichten waren. Aan haar voeten zat een pedicure; efficiënt polijstte ze nagels en duwde nagelriemen weg.

'Zou jij zo lief willen zijn om in de bres te springen?' vroeg Bryony.

'Dat is heel vleiend, maar ik zou onmogelijk een gesprek gaande kunnen houden,' zei Ali. Bryony lachte zo hard dat de pedicure even moest stoppen.

'Ik bedoel niet aan tafel,' zei Bryony, 'al zou je het er wat het literaire nieuws betreft beslist een stuk beter afbrengen dan ik. Ik vroeg me af of jij het erg zou vinden om vanavond als wijnkelner dienst te doen. Je hoeft alleen maar rood te schenken.' Het was een bevel verkleed als verzoek, besloot Ali.

'Natuurlijk,' zei Ali, eerder opgelucht dan beledigd door Bryony's voorstel.

'Ik betaal je er vanzelfsprekend voor. Malea brengt de tweeling wel naar bed. Je hebt er vast geen bezwaar tegen om daar een avondje van verlost te zijn.'

Dat was een feit. Hector en Alfie in bed stoppen vergde meer rituelen dan een huwelijksvoltrekking in de Russisch-orthodoxe kerk. Het bad moest tot een bepaalde hoogte worden gevuld. Ze moest identieke pyjama's vinden, die dan voor Bryony onder badjassen verborgen gehouden moesten worden, want die wilde niet dat ze dezelfde kleren droegen. Ze moest *Groene eieren met ham* van Dr. Seuss drie keer lezen en kon geen woord overslaan, omdat Hector en Alfie haar dan onmiddellijk in de smiezen hadden. De spleet tussen de gordijnen moest precies goed zijn en Ali moest tussen hen in op het bed blijven liggen tot ze in slaap vielen. Die laatste gewoonte had ze tevergeefs geprobeerd af te schaffen; ze had de strijd opgegeven toen de tweeling vertelde dat elke nanny die zij zich konden herinneren het wel had gedaan.

'Wat gebeurt er dan als mama of papa jullie naar bed brengt?' had ze gevraagd. Ze hadden haar niet-begrijpend aangekeken.

Zo stond Ali later die avond discreet in een hoek van de eetkamer met een fles rode wijn gewikkeld in een gesteven wit servet te wachten om glazen bij te vullen.

Ze droeg een zwarte kokerrok en een witte bloes die Bryony haar had geleend. Haar haar was uit haar gezicht geborsteld. Aan de andere kant van de kamer stond nog een wijnkelner, een Letse jongen die er veel te jong uitzag om al zonder zijn ouders in Londen te wonen. Wanneer hij een leeg glas zag staan, trok hij behulpzaam een wenkbrauw op naar Ali. Ze kreeg tranen in haar ogen van zijn hartelijkheid, al kon dat ook door de rook van de geurkaarsen komen.

De andere obers waren net klaar met het afruimen van het voorgerecht, kreeftrisotto, en dienden nu paupiëttes van kalfsvlees met uiensaus op. De krab deed Ali aan haar ouderlijk huis denken. Ze vroeg zich af of hij misschien van de fuikgronden kwam waar haar vader viste, al was dit jaar het slechtste seizoen geweest dat hij zich kon herinneren. Ze kende zijn favoriete visplekken: Back High Hole, Cistern Hill, de zandbank van Foulness, vroeg in de zomer, en later in het seizoen Brown's Ledge. Hij wist altijd de beste plekken te vinden, waar het water een beetje kleur en veel beweging had. 'Het is tijdverspilling om op krab te vissen in een zee zo doorzichtig als pis,' zei hij altijd.

De vrouwelijke gasten, behalve één vrouw die naast Nick zat, voerden allerlei verschillende redenen aan om geen heel bord leeg te hoeven eten, van migraine tot lactose-intolerantie. De risotto verdween onder de slablaadjes. Aten vrouwen in Londen nooit, vroeg Ali zich af. Het betekende wel dat er meer dan genoeg worteltaart met wittechocoladefondant over zou blijven.

Er zaten tien mensen aan de grote ronde tafel, onder wie Bryony, Nick,

Tita, Foy en Sophia en Ned Wilbraham, een kleine maar stevige man, met scherpe trekken en koude ogen. Als iemand haar al herkende, liet niemand dat merken.

Daarnaast was er de man met zijn eigen vermogensbeheerbedrijf en zijn vrouw, een superslanke blondine van ergens tussen de vijfentwintig en de vijfenvijftig. Beneden had Ali de kelners en serveersters weddenschappen horen afsluiten over de vraag of ze de eerste, tweede of derde mevrouw Gressingham was. Ali wist uit de bespreking van de tafelschikking dat de vrouw naast Nick vroeger in de City werkte, maar tegenwoordig de regering adviseerde over bankregulering. Zij was alleen gekomen.

De enige gast die echt als vriend kon worden gekwalificeerd was Felix, die rechtstreeks uit zijn werk was gekomen om zijn plaats tussen Foy en Tita in te nemen. Ali herkende hem meteen van de trouwfoto in de zitkamer. Hij stommelde de kamer in, schudde Nick met uitbundige verontschuldigingen voor zijn late komst de hand en feliciteerde hem met de deal die hij zojuist had afgesloten. Bryony nam niet de moeite om op te staan, dus bleef Felix iets te lang bij haar stoel hangen terwijl zij hem haar rechterwang aanbood, waarop hij een nogal vochtige kus plantte. Hij deed Ali denken aan een trouwe labrador, dankbaar voor een neerbuigend schouderklopje op zijn tijd en niet te rancuneus over de incidentele schop in zijn ribben.

Ali had van Foy gehoord dat Felix niet alleen op de universiteit meer dan een jaar lang een relatie met Bryony had gehad, maar haar ook op een feest had voorgesteld aan zijn oude schoolvriend, Nick Skinner, nadat ze Oxford al hadden verlaten. Naar verluidt was hij met een ring in zijn zak naar dat feest gegaan, met de bedoeling Bryony ten huwelijk te vragen.

Tijdens een van zijn ochtendlijke bezoeken aan Holland Park Crescent had Foy een uitgebreide versie van het drama ten beste gegeven, in zulke bloemrijke taal dat Ali op haar onderlip had moeten bijten om niet in lachen uit te barsten. 'Felix hekelde Nick om zijn snode wichelarij' was een van de meest memorabele zinnen geweest.

Foy had hun relatie omschreven als een *coup de foudre*, want binnen een week na hun eerste ontmoeting had Bryony haar relatie met Felix verbroken. Ze was verrukt van Nicks zelfvertrouwen, zijn charme, zijn 'veelzijdige karakter' en alle 'parafernalia' die bij zijn levensstijl van succesvolle bankier hoorden. Foy kon de verleiding niet weerstaan om eraan toe te voegen dat Nick Bryony wellicht aan hem deed denken. Ze trouwden een jaar later en binnen een paar maanden was ze zwanger van Jake.

Felix vertrok naar het buitenland en werkte drie jaar lang voor de *Financial Times* in Washington. Hij kwam terug met een Amerikaanse vriendin, die hij zo ongeveer 'voor het altaar liet staan', zoals Foy op dramatische toon uitlegde. Hij was bevriend gebleven met Foy en Tita en had tegenover hen bekend dat niemand aan Bryony kon tippen. Of dat nu waar was of niet, het was opgenomen in de familieannalen, zodat zelfs Ali Felix nu medelijdend bekeek. Het verhaal kwam zowel Nick als Bryony goed uit, want Felix werd er in Nicks ogen minder belangrijk door, en dat bood Bryony de mogelijkheid om met hem bevriend te blijven.

Nu kon Ali hem observeren. Hij was wat bleek en pafferig, alsof hij niet genoeg daglicht kreeg, en door zijn hoog ingeplante wenkbrauwen zag hij eruit alsof het leven hem voortdurend verbaasde. Ondanks zijn stuntelige bescheidenheid en zijn voorkeur voor verhalen waarin hij zichzelf te kijk zette, bleek hij echter al snel de intelligentste en aardigste gast aan tafel. Hij had de vertederende gewoonte om naar Bryony te kijken als hij dacht dat zij het niet zag, waarmee hij zijn labradorkwalificaties nog eens benadrukte.

Af en toe verliet hij met een verontschuldiging het vertrek om zijn telefoon op te nemen. Onderweg naar beneden om een nieuwe fles rode wijn te halen, hoorde Ali hem in de gang een paar laatste aanpassingen aan een artikel doorgeven.

'De deal wordt maandagochtend definitief bekendgemaakt,' riep hij in de telefoon. 'Ik hoor net dat de advocaten het dit weekend afronden om de aandelen op peil te houden.' Er volgde een stilte waarin iemand antwoord gaf. Vervolgens nam Felix het woord weer: 'Het is de grootste M&A-deal in onroerend goed van dit jaar. Mijn bron is onberispelijk. Ik zit er zelfs mee te eten.'

Foy zat tussen Bryony en mevrouw Gressingham in. Tijdens het hoofdgerecht had hij mevrouw Gressingham onschatbaar advies gegeven over de aankoop van onroerend goed op Corfu, inclusief de naam van zijn advocaat, de beste plek om meubels aan te schaffen en inzicht in het ritme van de olijvenoogst. Hij had haar zelfs aangeboden om een paar dagen te komen logeren op haar volgende reis om huizen te bekijken.

Tegen het dessert wist Ali echter dat hij meer rode wijn had gedronken dan alle anderen aan tafel. Toen de chocoladefondant werd opgediend keerde hij mevrouw Gressingham zijn rug toe en boog zich naar Sophia Wilbraham om wellustig in haar jurk te kijken en door zijn wijnkleurige tanden heen monkelend zijn genoegen te uiten over het feit dat het decolleté van de Wilbrahams aan de volgende generatie was doorgegeven.

'Houdt u van dinertjes?' vroeg hij aan Sophia's borsten.

'Natuurlijk,' antwoordde ze. 'Ik kook heel graag.' Bryony's ogen vernauwden zich bij deze duidelijke steek onder water.

'Volgens mij zijn dinertjes iets voor echtparen die geen seks meer hebben,' verklaarde Foy luid.

Bij die opmerking wendde Tita zich onmiddellijk tot meneer Gressingham om hem naar zijn werk te vragen. Wat was private equity precies? Hoe besloten ze of een bedrijf het kopen waard was of niet? Hoe lang hielden ze het bedrijf in bezit voordat het weer verkocht werd? Meneer Gressingham, opgelucht en gevleid door de afleiding, legde langdradig uit hoe hij potentiële bedrijven identificeerde en winstgevender maakte door ze als onderpand te gebruiken om goedkoop meer geld te lenen. Tita luisterde aandachtig.

'Bent u nooit bang dat die drang om bedrijven op te kopen en ze samen te voegen met een groter bedrijf om elk jaar steeds meer winst te maken, zorgt dat de mensen die voor die bedrijven werken zich alleen maar steeds kleiner gaan voelen? Ik moet altijd denken aan onze tuinman op Corfu. Hij heeft een klein familiebedrijfje dat tuinen aanlegt bij vakantiehuizen. Hij zou vast meer kunnen verdienen als hij uitbreidde, maar hij is volmaakt gelukkig met zijn status-quo.'

'Ik werk om de wereld rijker te maken, niet gelukkiger,' antwoordde meneer Gressingham. 'Met de prijsstijgingen op de onroerendgoedmarkt moeten we sowieso allemaal meer gaan verdienen als we onze kinderen aan een huis in Londen willen helpen. Van minder dan 250.000 pond per jaar kun je niet echt meer leven.'

Ali hoorde zichzelf naar adem happen en zag Nick opkijken. Hij schonk Ali een snelle, strakke glimlach.

'Ik las vandaag in *The Telegraph* dat werkende vrouwen verantwoordelijk zijn voor de stijging van de huizenprijzen,' droeg Sophia bij aan het gesprek.

'Wat bedoel je in vredesnaam?' vroeg de vrouw van Financiën die naast Nick zat. Sophia keek beduusd door haar tussenkomst want de opmerking was bedoeld geweest om Bryony in verlegenheid te brengen. Maar het was te laat om terug te krabbelen.

'Volgens het artikel is er met twee werkende ouders meer geld om uit te geven aan wonen, en is de hausse op de woningmarkt daardoor ontstaan,' legde ze uit.

'Dat stuk heb ik ook gelezen,' zei Foy opgewonden. 'Er stond in dat één op de vijf vrouwen vindt dat werkende moeders slechte moeders zijn, en dat werkende moeders thuisblijfmoeders lui vinden. Geen wonder dat Bryony en Hester altijd in de clinch liggen.'

'De waarheid is dat zowel een carrière opbouwen als kinderen krijgen langlopende projecten van zeker twintig jaar zijn, en daarmee wordt het verzoenen van die twee belangrijke aspecten voor vrouwen vanzelfsprekend onmogelijk,' zei de vrouw van Financiën, op een toon die aan een speech deed denken. 'En de inflatie van de huizenprijzen is net zo goed een probleem in veel landen waar vrouwen niet vertegenwoordigd zijn op de arbeidsmarkt.'

'Zoals IJsland?' opperde Sophia.

'Ik overweeg mijn geld op een van die IJslandse rekeningen te zetten,' zei Foy. 'Zes procent rente als je het bij IceSave neerzet.'

'Zou ik maar niet doen, als ik jou was,' zei Nick.

'Ik weet alleen dat je gewoon door moet gaan, als je van je werk houdt,' zei Bryony op verzoenende toon. 'Ik heb nooit verlangd naar een loopbaanonderbreking of een bedrijfje in geglazuurde cupcakes.'

Mevrouw Gressingham was tijdens dit gesprek blijven zwijgen. Haar gezicht zat zo vol botox dat Ali er niets aan kon aflezen.

'Heb je al een fatsoenlijke nieuwe nanny kunnen vinden, Bryony?' Ze boog zich naar Bryony toe over de lege plek van Felix heen, die de kamer weer had verlaten om zijn telefoon aan te nemen. 'Ik herinner me dat je aan het einde van de zomer op zoek was.'

'Ons conciërgebureau heeft iemand gevonden,' zei Bryony. 'Ze is een paar maanden geleden begonnen en we zijn allemaal dol op haar. Ze is Engels en net van de universiteit, dus ze kan met al het huiswerk helpen. En ze heeft eindeloos veel geduld met de tweeling.' Met haar blik op haar schoenen gericht verschoof Ali ongemakkelijk van de ene voet op de andere en ze voelde dat haar gezicht dezelfde kleur aannam als de fles wijn in haar hand.

'Hebben jullie haar al eens alleen gelaten met de kinderen?' vroeg de blonde vrouw.

'Volgend weekend wordt de eerste keer,' zei Bryony. 'We gaan een weekend naar Dick Fuld en zijn vrouw in Idaho.'

'Dan horen jullie dus bij de ingewijden,' zei meneer Gressingham, duidelijk onder de indruk van die uitnodiging.

Zijn vrouw zei: 'Dat is immers altijd de grote test. Alles gaat altijd prima tot wij weggaan. Zodra we de voordeur uit lopen, gaat het helemaal mis.' Nick keerde zich naar haar toe om te luisteren. Hij streek met zijn vinger over de rand van zijn wijnglas en produceerde een hoog zoemend geluid dat zijn verveling illustreerde.

'Vertel eens wat er de laatste keer dat wij weg waren gebeurd is,' zei haar man, die merkte dat zijn vrouw Nicks belangstelling al begon te verliezen.

'We kwamen een dag eerder thuis omdat Dan aan het werk moest, en toen trof ik de nanny in bed aan met de huishoudster,' zei ze triomfantelijk.

'In ons bed,' voegde haar man eraan toe. 'Niet eens in haar bed. Een lesbische affaire, onder ons eigen dak.'

'Dan kreeg ze in elk geval genoeg beweging,' schertste de vrouw van Financiën. 'Wij zijn meer kwijt aan het eten van onze nanny dan aan haar salaris.'

'Het is zo lastig om behoorlijk personeel te vinden in Londen,' zei mevrouw Gressingham.

'We hebben heel veel geluk gehad,' zei Bryony, net iets te vergenoegd.

'Het is een concurrerende markt,' zei Nick. 'Londen is een financieel centrum van wereldbelang en iedereen wil hier wonen. En iedereen wil goed personeel.'

'Hebben jullie al Polen geprobeerd? Het schijnt dat die heel goed zijn met kinderen,' zei iemand anders.

Het gesprek keerde terug naar de huizenprijzen in Londen en het feit dat rijke buitenlanders een onverdiend voordeel hadden, omdat ze niet dezelfde belastingen hoefden te betalen als gewone Britse gezinnen.

'Hoe dat zo?' vroeg mevrouw Gressingham, zich naar Nick toe buigend, zodat de scherp afgetekende spieren van haar bovenarmen die het bewijs vormden van haar dagelijkse twee uur sportschool zichtbaar werden.

‘Ze kopen huizen via een offshore holding, zodat ze geen belasting hoeven te betalen,’ legde Nick uit.

‘Alles boven de vijf miljoen wordt weggekocht door Saoedi-prinsen of Oost-Europese oligarchen,’ klaagde Foy. ‘Binnenkort wonen er helemaal geen Engelsen meer in Kensington en Chelsea.’

‘Iemand zou een campagne moeten beginnen,’ zei iemand anders.

‘Het is een beetje een minderheidskwestie,’ zei Felix Naylor. Ali ving zijn blik en hij trok een wenkbrauw naar haar op. ‘Wekt weinig belangstelling bij het Britse volk, lijkt me. En miljonairs die zich over miljardairs beklagen hoeven waarschijnlijk ook niet op veel sympathie te rekenen.’

‘Nick, vertel eens over die formules die de kredietbureaus gebruiken om risico te meten,’ zei de vrouw die bij het ministerie van Financiën werkte. Ze praatte een beetje lijzig, met een accent dat het midden hield tussen Engels en Amerikaans, afhankelijk van de klinker, zodat ze geografisch moeilijk te plaatsen was. ‘Die derivaten zijn zo ingewikkeld geworden dat je wel een doctoraat in de economie en een MBA van Harvard moet hebben om te begrijpen hoe ze werken.’

‘Het copulamodel van Gauss wordt het meest gebruikt,’ zei Nick terwijl hij een onbegrijpelijke formule op een papieren servetje krabbelde. ‘In de statistiek wordt een copula gebruikt om de balans van twee of meer variabelen te koppelen.’

‘Voorzie jij daar problemen mee?’

‘Ik vind het verontrustend dat de rekensom geen historische cijfers gebruikt die ver genoeg teruggaan om het risico goed te meten, maar alleen marktgegevens van minder dan tien jaar oud. En ik vind het zorgwekkend dat iedereen dezelfde rekenformule gebruikt. Maar het heeft wel geholpen om de kwestie van de CDO’s te versnellen.’

‘Er stond in *Business Week* een artikel over die hausse in hybride effecten, en dat ze weliswaar ondersteund worden door complexe derivaten, maar verpakt zijn als AAA-obligaties, zodat ze zo veilig lijken als wat. Soms heb ik het idee dat het één grote Ponzi-fraude is.’

‘En wat denk je dat Brown gaat doen?’ vroeg Nick.

‘Hij zet door met “toezicht light”,’ zei ze met een zucht. ‘Nieuw links is volkomen in de ban van het grote geld. Ze zijn gevaarlijk obsessief over het idee dat er een verband bestaat tussen rijkdom en intelligentie.’

‘Denk je dat hij banken zal dwingen om hun kapitaalreserves te vergroten?’

'Hij is nog Greenspanner dan Greenspan zelf,' grapte ze.
De nerds zijn aan de macht, dacht Ali. Felix kwam gejaagd de eetkamer weer binnen na nog een telefoontje te hebben afgehandeld. Hij stootte tegen Tita's arm waardoor er een plasje witte wijn op haar lichte zijden jurk spatte.
'Ach hemel, Tita, wat spijt me dat,' zei Felix en hij depte de wijn op met de mouw van zijn overhemd.
'Geeft niet, engel. Vertel eens wanneer je bij ons op Corfu langskomt.'
Aan de overkant van de tafel zag Ali Bryony haar hoofd schudden tegen haar moeder. Iedereen ging voor twaalf uur naar huis. Niet bepaald het kenmerk van een geslaagd feestje, dacht Ali, toen ze de zitkamer binnen liep om Nick en Bryony te vertellen dat ze naar bed ging. Ze zaten op de beige bank. Nick had zijn arm om Bryony heen en haar hoofd lag tegen zijn schouder; de waterval van rood haar kriebelde aan zijn neus.
'Een uiterst productieve avond,' zei Nick. Bryony knikte zwijgend. Ali vond het een vreemd woord om te gebruiken. Een feestje zou toch gewoon leuk moeten zijn? 'Jij bent zo goed in dit soort dingen.'
'Is Sophia Wilbraham niet verschrikkelijk?'
'Afgrijselijk,' beaamde Nick. 'Maar we hoeven haar het komende jaar in elk geval niet meer uit te nodigen.'

7

November 2006

Tegen de tijd dat Nick en Bryony toe waren aan een borrel voor het eten op de ranch van Dick Fuld in Idaho na een vermoeiende wandeltocht naar de top van Bald Mountain en terug, had hun dochter Izzy ruim een halve fles wodka achter de kiezen en zoog onbeholpen aan haar eerste joint met een jongen van Jakes school op een feest in Notting Hill. Terwijl haar moeder dankbaar een glas Clos du Mesnil 1995 aannam van een Salvadoraans dienstmeisje in compleet uniform, liep Izzy de jongen achterna naar een kamer met uitzicht over Londen en een groot tweepersoonsbed dat die avond niet beslapen zou worden door de huiseigenaar of zijn nieuwe vriendin, omdat die het weekend in Marrakesh doorbrachten.

Min of meer tegelijkertijd dwaalde Ali de slaapkamer van Nick en Bryony binnen om uit te kijken naar de taxi die Izzy thuis zou afleveren. Hij was al tien minuten te laat. Natuurlijk had ze de straat vanuit de zitkamer in de gaten kunnen houden, maar dezelfde impuls die Izzy ertoe bracht om haar hand door een jongen die ze helemaal niet kende in zijn broek te laten stoppen, leidde Ali naar het verboden terrein op de tweede verdieping van Holland Park Crescent. Net als Izzy merkte ze tot haar vage verbazing dat ze zich niet zozeer een indringer voelde, als wel een ontdekkingsreiziger die een nieuw grondgebied in kaart bracht.

Ali sloot de deur achter zich en stond even stil om het gewaagde goud-zwarte behang, de kristallen lamp en de gouden spiegel boven de oorspronkelijke open haard te bewonderen. Het bed van Bryony en Nick was enorm en het dekbed zo glad als taartglazuur. Er was geen spoor van het echtpaar dat er sliep. Geen kreukels in de lakens. Geen tissues op het nachtkastje. Geen losse haren op het kussen. Ze deed haar best om zich hen voor te stellen in een wilde omhelzing, maar bemerkte dat ze dat niet kon.

Ze ging de badkamer in. Er lagen bijpassende grijze handdoeken, zo dik en zacht als Leicesters vacht, en ze zag gerestaureerde zilveren artdecobadkranen in de vorm van vissen in een vrijstaand bad dat op dezelfde schaal ontworpen was als het bed. Ruimte genoeg voor drie, dacht Ali. De kamer deed haar aan Miami denken – hooghartige roze flamingo's tegen een lichtgrijze achtergrond – ook al was ze daar nooit geweest. Niet verrassend, aangezien de binnenhuisarchitecte Amerikaans was. Ali had haar pas ontmoet. Een en al glimlachjes en zonnige Californische jovialiteit, tot ze zich realiseerde dat ze met de nanny praatte en niet met Bryony's dochter.

Het badkamerkastje overtrof haar verwachtingen: Seconal, Restoril en Ambien tegen slapeloosheid (recept op naam van Nick), Vicodin en Percocet tegen pijn (ook op Nicks naam), en Xanax en Ativan tegen spanningen. Er lagen ook twee volle pakjes Fluoxetine. Maar geen Citalopram of Sertraline, dat was een goed teken. En Bryony was aan de pil.

Ali ritste haar spijkerbroek open en schoof haar onderbroek omlaag om een plas te doen op het minimalistische Philippe Starck-toilet. Het contrast met de overdadig versierde wasbak en het bad was te oogverblindend om geen opzet te zijn. De vage verlegenheid over lichaamsfuncties die dat suggereerde, was volkomen in tegenspraak met de enorme spiegel ertegenover die van de vloer tot het plafond reikte. Ze vroeg zich af of Nick en Bryony ooit seks hadden voor die spiegel. Er lag een hint van narcisme in hun hypergetrainde lichamen en ze kon zich wel voorstellen hoe Nick het spannen van zijn bilspieren bewonderde terwijl Bryony haar benen om zijn dijen sloeg. Ali keek naar haar spiegelbeeld en bediende zich met extra zwierige gebaren van de wc-rol, waarbij ze haar best deed om Nick en Bryony niet in dezelfde houding voor haar geestesoog te zien verschijnen. Vervolgens spoelde ze het toilet twee keer door, voor het geval ze merkten dat iemand anders het had gebruikt.

Izzy had om twaalf uur thuis moeten zijn. Ali hoefde de twee pagina's uitgetypte instructies die ze weer in de keuken aantrof niet te raadplegen om te weten dat ze om halftwaalf met een taxi opgehaald had moeten worden. Naast het keukeneiland bestudeerde ze haar verkreukelde metroplattegrond om te berekenen hoe lang een taxi erover zou doen om van een feest in Notting Hill naar Holland Park te rijden. Ze begreep ondertussen dat de schaal van het metrosysteem weinig verband hield met de feitelijke topografie van Londen. Maar toen ze zag dat die twee haltes naast elkaar aan de Central Line lagen kromp haar maag ineen, want dat zou beslist geen uur moeten kosten.

Ze belde Izzy en sprak een bericht in, dringender dan de eerste keer.

'Izzy, je bent nu meer dan een halfuur te laat en we maken ons allemaal ongerust,' zei ze in de telefoon, na een spontaan besluit om te suggereren dat er intussen meer mensen bij het drama betrokken waren. 'Bel alsjeblieft zodra je dit bericht hoort.'

Ze keek of er geen berichten op het antwoordapparaat stonden en belde toen het taxibedrijf dat geacht werd Izzy thuis te brengen. Ali had van haar moeder geleerd dat actie vrijwel altijd het beste redmiddel was tegen ongerustheid over te laat komende kinderen. Leicester voelde dat hij niet het doelwit van haar aandacht was en kwam op haar voet zitten. Ali probeerde hem af te schudden, maar hij gromde zo chagrijnig dat ze hem maar liet zitten.

De vrouw die de telefoon beantwoordde, vertelde haar dat Izzy's vriendin rond kwart voor twaalf in Warwick Gardens was afgezet, maar dat de rit naar Holland Park Crescent geannuleerd was. Izzy moest dus nog op het feest zijn, concludeerde Ali, want er was geen enkele kans dat ze die afstand kon afleggen op de hooggehakte enkellaarsjes die ze uit Bryony's kledingkast had gepikt.

'Jullie zouden haar thuisbrengen,' ging Ali tekeer tegen de vrouw van het taxibedrijf.

'We zijn een taxibedrijf, geen oppasdienst,' zei de vrouw. 'De chauffeur zegt dat ze weigerde mee te gaan. Stelt u zich de ellende voor als hij een dronken tienermeisje had gedwongen om in de auto te stappen.'

'U had mij op de hoogte moeten stellen,' zei Ali vernietigend. 'Kunt u onmiddellijk een taxi sturen om mij op te halen en me naar datzelfde adres te brengen?'

'Pas over een uur,' zei de vrouw. 'Het is zaterdagavond.'

'Dit is een noodgeval,' drong Ali aan.

'Dan moet u 112 bellen.'

Ali las de laatste pagina van Bryony's instructies. Er stond een lange lijst van mensen op die ze kon bellen in een noodgeval, al wist ze niet zeker of het feit dat Izzy nog niet thuis was als noodgeval gekwalificeerd kon worden. Ze was pas drie kwartier te laat. De vage parameters van de crisis baarden haar zorgen. Ali schommelde tussen goedaardige verklaringen – Izzy wachtend op een taxi die niet kwam opdagen, Holland Park Avenue afgesloten vanwege een ongeluk, een hulpbehoevende dronken vriendin – en kwaadaardige beelden geïnspireerd op zusterlijke incidenten uit het verleden. Haar vader die Jo aantrof in een park waar ze tegen de grond werd gehouden door een stel jongens (over de details werd nooit gesproken), Jo die door de politie van Norwich op straat werd gevonden in een plas van haar eigen bloed (ze sliep op straat en was ongesteld), Jo die met pijn op haar borst naar het ziekenhuis werd gebracht (onverenigbare reactie van cocaïne en ecstasy).

Beelden van Jo en Izzy verwevfden zich in Ali's geest en ze voelde een bekende druk op haar maag, alsof iemand haar heel strak vastklemde. Ze herinnerde zich ineens een weekend bijna drie jaar geleden, net voor haar eindexamen, toen Jo onaangekondigd was gearriveerd na weer een lange periode 'elders' en haar ouders vertelde dat ze clean wilde worden.

Tegen die tijd spraken Ali's ouders de taal van het afkicken vloeiend. Uit ervaring waren ze echter voorzichtig geworden en ze verschansten zich bezorgd zwijgend rond de keukentafel terwijl Jo haar plan uiteenzette. Ze stond midden op de keukenvloer met haar teen aan een los stukje linoleum te pulken, zonder hen recht aan te kunnen kijken. Ali had zich op de achtergrond gehouden en met een mengeling van afkeer en fascinatie naar haar grote zus gekeken: de bleke, pafferige huid, de doodse bruine ogen, de schilferige armen, de broodmagere beentjes in de kleverige spijkerbroek. Ze deed Ali denken aan een insect. Ze deed geen moeite om te verbergen wat er aan de hand was, wat ofwel betekende dat ze helemaal aan de grond zat en een uitweg zocht uit de nachtmerrie die ze voor zichzelf had gecreëerd, of dat het haar niet langer kon schelen wat de mensen van haar dachten.

'Wat kunnen wij voor je doen, Jo?' had haar moeder gevraagd. Haar toon was waakzaam, alsof ze wel wilde geloven dat Jo haar plan door zou zetten, maar het niet helemaal wilde omhelzen om niet opnieuw teleurgesteld te worden.

'Ik heb heel veel flessen water nodig, Gatorade, hoestdrank met codeine en boterhammen met pindakaas,' begon Jo ernstig.

'Pindakaas?' vroeg Ali, al wist ze dat belangstelling betrokkenheid betekende.

'Dat geven ze mensen die ontgiften in Amerikaanse gevangenissen,' legde Jo uit. 'Het is gemakkelijk te eten en het stimuleert de endorfine. En als ze valeriaanwortel hebben dat ook, want dat helpt tegen de spanning. Ik heb heel veel schone lakens nodig omdat ik ga zweten en hete baden om warm te blijven, dus kunnen jullie alsjeblieft de geiser de hele tijd aan laten staan?'

Het hele proces zou maar tien dagen in beslag nemen, een periode die bijna exact samenviel met Ali's examens.

'En ik dan?' wilde Ali vragen. 'Hoe moet ik dan leren? Hoe moet ik genoeg slaap krijgen? Wie zorgt er dat met mij alles goed gaat?' Maar ze vroeg het niet, omdat ze wist dat er niemand zou reageren als ze het wel vroeg. Jo deed het niet met opzet, hield Ali zich voor. Heroïne was erger dan de meest jaloerse minnaar: er was voor niemand anders ruimte in haar leven.

Haar moeder had ijverig een lijstje gemaakt. Ali kreeg opdracht om met Jo te gaan wandelen naar het einde van de pier en terug, niet te ver of te vermoeiend, terwijl haar ouders boodschappen deden. Het was koud en winderig en de zee schuimde woedend rond de stalen dwarsbalken van de pier. Jo en Ali liepen zo ver als ze konden. Ali merkte dat Jo nerveus begon te verlangen naar haar volgende shot.

'Als ik over de rand spring, beloof je me dan dat je nooit meer drugs zult gebruiken?' had Ali aan haar zus gevraagd. Jo knikte en Ali klom op de reling, bleef even staan en sprong toen met al haar kleren aan in zee. Het was een roekeloze daad. Haar lange jas trok haar de diepte in. Onder water hield ze haar adem zo lang mogelijk in. Ze wilde Jo laten weten hoe het was om bang te zijn dat iemand dood zou gaan.

Toen ze weer bovenkwam, was Jo verdwenen. Ze was al naar de stad vertrokken om te scoren. Bij hun terugkeer vertelde Ali haar ouders wat er was gebeurd. Ali keek naar haar moeders gezicht en zag de accordeon van rimpels op haar voorhoofd. Nu ze zich het incident herinnerde, besefte ze dat haar moeder waarschijnlijk jonger was dan Bryony, maar er zeker vijftien jaar ouder uitzag.

Ali liet haar vinger langs de lijst glijden; ze drukte hard op het papier om niet te beven. Haar vinger hield stil naast Nick en Bryony en tikte op hun namen. De gegevens van hun verblijfplaats stonden erbij: Short Hill Ranch, Bald Mountain, Sun Valley, Idaho was het adres. Bryony had vier mobiele telefoonnummers en een vast nummer van het tweede huis van Nicks baas achtergelaten. Waar ligt Idaho in godsnaam? dacht Ali panisch terwijl ze het tijdverschil probeerde te berekenen. Was het zeven uur vooruit of achteruit? Ze had een landkaart nodig. Eentje die van Notting Hill tot de Rockies reikte. Ze zocht op de boekenplank naar een atlas, op de hielen gezeten door Leicester, die haar aanwezigheid zonder de meester en meesteres des huizes met snuffelende afkeuring beschouwde.

De verleiding om Bryony en Nick te bellen en de verantwoordelijkheid op hen af te schuiven was overweldigend. Maar toen Ali de nummers in de telefoon tikte, besefte ze dat dit weekend haar eerste echte proeve van bekwaamheid was en dat ze eigenlijk niet zo snel op wilde geven. Bovendien konden ze niets doen. Ali bedacht dat een man die vanwege een zakenreis niet aanwezig was bij de geboorte van zijn eerste kind, wellicht niet op het eerste vliegtuig naar huis zou stappen, omdat zijn dochter te laat thuiskwam van een feestje. En als Bryony in paniek raakte en alleen naar huis kwam, was hun weekend samen geruïneerd. Doordeweeks brachten ze zelden meerdere nachten achter elkaar onder hetzelfde dak door.

Niet dat Bryony ernaar uitgekeken had om de rol van toegewijde corporate echtgenote te spelen. Ali dacht aan de scène in hun slaapkamer vrijdagochtend, toen ze als laatste toevlucht naar boven was geroepen, nadat zelfs Malea een paar wandelschoenen dat ingepakt moest worden voor de reis niet had weten te vinden. Toen ze binnenkwam stond Malea zwijgend koffers in te pakken; ze vouwde jurken zorgvuldig in vloeipapier en legde cosmetica ter goedkeuring aan Bryony voor. Ali zag dat Malea niet alleen goed op de hoogte was van Bryony's menstruatiecyclus, maar ook een doos diazepam en een halfleeg pakje antidepressiva had klaargelegd.

Bryony kwam met haar armen vol schoenendozen uit de inloopkast en zei: 'Kun je je voorstellen dat we allemaal samen moeten wandelen?' Ali voelde aan dat er geen antwoord vereist was. 'Een geforceerde mars door de Rockies met een vent die zijn vrouw bij haar achternaam aanspreekt. De eerste keer dat we gingen, verscheen een van de echtgenotes met namaakgips om alle sportieve activiteiten te vermijden, en prompt kwam een andere met echt gips aanzetten, die verkondigde dat ze toch die berg op ging. Dat soort dingen staat me te wachten.'

Met een rood aangelopen gezicht rukte ze woest allerlei schoenen tevoorschijn; zorgzaam zette Malea de afgewezen paren terug in de dozen.

'Overdag moet je die belachelijke wandelschoenen aan en 's avonds lijkt het wel een Parijse catwalk. En Fuld ondervraagt je over je kinderen alsof het hem echt iets kan schelen, terwijl Nick door zijn schuld niet eens bij Jakes geboorte was.'

'Belachelijk,' zei Ali instemmend toen Malea niet reageerde, hoewel het voor iemand die nog nooit buiten Europa was geweest verleidelijk exotisch klonk.

'De vrouwen kijken me allemaal wantrouwig aan, omdat ik wel een echte baan heb,' tierde Bryony verder, 'en op zondag moeten de mannen golfen en ze dragen allemaal overhemden met het logo van hun countryclub behalve Nick, want die is geen lid van welke golfclub dan ook en hij brengt zoveel tijd door in de bunkers dat zijn voeten vrijwel ontveld zijn als hij weer thuiskomt. En terwijl hij die rituele vernedering ondergaat, moet ik allerlei antiekwinkels afwerken. Vervolgens gaan we allemaal naar een restaurant en bestellen een lunch die niemand opeet. Lieve god, het is allemaal zo ontzettend burgerlijk. Ik heb zo'n ongelooflijke bloedhekel aan smart casual.'

Met deze uitbarsting in gedachten liet Ali haar vinger verder langs de lijst glijden. De huisarts, de tandarts en de dierenarts van Leicester schreef ze onmiddellijk af. Sophia Wilbraham woonde een paar straten verderop en haar nummer stond onder aan de lijst, maar Ali wist dat Bryony niet zou willen dat zij getuige was van een huiselijke crisis met een van de kinderen, want in haar versie van het verhaal zouden alle betrokkenen er slecht van afkomen: Bryony in de rol van ontaarde werkende moeder, Ali als incompetente nanny en Izzy als onberekenbare tiener met gebrek aan ouderlijke aandacht in een cruciale fase van haar ontwikkeling.

Met potlood zette Ali een sterretje naast Foy en Tita, want ze wist dat Foy weliswaar overdreven zou reageren en misschien dronken zou zijn, maar hij zou wel komen. Bryony's zus was geen optie omdat Stoke Newington zo ver weg was dat het niet eens een eigen metrostation had, en omdat ze de spanning had aangevoeld telkens wanneer Bryony Hester aan de telefoon had.

Malea's naam stond niet op de lijst. Ze verliet het huis zelden uit vrije wil, behalve om Leicester eens per dag mee uit te nemen naar het einde van Holland Park Crescent en terug. Ze was zelfs een keer verdwaald op weg naar Sainsbury's. Tegenwoordig wist Ali vanuit de taxi die hen elke ochtend om acht uur kwam halen in elk geval de route naar school te herkennen. Ze kon de weg vinden in de buurt van Holland Park. En ze had een kortere weg naar de slager ontdekt, waar Bryony haar regelmatig heen stuurde om de worstjes te kopen waaraan Izzy zich te buiten ging tijdens haar vreetbuien.

Maar voor zover ze wist was ze nog nooit helemaal in Notting Hill geweest, al wist ze wel vrij zeker dat de Hill ten noorden van Holland Park Crescent lag. Even wenste Ali dat haar vader er was. Hij kon in de ergste erwtensoepmist op de Noordzee navigeren, als je amper een meter voor je uit kon kijken. Als kind had ze hem zijn ogen laten dichtdoen en hem zo snel rondgedraaid dat zijn kaplaarzen protesterend piepten, om hem daarna het noorden aan te laten wijzen. Hij had het altijd goed.

Malea mocht dan een rampzalig richtingsgevoel hebben, ze was wel in huis en ze kon bij Hector en Alfie blijven terwijl Ali naar het feest reed om Izzy te gaan zoeken. Nu ze die beslissing had genomen stond Ali zo plotseling op dat de zware eikenhouten keukenstoel achteroverviel. Leicester gromde en liep voor haar uit om bezitterig midden op een tree te gaan zitten zodat Ali om hem heen moest lopen.

Eenmaal beneden knipte ze alle lichten aan en maakte zo veel mogelijk lawaai, in de hoop Malea wakker te maken. Ze keek de enorme speelkamer in of Jake daar wellicht met vrienden naar muziek zat te luisteren. De televisie stond wel aan, maar zo te zien keek er niemand naar.

Ali aarzelde voor Malea's deur en klopte een paar keer in de lucht voordat ze haar knokkel op het hout liet neerkomen. Ze herinnerde zichzelf aan Malea's goedgunstigheid: ze legde elke avond de kleren van de tweeling klaar, netjes opgestapeld in de volgorde waarin ze zich per se wilden aankleden, ze bood aan om de tweeling in bad te stoppen als Ali de andere kinderen met hun huiswerk hielp, en vorige week stond er op een middag ineens een Cromer-krab voor haar op de keukentafel.

Ali tikte een paar keer zachtjes met haar knokkel. Toen Malea niet verscheen, bonsde ze met haar platte hand op de deur. Eindelijk kwam Malea tevoorschijn, half slapend, in een ochtendjas die met een nette strik om haar middel was dichtgemaakt, alsof ze een cadeautje was dat uitgepakt moest worden. Haar wangen glommen van de nachtcrème.

'Wat is er, miss Ali?' vroeg ze slaperig.

'Gewoon Ali, alsjeblieft,' zei Ali automatisch, zoals altijd wanneer

Malea haar aansprak. Er werd een lampje aangeknipt en Ali zag verschillende paren slippers netjes opgestapeld onder in een kledingkast staan, waar ook drie paar broeken in dezelfde kleur en een paar gestreepte bloesjes in hingen. Op het nachtkastje stond een foto van drie kleine kinderen die guitig lachten naar de camera, met half gewisselde gebitjes en warrig haar. De jongste heeft al zijn melktandjes nog, dacht Ali met een steek in haar hart. Ernaast stond een afbeelding van de Maagd Maria en er lag een bijbel. Verder was de kamer leeg.

'Izzy is niet thuisgekomen en ik weet niet wat ik moet doen,' zei Ali; ze deed haar best om beheerster te klinken dan ze zich voelde.

'Heb je meneer Jake al geprobeerd?' vroeg Malea kalm.

'Nee,' zei Ali. 'Ik geloof dat Jake uit is.' Ze liet het meneer nadrukkelijk weg.

Malea pakte de huistelefoon op haar nachtkastje om hem te bellen en zei: 'Hij belde me een uur geleden om een snack naar zijn kamer te brengen.' Er werd niet opgenomen. Malea zweeg even. 'Ik geloof dat hij een meisje bij zich heeft.'

'Ik ga wel boven op de tweeling passen, daar hoef je geen zorgen over te hebben,' zei Malea en ze pakte haar schoenen. 'Dan kun jij meneer Jake wakker maken.' Ali liep haar achterna.

'Dankjewel,' zei ze. 'Heeft Izzy zoiets weleens eerder gedaan?'

'Ik denk het niet,' zei Malea. 'Maar altijd wel wat problemen. De andere nanny's vonden haar lastig.'

Welke andere nanny's, vroeg Ali zich af, ineens nieuwsgierig naar haar voorgangsters. Ze had nooit gevraagd naar de vrouwen die hier hadden gewerkt, een omissie die haar nu zowel arrogant als dom voorkwam. Ze had er eentje te spreken moeten vragen, om haar mening over de Skinners te horen voordat ze de baan aannam. Nu was het te laat. Ze was al betrokken. Ze was ingebed.

Ze kon aan Hectors schouders als hij de klas uit kwam zien of hij een slechte dag had gehad – sterker nog, als hij met hangende schouders naar buiten kwam, bedierf dat haar humeur; ze maakte zich zorgen over de snoeppapiertjes en de lege doosjes laxeermiddel achter de verwarming in Izzy's kamer, en over de Post-its met Izzy's dunspiratiecitaten erop (ETEN IS AANGEPAST GEDRAG; ANOREXIA IS GEEN AFWIJKING MAAR EEN MANIER VAN LEVEN). Arme Izzy. Ze zou nooit zo slank worden als die magere grietjes in hun skinny jeans die zich op vrijdagmiddag in haar kamer verzamelden om met make-up en elkaars kleren te experimenteren. Ali voelde haar bezorgdheid toenemen en keek op haar telefoon om te zien of Izzy soms een berichtje had gestuurd, maar dat was niet het geval.

Ze wees naar de foto op het nachtkastje en zei: 'Zijn dat jouw kinderen, Malea?'

'Ja,' zei Malea, die met haar rug naar Ali toe schoenen uit de kast haalde, zodat haar gezicht niet te zien was.

'Waar wonen ze?' vroeg Ali.

'Ze wonen in mijn dorp, bij mijn moeder,' zei Malea.

'Je mist ze zeker wel,' zei Ali behoedzaam.

Malea draaide zich om en keek haar aan. 'Natuurlijk,' zei ze. 'Maar ik kan ze een beter leven bieden door hier te werken, dan wanneer we allemaal samen thuis woonden. Ze hebben goed te eten. Ze gaan naar school. Ze kunnen straks naar de universiteit.'

'En hun vader?' vroeg Ali.

'Omgekomen bij een busongeluk,' zei Malea alleen.

'Het spijt me,' zei Ali, boos op zichzelf. Malea haalde haar schouders op.

'Zo is het leven,' zei ze zachtjes.

'Zou je niet liever arm zijn maar bij je kinderen?' vroeg Ali toch nog.

'Ik denk dat je het niet goed begrijpt,' zei Malea rustig. 'Waar ik vandaan kom, zijn de mensen zo arm dat ze moeten kiezen welk kind ze zullen verkopen om de rest in leven te kunnen houden.'

'Het spijt me,' zei Ali. 'Ik had het niet mogen vragen.'

'Het is al goed, Ali,' zei Malea terwijl ze haar schoenen aantrok. 'In al die tijd dat ik in Engeland ben, heeft niemand me die vraag ooit gesteld. Kom, we gaan.'

Ali holde met twee treden tegelijk naar boven tot ze bij Jakes slaapkamer stond. Ze klopte een paar keer, maar toen er geen reactie klonk, luisterde ze aan de deur en draaide voorzichtig aan de deurknop. Het was voor het eerst dat ze in zijn kamer kwam sinds ze bij de Skinners woonde, al begon de trap naar de verbouwde zolderverdieping net buiten haar kamerdeur. Jakes deur gaf toegang tot een enorme ruimte, even breed als het dak. Een rood met paarse lavalamp zorgde voor gedempt licht. Ali tuurde met half toegeknepen ogen in het donker om zich te oriënteren. Aan de muur hing een shirt van Arsenal in de uitwedstrijdkleuren, gesigneerd door de winnaars van de FA CUP 2005. Er hing een foto, waarschijnlijk van Jake – al was dat moeilijk te zeggen – op ski's in een slalom in een skibroek gesponsord door Vodafone. Op de schoorsteenmantel stonden schoolfoto's waarop hij voetbal speelde. Hij zat met alles in het eerste team.

Ali liep naar het voeteneinde van zijn bed en keek naar het verwarde beddengoed. Er lagen duidelijk twee lichamen onder. Hij had een tweepersoonsbed. Als iemand die met haar vriendje nooit ergens anders dan op de achterbank van een auto of in een eenpersoonsbed had gelegen, vond Ali dat vreemd irritant, een duidelijke blijk van het enorme verschil tussen hen beiden. Jakes houding ten opzichte van de welvaart van zijn familie was eerder onverschillig dan arrogant, maar Ali rekende het hem vooral aan, omdat ze bijna van dezelfde leeftijd waren. Ze dacht aan de cricketbat die Malea vorige maand had gezocht en die ondertussen alweer kwijt was, maar ook alweer was vervangen door een duurder model; de skivakantie van school die zonder aarzelen betaald werd; de gestolen BlackBerry die werd vervangen door de meest recente Nokia; de nieuwste iMac op zijn bureau en vijftig pond zakgeld voor een avondje uit.

Ali liep naar de linkerkant van het bed waar Jakes hoofd nog net te onderscheiden was. Luidruchtig trok ze de la van zijn nachtkastje open, in de hoop hem te wekken zonder hem aan te raken. Er lag een vertrouwde verzameling extra iPad-oortjes, een plastic zakje met vloeitjes en tabak en een klein zakje wiet. Ze schoof de la nog een paar keer lawaaiig open en dicht. Jake verroerde zich niet, al rolde het lichaam naast hem dichterbij.

Ali ging op het bed zitten, dicht bij zijn hoofd. Voorzichtig raakte ze zijn haar aan, zachtjes door de pony woelend zoals ze 's ochtends bij de tweeling deed om ze wakker te maken. Hij zuchtte diep. Ze trok aan de rand van het dekbed en schoof het opzij zodat de bovenkant van zijn schouder bloot lag. Ali's handen waren koud en hij probeerde haar weg te duwen toen ze aan zijn bovenarm schudde. Vanonder het dekbed verscheen een bloot been. Zijn ogen bleven dicht.

'Jake, word eens wakker, ik ben het,' fluisterde Ali met een duw tegen zijn schouder. Jake stak een arm uit bed en legde hem op Ali's bovenbeen.

'Doe je ogen eens open,' vroeg Ali dringend.
'Wat wil je?' mompelde hij.
'Ik heb je hulp nodig. Izzy had een uur geleden thuis moeten zijn en ze neemt haar telefoon niet op.'
'Maak je niet druk,' zei Jake. 'Ze komt wel thuis als ze zover is.'
'Ze is pas veertien,' pleitte Ali.
'Een meisje van veertien uit Londen is net zoiets als een meisje van eenentwintig uit Cromer,' zei hij. Het meisje naast hem bewoog. 'Sst, je maakt Lucy nog wakker.' Zijn ogen gingen weer dicht.
'Ik weet niet hoe ik in Notting Hill moet komen,' zei Ali.
'Wat kan ik eraan doen?' prevelde hij. Hij probeerde Ali op het bed te trekken terwijl zij tegen zijn schouder stompte. Omdat ze niet wist wat ze anders moest doen, greep Ali een glas water van het nachtkastje en gooide het in zijn gezicht.

Een halfuur later stonden ze stil voor het huis in Notting Hill waar Izzy's feestje was en Jake vroeg, met de zijkant van de passagiersstoel stevig in zijn greep: 'Ben je soms dronken, Ali?' Afgezien van instructies over de weg naar het huis van de Bassetts had hij gedurende de rit niets gezegd. Af en toe haalde hij zijn vingers door zijn haar om te zien of het nog nat was. 'Of rijd je gewoon beroerd?'
'Ik rijd gewoon beroerd,' gaf Ali toe. Tot haar opluchting stonden er nauwelijks auto's op straat, zodat ze niet achteruit hoefde in te parkeren voor het huis.
'Ik ben er alleen maar een beetje uit,' zei Ali terwijl ze parkeerde, al had ze een paar keer heel soepel weten te schakelen. Ze stapten uit, liepen naar de voordeur en trokken een paar keer aan de bel. Niemand deed open. Uit alle ramen van het huis straalde licht en ze konden het doffe gebonk van de muziek uit het souterrain horen komen. Het is een wonder dat de buren niet klagen, dacht Ali met een blik door de straat.
'Iedereen is de stad uit voor het weekend,' zei Jake.
Ze gluurden door de brievenbus, belden Izzy's mobiel en hoorden hem rinkelen vanuit de jassen die onverschillig in de gang opgestapeld lagen. Er knielde een jongen bij neer die zakken begon te doorzoeken om de telefoon te vinden. Jake riep hem door de brievenbus toe om hen binnen te laten. Hij deed de deur halfopen en toen hij Jake van school herkende, liet hij hen allebei binnen.

‘Sorry, man,’ mompelde hij met verwarde blikken van Ali naar Jake.

‘Waar zijn meneer en mevrouw Bassett?’ vroeg Ali aan de jongen.

‘Weg,’ schokschouderde hij en hij liep de trap weer af naar het souterrain. Ali en Jake gingen hem achterna. Ze kwamen langs een groep meisjes die in de rij stonden voor een toilet op een overloop halverwege de trap. Zelfs in het gedempte licht zag Ali dat het lichtbeige vloerkleed vol modderige voetafdrukken zat.

‘Sasha, heb jij Izzy gezien?’ riep Jake naar een van de meisjes.

Ali dacht dat ze Sasha herkende, maar misschien was dat omdat ze precies leek op het meisje dat Jake net had thuisgebracht.

‘Hi Ali,’ zei Sasha terwijl ze overeind kwam. Zelfs zonder schoenen torende ze boven Ali uit. Ze droeg een heel kort spijkerbroekje dat haar onwaarschijnlijk lange benen accentueerde en een rond haar middel dichtgeknoopt geruite bloes die een gepiercete navel vrijliet. Haar haar viel in blonde lokken over haar schouders en op haar rug. Haar ogen waren donker opgemaakt met kohl. Ali besefte dat ze simpelweg een veel oudere versie was van de Sasha die af en toe na school in de keuken van Holland Park Crescent verscheen en beleefd vroeg om iets te eten om mee naar boven te nemen als ze bij Izzy huiswerk kwam maken.

‘Dansen, Jake?’ vroeg Sasha, heupwiegend op het ritme van de muziek.

‘Ik zoek Izzy,’ schreeuwde Jake toen Sasha naast hem kwam staan. Ze was even lang als Jake. Ze strekte haar arm en legde hem om Jakes schouder.

‘De meeste mensen brengen wodka mee naar een feest, maar jij brengt je nanny,’ gilde ze van het lachen. Ze boog zich naar Jake en kuste hem op de lippen tot hij haar kus beantwoordde. ‘Veel plezier,’ zei ze als beloning voor zijn gebrek aan verzet. ‘Ik geloof dat Izzy boven is.’

De indeling van het huis leek op die van Holland Park Crescent, maar dan minder grootschalig, wat het voor Ali eenvoudig maakte om zich te oriënteren. Het was ook buitenissiger. Hoewel de zitkamer boven slechts verlicht werd door een enkele lamp en een paar wankel geplaatste theelichtjes, zag Ali dat de muren bloedrood waren geschilderd, en op de banken lagen lappen in exotische kleuren. De inrichting hield losjes een oosters thema aan – de kasten waren glanzend goud gelakt, de haard werd bewaakt door een vierarmige Vishnu.

Ali stond bij de haard en keek zoekend rond naar Izzy. Midden op de schoorsteenmantel stond een beeld van een mannenhoofd, in dezelfde kleur als de muren, en een paar foto's, waaronder eentje van Mick Jagger met een baby in zijn armen en Jerry Hall elegant tegen zijn schouder gedrapeerd. Er lagen wat snuisterijen: een pijp uit India, een geboetseerd muziekbandje van dieren met instrumenten, een potloodkoker uit Iran, en een verzameling boeddhahoofden uit Gandhara. Aan de muren hingen zwart-witfoto's van rockbands, waaronder de Rolling Stones. Ze zag Jake aankomen in de spiegel boven de haard.

'Ik zie haar nergens,' zei ze zenuwachtig.

Jake tikte tegen de glazen lijst en vroeg: 'Heb je de foto's gezien? Sasha's vader werkt in de muziekbusiness. Haar moeder was vroeger model.'

'Goh,' zei Ali, onder de indruk. 'Denk je dat ze binnenkort thuiskomen?'

Jake lachte. 'Ze zijn al jaren uit elkaar. De nieuwe vriendin van haar vader is jonger dan Sasha's oudste zus. Ze is een jonger model van het oude model. Dit is zijn huis, maar hij is dit weekend naar Marrakesh.'

'En Sasha's moeder?'

'Zij is thuis met haar vriend. Het is niet haar weekend om Sasha te hebben,' legde Jake geduldig uit.

'Dus Sasha geeft een feest zonder ouderlijk toezicht?' vroeg Ali verbaasd. 'Ik weet niet of ik dat wel goedkeur.'

'Ga nou alsjeblieft niet de Mary Poppins uithangen,' zei Jake.

'Wat bedoel je?' vroeg Ali.

'Ik bedoel dat het leven in mijn wereld heus niet altijd even supercalifragilisticexpialidasties is,' zei Jake. 'Het gaat op en neer.'

Jake pakte Ali bij haar arm en leidde haar terug naar de trap. Ze zag een stelletje in een omhelzing op de bank liggen, met een halflege fles wijn op zijn kant ernaast waarvan de inhoud in het tapijt trok. Onwillekeurig bukte Ali om de fles overeind te zetten, en ving vanuit haar ooghoek een glimp op van Sophia Wilbrahams' dochter Martha, die haar met glazige ogen aankeek. Tot haar ontzetting zag Ali dat een van de borsten van het meisje ontbloot was en ondeskundig werd gekneed door de jongen boven op haar. Ineens leunde hij voorover en nam de volmaakt gevormde tepel in zijn mond, om er vervolgens op te gaan kauwen alsof hij een pit uit een kers wilde wringen. Belabberde techniek, dacht Ali. Loom bracht Martha een vinger naar haar mond, keek naar Ali en fluisterde: 'Sst.' Ali voelde dat Jake haar aanstootte.

'Zag je dat?' vroeg ze.
'Ze doet uitgebreid onderzoek naar jongens van Westminster,' zei Jake met een laatdunkend lachje. 'Haar oudere zus heeft zelfs met de bijlesleraar geslapen die haar moeder had aangenomen om haar Thomas Hardy uit te leggen.'
In de ouderslaapkamer op de eerste verdieping lagen zoveel lichamen over het bed verspreid dat nauwelijks te zien was hoe ze in elkaar pasten. Er lag een jongen in het midden met een meisje onder elke arm, alleen was een van de meisjes diep in gesprek met een andere jongen die over de benen van de eerste heen lag. Ze deelden een sigaret. Aan het voeteneind lagen nog meer lichamen. Een van de meisjes lag in foetushouding opgekruld in diepe slaap.
'Zij zit in een k-gat,' zei Jake.
'Wat bedoel je?' vroeg Ali.
'Vitamine K,' zei Jake veelbetekenend.
'Ketamine?' zei Ali. 'Dat verdovingsmiddel voor paarden?' Jake knikte.
In een hoek probeerde een meisje een nummer van de Stereophonics te draaien, maar telkens als ze op play drukte zette iemand iets anders op. Even benijdde Ali hen hun zorgeloze intimiteit. Ze besloot Rosa de volgende dag te bellen en een weekend in Norwich af te spreken. Bij de kaptafel was een jongen met ontbloot bovenlijf bezig om wit poeder in lijntjes te verdelen. Hij legde een extra brede voor zichzelf neer.
'Bankiersbonus,' lachte hij toen hij Ali's gezicht zag. Ze zei niets.
'Lijntje voor onderweg?' vroeg hij aan Ali.
'Nee, dank je,' zei Jake namens haar.
'Hier is Izzy niet,' zei Jake, terwijl hij Ali haastig de kamer uit werkte.
'Hoe weet je dat?' vroeg Ali.
'Denk je niet dat ze wel magerder zou zijn als ze aan de coke was?' merkte Jake op.
'Onvoorstelbaar,' zei Ali terwijl ze de deur achter zich dichttrok.
'Niks tegen mama zeggen,' zei Jake.
'Waarover?' vroeg Ali.
'Hierover,' zei Jake. 'Ze zou zich maar ongerust maken.'
'Ze moet zich ook ongerust maken.'
Ze liepen verder omhoog naar de volgende verdieping. Er kwamen een paar meisjes langs die zeiden dat de wc verstopt was, omdat iemand die Suzi heette had overgegeven. Het werd stiller. Ali kon het doffe

gedreun van de muziek door de vloer heen voelen, maar het was niet meer te luid om te praten. Toen ze langs de wc kwamen, zag ze een paar benen uit de deur steken en ze rook de rotte geur van braaksel.

'Dat moet Suzi zijn,' zei Ali, opgelucht dat ze het meisje op de marmeren vloer hoorde kreunen. 'Gelukkig ligt er geen vloerbedekking.'

Ze kwamen bij twee deuren. Ali koos de deur die het verste van de overloop was. Ze kwamen terecht in een slecht verlichte slaapkamer. Daar zagen ze Izzy, geknield op de vloer naast het bed. Naar appels happen, dacht Ali, toen ze Izzy's hoofd ritmisch op en neer zag bewegen in de schoot van een jongen die op het bed zat. Zijn ogen waren dicht maar hij hield een mobiele telefoon boven zijn hoofd. Hij was toch zeker niet aan het bellen terwijl hij zich tegelijkertijd liet pijpen? Konden jongens zo multitasken? Jake was sneller van begrip.

'Wat denk jij godverdomme dat je aan het doen bent?' vroeg hij. Izzy draaide haar hoofd half om; ze glimlachte wezenloos naar Ali en Jake en deed haar best om haar blik te fixeren. Ze probeerde overeind te komen met behulp van de knieën van de jongen, maar ze kreeg zichzelf niet van de grond. Ali greep de telefoon uit de handen van de jongen en liet hem in een halfvol glas bier vallen dat onder de lamp stond.

'Goed gedaan,' zei Jake waarderend.

Izzy draaide zich om en keek hen met toegeknepen ogen aan. Ze probeerde iets te zeggen, maar in plaats van woorden spoelde er een golf braaksel uit haar mond. De jongen stond op en trok zich terug naar een hoek van de kamer, terwijl hij zijn broek ophees en ter verontschuldiging mompelde dat het allemaal Izzy's idee was geweest.

'Ze is niet eens in staat om beslissingen te nemen,' zei Ali boos. 'Wat moeten we met het vloerkleed doen?'

'Ze bestelt een schoonmaakbedrijf voordat haar vader thuiskomt,' zei Jake schouderophalend.

Ze hesen Izzy overeind en begonnen met haar tussen hen in aan de moeizame tocht naar beneden, stapje voor stapje. Het leek alsof ze een lijk droegen. Haar ogen rolden achterover in haar hoofd en Ali was opgelucht dat ze nog een keer overgaf op de stoep voor het huis, niet alleen omdat ze nu misschien niet naar het ziekenhuis zouden hoeven om haar maag leeg te laten pompen, maar vooral omdat het risico van een braakincident in de auto erdoor verminderd werd.

'Arme Izzy,' zei Ali met een aai over Izzy's hoofd toen ze op de voorbank van de BMW in elkaar zakte. Na een paar mislukte pogingen wist ze de auto op gang te krijgen.

'Arme ik,' zei Jake vanaf de achterbank. 'Ik zou aan het studeren moeten zijn.'

'Zulke dingen gebeuren nu eenmaal,' zei Ali, waarmee ze een zinnetje van haar moeder herhaalde.

'Jij bent zo verdraagzaam,' zei Jake.

'Daar word ik voor betaald,' zei Ali.

Malea stond bij de voordeur te wachten. Ali en Jake bleven even stilstaan in de gang om op adem te komen, met Izzy tussen hen in, een arm onder elke schouder. Izzy ademde te vlug. Haar ribbenkast ging zo snel omhoog en omlaag dat Ali bang was dat ze zou gaan hyperventileren. Haar huid zag grijs. Toen ze haar ogen opendeed, zag Ali dat haar pupillen zo groot waren als knikkers.

'We moeten haar zo snel mogelijk horizontaal zien te krijgen om haar hartslag te verlagen,' zei Ali.

Ineens gleed Izzy uit hun greep en zwalkte naar voren, waarbij ze de vaas bloemen die op het gangtafeltje stond omvergooide. Hij viel in scherven op de vloer. Leicester kwam uit de keuken en ging met een grimmige, afkeurende trek op zijn snuit bij de trap zitten om toezicht te houden op de gebeurtenissen.

'Shit,' zei Ali terwijl ze haar weer overeind trokken.

'Maak je geen zorgen. We geven Leicester gewoon de schuld,' zei Jake troostend. Hij schopte een paar scherven porselein onder het tafeltje, terwijl Malea op haar knieën ging zitten om handenvol bloemen op te rapen. 'Mama merkt het waarschijnlijk niet eens. De binnenhuisarchitecte heeft de vaas uitgekozen.'

'Denk je dat we hem kunnen repareren?' vroeg Ali.

'Doe niet zo raar,' zei Jake.

Liefdevol raakte Malea Izzy's gezicht aan en mompelde iets in het Filipijns.

'Wat zei je, Malea?' hijgde Ali.

Malea herhaalde het woord. Het was iets wat Ali Hector en Alfie had horen gebruiken.

'Welke nationaliteit had de nanny die op de tweeling paste voordat ik kwam?' vroeg Ali.

'Filipijns,' zei Jake.
'En die daarvoor?'
'Ook Filipijns,' zei Malea.
'Waarom wil je dat nu ineens weten?' vroeg Jake ongeduldig.
Op de een of andere manier wisten ze Izzy de trap op naar haar kamer te krijgen. Ali legde handdoeken uit de badkamer over haar dekbed en Malea ging naar het souterrain om een emmer te halen.
'We moeten haar op haar zij leggen,' droeg Ali Jake op, 'dan is er minder kans dat ze in haar eigen braaksel stikt of haar tong inslikt.' Ali controleerde haar pols.
'Ben je soms van de ambulancedienst?' grapte Jake.
Ali depte Izzy's gezicht met een nat washandje en was blij dat ze wat kleur zag terugkeren. Izzy deed even haar ogen open, schonk haar een mager glimlachje en probeerde iets te zeggen. Haar make-up, een puree van mascara, glinsterende groene oogschaduw en eyeliner, had zich over haar wangen verspreid. Ze kokhalsde een paar keer. Langs haar wang gleed een dun plasje vocht, als een slakkenspoor, langzaam naar beneden. Zachtjes veegde Ali haar gezicht af en Izzy viel weer in slaap.
Ali stond op om haar benen te strekken. Ze stuurde Jake naar zijn kamer, maar hij wilde zeker weten dat alles goed ging met Izzy voordat hij terugging naar Lucy.
'Wie is Lucy?' vroeg Ali. 'Valt zij onder studeren?'
'Mijn vriendin,' zei Jake glimlachend.
Ali slenterde naar Izzy's bureau en duwde gedachteloos tegen de computermuis om te kijken hoe laat het was. Op het scherm verscheen een foto van een uitgemergeld meisje. Haar jukbeenderen staken zo ver uit, dat het leek alsof iemand twee zwarte strepen over haar gezicht had getrokken. Haar heupen en ribben prikten door haar huid. BAAS stond er in het onderschrift onder de foto. Ali keek naar de naam van de website: 'Ana en haar vriendinnen'. Ze keek naar Izzy's webgeschiedenis en zag dat de laatste drie sites die ze had bezocht alle drie pro-anorexiasites waren. Ze las de berichten in de chatroom en eentje die aan Izzy zelf was gericht, van een meisje uit Manchester dat haar voorstelde om peper over haar eten te gooien en aan de kattenbak te ruiken om haar eetlust te bederven. Het was drie uur 's ochtends en binnen vier uur zou de tweeling haar wakker komen maken.

‘Haar ogen zijn weer open,’ riep Jake naar Ali toen ze de computer uitschakelde.

‘Dan is ze bij bewustzijn,’ zei Ali.

‘Wil je een sigaret delen? Het is mijn laatste. Er is een balkonnetje buiten Izzy’s raam waar we kunnen gaan zitten.’

‘Ik weet niet of dat wel gepast is,’ zei Ali.

‘Het is in elk geval gepaster dan wat er verder allemaal gebeurd is vanavond,’ zei Jake toen hij het raam openschoof. ‘Iedereen hier in huis heeft geheimen. Behalve de tweeling. Je zult eerder gewend zijn als je er zelf ook een paar krijgt.’

Ali klom naar buiten. Het balkon was lang en smal, ontworpen voor plantenpotten, niet voor mensen. Ze ging naast hem zitten en trok haar knieën op tegen haar borst, dankbaar voor hun warmte. Een bewaker van een particulier beveiligingsbedrijf die door de straat patrouilleerde scheen met zijn zaklamp omhoog naar het raam en Jake wuifde om hem gerust te stellen. Hij nam een paar haaltjes van de sigaret en gaf hem toen aan Ali. Ze nam een diepe trek en voelde haar schouders eindelijk ontspannen.

‘Godallemachtig wat een nacht,’ zei Jake toen hij de sigaret weer aanpakte. Hun vingers raakten elkaar even. ‘En ik moet morgen een essay schrijven.’

‘Je bedoelt vandaag,’ zei Ali, gezien het vroege ochtenduur. Jake trok een gezicht.

‘Waar gaat het over?’ vroeg ze.

‘Een vergelijking tussen *King Lear* en *De wetten van het land* van Jane Smiley,’ zei Jake. ‘Heb jij soms een idee?’

Dit is een doorbraak, dacht Ali, terwijl hij de sigaret teruggaf.

‘Ze gaan allebei over het patriarchaat en de relatie tussen vaders en dochters,’ zei Ali. ‘Larry is Lear en Ginny is Goneril. Beide vaders hebben zoveel macht dat ze er krankzinnig van worden; beide jongste dochters komen in opstand en krijgen uiteindelijk niks. Het grote verschil is dat Lear denkt dat hij een ander mens geworden is, terwijl Larry Cook dezelfde blijft. Eigenlijk is het Lear, maar dan vanuit een vrouwelijk perspectief.’

‘Heel goed,’ zei Jake, en hij drukte de sigaret uit in een bloempot.

‘Vond je het een goed boek?’ vroeg Ali, die niet wilde dat het gesprek afdwaalde.

'Ik vond sommige thema's wel herkenbaar,' zei Jake behoedzaam.
'Ga verder,' zei Ali.

Jake zweeg even. 'De spanning tussen je leven voor jezelf leven en aan de verwachtingen van anderen voldoen, vooral.' Hij keek verrast door die onthulling.

'Dat vind ik ook wel herkenbaar,' zei Ali.

Er klonk geluid uit de slaapkamer; Malea kwam binnen met een emmer. Ze klommen weer door het raam. Malea keek Ali onverstoorbaar aan.

'Je hebt dit al vaker gedaan, hè?' vroeg Jake, toen Ali Izzy's oogleden voorzichtig omhoogtrok om haar pupillen te bekijken. Ali knikte, maar weigerde aan Jo te denken. Ze nam de emmer van Malea aan.

'Wat vind jij dat ik moet zeggen?' vroeg Ali aan Malea.

'Niets zeggen,' zei Malea, met een vinger op haar lippen.

8

Ali sliep onrustig. Om halfvijf maandagmorgen, toen het eerste licht door de spleet tussen de gordijnen schemerde, legde ze zich eindelijk neer bij haar slapeloosheid. Een paar maanden eerder zou ze misschien zijn opgestaan om de tuin vijf verdiepingen lager te bewonderen, maar ondertussen verveelde het uitzicht haar. De nette rijen alliums gevangen tussen de buxushagen in het midden, de zorgvuldig gewiede bloembedden en het onberispelijke, felgroene gazon waren een toonbeeld van klinische beheersing. Telkens als ze Leicester zag neerhurken om de restanten van zijn organische dieet op het gazon van de voortuin te deponeren, kroop er een huivering van plezier langs haar ruggengraat. Het was het soort tuin waar je tarwezaad in wilde gooien dat tussen het gras zou opschieten tot er iets te lezen stond zoals SHIT HAPPENS.

Hetzelfde gold voor haar slaapkamer. Alles was nieuw: de elektrische waterkoker, de breedbeeldtelevisie en de kleine koelkast die zichzelf op mysterieuze wijze vulde met appels en melk. Niet voor het eerst werd ze bevangen door claustrofobie. Bryony had uitgelegd dat al deze overvloed van gadgets bedoeld was om Ali privacy te geven. Maar langzamerhand waren ze van symbolen van vrijheid gemuteerd tot symbolen van onderdrukking. Ze waren niet bedoeld om anderen buiten te houden op onhandige tijden van de dag nadat de tweeling naar bed gegaan was: ze waren bedoeld om haar binnen te houden.

Ali had een paar dingen meegebracht uit haar studentenkamer om aan de muur te hangen. Een ervan was een poster van een Francis Bacon-tentoonstelling in het Sainsbury Centrum in Norwich. De andere was een foto van haar met wat vrienden van de universiteit op het strand van Cromer. Beide lagen nu achter in de grote kledingkast die de ene muur van haar kamer besloeg.

Ze aarzelde om spijkertjes in het nieuwe behang te slaan en het was gênant om een Francis Bacon-poster op te hangen in een huis waar een origineel boven de schoorsteenmantel in de zitkamer hing. Om indruk te maken op Bryony met haar belangstelling voor de ontwikkeling van kinderen, had Ali alle boeken die ze voor haar had gekocht op een boekenplank gezet die aan de tegenoverliggende muur was bevestigd, boven een bureautje. Ernaast stond een enkele, zorgvuldig gekozen foto van Ali met haar familie, genomen op het strand van Cromer.

'Mensen houden niet van nanny's met gestoorde families,' had Rosa haar voor het sollicitatiegesprek gewaarschuwd, zonder Jo bij naam te noemen.

Op de foto was Jo twaalf en Ali tien. Ze hadden identieke kapsels, een korte bruine bob met een lange pony, geknipt door de plaatselijke kapper. Jo stond aan Ali's hand te trekken en wees naar de camera. Ali glimlachte toen ze vanaf haar bed naar de foto keek. Indertijd was haar zus haar idool geweest en Jo had genoten van haar aanbidding. Iedereen merkte altijd op dat ze zo goed met elkaar konden opschieten. De rollen waren duidelijk verdeeld: Jo was het verantwoordelijke oudste kind en Ali haar aanbiddende jongere zusje.

Haar vader had zijn arm om haar moeder heen geslagen en trok haar naar zich toe. Hij droeg een zwembroek en zijn borst was gespierd en gebruind. Haar moeder zag er stralend en zorgeloos uit. De slechte tijden lagen nog twee jaar in het verschiet. De foto toonde een gelukkige, ongecompliceerde jeugd, voordat het verhaal van hun gezinsleven gekaapt werd.

De vraag waarom Jo van het gezin weggedreven was, werd vaak besproken gedurende de eruit voortvloeiende crisis. Toen ze veertien was ging ze veel om met een buurjongen die wiet rookte en paddo's slikte. Aangezien hij inmiddels mondhygiënist was geworden bij hun tandarts terwijl Jo in India zat op de zoveelste 'reis op zoek naar zichzelf', kon hem niet langer echt iets verweten worden, al werd haar moeder nog steeds boos op Ali's vader wanneer hij hem eens per jaar zijn gebit liet reinigen. Begin jaren negentig waren er een paar dealers in een huis achter het station komen wonen, maar toen was Jo al verhuisd naar een kraakpand in Norwich, dus de chronologie klopte niet. En dan Ali, de slimste leerling op haar school sinds jaren, die gemakkelijk naar Cambridge had gekund als ze haar eindexamen niet had verprutst. In de loop der tijd was het Ali duidelijk geworden dat zij het probleem was. Drugsverslaving was een kwestie van eigenwaarde, had de gezinstherapeut uitgelegd. Ali's succes benadrukte Jo's tekortkomingen. Niemand zei er iets van, maar Ali begreep heel goed dat Jo wellicht een wat hogere dunk van zichzelf zou krijgen als zij een poosje verdween.

Ali's vertrekken werden algauw 'het arendsnest' genoemd, al lagen ze niet echt boven in het huis, maar op de vijfde verdieping met uitzicht op de achtertuin; Jakes kamer lag er precies boven. Foy had de beschrijving bedacht en iedereen moest erom lachen, deels om hem een plezier te doen omdat iedereen wist dat hij problemen had op de zaak, maar vooral omdat daarmee het gênantere feit werd omzeild dat zich daar vroeger de dienstbodekamers bevonden.

In de wetenschap dat het indruk zou maken had Ali gewacht tot Nick en Bryony op een ochtend in de keuken waren om uit te leggen dat Rosencrantz het in *Hamlet* over een arendsnest van kinderen heeft, en aangezien zij midden in het netwerk van kamers woonde die de jongere Skinners gebruikten, zat Foy er niet eens zo ver naast. Bryony had goedkeurend gelachen om de literaire verwijzing, met een zie-je-nou-welblik naar Nick.

Ali lag in bed en zei tegen zichzelf: 'Eerder een kippenhok dan een arendsnest,' en ze nam zich voor te vertrekken zodra ze haar schulden had betaald en nog vijfduizend pond had gespaard om de rest van haar studie te betalen. Als ze zuinig was, kon ze binnen een jaar vrij zijn.

Ze vroeg zich af of Jake boven was. Ze deelden een schoorsteenpijp en Ali had ontdekt dat ze, als ze dicht bij de haard zat, brokstukken van gesprekken en muziek kon horen vanuit de kamer boven. Ze had het tegen Jake willen zeggen, maar naarmate de weken verstreken en elke vraag naar zijn plannen en waar hij uithing werd afgepoeierd, besloot Ali dat het een handige manier was om hem in de gaten te houden. Van de week had ze op een avond duidelijk de geur van sigaretten geroken. Eén keer riep hij iets in zijn slaap.

Vanochtend heerste er alleen maar stilte. Het enige geluid dat ze hoorde was het schrapen van de blauwe regen tegen haar raam. Ze dwong zichzelf om helemaal stil in bed te blijven liggen. Buiten in de tuin hoorde ze Leicester blaffen. Over een paar minuten zou Malea verschijnen met een zakje om zijn ochtendofferande op te scheppen. Van Bryony moest het beslist snel en efficiënt verwijderd worden, want niet alleen werd het gras erdoor vernield, maar het kwetste ook Leicesters gevoelens. Urine was nog zuurder en bij de achterdeur stond permanent een gieter met een tuit in de vorm van een hond om zijn pies te verdunnen. En Malea's gevoelens dan, vroeg Ali zich af. Stront ruimen op een lege maag was niet de aangenaamste manier om de dag te beginnen. Maar ze zei niets, voor het geval haar kritiek zou worden opgevat als een aanbod om te helpen. Telkens als hij haar zag, gromde Leicester dreigend en tot Foys grote genoegen was ze onlangs alweer een paar schoenen kwijtgeraakt aan een van zijn poepprotesten.

Nick en Bryony zouden zondagavond laat uit Idaho terugkomen en Ali wist nog steeds niet wat ze precies moest vertellen over Izzy. Ze zette al haar opties nog eens op een rijtje: volledige onthulling, gedeeltelijke onthulling, of stilte, wat ingewikkelder was dan het leek, omdat het de medeplichtigheid van zowel Jake als Malea vereiste. Ze probeerde zich niet door Izzy te laten beïnvloeden. Die middag had Ali bijna een uur bij haar gezeten. Izzy had haar gesmeekt om niets te vertellen terwijl er dikke, stille tranen vol mascara over haar wangen dropen.

'Ik zweer dat ik nog nooit eerder drugs heb gebruikt of zo dronken ben geweest,' had ze gezegd toen Ali toast en sinaasappelsap naar haar kamer kwam brengen en haar dwong om iets te eten.

'En die jongen?' had Ali gevraagd, verbaasd dat Izzy aannam dat ze zich meer zorgen zou maken over drugs of drank dan over de mogelijkheid dat ze tijdens Ali's wacht haar maagdelijkheid verloren was. Of misschien gedroeg Izzy zich altijd zo op feestjes? Hoe dan ook, ze moest het weten, want ze wist vrij zeker dat Izzy geen voorbehoedsmiddel gebruikte. Hoe moeilijk zou het zijn om op een zondagmiddag in Londen een morning-afterpil te pakken te krijgen? De Skinners waren particulier verzekerd en Ali kon onmogelijk hun chique huisarts in Harley Street bellen. Het stelde haar wel een beetje gerust dat ze Izzy volledig gekleed hadden aangetroffen, maar dan ging ze er vanuit dat ze die slaapkamer net pas was binnengegaan. Misschien had ze er al uren doorgebracht en was orale seks het toetje geweest, niet de amuse?

'Heb je seks met hem gehad?'

Izzy had geschokt gekeken.

Knabbelend op het stukje toast zei ze: 'Zo'n meisje ben ik heus niet hoor, Ali.'

'Kun je je alles nog wel herinneren?'

‘Het is allemaal een beetje wazig, maar ik weet zeker dat zoiets niet gebeurd is.’

‘Als wij niet op dat moment binnengekomen waren, was je het soort meisje geweest dat zich liet filmen, terwijl ze haar vriendje zat te pijpen. Mensen zouden misschien medelijden met je hebben gehad, omdat je in die situatie verzeild was geraakt, maar ze zouden je er toch op aangekeken hebben.’

‘Ik wist niet dat hij me filmde. Ik dacht dat hij me leuk vond. Een paar uur lang voelde ik me niet zo vet en lelijk meer.’

Izzy had het bordje met toast neergezet en was met haar hoofd op Ali’s schouder in tranen uitgebarsten. Echte tranen, had Ali besloten, niet de tranen van een veertienjarig meisje dat haar tot zwijgen wilde overhalen.

‘Bedenk eens hoe teleurgesteld je ouders zouden zijn als ze dit wisten.’

‘Maar ze komen het niet te weten, want jij gaat het ze niet vertellen.’

Op het bureau naast Ali lagen een telefoon en haar BlackBerry. Ze had graag iemand om raad willen vragen. Een vriendin willen bellen. In de afgelopen maanden was het echter tot haar doorgedrongen dat de Skinners weliswaar geen beroemdheden waren in de gebruikelijke zin van het woord, maar ze waren wel nieuwswaardig en Rosa was niet gegarandeerd discreet. Er had een profiel van Nick in de *Financial Times* gestaan, er waren foto’s van hen bij een liefdadigheidsdiner in het Tate gepubliceerd in de *Evening Standard* en Bryony had onlangs weer een aanbod van een tijdschrift afgeslagen om een dagboek bij te houden van een typische werkweek met een foto in een outfit van Marc Jacobs erbij.

Bovendien was het te vroeg voor e-mails en de telefoon was nep. Ali had ontdekt dat het een huistelefoon was op de avond dat ze hier was komen wonen, toen ze haar ouders probeerde te bellen en in plaats daarvan Jake aan de lijn kreeg. De architecten hadden een vergunning aangevraagd om een lift te mogen plaatsen, maar toen die was afgewezen was er een huistelefoonsysteem geïnstalleerd zodat de bewoners niet voortdurend van boven naar beneden hoefden te rennen. Jakes nummer was 012. Dat van Ali was 013, had Jake beleefd uitgelegd. Er lag een geplastificeerd lijstje in de la van het nachtkastje.

Impulsief besloot Ali om naar beneden te gaan. Het was pas vijf uur ’s ochtends, maar ze kon in de zitkamer gaan zitten en haar redenen op een rijtje zetten om Nick en Bryony niet te vertellen wat er gebeurd was. Ze trok een vestje aan over haar T-shirt en pyjamabroek en deed zachtjes haar slaapkamerdeur open. Toen ze langs de slaapkamer van Bryony en Nick liep, kraakte en kreunde de trap onaangenaam, alsof hij de oplichter wilde verraden die zijn planken betrad. Ze liep verder naar de hal, huiverend toen haar blote voeten de Yorkse zandsteen raakten.

De deur naar de zitkamer stond open. De gordijnen aan het andere eind waren dichtgetrokken, zodat de ene helft van de kamer in schaduwen was gehuld en de andere helft baadde in het vroege ochtendlicht. Ali keek langzaam rond, haar tenen begravend in het dikke tapijt zoals ze vroeger deed in het zand van het strand bij Cromer.

Ze herinnerde zich de lijst die Bryony haar had gestuurd en bekeek de vleugel. Bryony had gelijk: er zat niets onder de poten om de vloerbedekking tegen het gewicht te beschermen, er zat geen lamp in de fitting boven de Francis Bacon, en de schilders waren de plinten aan de rechterkant van de kamer vergeten. Ze verbaasde zich over Bryony's vermogen om zoveel informatie te onthouden.

Ali liep naar de marmeren schoorsteenmantel die het middelpunt van de kamer vormde. Hij stond vol uitnodigingen. Een opening van een tentoonstelling in de Blain Southern Gallery, trouwerijen, vijftigste-verjaardagsfeestjes, een schoolreünie voor Bryony op Wycombe Abbey. Ze pakte er eentje op – een uitnodiging voor een borrel bij het ministerie van Financiën ter ere van Warren Buffett – en volgde met haar vinger het reliëf van de gouden belettering, haar ogen dicht alsof ze braille las.

'Wat doe jij nou hier beneden?' vroeg een stem. Ali schrok en draaide zich om naar Nick die op een bank aan de andere kant van de kamer zat. Het was te donker om zijn gezicht te zien, maar de toon van zijn stem verraadde zijn irritatie.

Van schrik liet Ali de uitnodiging op de grond vallen en ze zei: 'Sorry, ik wist niet dat jullie al terug waren.' Ze bukte om hem op te rapen, waarbij ze verlegen een hand voor haar borst hield, zich er ineens van bewust dat ze niets aanhad onder haar T-shirt. 'Ik bedoel, ik wist wel dat jullie er zouden zijn, maar ik had niet gedacht dat je al zo vroeg op zou staan.'

En nu zat hij daar, in het halfduister met een laptop open op zijn schoot en een andere naast hem op de bank. Overal om hem heen lagen stapels papieren en tijdschriften. *Journal of Fixed Income. Journal of*

Corporate Finance. Risk Magazine Euromoney. Fortune. Hij boog zich voorover en begon ze op een enkele, wankele stapel te leggen.

'Ik maak een lijst voor de aannemer van dingen die hij nog moet afmaken,' legde Ali uit. 'Daar had Bryony om gevraagd.'

'Om vijf uur 's ochtends?' vroeg hij, maar zijn toon had zich verzacht.

'Ik kon niet slapen,' zei Ali verontschuldigend, terwijl ze van de haard zijn kant op liep.

Dit was de eerste keer in meer dan tien dagen dat ze hem zag. Van dichterbij zag Ali dat hij een gekreukt wit overhemd droeg met slordig opgerolde mouwen. De bovenste knoopjes waren niet dicht. In zijn spijkerbroek zaten vouwen. Ali moest wel opmerken dat zijn riem te los zat en zijn gulp halfopen stond. Hij zette de laptop neer. Hoewel het scherm naar de rug van de bank gericht was, kon Ali aan de gedempte paarse gloed zien dat hij aanstond. Ze zag ook aan de Arsenal-sticker op de bovenkant dat het Jakes laptop was. Even heerste er wederzijds een gegeneerde stilte.

'Ik had een paar uur willen slapen voordat ik aan het werk moest, maar ik kon de slaap niet vatten,' zei Nick soepel, terwijl hij het scherm van de computer dichtklikte. 'Ik moet over een paar dagen weer naar de VS.'

Ali deed haar best om niet naar de computer te staren en vroeg beleefd: 'Waar ga je heen?'

'Naar Boca, voor een externe sessie,' zei Nick.

'Boca?'

'Boca Raton in Florida. Brainstormen met de jongens van mijn team. En de meisjes. Dat doen we een paar keer per jaar, om steeds ingenieuzere ideeën te bedenken om geld te verdienen, omdat andere mensen onze eerdere ingenieuze ideeën na-apen en dan werken ze niet meer zo goed.'

'O,' zei Ali, verrast door zijn ongebruikelijke spraakzaamheid over het onderwerp. 'Het moet geweldig zijn om zoveel te reizen.'

'Na een tijdje ziet elke hotelkamer er hetzelfde uit en de ingeblikte muziek klinkt overal even nietszeggend. Het nadeel van de globalisatie.'

Er ontstond weer een ongemakkelijke stilte.

'Waarom kon jij niet slapen?' vroeg Nick. Ali was opgelucht toen hij een kleine radio aanzette die naast hem op een tafeltje stond.

'En nu volgt het weerbericht voor de scheepvaart door het Met Office namens de Maritime and Coastguard Agency, om 05.20 GMT op maandag 27 november...'

Ali merkte de verbogen antenne en de krassen op de voorkant op en zei stijfjes: 'Je radio heeft betere tijden gekend.' Ze pakte hem op.

'Die had ik al op de universiteit. Hij heeft verschillende opruimwoedes van Bryony overleefd.' Hij glimlachte.

'Humber, Thames, zuidoost 4 of 5 toenemend 6 of 7, later ruimend zuid 4 of 5. Af en toe regen met kans op mist, oplopend tot matig,' vulde de stem op de radio de stilte; de bekendheid ervan gaf Ali meer zelfvertrouwen.

'Geen waarschuwingen,' zei ze. 'Die doen ze altijd het eerst.'

'Is dat zo?'

'Alles boven windkracht 8 is een waarschuwing,' beaamde ze ernstig. 'Dan komt de algemene samenvatting, dan de voorspelling voor elk gebied.'

'Ik begrijp er niets van, wat ze allemaal zeggen.'

'Als je de formule eenmaal begrijpt, is het simpel,' zei Ali. 'Hij vertelt dat de wind uit het zuidoosten komt, met windkracht 4 of 5 op de schaal van Beaufort, en dat die in de loop van de dag zal toenemen tot windkracht 6 of 7 maar niet in de komende twaalf uur. Ruimend betekent dat de wind verandert met de klok mee naar het zuiden, en matig is het zicht. Als het zicht minder is dan duizend meter, is het slecht.'

'Ik ben zwaar onder de indruk,' zei Nick.

'Mijn vader heeft het me geleerd,' zei Ali, in de veronderstelling dat Nick het dossier over haar familie had gelezen en wist dat haar vader visser was. 'Humber en Thames zijn de gebieden aan de oostkust waar hij vist.'

'Zoals in Humber Light Vessel Automatic?'

'Dat is gewoon het weerstation aan de kust in dat gebied.'

'Ik vond Noord-Utsire en Zuid-Utsire altijd zo mooi klinken,' vertelde Nick, die de smaak te pakken kreeg. 'Zo oud en exotisch. Daar zou ik ooit wel heen willen.'

'Het zijn Noorse namen. Genoemd naar een eiland aan de Noorse kust dat Utsire heet. Vroeger waren ze trouwens onderdeel van Viking. Dat is ook een scheepvaartgebied. De namen zijn heel sfeervol.'

'Donker buiten. Binnen, het bidden van de radio...' begon Nick.

'Rockall. Malin. Dogger. Finisterre,' antwoordde Ali.

‘Carol Ann Duffy,’ zeiden ze allebei tegelijk. Even maakten ze contact. Toen keek Ali omlaag naar haar voeten en verbrak het.

‘Ik heb nooit meer tijd om te lezen,’ zei Nick. ‘Ik kan me de laatste roman die ik helemaal uitgelezen heb niet herinneren en ik ben al zeker twee jaar niet naar de bioscoop geweest. Ik leid een vrijwel cultuurloos leven.’

Hij klonk er niet rouwig om, dus wist Ali niet goed wat ze moest zeggen, anders dan dat hij misschien eens een boek zou moeten pakken in plaats van porno te downloaden of wat hij dan ook zat te doen op de computer van zijn zoon. Nick liet zich achterover zakken op de bank en deed even zijn ogen dicht, wreef met zijn hand over de stoppels op zijn kin.

‘En hoe was je eerste maand hier?’

‘Het is mijn derde,’ merkte Ali op, ook al wist ze dat hij hoopte op een nietszeggend antwoord van een enkele lettergreep.

‘Hoe was je derde maand hier?’ vroeg hij loom.

‘Beter dan mijn eerste en mijn tweede.’

‘En hoe ging het zonder ons?’

‘Alles ging prima.’

‘Kinderen?’

‘Goed.’

‘Wat had Izzy voor haar wiskunde?’

‘Negenentachtig.’

‘Gemiddelde van de klas?’

‘Negentig. Dat is een verbetering.’

‘Maar nog niet goed genoeg.’

‘De tweeling is een niveau omhooggegaan met lezen en Jake heeft een A voor zijn essay Engels.’

‘Is hij uit geweest?’

‘Alleen in het weekend.’

‘Foy?’

‘Prima.’

‘Pas op met hem na een paar glazen wijn, hij kan link worden.’

Ali keek gegeneerd naar haar tenen.

‘Heeft hij het nog over die foto gehad?’

‘Een paar keer. Je schoonmoeder probeert een nieuwe afdruk te pakken te krijgen. Hij brengt geen snoep meer mee voor de tweeling tot ze bekennen. Maar ze blijven volhouden dat ze niets hebben gedaan.'

'Wat zeggen zij?' Weer een lange stilte.

'Zij zeggen dat jij het was.'

Nick deed een oog open.

'Ze zeggen dat jij na hen het toilet in ging.'

'En wie geloof jij?'

'Ik heb ze het incident laten naspelen. De foto hing te hoog voor ze.'

'En wat was je conclusie?'

'Dat Hector en Alfie gelijk hebben.'

Nick leunde achterover tegen de bank en begon te lachen. 'We hebben een heuse spion in ons midden!' Hij lachte nog harder. 'Heb je het aan iemand verteld?'

'Nee.'

'Ga je dat doen?'

'Nee.'

'Brave meid.'

De scheepsberichten waren afgelopen.

'Wat heb je nog meer ontdekt?' plaagde Nick.

'De taal die de tweeling spreekt is Filipijns,' zei Ali. 'Ik heb een lijst woorden nagekeken met Malea.'

'Echt?'

'Ik heb ontdekt dat Malea's vriendin op de tweeling paste tot ik hier kwam, en daarna hielp Malea,' zei Ali. 'Dat beslaat bijna de hele periode waarin Hector en Alfie leerden praten.'

'Wist je dat allemaal niet?'

Ali schudde haar hoofd.

'Bryony had het je moeten vertellen.'

'Ze heeft het altijd erg druk, er is weinig tijd om te kletsen,' zei Ali, verrast om zichzelf Bryony te horen verdedigen. 'Maar ik voel me schuldig dat ik Malea's baan heb ingepikt.'

'Als jij het niet was geweest, was er wel iemand anders gekomen,' zei Nick, zijn ongeduld getemperd door Ali's loyaliteit jegens zijn vrouw. 'Malea was een goede tussenoplossing, maar ze had nooit echt hun nanny kunnen zijn. Ze is veel te toegeeflijk. Je kunt zien dat ze meer structuur nodig hebben. Vooral Hector. Maak je er niet druk over.'

'Sliep ze vroeger in mijn kamer?' vroeg Ali.

'Ze heeft altijd in het souterrain gewoond, maar vroeger ging de tweeling 's nachts altijd naar beneden om bij haar in bed te slapen. Sinds jij er bent doen ze dat niet meer. Dat is een vooruitgang.'

'Toch voel ik me schuldig,' zei Ali. 'Ik denk dat ze misschien de leemte opvulden in Malea's leven die haar eigen kinderen hadden moeten vullen.'

'Je moet niet zoveel denken. Trouwens, schuldgevoel is een van de meest nutteloze emoties die mensen kunnen hebben. Het verspilt enorm veel energie. Als je je echt schuldig voelt, moet je de baan opgeven, maar daar bereik je niets mee want dan word je vervangen door iemand anders en je hebt nog niet genoeg gespaard om weer naar de universiteit te gaan. Was het beter geweest om Malea te ontslaan, zodat jij het nooit had geweten? Ze verdient hetzelfde met wat ze nu doet. Voor haar is de situatie zo zelfs beter, omdat ze om het jaar zes weken naar de Filipijnen kan om haar kinderen te zien.'

'Er zijn belangrijkere dingen in het leven dan geld,' snibde Ali.

'Niet in de wereld die Malea bewoont,' zei hij met een glimlach. 'Of in de mijne.'

'Wat doe jij eigenlijk precies?' vroeg Ali. Ze voelde zich niet op haar gemak in de gedwongen intimiteit van hun situatie. Toch wilde ze het gesprek niet afsluiten. Haar wekenlange eenzaamheid had haar behoefte aan betekenisvolle communicatie met anderen verscherpt.

'Ben je echt geïnteresseerd?' vroeg hij. 'Het is het soort werk dat niemand echt begrijpt. Een mysterie, zelfs voor sommige mensen met wie ik samenwerk.'

'Echt,' knikte ze heftig.

'Waarom ga je niet even zitten?' zei hij en hij zette beide computers op de grond om ruimte te maken naast hem op de bank. Ze dacht aan Rosa's waarschuwing over nannyverslindende vaders en keek een paar keer zenuwachtig van Nick naar de bank. Zijn gezicht was bleek, alsof hij te veel binnen zat. Zijn ogen waren bloeddoorlopen en gezwollen. Haar eigen gezicht, open en jong, verborg haar gevoelens op geen enkele manier.

'Wat je ook denkt dat ik ben, dat ben ik niet.'

'Wat denk jij dat ik denk dat je bent?' had Ali willen vragen. Ze keek echter alleen naar haar voeten.

'Wil je nou dat ik je uitleg wat ik doe?' vroeg Nick zogenaamd geïrriteerd. 'Het is een geweldig medicijn tegen slapeloosheid.'

Hij leunde achterover tegen de rugleuning van de bank, zich schijnbaar niet bewust van zijn half openstaande gulp, en er gleed een stapel papieren van de armleuning op de grond. STRIKT VERTROUWELIJK stond er in zwarte letters boven aan het vel dat op Ali's blote voet terechtkwam. Ze bukte zich om het op te rapen; haar T-shirt bolde op. Hij wendde schielijk zijn blik af. PROJECT ODYSSEUS. Hetzelfde document dat Bryony een paar maanden geleden in de auto aan het lezen was. Verbazend, hoe betrokken ze waren bij elkaars werk, dacht Ali, terwijl ze het vel papier teruggaf en naast hem ging zitten, oplettend dat geen enkel deel van haar lichaam het zijne raakte. Maar dichtbij genoeg om het vuil te zien dat zich achter in zijn kraag had verzameld.

'Ik voer het bewind over de afdeling *Fixed Income* van een bank. Een Amerikaanse zakenbank. Niet het soort bank waar jij of ik een rekening zou kunnen hebben of geld zou kunnen opnemen,' begon hij. 'Het lijkt een beetje op een winkel runnen. Je bepaalt wat je klant wil, haalt een voorraad binnen en verkoopt het zo snel mogelijk weer met winst. Ik heb de leiding over twee afdelingen: hoofdsomfinanciering, waarbij we rechtstreeks geld uitlenen voor projecten zoals de bouw van het Wembley Stadium, en securitisatie, wat veel spannender is, omdat we daar beleggingen samenvoegen en opnieuw verpakken als derivaten.'

'Tot zover snap ik het,' zei Ali.

'Wil je dat ik doorga? Het is niet iets wat je in een enkel zinnetje kunt uitleggen.'

Ali knikte. Als ze betaald werd van het geld dat hij verdiende, moest ze toch op zijn minst begrijpen waar haar salaris vandaan kwam. Bovendien had ze hem nog nooit zo geanimeerd gezien.

'De afdeling derivaten verdient meer geld voor de bank dan elke andere afdeling,' zei hij. Hij wachtte op Ali's reactie.

'Miljoenen?' zei ze inschikkelijk.

'Miljarden,' glimlachte hij.

'De handel speelt zich af op papier, niet in goederen. Soms worden die wel gebruikt, als een manier om risico te beheersen. Als jouw vader bijvoorbeeld denkt dat de prijs van krab nu hoog is, en volgend jaar wellicht gaat zakken, kan hij nu voor een bepaald bedrag een optie kopen om de krab over twaalf maanden tegen de huidige prijs te verkopen. Op die manier weet hij precies hoeveel geld hij straks binnenkrijgt, en hij weet zeker dat hij een markt heeft voor zijn product.'

'Maar degene die de kraboptie straks tegen de lagere prijs verkoopt, verliest dan toch geld?' merkte Ali op.

'Klopt. Maar als er nou een olieramp plaatsvindt en er een tekort aan krabben ontstaat, dan verliest jouw vader de kans om meer geld te verdienen, en dan vangt degene die gewed heeft dat de prijs hoger zou worden toch het verschil?'

'Het is dus net als gokken,' zei Ali.

'Maar dan wetenschappelijker en creatiever, omdat telkens wanneer iemand een slim plan bedenkt om geld te verdienen, iemand anders hem nadoet, zodat de winsten dalen. Dus je moet voortdurend vernieuwen.'

'Maar het is toch niet echt zoiets als penicilline uitvinden?' vroeg Ali nerveus. Nick glimlachte welwillend.

'Nee, maar we geven wel leningen uit waarmee miljoenen arme mensen in Groot-Brittannië en de Verenigde Staten een eigen huis kunnen kopen,' zei hij, een zinnetje herhalend dat hij vaak gebruikte tijdens vergaderingen van de Bank of England. 'Wij verpakken leningen van die hypotheekverstrekkers en bundelen ze in obligaties die *collaterized debt obligations* worden genoemd, CDO's, en die verkopen we door aan beleggers, als een schuldbekentenis. De beleggers strijken rente op en krijgen aan het eind van de looptijd hun geld terug. Hoe meer van die obligaties we verkopen, hoe meer geld we verdienen, en hoe meer hypotheekverstrekkers andere arme mensen een eigen huis moeten laten kopen.'

'Maar hoe verdient iemand er dan geld aan?' vroeg Ali.

'De CDO's zijn verdeeld in verschillende schijven, sommige riskanter dan andere. Hoe hoger het risico, hoe hoger het rendement,' zei Nick. 'Subprime-leningen hebben een hogere rente, dus nemen de mensen die erin beleggen meer risico, maar ze verdienen ook meer geld. En voor elke obligatie die wij verkopen, krijgen wij een vergoeding.'

'Hoe kunnen mensen die niet genoeg geld hebben voor een aanbetaling op hun huis dan een hypotheek betalen?' vroeg Ali. 'Wie betaalt er dan als zij het niet doen?'

'De huizenmarkt groeit enorm,' zei Nick, alsof hij een publiek toesprak. 'De huizenprijzen stijgen elke week, dus kunnen de mensen daar hun vermogen uit halen om de rente mee te betalen. Er zijn rekenkundige formules om het risico te bepalen, en we sluiten verzekeringen af zodat we toch betaald worden als er iets misgaat. Het is fantastisch rekenwerk.'

'Kan ik dan in CDO's betaald worden?'

Nick grinnikte luid en dat deed Ali plezier. Ze hoorden een geluid in de gang. Nick stopte met lachen en ze wendden zich gelijktijdig naar de deur van de zitkamer. Die ging langzaam open; de onderkant van de deur schraapte over de dikke vloerbedekking. Jake verscheen. Hij droeg zijn zwarte lievelingsspijkerbroek en een groezelig wit T-shirt met WHITE STRIPES op de voorkant.

Even stond hij voor hen, zijn armen boven zijn hoofd, zijn ogen dicht. Hij hief zijn kin op en rekte zich uit, zijn mondhoeken omlaag zodat zijn lippen uiteengingen. Hij glimlachte. Dit alles met zijn iPod zo luid dat Ali de Seven Nation Army kon horen spelen. Hij kwam duidelijk net thuis.

Op de bank keek Nick omlaag naar zijn broek en realiseerde zich nu pas dat zijn gulp halfopen stond en dat dat wellicht een verkeerde indruk zou maken. Hij sjorde eraan, maar hij was onhandig en de rits was koppig. Hij gaf er nog een ruk aan, maar het lukte nog steeds niet. In paniek keek hij Ali even aan. Instinctief schoof ze verder van hem weg. Maar het was al te laat. Aan de andere kant van de kamer merkte Jake de beweging op. Hij deed zijn ogen open en zijn blik viel op de twee mensen op de bank. Hij keek van Nick naar Ali en weer terug. Hij zag het dunne T-shirt en de staat van wanorde van zijn vaders kleding en kwam tot allerlei verkeerde conclusies.

Die avond belde Ali voor het eerst in weken haar ouders. Tot haar opluchting nam haar vader op; hij maakte haar minder verwijten dan haar moeder over haar steeds langere stiltes. Hij zou ze zeker niet opmeten. En hij voelde zich niet bedreigd door Ali's behoefte om afstand te nemen van haar familie, misschien omdat hij vanuit een vergelijkbare impuls elke dag de zee op ging.

Ali zou graag hebben besproken wat er met Nick was gebeurd. Moest ze Jake vóór zijn door als eerste iets tegen Bryony te zeggen? Haar verhaal alvast vertellen, voordat iemand anders het deed? Of zou dat defensief overkomen? Moest ze er met Jake over praten?

Maar ze zei niets en luisterde naar haar vader, die vertelde wat hij die dag had gedaan. Zijn kalme stem bracht Ali tot rust. Hij was naar het diepere water van de scheepvaartroutes gegaan en had zijn beste vangst van de week binnengehaald. Met het mechanische systeem kon hij de fuiken gemakkelijk zonder hulp aan boord trekken.

Ali ging op bed liggen en sloot haar ogen om te luisteren naar zijn verhaal over de dolfijn die die ochtend op het strand was aangespoeld. Een groep bewoners had de hele dag geprobeerd om hem in leven te houden door emmers water over hem heen te gooien en hem met bezems terug te duwen naar de zee. Toen de vloed opkwam, werd het water eindelijk diep genoeg om hem te laten zwemmen. Ze dreven hem weg van de kust. Binnen een uur was het dier weer terug en liet zich op het zand droogvallen. Het deed haar denken aan de verhalen die hij haar had verteld toen ze klein was.

'Waarom?' vroeg Ali. 'Denk je dat hij dood wilde? Waarom koos hij niet voor het leven?' Hij kon de nerveuze onrust in haar stem horen, maar vroeg er niet naar.

'Hij was waarschijnlijk in de war. Dieren zijn ingesteld op overleven, niet op zelfvernietiging,' verklaarde haar vader. 'Alleen mensen hebben genoeg zelfbewustzijn om zelfmoord te plegen.'

'Als ik er was geweest, had ik hem misschien kunnen redden,' zei Ali.

'Misschien wilde hij niet gered worden,' zei haar vader. 'Dat geldt net zo goed voor sommige mensen. Jo doet toch wel wat ze doet, of jij nou hier bent of niet.'

Er klonken gedempte woorden en toen kwam Ali's moeder aan de lijn. Ze praatten langs elkaar heen; haar moeder deed haar best om niet over Jo te praten en Ali deed haar best om niets over Jake te zeggen.

'Hoe gaat het allemaal?' vroeg haar moeder.

'Best goed,' zei Ali. 'Soms is het een beetje ingewikkeld...'

'... maar dat kun jij allemaal best aan,' viel haar moeder haar in de rede.

9

December 2006

De ochtend voor de langverwachte jaarlijkse kerstborrel van de Skinners openbaarde Bryony aan Ali 'in het diepste geheim' dat de verrassing van die avond een optreden van Elton John zou zijn. Om elf uur zou iemand van zijn entourage komen om de laatste details te bespreken en Bryony zou het heel fijn vinden als Ali dan in de buurt was voor eventuele aanpassingen, want de partyplanner zou misschien tegelijkertijd aankomen.

'Elton wil graag een glas water, geen ijs, geen citroen, boven op de piano. Heel veel bloemen in de kamer,' zei Bryony met een blik op haar aantekeningen. 'En als het warm is, moet hij zijn colbertje ergens kwijt kunnen. Hij gaat ongeveer een halfuur zingen en mengt zich dan twintig minuten onder de gasten. We proberen een intieme, informele sfeer te creëren, dus hij gebruikt geen microfoon. We weten niet zeker of David ook komt. Dat stel beslist altijd alles op het laatste moment.'

Dit werd allemaal heel ontspannen verteld, alsof Bryony haar bekendheid met de gewoonten van Elton John en zijn echtgenoot David Furnish wilde onderstrepen, en haar nonchalance over de aanwezigheid van zulke illustere gasten op hun feest.

Nick en Bryony gaven ruwweg elke twee weken een dinertje, maar dit was voor het eerst dat een van hun gasten Ali's belangstelling wekte, al hoorde ze soms wel bekende namen. Deze keer was ze zo verbijsterd dat ze Alfies kom Cheerios op de eiken vloer liet vallen, waar hij in kleine stukjes uiteenspatte. Leicester greep zijn kans – hij trippelde de hele keuken door om de graanrondjes naar binnen te schrokken en de plasjes melk op te likken.

'Jeetje, wat fantastisch!' jubelde Ali.

'Tot vandaag wist niemand ervan, behalve Nick, anders zouden de fotografen voor de deur staan,' verklaarde Bryony.

Voor één keer zei ze niet dat het zo belangrijk was om Leicester niet van zijn volstrekt biologische dieet af te laten wijken, en in plaats van de beweging van haar tong in haar wang die meestal afkeuring beduidde, zag Ali dat haar reactie Bryony plezier deed. Haar gasten zouden veel beheerster reageren. Sommigen zouden ontzag voelen, anderen zouden haar benijden – welke van de twee kon Bryony niet zoveel schelen – maar niemand kon zich onverschillig voordoen. De aanwezigheid van Elton John op je feest was een bijna onovertrefbare pr-stunt, ook al werd hij betaald om op te treden.

'Maak je geen zorgen om de kom, Malea ruimt het wel op,' zei Bryony.

Kort nadat Ali in Holland Park Crescent was komen werken, drie maanden geleden, had Bryony voor het eerst verteld dat er elk jaar op de eerste zaterdag in december een feest werd gegeven. Ze zei dat het fijn zou zijn als Ali die zaterdag in haar agenda zou willen vrijhouden om 's avonds op de kinderen te passen. Niet alleen de tweeling, maar ook de twee kinderen van haar zus, Maud en Ella. Ze zou 'rijkelijk beloond' worden.

Ali knikte toen Bryony haar de details uitlegde. Er zou eten en drinken zijn voor honderdvijftig mensen, een beetje muziek in het midden, en een decoratiethema waarin al die elementen opgenomen waren. Ali herinnerde zich de neurose van haar moeder voorafgaand aan de kerstdiners in Norfolk, waar maar vijftien gasten bij aanwezig waren. Hoewel haar moeders humeur natuurlijk altijd geteisterd werd door onzekerheid of Jo zou verschijnen. Maar zij kon in elk geval een maaltijd synchroniseren. Mira en Katya klaagden dat hun werkgevers te lui waren om behoorlijk te koken voor hun kinderen. Bryony was echter een heel ander verhaal. Niet alleen kookte ze niet: ze kon niet eens koken. Op de ene dag in de maand die Malea vrij had, werd zowel de lunch als het diner in een restaurant genoten en als Nick er was maakte hij het ontbijt klaar. Hoe moest Bryony in vredesnaam eten maken voor meer dan honderd mensen, zelfs met Malea's hulp? Hoe moest ze zo'n evenement organiseren?

'Ga je alles van tevoren maken en invriezen?' had Ali aarzelend gevraagd. Bryony had schaterend uitgelegd dat een partyplanner alles zou regelen, van de uitnodigingen tot het eten en het amusement voor de avond.

'Kun je je de chaos voorstellen als ik dat zelf zou doen?' vroeg ze. 'Een van de belangrijkste dingen die ik in het begin van mijn carrière heb geleerd, is de kunst van het delegeren, Ali. Mijn zwaarste taak is beslissen wat ik aantrek en wie ik niet moet uitnodigen.'

Bryony droeg haar gebrek aan huishoudelijke vaardigheden als een feministische eremedaille, al vond Ali het wel wat schijnheilig dat ze haar tekortkomingen oploste door een Filipijnse en een armlastige student in te huren. Ze klaagde regelmatig dat de waarden uit de jaren vijftig weer terugkeerden in de huidige opvoedcultuur. Haar bijnaam voor Sophia Wilbraham was Cupcake, waarmee ze niet alleen verwees naar Sophia's voorliefde voor vers gebak, maar ook naar haar omvang, haar voorkeur voor plooirokjes die op cakevormpjes leken met keurig gestreken witte bloezen, die de kleur en structuur van glazuur hadden. 'Wat heeft Cupcake deze week allemaal uitgevoerd, Ali?' vroeg Bryony dan nonchalant als ze op zondagavond het dagboek doornamen, terwijl ze de agenda voor de komende week bekeken.

En dankzij Katya kon Ali haar nieuwsgierigheid meestal wel bevredigen met een paar kleurrijke anekdotes uit het huishouden van de Wilbrahams. (Katya had de naamlintjes die ze op de vier sets schooluniformen had gestreken moeten vervangen door opgenaaide lintjes; Martha was op haar slaapkamer betrapt met een jongen; Ned was dronken geworden en had Sophia's moeder voor bitch uitgemaakt waar de beide oudste kinderen bij waren.) Bij het doorvertellen van die verhalen vroeg Ali zich af waarom Bryony zo graag wilde weten wat er zich onder Sophia's dak afspeelde, als ze zo'n hekel aan haar had?

En daarom was ze geschokt om Sophia Wilbraham en haar man op de gastenlijst te zien staan die de partyplanner haar overhandigde, toen ze op Bryony's verzoek met haar aan tafel de volgorde van de evenementen van die avond doornam.

'Hebben er nog mensen op het laatste moment afgezegd?' vroeg Bryony aan de vrouw die het evenement organiseerde.

'Vier,' zei Fi Seldon-Kent, directeur van Elite Entertainment, met een blik op haar lijst. 'David en Samantha Cameron hebben zich moeten verontschuldigen. En de Campbells zitten vast in St. Barts,' las Fi voor uit haar aantekeningen. 'Een probleem met de vlucht.'

'Onvoorstelbaar dat zij een commerciële vlucht nemen,' zei Bryony ongelovig.

Fi schudde haar hoofd alsof zij er ook niets van begreep. Ze was waarschijnlijk net dertig geweest, besloot Ali. Een van die glanzende, gepolijste kostschooltypes die al haar zinnen begon met 'ach, vind je het heel erg om' en al haar berichten en brieven cursief typte. Ze was vriendelijk tegen Ali, in de zin dat ze haar gedag knikte.

Ali keek de gastenlijst door. De Combes, de Crichton-Millers, de Cullens, Lord en Lady Rogers, Lady Townshend, Peter Mandelson, Robert Preston, Marjorie Scardino, Caspar Simpson, de Skeets, de Southerns en de Strachans. Bij sommige mensen stond hun functie naast hun naam, zodat Ali kon zien dat de hoofdredacteur van de *Financial Times* en diverse journalisten van *The Economist* zouden komen, evenals de directeuren van een aantal bekende banken. Bryony's beste vriendin, Holly Long, kwam zonder haar man. De lijst was drie bladzijden lang. Behalve Elton John herkende Ali alleen de namen van Bryony's familieleden: Foy en Tita Chesterton, Bryony's zus, Hester Chesterton, haar man Richard (Rick) Yates en hun twee kinderen Maud en Ella Chesterton-Yates, een samenvoeging van achternamen die altijd tot spottend commentaar leidde van de rest van de familie. Ook herkende ze Bryony's 'oude vriend' Felix Naylor. Ze zocht naar de ouders van Nick, maar ze wist dat ze die niet zou vinden. De kinderen zeiden dat ze hun grootouders van vaderskant nooit hadden ontmoet, omdat ze dood waren.

'Ali past op de kinderen. De twee jongsten mogen tot ongeveer halftien opblijven, daarna brengt zij ze naar bed,' legde Bryony uit.

'Net voordat Elton begint te spelen,' bevestigde Fi met een blik op haar tijdschema.

'Precies,' zei Bryony kortaf, zonder acht te slaan op het teleurgestelde gezicht van Ali, die zich realiseerde dat ze waarschijnlijk Dr. Seuss aan het voorlezen zou zijn als Elton John *Don't Go Breaking My Heart* stond te zingen in de zitkamer. Bryony zei tegen Ali dat de kinderen zich hooguit een uur onder de gasten mochten mengen in de zitkamer en de eetkamer. Ze had een jurkje met lovertjes en spaghettibandjes gekocht voor Izzy en het zou fijn zijn als Ali zorgde dat ze dat droeg in plaats van een van haar 'grungy' outfits, en ondertussen voortdurend de tweeling in de gaten hield. Hector en Alfie moesten identieke blauwe corduroy broeken dragen met witte overhemden en mouwloze kasjmieren spencers.

Fi Seldon-Kent plukte kleine pluisjes van de mouw van haar kasjmieren truitje en zei enthousiast: 'Dat klinkt allemaal geweldig.' Fi geloofde hartstochtelijk in positieve bekrachtiging en Bryony ontspande in de warme gloed van haar goedkeuring.

Ze gingen verder met de bloemen. De toon van het feest was 'lome decadentie', legde Fi uit, 'een combinatie van Chateau Marmont en Marrakesh,' wat betekende dat het huis vol naturalistische bloemstukken moest staan, behalve het vertrek waar Elton John zou zingen. De relingen naar het huis hingen al vol paarse hydrangea, chocoladekleurige cosmos en zilveren gebladerte. Over een paar uur zouden de bloemisten klaar zijn met het herhalen van deze combinatie langs de trapleuningen, om vervolgens de bloemen elke paar uur met water te besproeien tot het feest om halfzeven begon, om elk spoor van verwelking te vermijden. Bryony grapte dat zij wellicht eenzelfde behandeling nodig zou hebben en iedereen lachte net iets te hard.

Bij aankomst werd de gasten een cocktail geserveerd, vervolgde Fi, en ze herinnerde hen aan de speciaal gecreëerde Winterwende-cocktail met Polstar-komkommerwodka, champagne en een vleugje vlierbes op de achtergrond. Er zou de hele avond Dom Pérignon worden geschonken, naast een selectie door Nick gekozen rode en witte wijnen. Een team meisjes kwam een garderobe runnen; ze zouden de jassen in de gang aannemen in ruil voor een kaartje en ze vervolgens naar Bryony's kantoor brengen.

Alle aanwezigen rond de tafel kregen van Fi een hapjesmenu. Het was geschreven in dezelfde achttiende-eeuwse letter als de uitnodiging, zag Ali. Edwardiaans serif. Stijf en toch een beetje decadent.

Vegetarisch
Stiltoncrème geserveerd op een rozemarijnscone
Romige wilde paddenstoelen op geroosterde brioche

Vis
Ingelegde garnalen met crème fraîche op rozijnenbrood
Gerookte schelvis & bieslookviskoekjes met crème fraîche au citron

Vlees
Thais rundvlees in rijstpapierrolletjes met een soja-honingdip
Falafel van pastinaak met baba ghanoush & gerookte kip

Dessert
Appelkaneelflappen
Pittig koekje van witte chocola & gekonfijte vruchten

Fi bevestigde dat er zes parkeerplaatsen waren gereserveerd voor het huis: twee voor Elton John, één voor de gewezen minister van Noord-Ierland die nog steeds veiligheidsagenten bij zich had, en nog één voor de directeur van het Tate, waarvan Nick een belangrijke donateur was. De Darkes naast hen waren zo vriendelijk geweest om twee bewonersplaatsen op te offeren voor 'onvoorziene noodgevallen'.

Daarvan had er al eentje plaatsgevonden, want de CEO van Nicks beleggingsbank, Dick Fuld, had gisteravond laat ineens aangekondigd dat hij in een van de privéjets van de zaak zou overvliegen vanuit New York, samen met zijn vrouw Kathy, speciaal voor het feest. Aan de ene kant betekende dit een maatschappelijke overwinning, want de aanwezigheid van Dick was een barometer voor Nicks huidige status bij de bank. Ali had Nick tegen Bryony horen zeggen dat dit de eerste keer was dat Fuld de moeite nam om op een feest van een van zijn Europese werknemers te verschijnen, wat wellicht een weerspiegeling was van het feit dat Nicks afdeling dat jaar meer geld had verdiend voor de bank dan alle andere.

Het zou Nick de kans bieden om hem persoonlijk te bedanken voor de bonus van acht miljoen die hem eerder die week was toegekend (zes miljoen in aandelenopties, twee miljoen in contanten). Aan de andere kant zou het een hele barrage nieuwe plannen vereisen om een lijst mensen op te stellen aan wie Dick wel en – veel belangrijker – vooral niet moest worden voorgesteld (die laatste categorie omvatte alle journalisten, Felix, Bryony's zusje Hester en een paar ijverige pipo's van de Londense vestiging die zich niet zouden weten te gedragen in het aangezicht van zoveel macht).

Foy had de andere noodparkeerplaats opgeëist, maar Bryony had hem en Tita weten te overreden om de vierhonderd meter vanaf hun huis hetzij te voet, hetzij met een plaatselijke taxi af te leggen. 'Kan meneer Artouche niet komen?' had Foy gejengeld. Hij had altijd al een oogje gehad op de Armeense chauffeur die zijn schoonzoon elke ochtend naar zijn werk reed.

'Die heeft het veel te druk,' had Bryony ferm gezegd.

Bryony had voorgesteld dat Ali iets zou dragen om zich zowel van de gasten als van de serveersters te onderscheiden, om geen verwarring te stichten. Bryony weet bevelen altijd zo goed als advies in te kleden, dacht Ali toen ze een uur voor het feest de inhoud van haar kledingkast bekeek. Op het moment zelf had het een eenvoudig verzoek geleken. Ze had wel een jurk, maar die was te kort en te flodderig voor zo'n formele gelegenheid. En ze had spijkerbroeken, T-shirts, leggings en een spijkerrok. In de rok en een legging besloot ze om bij Izzy te gaan kijken of die haar iets kon lenen, al was het maar een topje om bij haar spijkerbroek aan te trekken. Ze klopte een paar keer op de deur en toen er niemand antwoordde, liep ze naar binnen.

Ze trof Izzy languit met haar gezicht in het kussen op bed aan, gekleed in een T-shirt en een pyjamabroek van Jake. Ze maakte geen geluid, maar aan het schudden van haar schouders zag Ali dat ze lag te huilen.

Ali liep naar het bed en legde een hand op haar schouder. 'Wat is er aan de hand, Izzy?' vroeg ze.

'Ik heb niks om aan te trekken,' snikte Izzy, haar stem gedempt door het beddengoed. Ze was omringd door een zee van kleren die van het bed op de vloer droop en helemaal tot aan de enorme inbouwkast aan de andere kant van de kamer reikte.

Ali klopte op Izzy's schouder en zei: 'Ik ook niet.'

'Dat komt omdat jij geen kleren hebt,' zei Izzy. 'Niet omdat het je allemaal niet staat... Jij ziet er in alles goed uit.' Nog steeds uitgestrekt op bed wendde ze haar gezicht naar Ali. 'Waarom kan ik niet zo dun zijn als mama?' Haar bleke wangen waren rood en vlekkerig en haar ogen waren gezwollen van het huilen.

Het was geen vraag waar Ali nu op in wilde gaan, al was het antwoord simpel genoeg: afgezien van haar donkere haar had Izzy de bouw van Nicks kant van de familie. De enige foto van zijn ouders stond op de ladekast in de slaapkamer van Nick en Bryony. Ze stonden naast elkaar, de benen enigszins gespreid, gezet en stevig en zeker van de grond onder hun voeten.

'Het is de binnenkant die telt,' zei Ali.

'Dat is niet waar, Ali,' zei Izzy. Ze ging rechtop op bed zitten. 'Kijk vanavond maar naar de mensen en vertel me dan morgenochtend of je nog steeds gelooft dat het de binnenkant is die telt. In mama's tijd kon je nog mooi of slim zijn. Nu moet je wel allebei zijn, en ik ben geen van beide.'

'Iedereen houdt van je zoals je bent,' zei Ali. Maar wat ze werkelijk bedoelde, was dat iedereen van Izzy hield zoals zij dachten dat ze was. Bryony en Nick beschreven haar als de spil tussen het humeurige cynisme van Jake en het excessieve temperament van de tweeling. Haar vrienden vonden haar lief en gemakkelijk in de omgang. Malea zei dat ze de zachtmoedigste van de hele familie was. Merkten ze haar breekbaarheid niet op of wilden ze die gewoon niet zien, vroeg Ali zich af.

'Als mama van me hield zoals ik ben, zou ze niet alsmaar zo zeuren over wat ik eet,' zei Izzy. 'En ze zou niet zo iemand als jij nodig hebben om me te helpen met mijn huiswerk. Ze zou me gewoon mezelf laten zijn.'

'Ze wil heus alleen maar het beste voor je,' zei Ali, op zoek naar een pot crème op Izzy's kaptafel om de riviertjes mascara te verwijderen die van haar wangen dropen, en haar huid tot rust te brengen. Ze vond een pot Crème de la Mer. Even aarzelde Ali voordat ze een kleffe klodder op een watje schudde om aan Izzy te geven. In de afgelopen vier maanden was ze een beetje immuun geraakt voor de rijkdom van de Skinners, maar om de een of andere reden was ze dieper geschokt door deze theelepel gezichtscrème ter waarde van vijftig pond dan door de man die eens in de maand kwam controleren of er nieuwe gloeilampen nodig waren of de tuinman die de plantjes uit de potten in de achtertuin weggooide als ze uitgebloeid waren, als een man die zijn vrouw van middelbare leeftijd inruilt voor een jonger model.

'Eigenlijk heeft het niets met mij te maken, het gaat allemaal om haar,' zei Izzy ineens kalm. Vanachter het kleverige masker van gezichtscrème keek ze Ali aan. 'Ben ik mijn middelmatige zelf alweer?'

'Je bent helemaal niet middelmatig, Izzy,' zei Ali. 'Je bent een getalenteerde muzikante. Je bent hartstikke goed in sport.'

'En dat komt allemaal niet vanzelf. Ik moet hard werken voor alles wat ik doe. En op mijn school haalt iedereen goede cijfers. Dat wordt van je verwacht. Je wordt er vrijwel van weerhouden om examen te doen in een vak waar je misschien niet hoog in scoort.'

'En je bent heel goed in volleybal,' zei Ali, waarmee ze Izzy eraan herinnerde dat ze in het team zat dat in de finale van de Britse schoolkampioenschappen speelde, terwijl ze toekeek hoe Izzy streepjes trok door de crème op haar gezicht.

'Wist je dat mama een beurs kreeg voor Wycombe Abbey en dat ze cum laude is afgestudeerd in Oxford en dat zij de vrouw was met wie iedereen wilde trouwen?' vroeg Izzy. 'Het is echt zwaar om haar dochter te zijn.'

'Je hoeft niet in haar voetsporen te treden,' zei Ali.

'Er zitten meisjes bij mij op school die in de vakantie stage lopen bij Marc Jacobs. Drie anderen hebben getekend bij het Koninklijk Ballet. Eentje is net een tijdschrift begonnen met een interview met Cherie Blair als hoofdartikel op het omslag van het eerste nummer. Weer een ander heeft net getekend bij Select Models. Ik ben maar een heel gewoon kerstboompje in een bos vol eiken. Daarom ben jij hier. Jij maakt deel uit van het grote meesterplan om tien uitstekende eindexamencijfers te verwerven voor Isabella Skinner en werkervaring bij iets chics in de media. Iets anders zou rampzalig zijn. Ik heb mama een keer tegen papa horen zeggen dat ik een fatsoenlijke baan nodig heb, omdat ik niet geschikt ben als City echtgenote.'

'Het zou ook zonde zijn om zo hard te werken en dan veroordeeld te zijn tot een leven lang shoppen bij Selfridges en huiswerkjuf te spelen voor je kinderen,' zei Ali om de sfeer te verlichten.

'Vooral als ik straks maat 44 heb,' zei Izzy. 'Volgens mijn moeder is dat nog erger dan dom zijn.'

'Alle ouders maken zich zorgen om hun kinderen,' zei Ali; ze dacht aan haar eigen moeder en de manier waarop haar gezicht in de afgelopen tien jaar was verstijfd tot een permanent masker van ongerustheid.

'Ze maakt zich alleen ongerust over dingen die haar in een slecht daglicht zetten,' zei Izzy overtuigd.

'Jij vindt je eigen weg wel, Izzy,' stelde Ali haar gerust. 'Straks ontdek je iets wat je heerlijk vindt om te doen, en dan valt alles in je leven op zijn plaats.'

'Geloof je dat echt, Ali?' vroeg Izzy. 'Want als dat zo was, zou jij hier toch niet werken?'

'Ik vind het leuk om hier te werken,' zei Ali met klem, en ze merkte tot haar verrassing dat het waar was.

'Waarom dan?' vroeg Izzy.

‘Ik voel me vrij,’ zei Ali. ‘Ik voel me niet ingeperkt. Ik weet dat ik weg kan wanneer ik maar wil, maar ik vind het heerlijk om in Londen te wonen, ik vind het echt leuk om bij jullie te wonen, en ik weet dat je het niet zult geloven, maar het is enig om voor Hector en Alfie te zorgen. Ik vind ze interessant en onvoorspelbaar. En het is maar een fase. Net als de puberteit. Dit is niet de rest van mijn leven en het is ook niet de rest van het jouwe.’ Even lichtten Izzy’s ogen op. Ergens had er iets van wat Ali zei weerklank gevonden. ‘Ik ben op zoek naar mijn zwaartepunt. Dat moet jij ook doen.’

Maar soms moet je daarvoor bij je familie weg, dacht Ali bij zichzelf. Haar telefoon ging. Het was Bryony.

‘Kun je meteen beneden komen, Ali,’ zei ze kortaf. ‘Er is een ramp gebeurd. Ik heb je nodig.’

‘Ik moet gaan, Izzy,’ zei ze verontschuldigend.

‘Maak je geen zorgen, Ali, ik zal die vreselijke jurk aantrekken die mama voor me gekocht heeft. Ik zal je niet teleurstellen. Ook al zie ik eruit als een worst vol lovertjes.’ Izzy glimlachte. Het was eerder een bedroefde, berustende glimlach dan een glimlach van hervonden blijdschap. ‘En morgen begint het dieet.’

Toen Ali beneden kwam, zag ze dat de kamers op de begane grond getransformeerd waren. De eerder die dag gestemde vleugel was naar de eetkamer verplaatst in een wolk van afkeuring van Tita, die zei dat Steinways heel gevoelig waren voor subtiele veranderingen in kamertemperatuur, beweging en vochtigheid. De enorme ronde eettafel was verdwenen en de ene helft van de kamer stond nu vol met een stuk of zes kleinere tafels, gedekt met wit linnen en bij het kleurenschema in de hal passende bloemstukken. Rond elke tafel stond een zestal vergulde stoelen met lichte linnen zittingen.

Ali keek de kamer rond en liep toen naar de zitkamer. Ze hoorde boze stemmen, mannelijke en vrouwelijke, die allemaal tegelijk aan het woord waren. De banken en leunstoelen waren verplaatst om zo veel mogelijk ruimte te creëren in het midden van de kamer, en aan beide kanten van het vertrek waren intieme zitjes gecreëerd. Bryony stond bij de haard te schreeuwen tegen Hector en Alfie, die ineengedoken aan weerszijden van hun grootvader op de dichtstbijzijnde bank zaten.

‘Ik begrijp niet hoe ze dit moment konden uitkiezen om zoiets ontzettend stoms te doen,' krijste Bryony. 'Hebben ze dan geen idee hoe stressvol het is om een feest zoals dit te organiseren?'

'Het geeft wel blijk van uitstekende komische timing,' zei Foy onbehulpzaam.

'Rustig maar, Bryony,' blafte Nick, die Ali's aanwezigheid in de kamer opmerkte. 'Hij kan toch verdorie een pet opzetten.'

'Een pet, op een feest? Hij zou er belachelijk bij lopen,' zei Bryony. 'De mensen vinden hen al raar genoeg zonder dat ze zulke dingen doen. Sophia Wilbraham gaat hier zo enorm van genieten.'

'Wat kan jou het schelen wat die bolle roddeltante vindt?' zei Nick. 'Ik snap niet eens waarom je haar uitgenodigd hebt.'

'Om haar eraan te herinneren dat ik alles wat zij doet beter kan,' antwoordde Bryony. 'En omdat jij haar man graag mag.'

'Hij is een nuttige kennis,' zei Nick.

Ali staarde naar Hector. Zijn weelderige krullen waren verdwenen, op een enkele krul na, net boven zijn rechteroor. Zijn haar was zo kort, dat Ali op sommige plekken zijn schedel kon zien. Aan de rechterkant van zijn hoofd zat een reeks kleine sneetjes van een scheermesje. Zijn gezicht was helemaal bruin.

'Waarom hebben jullie dit dan in vredesnaam gedaan?' riep Bryony terwijl ze naar hem toe liep.

'Omdat we soldaten willen zijn,' zei Alfie, die zich tegen de bank drukte. 'Ali vertelde dat alle soldaten kaalgeschoren hoofden hebben. Ik heb Hectors haar geknipt en nu moet hij het mijne knippen, anders zien we er niet hetzelfde uit en kunnen we niet samen in het leger!'

'Jij gaat beslist je haar niet knippen, Alfie,' zei Bryony streng. Hij barstte in tranen uit en stompte een van de kussens van de bank.

'Wat heb je op je gezicht?' vroeg Ali.

'Camouflage,' zei Hector.

'Wat heb je gebruikt?' drong ze aan.

'Schoenpoets,' zeiden ze allebei tegelijk, waardoor Bryony nog bozer werd. 'Het staat achter het gordijn.'

Ali liep naar het raam en vond twee open blikjes schoenpoets, het ene zwart en het andere donkerbruin. De achterkant van de gordijnen was besmeurd met een hele reeks perfect gevormde schoenpoetshandafdrukken. Ze besloot om Bryony dat deel van de ramp voorlopig te besparen.

'Waarom heb jij ze verteld dat soldaten kaalgeschoren hoofden hebben?' vroeg Bryony aan Ali.

'Omdat dat nu eenmaal zo is,' zei Ali. Ze deed haar best om verontschuldiging en reden in hetzelfde antwoord te krijgen. 'Het was zomaar een opmerking. Ik heb niet gezegd dat ze hun eigen haar moesten knippen.'

'Je kunt het Ali niet kwalijk nemen,' zei Nick. 'Denk eens aan alles wat ze uithaalden bij de andere nanny's.'

'*Ya ha mimush*,' riep Alfie. Hector herhaalde het zinnetje tot iedereen naar hen staarde.

'Wat zeggen ze, Ali?' vroeg Bryony.

'Die woorden ken ik niet,' zei Ali.

'Waarom hield jij ze dan niet in de gaten?' zei Bryony weer boos tegen Ali.

'Ik was Izzy aan het helpen uitzoeken wat ze aan moest,' zei Ali.

'Ze weet al wat ze aan moet,' zei Bryony geïrriteerd.

'Ze was overstuur, en ik probeerde haar te helpen,' zei Ali.

Plotseling ging Bryony verslagen op de bank zitten. 'Het spijt me, Ali, ik weet dat je niet aldoor bij de jongetjes kunt zijn. Wil je ze nu alsjeblieft meenemen en ze opknappen?'

'Zal ik Alfies haar een beetje bijknippen, alleen om ze te kalmeren?' stelde Ali voor toen de tweeling naar haar toe kwam en ieder een hand vastgreep.

'Ja,' zei Bryony, die zich afvroeg hoe ze zich zo gemakkelijk kon laten verslaan door een stel vijfjarigen.

'Wat zouden we zonder haar moeten beginnen?' vroeg Nick terwijl Ali de kamer uit liep. 'Ze is geweldig met de kinderen. Veel beter dan de rest.'

'Je hebt geluk gehad,' beaamde Foy. 'Stel je voor dat je in je eentje voor ze moest zorgen. Zoals je zus.'

Twintig minuten later zaten Hector en Alfie aan weerszijden van Foy op de dichtstbijzijnde bank gespannen te luisteren naar een verhaal dat hij hen al vele keren had verteld, over hoe hij door de vijandelijke linies ontsnapt was nadat hij in de Tweede Wereldoorlog door de Duitsers was neergeschoten. Zoals de meeste van Foys verhalen was ook dit volkomen verzonnen. Hij was veel te jong om in de oorlog te hebben gevochten en hij was nooit een spion geweest, maar de tweeling was in vervoering.

Ali had haar best gedaan met de keukenschaar, en hoewel Hector er nog steeds verschrikkelijk uitzag, was het haar gelukt om Alfie te kalmeren zonder zijn haar net zo kort te knippen. Beide jongens hadden geweigerd een petje op te zetten en Bryony had zich erbij neergelegd.

'Ik denk dat Dick hier maar moet gaan zitten,' zei Nick en hij wees naar de bank aan het eind van de kamer. 'Hier kan ik gemakkelijker in de gaten houden met wie hij praat. Mensen kunnen hier informeel bij elkaar staan als publiek. Zeg tegen Ali dat ze de tweeling een eind bij hem vandaan houdt. Hij kan niet tegen rommel.'

'Goed idee,' zei Bryony, met een blik op Ali om te kijken of ze het had gehoord. Ali knikte.

'Houd jij een oogje op zijn vrouw, Bryony?' vroeg hij. 'En houd Hester in hemelsnaam bij haar uit de buurt.'

'Misschien kan ik Felix vragen om haar te charmeren?' stelde Bryony voor.

'Misschien moet je Felix vragen om op Hester te letten,' antwoordde Nick. 'Hij is zo'n beetje de enige die haar in bedwang kan houden. Overigens heb ik net een e-mail ontvangen waarin staat dat wij door *Risk Magazine* uitgeroepen zijn tot zakenbank in gestructureerde producten van het jaar 2006.'

'Lieverd, dat is geweldig nieuws!' zei Bryony en ze kuste hem snel op de lippen. Nick boog zich naar haar toe, maar ze week achteruit toen de deurbel ging.

'Wie het ook is, zeg dat ze ophoepelen, want ze zijn te vroeg,' zei Nick.

'Het zijn Hester en Rick,' verzuchtte Bryony. 'Waarom komen die altijd als eerste en gaan ze als laatste weg?'

'*Nunc est bibendum!*' verklaarde Foy. 'Zullen we een fles champagne opentrekken om in de stemming te komen, voordat meneer en mevrouw John arriveren?'

'Iedereen noemt ze Elton en David, papa,' zei Bryony nadrukkelijk.

'Ik ga een stel nichten die ik nog nooit heb ontmoet niet bij hun voornaam aanspreken,' zei Foy. 'Ik zal me aan meneer en mevrouw John voorstellen als meneer Chesterton.'

'Aan je homofobie is te zien hoe oud je bent,' zei Hester koeltjes. 'En misschien vinden ze een audiëntie met jou wel niet zo'n interessant vooruitzicht. Hoe dan ook, ze blijven vast niet rondhangen voor een babbeltje, als ze eenmaal aan hun contract hebben voldaan. Zeker niet als dat over gerookte zalm moet gaan.'

Ali keek gefascineerd naar Hester. Ze droeg een halflange hemdjurk en leren laarzen, alsof ze de chique kledingvoorschriften opzettelijk negeerde. Voor zover ze kon zien droeg Hester geen make-up, maar ze had de kalme schoonheid van haar moeder geërfd, zodat zelfs de weinig flatteuze roklengte net onder de knie elegant oogde.

Foy sneed een kelner met een dienblad vol champagne de weg af en zei: 'Ik maakte een grapje, Hester. Misschien vindt meneer John het juist wel interessant om iemand te ontmoeten die net zo *selfmade* is als hij.'

'Doe een beetje kalm aan, Foy,' waarschuwde Tita, die net de zitkamer binnenliep in een dunne, crèmekleurige jurk en een diamanten halsketting die Ali nog niet eerder had gezien. Ze leek te glanzen in het zachte licht. Haar haar was strak uit haar gezicht gekamd en in een elegante knot achter op haar hoofd gedraaid, wat haar jukbeenderen accentueerde.

'Rick, Hester,' zei ze met haar handpalmen in de lucht, alsof ze haar zegen uitsprak over haar dochter en schoonzoon. 'Wat heerlijk om jullie te zien.' Ze wachtte tot ze naar haar toe kwamen.

'Je ziet er prachtig uit, lieverd,' zei ze tegen Hester. 'Maar misschien zijn de laarzen een beetje grof.'

Ze leert het nooit, dacht Ali. Hester droeg de laarzen juist omdat ze die reactie zouden oproepen. Alles wat Hester deed, was een protest tegen haar ouders, vooral haar keuze van een echtgenoot. Rick stond naast Hester, zichtbaar onder dwang aanwezig. Zijn jasje was te groot, zijn broek was te kort en hij droeg geen das. Vanaf zijn kraag omlaag vond Ali hem lijken op de portiers aan de deur van de nachtclubs in Norwich. Vanaf zijn kraag omhoog leek hij op een heetgebakerde romantische dichter, met zijn warrige haar, zijn bruine ogen en zijn ronde brilletje.

Tita kuste Rick op beide wangen en vroeg: 'Hebben jullie al schoolvakantie?' Haar lippen raakten zijn huid nauwelijks. Ali dacht dat ze Tita haar neus zag optrekken toen ze een blik opving van het borsthaar dat uit zijn overhemd stak, maar het kon ook Ricks aftershave zijn die haar reukzin beledigde.

'Ik heb een paar weken vrij,' zei Rick. 'Maar nu ik plaatsvervangend schoolhoofd ben, heb ik veel roostervergaderingen.'

'Wat fantastisch,' zei Tita, die altijd een melodramatische toon aansloeg als ze over Ricks werk in het openbaar onderwijs praatte, alsof hij als soldaat in Afghanistan diende. 'Betalen ze je meer voor die extra dagen?'

'Jammer genoeg niet,' zei Rick, heen en weer wippend op zijn schoenzolen tot Tita er bijna zeeziek van leek te worden.

'Hij heeft in elk geval tijd genoeg voor mij en de kinderen,' zei Hester terwijl ze haar arm door die van Rick stak. 'Hij is altijd beschikbaar voor de meisjes.'

'Geweldig,' zei Tita voorzichtig, alsof ze vermoedde dat dit een steek onder water was. Volgens Bryony had Hester Tita nooit vergeven voor die keer dat ze hen was vergeten op te halen na hun eerste semester op kostschool, omdat ze in Schotland op patrijzenjacht was.

'En wat doen jullie in de vakantie?' vroeg Tita.

'Waarschijnlijk de volkstuin omspitten,' zei Hester gretig. 'We zijn wat groente betreft bijna helemaal zelfvoorzienend. Zo fijn, om aan de ecologische voetafdruk te werken.'

Bryony sloeg haar ogen ten hemel. Ali wist alles over de breuklijnen in de relatie tussen Bryony en haar zus uit een gesprek tussen Nick en Bryony dat ze vorige week in de keuken had opgevangen. Dit waren de feiten: Hester had het leven altijd ingewikkeld gevonden, Bryony kon nauwelijks een periode van evenwicht tussen hen aanwijzen, en met de komst van kinderen waren de barstjes in permanente kloven veranderd. Die analyse had Nick voldoende bevredigend gevonden, maar Bryony had de verhouding uitputtender willen doorlichten.

Zo wist Ali nu dat Bryony altijd al een makkelijke baby was geweest, waar Hester koliekachtig en lastig was. Hester had schijnbaar nooit kunnen wennen in de kleine crèche van een van Tita's vriendinnen in Chelsea, waar Bryony juist huilde als het tijd was om naar huis te gaan. Op de meisjeskostschool waar het vanzelfsprekend pompen of verzuipen was, had Bryony niet zomaar een adequate overlevingsstrategie gevonden, maar duurzame vriendschappen gesloten, zoals met Holly Long; ze was captain geweest van het regionale lacrosseteam en moeiteloos naar Oxford doorgestoomd, op een kleine hapering na in haar laatste jaar toen haar eerste vriendje, Felix Naylor, op het toneel was verschenen.

Hester daarentegen, die twee jaar na Bryony op Wycombe Abbey kwam, had er nooit kunnen wennen en was na een jaar en veel overleg van de kostschool overgeplaatst naar een gewone meisjesschool in Londen. Een incident dat Foy haar nooit had vergeven, omdat het de visrechten van veertien dagen op de zalm in de Tay die hij halverwege de jaren zeventig had gekocht bedierf, want nu moest Tita in die periode thuisblijven om voor Hester te zorgen. Al kreeg zijn 'hechte vriendschap' met Eleanor Peterson daardoor wel de gelegenheid om op te bloeien, ongehinderd door de aanwezigheid van zijn echtgenote.

Toen ze tegen de dertig liepen, waren de verschillen onuitwisbaar geworden. Hester dwarrelde van het ene baantje naar het andere. Ze ging om met mannen die uitsluitend gemeen hadden dat ze heel anders waren dan haar vader. Na Oxford ging Bryony werken bij een financieel pr-bureau van een vriendin en binnen vier jaar had ze de helft van de aandelen in bezit. En toen ontmoette Hester Rick, net voor haar negenentwintigste verjaardag. Ze raakte bijna meteen in verwachting van Maud, en wijdde zich aan het opvoeden met de ijver van iemand die alle onvolkomenheden van haar eigen kindertijd wilde rechtzetten. Ze besloot te stoppen met werken. Nooit een nanny te nemen. Ze las boeken over hechtingstheorieën, werd militant voorstander van borstvoeding, experimenteerde met co-slapen en thuisonderwijs, en weigerde haar kinderen te laten inenten.

'Wij hebben natuurlijk geen werknemers om op terug te vallen in de vakanties,' zei Hester.

Bij het woord werknemers vroeg Foy aan Hester of ze de nieuwe nanny van Bryony en Nick al had ontmoet. Met zijn wijsvinger wenkte hij Ali bij zich.

'Dit is de onvolprezen Ali Sparrow,' zei hij zo luid dat Ali gegeneerd bloosde. 'Ze is een expert in tweelingbeheer en achttiende-eeuwse Engelse literatuur. Wij aanbidden en vereren haar eensgezind. Waarom heb jij niets te drinken, Ali?'

'Ik drink niet onder werktijd,' zei Ali, terwijl ze Hester en Rick de hand schudde. De tweeling drong zich tegen haar aan.

'Dag, tante Hester,' zeiden ze.

'Mijn god, wat hebben jullie met je haar gedaan?' vroeg Hester, terwijl ze bukte om Hectors schedel nader te onderzoeken.

'Is het zo duidelijk dat hij het zelf heeft geknipt?' vroeg Bryony, in een poging om luchthartig over de kwestie heen te stappen. 'Ali heeft zo haar best gedaan om de schade te beperken.' Ze glimlachte Ali verontschuldigend toe.

'Is dat gebeurd toen jij op je werk was?' vroeg Hester aan Bryony.

'Nee, ik was gewoon thuis,' zei Bryony. 'Het heeft niets te maken met het feit dat ik werk.'

'Ik vroeg alleen maar wanneer het gebeurd was,' protesteerde Hester. 'Hoewel je het natuurlijk als een soort protest zou kunnen opvatten, een schreeuw om aandacht. Het is vast lastig om de jongste te zijn in een gezin waar beide ouders zulke lange uren maken. En dan ook nog met een nieuwe nanny.'

'Ze wilden eruitzien als soldaten,' legde Ali op gelijkmatige toon uit. 'Dus probeerde Alfie Hectors hoofd kaal te scheren. Het komt door een liedje dat ze op school hebben geleerd.'

Alfie en Hector zetten *Two Little Boys* in en Foy zong onmiddellijk mee.

'Ik heb nog een plaat van dat liedje,' zei Foy opgetogen. 'Van toen ik klein was. Willen jullie die hebben, jongens?'

De tweeling sprong opgewonden op en neer.

'Ik vind dat ze geen liedjes moeten leren die oorlog verheerlijken,' zei Hester.

'Als het een hit was voor Rolf Harris in de jaren zeventig, kunnen we er gevoeglijk van uitgaan dat de onderliggende boodschap positief was,' zei Nick, die behendig bleek in het ontwijken van de onderstroom tussen Hester en Bryony, waarschijnlijk omdat hij bang was dat hij erin zou verdrinken.

'Het enige probleem dat ik ermee heb, is de homoseksuele ondertoon,' zei Foy.

'Stel je niet aan, papa,' zeiden Bryony en Hester tegelijk.

Rick wendde zich tot Ali en bombardeerde haar met vragen die niemand anders haar al die maanden had gesteld. 'Waar kom je vandaan? Wanneer ga je je studie afmaken? Heb je Sterne al gehad? Heb je al vrienden gemaakt in Londen? Wat vinden je ouders van je baan?'

'Ik heb een heel aardige groep nanny's uit Oost-Europa leren kennen,' vertelde ze hem. 'Soms eten we bij elkaar thuis. Ze gaan niet veel uit, omdat ze zo veel mogelijk willen sparen. Maar het is heel interessant om mensen uit andere landen te ontmoeten.'

'Zijn ze allemaal legaal?' vroeg Rick.

'Dat weet ik niet zeker,' zei Ali, die onlangs had gehoord dat Mira en Katya allebei illegaal vanuit Oekraïne naar Engeland waren gekomen. 'Daar wil ik niet te veel naar vragen.'

'Na Engels is Pools de meest gesproken taal op de school waar ik lesgeef,' zei Rick.

'Polen zijn harde werkers,' zei Foy, wiens aangeboren conservatisme zich niet tot immigranten uitstrekte, omdat zijn Freithshire Fisheries zich in de afgelopen vijfentwintig jaar over de rug van arbeidsmigranten had uitgebreid.

Ali zag Jake de kamer binnenkomen. Hij droeg het pak en de das die hij elke dag naar school aantrok. Ali lachte hem toe, maar hij keek snel weg. Nick liep naar hem toe met een glas champagne.

'Er komen vanavond een paar mensen aan wie ik je graag wil voorstellen,' vertelde hij Jake, terwijl hij een arm om zijn schouder sloeg. 'Ze hebben misschien een stageplaats voor je. Je kunt geweldige contacten opdoen.'

'Pap, ik heb je al verteld dat ik niet bij een bank wil werken,' zei Jake. 'Je zult echt moeten accepteren dat ik niet door hetzelfde instinct word gedreven als jij. En ik weet best dat dit een fantastische netwerkgelegenheid is vermomd als familiefeestje, maar ik laat de dingen liever op een natuurlijke manier tot stand komen.'

'Zo werkt de wereld niet, Jake,' zei Nick.

De voordeurbel rinkelde weer.

'Dat zullen de mensen van Elton en David zijn,' zei Bryony tegen iedereen. 'Op je plaatsen, allemaal.'

Er schoot een vlaag van opwinding door het vertrek.

10

Feesten waren net relaties, en dit feest zat in de wittebroodsweken. Overal stonden mensen te lachen en te praten, en zogenaamd nonchalant te kijken als ze een beroemd gezicht herkenden. Elton John was de zaal aan het bewerken. Bryony had hem aan een minister voorgesteld die lobbyde voor goedkopere hiv-medicijnen voor Afrika. Ze stonden geanimeerd te praten. Bryony maakte zich ongerust over zijn stembanden. Hoeveel kon een zanger praten voor een concert, vroeg ze zich af. Kreeg ze haar geld terug als hij zijn stem beschadigde? Of zouden ze haar aanklagen en een schadevergoeding eisen?

'Kalm aan, Bryony,' zei een vrouw die Ali nog nooit had gezien. 'Het komt allemaal wel goed.' Ze stonden samen midden in de kamer en Bryony verontschuldigde zich voor het afzeggen van een lunchafspraak eerder die week.

'Ach, ik ben met mijn man gaan lunchen,' zei de vrouw. 'Die had ik al bijna een week niet gezien. Hij was in Amerika op yogacursus.'

'Hoe gaat het allemaal, Holly?' vroeg Bryony, met een blik om zich heen werpend om zich ervan te verzekeren dat er niemand met zijn ziel onder zijn arm liep. Nick besteedde te veel tijd aan Dick Fuld. Eigenlijk moest ze hem redden, maar dan zat ze misschien vast aan zijn vrouw.

'Ik geloof dat we vorderingen maken,' zei Holly. 'We proberen één keer in de week samen uit te gaan en gewoon te genieten. We mogen niet praten over dingen die tijdens de therapiesessies besproken zijn.'

'Zoals?' vroeg Bryony.

'Voornamelijk over onze moeder-kindrelatie,' zei ze. 'Ik moet ophouden alles voor hem te regelen, en hij moet er niet meer van uitgaan dat ik alles wel zal doen. Ik moet me kwetsbaarder opstellen en hij moet assertiever worden. Maar dat moeten we kritiekloos doen.'

'Klinkt ingewikkeld,' zei Bryony.

'Eigenlijk moeten we een punt bereiken waarop we het vaker over dingen eens zijn dan oneens, dan hebben we weer een evenwicht. Maar zolang hij geen andere baan vindt, blijft het moeilijk. Daarom houd ik Mira aan. Ik wil niet dat hij zich een huisman voelt, en zij weet alles zo goed georganiseerd te houden.'

'En de nieuwe baan? Nog witteboordencriminelen gevangen?' vroeg Bryony. 'Ik heb me altijd al afgevraagd hoe dat toezicht houden werkt.'

'Het is enig. Ik vind het geweldig.'

'Ik zal maar niet al te lang voor het oog van de hele wereld heulen met de vijand,' grapte Bryony.

'Ach, in deze hausse moedigt dat risiconemers juist aan,' lachte Holly.

'Nog iets interessants gehoord?' vroeg Bryony.

'Niets waar ik over kan praten. Maar ik zou Nick willen waarschuwen dat er in bepaalde kringen hevig gedebatteerd wordt over bankbalansen. Ze hebben allemaal veel te veel leningen uitstaan. Hoe bevalt je nieuwe nanny trouwens?'

'Ali is fantastisch,' zei Bryony. 'Ik ben als de dood dat ze weer weggaat.'

Kelners en serveersters brachten dienbladen vol drankjes en leistenen schalen vol hapjes binnen. Ali begaf zich onder de gasten en wandelde met Hector en Alfie aan de hand door de kamers. Af en toe bukte een volwassene zich om een van de twee aan te spreken of een klopje op hun hoofd te geven, zoals je met een aanhankelijke labrador zou doen. De jongens gaven beleefd antwoord op vragen. Als ze hele zinnen in koor gingen uitspreken, leidde Ali hen af. Ze wist dat Bryony het niet prettig vond als mensen dat aparte trekje opmerkten.

Ze kwam langs Sophia en Ned Wilbraham. Hoe hebben die twee elkaar ooit gevonden, vroeg Ali zich af.

'Indrukwekkende gastenlijst,' zei hij vanachter zijn champagneglas.

'Allemaal opschepperij,' antwoordde Sophia. Toen merkte ze Ali op.

'Ben je al helemaal gewend?' vroeg ze. Ali glimlachte en prevelde dat ze zich al bijna een meubelstuk voelde.

'Nou, laat het me vooral weten als je er genoeg van krijgt,' zei Sophia stralend. 'Ik ben veel vaker thuis, dus je zou stukken minder verantwoordelijkheid hebben voor kleine kinderen en met mijn oudste zou je nuttige onderwijservaring kunnen opdoen. Ze is uitermate intelligent.'

'Dank u wel,' zei Ali, omdat ze niet wist wat ze anders moest zeggen. Ze trok de tweeling mee en ze liepen om Foy heen, die stond te oreren.

'Toen Thatcher aan de macht kwam, mocht je maar vijfhonderd pond meenemen naar het buitenland,' zei hij. 'Tegenwoordig verplaats je zomaar miljoenen met een enkele klik.' Hij klikte met zijn vingers alsof het castagnetten waren. Tita stond vlak bij hem.

'Ik begrijp niet waarom gewone dingen zoals koken, tuinieren en naaien ineens zo in de mode zijn, wij deden die dingen zonder er bij na te denken,' zei ze net tegen Eleanor Peterson.

'Tita, wij betaalden andere mensen om die dingen te doen,' zei Eleanor.

Ali ving de draad van andere gesprekken op, maar de tweeling fungeerde als onzichtbaarheidscape zodat er geen gênante situatie ontstond waarin ze werd aangezien voor een gast, of erger nog, voor een familielid van de Skinners. Ze trokken zich terug in een rustige hoek van de kamer, waar Nick nu diep in gesprek was met Ned Wilbraham, die als broker werkte bij een concurrerende beleggingsbank. Ze zette de tweeling op een stoel om priklimonade te drinken met komische spiraalvormige rietjes. Nick keerde hen zijn rug toe.

'In een stuk in *Barron's* stond dat de gemiddelde huizenprijs voor nieuwbouw in de vs in de afgelopen acht maanden met drie procent is gedaald. Wat maak je daaruit op?' vroeg Nick. Het klonk ruzieachtig, maar Ali had inmiddels genoeg telefonische vergaderingen van Nick beluisterd om te weten dat zijn agressieve, vijandige ondertoon voortkwam uit een onvervreemdbare overtuiging van zijn eigen gelijk, en geen oproep tot bewapening betekende.

'Dat de hausse in huizen afloopt of hapert,' zei Ned. 'Als het einde van de wereld nabij is, kun je er maar één keer op wedden, Nick, je moet niet te vroeg short willen gaan.'

Ned stond met zijn benen iets te ver gespreid, als een cowboy, alsof hij zijn gespierdheid inzette ter compensatie van het feit dat Nick langer was. Hij was een bleke man met diepliggende ogen en haar dat bijna even kortgeknipt was als dat van de tweeling. Niet conventioneel knap, dacht Ali. Een man die zou verbranden in de zon en bevriezen in de kou.

'Voordat de boel in de hens vliegt, moet je weten waar de nooduitgang zit,' zei Nick. 'Ik ben een paar maanden geleden naar een conferentie over kredietmarkten geweest. Er zat een man of vijftig in de zaal. Volgens mijn berekening lag hun gezamenlijk inkomen vorig jaar boven de 250 miljoen pond.' Hij zweeg even om een slok van zijn

Winterwende-cocktail te nemen. 'Ineens realiseerde ik me dat er geen enkel verband bestond tussen hun intelligentie en hun onvoorstelbare opeenhoping van rijkdom. Stel dat ze geen gelijk hebben? Stel dat ze het mis hebben?'

'Volgens alle wiskundige modellen is het risico te verwaarlozen,' zei Ned. 'Die Gaussische copula is een heel mooi ding.'

'Volgens mij onderschatten die modellen het risico van kredietproducten,' zei Nick. 'Ze meten correlatie, geen risico. En elk ratingbureau gebruikt dezelfde modellen.'

'Het risico is zo breed gespreid, zelfs als sommige van die leningen niet worden betaald – en ik geef grif toe dat we van sommige zonder enige twijfel nooit een cent terugzien – blijven er nog genoeg andere over die wel afgerekend worden,' zei Ned.

'Wat gebeurt er als er onbeheersbare en onnaspeurbare hoeveelheden risico door het hele financiële systeem verspreid zitten?' zei Nick. 'Bij wijze van hypothese.'

'Luister nou, als zelfs Alan Greenspan gelooft dat we in een heel nieuw paradigma zitten, dan is dat zo. Dit is een droomtijd om in te leven, man. Geniet er nou maar van.'

'Kijk nou eens terug,' zei Nick. 'De tulpenmanie, de internetzeepbel. Historisch gezien wordt elke hausse gevolgd door een baisse. Ik zie roekeloze overconsumptie, veel te weinig spaartegoeden en een spilzieke overheid. Gedwongen verkopen stijgen, prijzen dalen, steeds meer leningen worden niet afbetaald. Waarom zou het nu anders zijn? Hoe kan een steeds grotere schuld nou duurzaam zijn?'

'Christus, je klinkt net als die verrekte Hayek,' lachte Ned. 'Als Fuld je zou horen, stond je binnen de kortste keren op straat.'

'Ik heb een geloofscrisis,' zei Nick glimlachend. 'Ik geloof niet meer dat de markt zichzelf corrigeert.'

'Houd je mond erover, want niemand wil slecht nieuws horen als iedereen goed verdient,' zei Ned. 'Als de verkoper niet in zijn product gelooft, voelt de koper zijn onverschilligheid aan. Zet je twijfels opzij en grijp je winst. Je kunt in dit vak geen agnosticus zijn. Het is dansen tot de muziek stilvalt. Zullen we ons weer in de feestvreugde mengen? We moeten niet samen gezien worden.'

'Waarom niet?' wilde Ali vragen, terwijl ze zich vooroverboog om limonade van de handen van de tweeling te vegen. Vanwege de vijandschap tussen Bryony en Sophia? Of omdat ze voor concurrerende banken werkten, wat een stuk waarschijnlijker was?

'Wij willen met die man praten die eruitziet als een Vulcan,' zei Hector met een ruk aan Ali's arm. Ali keek in de richting die zijn vinger aanwees en zag dat ze Nicks baas bedoelden, Dick Fuld.

Ze sleurden haar langs Bryony en Felix.

'Ik heb een deal opgevangen,' fluisterde Felix tegen Bryony. 'Je moet proberen op de pitchlist te komen. Jij hebt toch geen retailklanten?'

'Waarom ben je toch altijd zo aardig voor me?' hoorde Ali Bryony hem vragen. Felix keek naar de kale neuzen van zijn leren schoenen en tegen de tijd dat hij haar vraag beantwoordde, waren Ali en de tweeling al te ver weg.

'Papa zegt dat de bijnaam van zijn baas "de Gorilla" is,' zei Alfie, 'maar ik vind eigenlijk dat hij mister Spock zou moeten heten.'

Alfie schudde haar hand af en omdat hij kleiner was en handiger tussen de benen van de gasten door kon rennen, verloor Ali hem algauw uit het oog. Hector trok haar mee en ze vertrouwde op zijn instinct, maar zelfs voordat ze de bank bereikte waarop Dick Fuld met Nick zat te praten, wist ze al dat Alfie hierheen koerste.

'Ik wil over jouw vooruitzichten praten,' hoorde ze Dick Fuld tegen Nick zeggen. 'Als je Goldman kunt kloppen en vijftig procent van de winst van volgend jaar kunt maken op nieuwe producten, zit je in de running om de baas van Europa te worden.' Dick Fuld lag languit tegen de rug van de bank, benen gespreid, handen achter zijn hoofd: de houding van een man die gewend was om macht uit te dragen.

'Bedankt, Dick. We leveren al vijftig procent van Lehman Brothers' inkomsten in Europa, door de CDO's,' hoorde ze Nick zeggen. 'En we zijn bezig om de grootste CDO-deal in de geschiedenis van de bank op te zetten, dus volgend jaar staan we geheid weer boven aan de divisie.'

'Goed werk, Nick,' knikte Dick Fuld. 'Maak jij de wereld maar rijker.'

Ali hoorde zijn vrouw tegen Julian Peterson praten over de kunstwerken die ze aangeschaft hadden.

'Ik zit in het bestuur van het MOMA,' zei ze lijzig en ontspannen. 'Dus ben ik bevoorrecht geweest wat kunst kopen betreft, want ik hoor al heel vroeg wat er op de markt komt, zodat ik gemakkelijk mee kan bieden. Zo heb ik een Gorky te pakken gekregen, maar ik ben ook dol op De Kooning en Barnett Newman.'

'Zou u een interview willen geven in een kunstprogramma dat wij voor de BBC maken?' vroeg Julian haar.

'Dat soort publiciteit vinden wij ongewenst,' zei Kathy Fuld heel beleefd.

Ali bleef in de buurt van de bank staan met Hector als lokaas, in de hoop Alfie van zijn doelwit af te leiden zodra hij uit de zee van mensen opdook. Maar voordat Alfie verscheen, zag ze Hester aankomen.

'Nick,' zei Hester liefjes. 'Ik heb altijd jouw baas al eens willen ontmoeten.'

'Dick,' zei Nick traag; in zijn wang verkrampte een spiertje. 'Dit is Bryony's zusje, Hester.'

'Aangenaam kennis met u te maken,' zei Dick Fuld, en hij strekte zich in zijn volle lengte uit om Hester de hand te schudden. Ali zag dat hij haar van top tot teen opnam en zich bij de aanblik van haar horkerige jurk afvroeg wat ze in vredesnaam gemeen konden hebben. Hij had zich geen zorgen hoeven maken, want net als haar zus was Hester een eigenwijs en zelfverzekerd product van haar klasse en het kostte haar geen enkele moeite om een gesprek te beginnen.

'Wat ik u wilde vragen, meneer Fuld, is hoe mensen zoals u en Nick die buitensporige verdiensten voor wat jullie doen rechtvaardigen, terwijl mijn man lange uren maakt in een openbare school voor een fractie van uw salaris?' zei Hester, op een toon die suggereerde dat ze al een poosje had geoefend voor dit moment. 'Vindt u dat nou niet onethisch? Het belang van mensen zou toch moeten worden afgemeten aan wat ze bijdragen, niet aan wat ze verdienen?' Even keek Dick Fuld echt geschrokken. Dit was een man met zijn eigen privélift op het kantoor van Lehman Brothers in New York, om niet met collega's te hoeven praten. Toen boog hij zich naar Hester toe.

'Londen is de financiële hoofdstad van de wereld en wij zuigen allemaal aan de tiet van dezelfde hoer,' snauwde hij. 'Ik wed dat jij en je man je eigen huis bezitten, en dat jullie de afgelopen jaren geld hebben geleend tegen de constant stijgende waarde van dat huis om vakanties in het buitenland en dergelijke te betalen. Iedereen profiteert van deze financiële stabiliteit. En als het je niet aanstaat, ga je maar in Cuba wonen.'

'Sorry, Dick,' stamelde Nick. Hester deed haar mond open om antwoord te geven, maar ze werd onderbroken door Alfie die tussen haar benen door kroop en naar Dick Fuld opkeek.

'Bent u een Vulcan?' vroeg Alfie. 'Kunt u huilen?'

Tot Nicks opluchting nam Dick Fuld Alfie op schoot en begon hem te vertellen hoe het was om op de Rode Planeet te wonen.

'Heb jij je gorilla meegebracht?' vroeg Alfie.

'Die is in de Twin Towers achtergebleven,' zei Dick Fuld, en hij wreef over Alfies hoofd alsof hij een biljartbal oppoetste. 'Dat is me het kapsel wel, jochie.'

'Dat is omdat ik bij het leger ga,' zei Alfie, terwijl Hector en Ali dichterbij kwamen.

'Bedtijd,' zei Ali.

'Ik ben ooit uit de luchtmacht geschopt,' vertelde Dick aan Hector. 'Wegens brutaliteit. Dus als ik jullie was, zou ik maar naar je officier luisteren.' Gedwee pakten ze Ali's hand.

'Je hebt mijn leven gered,' fluisterde Nick. 'Waar is die verrekte zelfmoordterrorist van een schoonzus van me, zodat ik haar eens even kan vertellen wat ik van haar vind?'

De volgende avond stond Ali in de hal van Holland Park Crescent en inspecteerde zichzelf nog een laatste keer in de overdadige achttiende-eeuwse vergulde spiegel die de entree van het huis domineerde. Volgens Izzy had hij ooit in de zitkamer in Regent Street gehangen waar Samuel Johnson zijn woordenboek had samengesteld. Ali wilde graag dat het waar was, dus had ze het verhaal nooit door Bryony laten bevestigen; liever stelde ze zich Johnson voor aan zijn bureau, zijn blik gericht op deze zelfde spiegel, op zoek naar de beste definitie van een woord als '*discombobulate*'.

Afgezien van een enorm bloemstuk op de tafel in de hal, was er geen spoor meer van het feest van gisteravond. Geen verdwaald glas, geen vlekken op de vloer, geen halflege flessen of in het kleed gelopen chips. Daardoor kreeg het hele evenement een droomachtige onwaarschijnlijkheid. Bij het ontbijt de volgende ochtend had Nick zich naar Bryony gebogen en haar op de lippen gekust om haar te bedanken voor het organiseren van 'een geweldige avond'. Met hun voorhoofden tegen elkaar en hun vingers vervlochten beaamden ze dat het een triomf was geweest, en dat ondanks Hesters optreden. Dick en Kathy Fuld waren veel langer gebleven dan voorzien. Nicks adem rook waarschijnlijk niet eens naar de vorige avond, dacht Ali, die geboeid had gekeken naar dit zeldzame vertoon van intimiteit.

Misschien had Bryony daarom wel altijd een fotograaf bij de hand. De gebruikelijke rommel van het gezinsleven verdween zo snel dat ze voortdurend zichtbare herinneringen nodig hadden aan wat ze ook alweer hadden gedaan. De planken in de woonkamer stonden vol bijgewerkte fotoalbums in chronologische volgorde. Aan de muren in de keuken hingen collages van zorgvuldig gekozen beelden van het gezin in vrijetijdsmodus.

Naast de trap hingen smaakvolle zwart-witportretten van de kinderen in verschillende stadia van hun leven. Er hing een portret van Hector en Alfie als peuters, op de tak van een van de berkenbomen achter in de tuin, eentje van een surfende Jake, en een van Izzy te paard. De foto's maakten een opzettelijk vrijblijvende indruk, alsof de fotograaf ze onverhoeds had genomen, maar Ali wist al dat dit een illusie was: er was niets spontaans aan het leven van de Skinner-kinderen. Hun agenda's waren even strak geprogrammeerd als het vluchtschema van Heathrow. Op de overloop buiten Nick en Bryony's slaapkamer hing een grote foto van hen beiden, genomen op een feest. Ze dansten samen, Nick achter Bryony's rug, met de zon op hun gezicht zodat ze in de mensenmenigte opvielen alsof ze gezegend waren. Voor deze mensen kan er niets fout gaan, dacht Ali telkens als ze er langsliep. Al die visuele suggesties hadden tot gevolg dat iedereen het minder goed voor elkaar dacht te hebben dan de Skinners, zodat het Ali speet dat ze had afgesproken om met Mira en Katya uit te gaan.

'Als een man genoeg heeft van Londen, heeft hij genoeg van het leven,' zei Ali, moed puttend uit een citaat van Johnson, op de eerste avond dat ze alleen uitging. Met een blik op de spiegel zette ze haar wollen muts guitig scheef, controleerde of haar oogmake-up niet uitgelopen was en rommelde in haar tas om te controleren of ze haar plattegrond van Londen, haar portemonnee, het papiertje met de veiligheidscode voor het hek en haar huissleutels bij zich had. Toen verliet ze in stilte het huis. Het leek ongelooflijk dat niemand haar had gevraagd waar ze heen ging, en met wie.

De tweeling lag boven te slapen. Izzy zat met haar ouders te eten in de keuken, een pijnlijk proces waarbij Bryony probeerde om niet te eten, en ondertussen elke hap die Izzy nam in het oog hield. Jake was uit met Lucy. Dat had hij haar niet verteld, maar bij de haard in haar slaapkamer had Ali hem met haar horen afspreken in een bar in Kensington High Street.

Desmond Darke stond op de stoep toen Ali het hek achter zich dichtdeed. Hij stootte een onwillig gegrom van herkenning uit. Ze haastte zich de straat uit, in de wetenschap dat Katya en Mira op haar wachtten, en repeteerde wat ze hun zou vertellen over het feest. Als mensen geen verleden deelden, bleef alleen het heden over om over te praten. Ali leefde graag bij de dag, maar hun gebrek aan een gezamenlijk verleden voegde een zekere spanning toe, alsof het verhaal van het leven nog sneller geschreven moest worden.

Ze hadden afgesproken bij een pub aan Portobello Road. Ze liep Holland Park Avenue af, voorbij de chique slijter Jeroboams, voorbij de slager, voorbij het makelaarskantoor, en nam de eerste straat links na Daunt Books. Plotseling merkte ze twee belangrijke dingen op: voor het eerst had ze zich weten te oriënteren zonder haar plattegrond te raadplegen, en de pub waar ze hadden afgesproken was heel dicht bij het huis waar ze Izzy hadden gered van het feestje.

Ze liep sneller, in een Londens tempo, en hoopte dat Bryony de enkellaarsjes die Ali vanochtend voor haar kamerdeur had gevonden, met een briefje erbij dat ze te groot waren voor Izzy en te bohemien voor haar, eerst had ingelopen.

In de pub klonk het gezellige gegons van zondagavonddrinkers. Het was een victoriaanse pub, met een reeks betimmerde nissen rond een lange, smalle bar. Ali trippelde er een paar voorbij, tot ze Mira en Katya zag aan een tafeltje aan het eind. De Roemeense nanny die ze voor het eerst in Starbucks had ontmoet, was er ook. Ze dronken allemaal Guinness en Ali bestelde hetzelfde, ook al had ze de bittere smaak nooit leren waarderen. Ze stonden op om haar te begroeten. Ali ging naast Katya zitten, een beetje onbehaaglijk omdat ze zo duidelijk de enige geboren Engelse was. Ileana had het over een Roemeense film die de Gouden Camera had gewonnen op het filmfestival van Cannes.

'Hij heet *A fost sau n-a fost?* in het Roemeens,' legde ze uit. 'De titel hier weet ik niet meer. Misschien *Ten oosten van Boekarest* of zoiets.'

'Waar gaat hij over?' vroeg Mira.

'Over een man die beweert dat hij deel uitmaakte van de revolutie in Roemenië, maar eigenlijk het grootste deel van de tijd dronken was terwijl andere mensen Ceauşescu omverwierpen. De film stelt eigenlijk vragen over de aard van historische herinnering. Hij is heel geestig. We wilden allemaal helden zijn, maar de meesten van ons waren dat niet.'

'Hoe was het indertijd?' vroeg Ali. 'Ik was pas vier in 1989.'

'Laat ik het zo zeggen, Ali, elke keer als ik de pil slik, dank ik mijn gunstige sterren,' lachte Ileana. 'Mijn moeder had tien kinderen. Niemand mocht anticonceptie gebruiken. Tot haar veertigste was ze constant in verwachting.'

'Wat gebeurde er toen?' vroeg Ali.

'Na je veertigste, als je minstens vier kinderen had, mocht je abortus laten plegen,' zei Ileana.

'Weet je wat Thomas vandaag tegen me zei?' vroeg Katya. Mira keek op haar horloge.

'Elf minuten en zesenveertig seconden,' zei ze lachend en ze wendde zich tot Ali. 'Ik neem op hoe lang het duurt voordat Katya over Thomas begint. Dit is trouwens een record.'

'Hij zei dat hij alleen dingen wil eten die ik kook,' zei Katya triomfantelijk.

'Dat is een groot compliment,' zei Ali.

'Het komt doordat Sophia zo'n verschrikkelijk slechte kok is,' lachte Katya. 'Al haar maaltijden lijken op haar. Ze zijn legendarisch.' Het laatste woord sprak ze zorgvuldig uit, alsof ze het pas geleerd had. 'Laatst had ik gekookt voor haar dinertje. Ze laat me altijd beloven om het aan niemand te vertellen, maar toen kreeg ze ruzie met Martha omdat die te laat thuisgekomen was.'

'Waar was ze dan?' vroeg Ali.

'Een of ander feest hier in de buurt,' zei Katya vaag. 'Dus nam Martha wraak door iedereen te vertellen dat ik al het werk had gedaan. Ze merkte op dat degene met de paarse handen en nagels kennelijk de bietensoep had gemaakt. Sophia probeerde het weg te lachen, maar toen iedereen eenmaal vertrokken was, kreeg ze een enorme driftbui.' Katya spreidde haar armen om de schaal aan te geven. 'Ze zei dat ik weg zou moeten nu iedereen het wist en dat ik haar vertrouwen had beschaamd.'

'En toen?' vroeg Ali.

'Ned, haar man, probeerde haar tot rede te brengen. Hij zei dat het mijn schuld niet was, en dat als iemand iets te verwijten viel, het Martha was, omdat ze de waarheid had verteld, of Sophia zelf, omdat ze een dinertje gaf op basis van een leugen. Dus gooide Sophia de rest van de bietensoep naar zijn hoofd en toen noemde hij haar een stom kutwijf.'

'Jeetje, wat erg,' zei Ali ademloos, en ze probeerde zich een dergelijk schouwspel voor te stellen in het huishouden van de Skinners. Aan Mira's en Ileana's gematigde reactie op dit drama te zien was het geen ongebruikclijk verhaal.

'En wat heb je toen gedaan?' vroeg Ali.

'Ik heb de kapotte schaal opgeruimd,' zei Katya schouderophalend. 'Ze zoekt gewoon een excuus om van me af te komen.'

'Zorg dan maar dat je haar dat niet geeft,' waarschuwde Mira.

'Haar man klinkt aardig,' zei Ali.

Katya knikte zo heftig dat het schuim van haar Guinness over de rand van het glas klotste. 'Hij is heel aardig, maar hij zit erg onder de hamer.'

'Onder de plak,' corrigeerde Ali haar giechelend.

'Op een dag komt hij tegen haar in opstand,' zei Katya stellig.

Het gesprek ging verder over eten. Er was een winkel in het zuiden van Londen waar je *horilka z pertsem* kon kopen, verkondigde Katya. 'Aan Old Kent Road.'

'Aan Thé Old Kent Road,' zei Mira. 'Het is een van die straten waar een lidwoord voor moet.'

Mira noemde een andere winkel in het westen van Londen waar je authentieke *pampushki* kon kopen.

'Dat kun je zelf maken,' zei Katya. 'Gist, suiker, ei, knoflooksaus. Thomas is dol op pampushki.'

'Wat eten jullie in Roemenië?' vroeg Ali aan Ileana.

'Ons eten heeft dezelfde invloeden ondergaan als de rest van de Roemeense cultuur,' zei Ileana. 'Van de Turken hebben we gehaktballen, van de Grieken moussaka, van de Bulgaren groenteschotels zoals *ghiveci*, gestoofde groente en *zacusca*, paprika en aubergine, en schnitzel van de Oostenrijkers.' Ileana sloot haar ogen terwijl ze praatte.

'Herinner jij je nog maaltijden uit je jeugd?' vroeg Ali voorzichtig. Ileana's ogen vlogen open.

'God nee! Er waren altijd voedseltekorten. Daarom praten we nu zo vaak over eten.'

Weer moesten ze allemaal lachen.

'Weet je waarom ik altijd van Engeland zal houden?' vroeg Mira. Ze wachtte Ali's antwoord niet af. 'Omdat ik Engels heb geleerd van het luisteren naar de BBC World Service en omdat Engels spreken mijn leven heeft gered.' Ze leunde achterover in haar stoel voor het dramatische effect.

Katya plaagde haar dat ze Engelser dan Engels werd.

'Ze eet zelfs Marmite,' zei ze.

'Als ik geen Engels had gesproken, was ik hier nooit gekomen,' zei Mira zonder op Katya te letten.

'Mira is een politiek vluchteling,' zei Katya. 'Ze kan soms heel serieus worden.' Ali zag dat Mira Katya zachtjes tegen haar kuit schopte.

'Wat deed je voordat je hierheen kwam?' vroeg Ali aan Mira.

'Ik was manager bij een bank,' zei Mira. 'Toen ik in Londen aankwam, maakte ik 's nachts kantoren schoon in de City. Daarna werd ik huishoudelijke hulp. En toen nam de familie waar ik voor werkte me aan om met de kinderen te helpen.'

Ali staarde haar aan.

'Je vraagt je af hoe iemand die een goede baan had zichzelf kan vernederen door de toiletten van andere mensen schoon te maken?' vroeg Mira. 'Dat is heel simpel: in Kiev kon ik mijn werk alleen blijven doen als ik corrupt was. Na de val van de muur waren er veel problemen met corruptie. Zakenlui verdienden heel veel fout geld met de verkoop van delfstoffen. Ze wilden dat ik het tegen een percentage voor mezelf naar Amerikaanse rekeningen doorsluisde. Ik weigerde. Ze werden steeds lastiger en ik moest het land uit.'

'Laten we niet over het verleden praten,' drong Katya aan, onrustig heen en weer schuivend op de harde houten stoel. 'Het is allemaal te zwaarmoedig.'

DEEL TWEE

11

Augustus 2007

'Het huis staat aan de goede kant van het eiland, maar aan de verkeerde kant van de weg,' lachte Nick, terwijl hij zich omdraaide naar Ali op de middelste bank van de Landrover. 'Ik ben bang dat je de ergste uitspattingen van Griekse chauffeurs moet doorstaan, voordat je bij het strand kunt komen.'

Aangezien de chauffeur naast Nick voor in de auto niet alleen Grieks was, maar ook redelijk Engels sprak en de steile weg vanaf de hoofdweg omlaag naar het dorpje Agios Stefanos vrijwel verlaten was, wist Ali niet zeker hoe ze moest reageren. Ze wilde Nick niet tegenspreken, maar het leek onaardig om kwaad te spreken van een huis dat ze nog nooit had bezocht, vooral een huis dat zo'n onevenredig grote plaats innam in de familielegenden. De opmerking weerspiegelde zijn humeur, dat de laatste tijd veranderlijk en prikkelbaar was, en Ali was opgelucht toen Bryony tussenbeide kwam.

'Het is bepaald geen drukke weg, en het uitzicht over de baai maakt alles meer dan goed, toch Nick?' zei Bryony. Ze stak haar hand uit om Ali geruststellend op haar arm te kloppen, maar miste omdat de chauffeur weer een haarspeldbocht nam. 'Het is fabelachtig.'

'Fabelachtig,' beaamde Nick.

'Fabelachtig,' piepte de tweeling vanaf de achterbank.

'Ik heb de foto's gezien,' zei Ali beleefd. 'Het ziet er paradijselijk uit.' Eigenlijk had ze er maar eentje gezien en die had onlangs de foto in de wc beneden vervangen, die Nick een jaar geleden had beschadigd. Hij was softfocus en gedrenkt in gedempt geel, maar op de achtergrond kon Ali nog net een oude boerderij onderscheiden. Aan Tita's kaftan en Foys wijde pijpen te zien was de foto rond 1970 gemaakt.

'Het huis is om een oude olijfpers heen gebouwd,' legde Bryony uit. 'Het hoofdgebouw dateert uit de zeventiende eeuw. Foy heeft ongeveer twintig jaar geleden een vleugel aangebouwd en toen nog een, en nu is er natuurlijk de olijfgaard.'

'Werk in aanbouw!' reageerde Ali met een van Foys geliefde uitspraken. Nick en Bryony lachten, zoals Ali had voorzien bij deze mengeling van toegenegen vertrouwelijkheid en zelfvertrouwen.

Ali's koerswaarde in het huishouden was hoger dan ooit. Met kerst had ze de Skinners vergezeld op hun jaarlijkse skivakantie. Ze haalde de tweeling net voor de lunch op bij hun privéskileraar en hield ze de rest van de dag bezig, zodat Nick en Bryony van hun vakantie konden genieten. Ze was toegejuicht omdat ze had gezorgd dat de piano-oefeningen naadloos werden voortgezet. En ze had Bryony eindelijk durven vertellen dat het onderlinge taaltje van de tweeling Filipijns was, zonder te insinueren dat het veroorzaakt werd door de vele uren bij Filipijnse nanny's toen ze klein waren. Het was een van de weinige keren dat ze Bryony beschaamd had zien kijken.

In de paasvakantie, toen Izzy's obsessie met afvallen meer dan een bevlieging was gebleken, besloot Ali om Bryony te vertellen dat haar dochter websites bezocht die anorexia propageerden. Bryony leek zich meer zorgen te maken over de uren die Izzy op die sites doorbracht als ze huiswerk zou moeten maken dan over de inhoud, maar ze was Ali toch heel dankbaar dat ze haar van het probleem op de hoogte had gebracht in de maanden voor Izzy's proefwerkweken aan het eind van het schooljaar. Ze was het ermee eens dat Izzy een in eetstoornissen gespecialiseerde therapeut moest bezoeken, die Ali al had gevonden. Toen Izzy het hoogste cijfer van de klas had voor Engels, kreeg Ali lof toegezwaaid voor al haar inzet en hulp bij het huiswerk.

Aan het begin van de zomervakantie had Ali een partijtje georganiseerd voor de zesde verjaardag van de tweeling met Spongebob Squarepants als thema. In de tuin stond een replica van het ananashuis van Spongebob en van het restaurant, de Krokante Krab. Daar serveerde een als Spongebob verklede man hotdogs, vermomd als krabburgers. Zijn hulpje, een als Octo verklede Letlandse, organiseerde spelletjes met de zee als thema en schilderde portretten van de kinderen. Iedereen was het erover eens dat het een nog groter succes was geweest dan het Spotpartijtje van vorig jaar, toen de vorige nanny alleen maar cupcakes in de vorm van botten had besteld. Met kerst was Ali 'verantwoordelijk' en 'betrouwbaar' verklaard. Tegen de zomer was ze 'onmisbaar', 'essentieel' en ze had zich door Bryony zelfs horen beschrijven als 'de hoeksteen van ons gezin'.

Jake was de enige vlieg in haar soep. Hun communicatie bleef beperkt tot verkeerd gelezen lichaamstaal, averechts opgenomen vragen en gemangelde antwoorden. Alles bezien door het prisma van verkeerde vooronderstellingen, na dat moment in de zitkamer waarop Jake onterecht had geconcludeerd dat hij getuige was van een onhandig stukje postcoïtale choreografie. Na nieuwjaar had Ali geprobeerd er met hem over te praten, maar ze was zo kil afgewezen dat ze zich haastig had verschanst in een ongemakkelijke stilte.

Ondertussen was ze in Holland Park Crescent meer thuis dan waar ook. Aan de muur van de speelkamer in het souterrain hingen ingelijste schilderijen die Ali samen met de tweeling had gemaakt. Foto's van haar met Hector en Alfie hadden een plaats gevonden in de collages van familiefoto's aan de keukenmuur. De wekelijkse supermarktbestelling was bijgewerkt met een aantal van haar lievelingsproducten. En het opmerkelijkste was dat iemand Ali vroeg in de zomer op Bayswater Road de weg had gevraagd naar Earls Court, en tot haar verbazing bleek ze de beste route te kunnen beschrijven zonder haar plattegrond erbij te pakken.

Ali glimlachte bij die herinneringen. Ze reden door een gehucht. De zon scheen zo fel op de witte muren van de oude huisjes dat ze leken te gloeien. Ali zag de hoge, puntige vorm van een cipres, een silhouet tegen de blauwe lucht. Elk element van het landschap was perfect afgetekend tegen het helblauwe canvas. De cipressen leek altijd alleen te staan, in tegenstelling tot de gezellig uitziende groepjes olijfbomen, met hun naar elkaar uitgestrekte takken. Maar alleen staan had ook zijn compensaties, bedacht Ali: er was niemand die in je zonlicht kon gaan staan.

'Alfie en Hector zullen toch wel constant in het zwembad willen liggen,' zei Bryony. 'Dan kun jij je concentreren op je bruine kleurtje zonder je druk te maken over Griekse chauffeurs.'

Ze glimlachte naar Ali. Bryony wist werk te verpakken als een pleziertje en Ali het gevoel te geven dat ze het onderwerp was van haar goedertierenheid, in plaats van haar bevelvoering. Ze droeg geen make-up en op haar wangen waren voorheen onopgemerkte sproetenconstellaties te zien. Ze had haar rode haar bijeengebonden in een ongezeglijke staart, waaruit opstandige krullen ontsnapten. Zonder lippenstift waren haar lippen te bleek, maar ze zag er jonger uit dan ooit.

‘Hoe gaat het met de zwemlessen?’ vroeg Bryony.

‘Ze kunnen al heel goed drijven,’ zei Ali. Eens per week bracht ze Hector en Alfie voor privélessen naar een centrum waar kinderen leerden hun aangeboren band met het water te voelen voordat ze de zwemslagen leerden, een techniek die volgens Ali meer te maken had met hebzucht dan met wetenschap, omdat ze er zo lang over deden om iets te leren. ‘Hun techniek is fantastisch, het lijkt wel ballet. Iedereen heeft het erover.’ Ze vermeldde niet dat vooral het feit dat ze volkomen synchroon zwommen de aandacht trok. In het afgelopen jaar had ze geleerd dat Bryony de voorkeur gaf aan een opgeschoonde versie van het dagelijks leven van haar kinderen.

‘Mogen we meteen in het zwembad als we er zijn, Ali?’ vroeg Hector.

‘Ali moet eerst even bijkomen,’ zei Bryony ferm, terwijl ze een bericht op haar BlackBerry verwerkte. ‘Reizen is altijd zo vermoeiend. Ik heb dagen nodig om bij te komen.’

Terwijl de reis nauwelijks minder stressvol had kunnen zijn. Nicks chauffeur, meneer Artouche, had hen bij een hangar naast Heathrow afgezet, waar een klein privévliegtuig, een zespersoons Hawker, op hen stond te wachten. Een NetJet-piloot had hen allemaal een hand gegeven en de tweeling aan het lachen gemaakt door Leicesters poot op en neer te schudden. Hun bagage werd vanuit de achterbak van de auto in de onderbuik van het vliegtuig gezet, en binnen tien minuten waren ze opgestegen. Geen wachtrijen om het geduld van ouders en kinderen op de proef te stellen, de stank van honderden paren verwijderde schoenen waarvan de eigenaren langzaam door de beveiligingscontroles werden gedreven was hen bespaard gebleven, en er was geen geruzie over stoelen bij het raam, want er was voor iedereen een stoel bij het raam.

Het spannendste van het hele ritueel was Leicester in zijn hondenharnas zien te krijgen voor het opstijgen. Nick en Bryony waren in een paar stoelen achter in de beige cocon met leren bekleding en suède muren gaan zitten, met Ali tegenover hen en de tweeling naast haar met Leicester, die jankte tijdens het opstijgen. De lunch – inclusief Leicesters roereieren – werd opgediend in bamboebakjes met houten bestek, een recente trend om de ecologische referenties van de luchtvaartmaatschappij te benadrukken, had de stewardess zonder een spoor van ironie uitgelegd.

Het grappige van Bryony was dat ze de tsunami’s van het leven zonder blikken of blozen het hoofd wist te bieden, maar de minste onvoorspelbare golfslag was haar al te veel. Toen Ali de splinternieuwe G-Wiz in de zijkant van een stilstaande bus had geboord, gaf Bryony nauwelijks een krimp; binnen een paar minuten nadat ze het nieuws had gehoord had ze de garage gebeld, thee gezet en de verzekering geregeld. In haar werk was ze volstrekt onverstoorbaar. Zodra ze echter merkte dat Jake met modderschoenen op de vloerbedekking van de zitkamer had gelopen of hoorde dat Izzy alweer een jas was kwijtgeraakt, was het huis te klein.

Toen Sophia Wilbraham liet merken dat ze wist dat de tweeling een eigen taaltje sprak, richtte Bryony een inquisitie in om de bron van die informatie te ontdekken, waarbij Ali als de hoofdverdachte het intensiefst werd ondervraagd. Uiteindelijk bleek dat de tweeling Leo een paar woordjes had geleerd. Ali probeerde Bryony ervan te overtuigen dat dit het losse draadje zou kunnen vormen om de relatie tussen Hector en Alfie voorzichtig te ontrafelen, maar Bryony zag het niet. Uiteindelijk liet ze zich pas vermurwen toen Ali vertelde dat ze had gehoord dat een andere nanny de dochter van Sophia Wilbraham halfnaakt op een bank had zien liggen met een jongen aan haar borst toen ze haar oppaskind van een feest kwam afhalen. Heel even was er serene rust te lezen geweest op Bryony's gezicht.

Bryony had de hele reis gewerkt aan een dikke envelop krantenknipsels over een retailklant die had aangekondigd dat hij op bankieren overstapte. Toen de deal die ochtend om acht uur was aangekondigd, waren de aandelen in de onderneming met vier procent gestegen.

Dat wist Ali omdat Bryony het grootste deel van de rit naar Heathrow met de CEO van het bedrijf aan de telefoon was geweest. Nu was ze in een opgewekte bui door de positieve persberichten en vast van plan om te ontspannen; ze daagde Nick uit voor een potje tennis die avond en beloofde de tweeling mee te nemen naar hun lievelingsrestaurant.

Ali keek met haar neus tegen het raam van de Landrover gedrukt naar de zee. Ze had graag het raampje omlaag gedraaid om de zon op haar gezicht te voelen, maar Hector was daar zojuist om berispt. In de verte zag ze de rotsige kust van Albanië in de nevel, maar het stralende turkooizen lint dat zich uitstrekte tussen de twee kustlijnen trok al haar aandacht. Ze had de Middellandse Zee nog nooit gezien. Ze zette haar zonnebril af en hapte naar adem.

De zee was zo glad dat hij bijna onecht leek, even strak als de gezichten van de Amerikaanse moeders op het schoolplein. De Noordzee was een onbetrouwbare vriend, met zijn voortdurende veranderende stromingen en stemmingen. De Middellandse Zee zag er vriendelijk en welwillend uit. Geen verborgen diepten, dacht Ali, en ze ontspande zich in de warme zonnestralen.

'Iemand heeft het hier ooit beschreven als een "samenzwering van licht, lucht, blauwe zee en cipressen",' zei Nick. 'En ik zou het niet beter kunnen zeggen.'

'Ik geloof dat het Lawrence Durrell was,' zei Bryony.

'Het is zo'n verbijsterende kleur,' zei Ali.

'Er zit geen fosfaat in de Middellandse Zee, zodat er geen phytoplankton is om het water te vertroebelen,' zei Nick met een blik op Ali in de spiegel van de neergeklapte zonneklep. 'Daarom is de kleur zo fel. Je moet een keer met zo'n boot met een glazen bodem meegaan. Er zitten allerlei soorten vis: lipvissen, zeebrasem, kardinaalbaarzen...'

Ali zag Bryony zijn blik vangen. 'Ali is hier om te werken,' stond erin te lezen. Ali vond het niet erg.

Nick had geen benul van het gecompliceerde doolhof van regels tussen haar en Bryony waardoor hij elke ochtend ongedeerd door huishoudelijke drama's naar zijn werk kon. Corfu vormde een onderbreking op de Londense routine, maar het was geen vakantie. Ze voelde zich zeker niet misbruikt. Nog minder sinds een salarisverhoging aan het begin van het nieuwe jaar, nadat er een nieuwe intrige van Sophia Wilbraham om Ali bij de Skinners weg te lokken aan het licht gekomen was.

'Ik zal Alfie en Hector een keertje meenemen,' beloofde ze Nick.

Bryony draaide zich om naar Ali en begon de logistieke arrangementen voor de komende drie weken uiteen te zetten. Ontbijt en avondeten werden altijd thuis genuttigd. Lunch was flexibel. Ali mocht zelf weten wat ze met de tweeling wilde doen. Ze kon naar een *taverna* op het strand wandelen of thuis lunchen, als ze dat maar voor tien uur 's ochtends liet weten aan Andromeda, de kokkin. In de haven lag een motorboot aangemeerd die ze overdag konden gebruiken, maar niet 's avonds, want in de vroege avonduren gingen ze graag per boot naar borrels bij vrienden en kennissen.

Bryony vertelde dat Ali 's avonds met Hector en Alfie zou eten; Izzy en Jake aten later op de avond met de rest van de familie mee. Izzy kwam over drie dagen met Hester, Rick en hun kinderen, bij wie ze momenteel logeerde in het noorden van Londen. Het gezin van haar zus zou tot het einde van de maand op Corfu blijven. Bryony zocht voor de zekerheid de precieze data nog eens op in haar BlackBerry, maar haar geheugen was feilloos.

'Hoe kan Hester dan zo lang vrij nemen?' viel Nick haar in de rede. Een van de weinige eigenschappen die hij met zijn schoonvader gemeen had, was een nauwelijks verhulde onverdraagzaamheid jegens iedereen die zij als lui beschouwden. Nick vond dat je, als je niet werkte, in elk geval aan een competitieve sport moest doen, of iets moest ondernemen om jezelf te verbeteren. Tot voor kort had Hester geen van beide gedaan.

'Ze is levenscoach,' zei Bryony.

'Het leven staat toch niet stil in de zomer!' zei Nick.

'Misschien hebben mensen het beter naar hun zin in de warmte,' zei Bryony. 'In de zomer is het al genoeg om te bestaan. Je hoeft geen plannen te maken. Vraag het alsjeblieft niet aan Hester. Daar komt alleen maar ruzie van.'

Nick zette zijn bekende preek in over hoe iemand die zo onstandvastig was als Hester onmogelijk andere mensen kon vertellen hoe ze moesten leven.

'Ze is zo tegendraads! Wat zij doet is altijd geweldig en wat iemand anders doet is altijd verkeerd. Weet je nog, toen ze ontdekte dat je vader in jouw bedrijf had geïnvesteerd? Maandenlang ging ze tekeer over kinderen die op de zak van hun ouders teren, en toen hij aanbood om haar honderdduizend pond te geven zodat ze hun huis in Stoke Newington konden kopen, was er ineens absoluut geen bezwaar meer tegen om hun geld aan te nemen. En god, wat maakte ze het jou lastig omdat je een werkende moeder was, tot ze besloot om zichzelf opnieuw uit te vinden als een soort idiote waarzegster.'

'Je hebt het wel over mijn zus, hoor,' zei Bryony zonder overtuiging. Ali kon niet zien of ze het met Nick eens was of verdere discussie wilde vermijden.

Ze keerde zich weer naar Ali en waarschuwde: 'Pas op dat Hester geen misbruik van je maakt. Ik stel de basisregels op, maar zij zal ongetwijfeld proberen om ze aan te passen.' Ali knikte, omdat ze niet wist wat ze moest zeggen.

Nick kwam tussenbeide. 'Hester slaat graag een hoge toon aan over ouders die hun nanny's meenemen op vakantie, en scheept ze vervolgens voortdurend met haar kinderen op. Het lijkt wel of ze elke dag op precies hetzelfde moment hoofdpijn krijgt.'

De leden van de familie waren het er allemaal over eens dat Hester 'lastig' was en Rick stond bekend als 'de sloof'. Eerst dacht Ali dat dat betekende dat hij saai was, maar in de afgelopen twaalf maanden had ze begrepen dat een sloof gewoon iemand was die andere idealen koesterde dan de rest van de familie. Hoewel Rick eerder werd bepaald door waar hij niet in geloofde (privéscholen, vierwielaandrijving, hondenbezit in Londen, skiën, designerkleding, huishoudelijke hulp, hypermarkten en zalmkwekerijen), dan waar hij wel in geloofde.

'Waarom is ze met hem getrouwd?' had Bryony ooit aan Nick gevraagd.

'Om wraak te nemen op jouw familie,' had Nick gekscherend gezegd.

Bryony ging verder met het bespreken van de organisatie. Jake was al in het huis met zijn vriendin, Lucy. Ze zweeg even alsof ze overwoog hoe deze nieuwkomer in de familieopstelling paste. Lucy's status bevond zich in een overgangsfase, sinds Jake had gevraagd of ze mee mocht op vakantie.

'Wat is het voor meisje?' vroeg Nick aan Ali. 'Jij hebt haar vaker gezien dan wij.'

'Wie?'

'Wat is Jakes vriendin voor meisje?' herhaalde Nick.

Een jaar geleden had Ali's beschrijving van Lucy wellicht een opsomming omvat van haar blauwe ogen, het blonde haar tot op haar middel en haar onberispelijke manieren, en misschien een discrete verwijzing naar haar ietwat bizarre, flirterige omgang met Foy. Nu wist ze dat de situatie slechts een korte samenvatting van haar maatschappelijke achtergrond vereiste.

'Ze lijkt heel aardig,' zei Ali. 'Haar vader is arts, neuroloog, meen ik, en haar moeder heeft een interieurwinkel.'

Als Nick in een beter humeur was geweest, had ze er misschien aan toegevoegd dat Lucy het soort meisje was dat de universiteit voornamelijk beschouwde als een jachtterrein voor een rijke echtgenoot en dat het misschien verstandig zou zijn om Jake voor haar bedoelingen te waarschuwen.

'Ze is een prima startersvriendin,' zei Bryony goedkeurend, 'hoewel de openbare blijken van genegenheid wel wat minder zouden kunnen, wat mij betreft. Ik hoop dat ze zich een beetje hebben ingehouden waar mam en pap bij waren.'

'Kunnen Thomas en Leo bij ons komen logeren op Corfu?' vroeg Alfie.

'Alleen als ze met hun nanny komen, niet met hun ouders,' grapte Bryony. 'Jij kent hun nanny toch goed, Ali?'

'Ja,' zei Ali behoedzaam, in de wetenschap dat Bryony weliswaar graag roddels hoorde over andere gezinnen, maar niet graag werd herinnerd aan de manier waarop die informatie verkregen werd. Ze zocht een gepast neutrale opmerking.

'Katya is heel hulpvaardig geweest,' zei ze.

'Ze is al jaren bij Sophia,' zei Bryony, alsof Ali dat misschien nog niet wist.

'Ze ziet er prachtig uit,' deed Nick een duit in het zakje. 'Ik weet niet of Foys hart het wel zou kunnen verdragen als zij in een bikini aan het zwembad zat.'

'Ze is heel mooi,' beaamde Bryony.

'Toen God de vrouw schiep, had hij Katya in gedachten,' zei Nick.

'Hmm,' zei Bryony vaag.

'Ze is ook een geweldige kok,' voegde Nick eraan toe.

'Hoe weet je dat allemaal?' vroeg Bryony.

'Van Ned,' zei Nick.

'Wanneer zie je die dan?' vroeg Bryony.

'Ik kom hem weleens tegen. Op straat,' zei Nick.

'Ze is ook heel goed met de kinderen, hè?' vroeg Bryony met een blik over haar schouder naar Ali.

'Ja,' zei Ali, al houdt ze meer van Thomas dan van Leo, dacht ze bij zichzelf.

'Wie is de echte mama van Thomas, Sophia of Katya?' vroeg Hector bedachtzaam.

'Sophia,' zeiden Bryony en Ali gelijktijdig.

'Waarom?' zei Alfie.

'Omdat zij hem in haar buik heeft laten groeien,' legde Bryony zorgvuldig uit. 'Zij houdt van hem en koestert hem het meest en zorgt dat hij genoeg kleren heeft en goed eet.'

'Katya geeft Thomas te eten en kleedt hem aan en neemt hem mee naar school,' zei Alfie. 'En als Sophia niet thuis is, slaapt hij bij haar in bed.'

'En ze geeft hem melk,' zei Hector.

'Ja, maar Sophia koopt het eten,' zei Bryony geïrriteerd.

'Katya doet de melk,' betwistte Hector, alsof melk het sacrament was waarmee moederschap werd overgedragen.

'Sophia is de mama,' zei Bryony ferm. Ze draaide een paar keer met haar tong in haar wang, een gebaar dat Ali was gaan herkennen als het teken dat Bryony nerveus was of haar geduld verloor.

'Ali,' zei Hector. 'Welk dier heeft volgens jou het rotste leven?'

'Een dier dat altijd vrij is geweest en dan zijn vrijheid kwijtraakt,' opperde Ali.

'Zoals een jonge studente die in Londen komt werken als nanny bij veeleisende werkende ouders met vier lastige kinderen,' zei Nick gekscherend.

'Ik dacht eerder aan een leeuw die gevangen wordt en bij een circus terechtkomt,' zei Ali opgewekt. In feite voelde ze zich bij de Skinners vrijer dan ooit tevoren, voornamelijk omdat ze niet meer hoefde te voldoen aan de eisen van haar ouders als er weer eens een noodgeval was met haar zus.

'Een Griekse kat,' bood Nick.

'Een Zuid-Koreaanse hond,' suggereerde Bryony.

'Jullie hebben het allemaal fout,' zei Alfie triomfantelijk.

'Een lintworm,' zei de tweeling gelijktijdig, 'want die leeft in je poep en hij kan alleen door je billen naar buiten!' Ze giechelden uitgelaten.

'Ik denk niet dat een lintworm als dier geldt, is het wel, Ali?' vroeg Nick.

'Het is een geleedpotige, wat betekent dat hij een skelet aan de buitenkant heeft,' legde Ali aan de tweeling uit. 'Maar hij maakt wel deel uit van het dierenrijk.'

'Als ik een lintworm had, zou ik hem dan als huisdier kunnen houden?' vroeg Hector.

Langzaam kronkelde de Landrover weer een bocht om. Deze was zo scherp dat de chauffeur hem in drie keer moest nemen. Leicester werd wakker en sprong bij Bryony op schoot, wierp een blik uit het raam en keek prompt weer naar Bryony, alsof hij zich afvroeg wat haar in godsnaam bezielde om hem hierheen te brengen. Hij begon te beven.

'Kun je de airconditioning lager zetten voor Leicester?' vroeg Bryony. 'Volgens mij heeft hij het koud.'
Ali stak haar hand uit om hem te aaien maar hij stootte een laag gegrom van chagrijnige afkeuring uit.
'Jezus, hadden we hem niet met Malea naar de Filipijnen kunnen sturen?' vroeg Nick.
'Te vochtig,' zei Bryony, alsof het wel een optie was geweest. 'Afijn, hoe ziet jouw week eruit?'
Ze stopte haar BlackBerry weg en kriebelde Leicester achter zijn oren. Dit was het teken voor Ali om weer naar de achtergrond te verdwijnen. De eerste zes maanden had ze de signalen nog weleens gemist, maar tegenwoordig betrad en verliet ze het toneel even behendig en tijdig als een speerwerper na een paar seizoenen bij de Royal Shakespeare Company. In het begin had ze zich afgewezen gevoeld als Nick en Bryony tegen elkaar praatten alsof zij er niet bij was. Nu zag ze het als een bewijs van hun vertrouwen in haar discretie.
'Niet best,' zei Nick, en hij rekte zijn nek om Bryony in de stoel achter hem te kunnen aankijken. 'Hoewel een paar van mijn collega's waarschijnlijk blij zijn dat ze me even kwijt zijn.'
'Waarom?' vroeg ze.
'Ze denken dat ik geen lef meer heb,' zei Nick met een glimlach die snel vervaagde. 'Waar ik een aanstaande ramp zie, zien zij nieuwe kansen.'
'Niemand hoort graag slecht nieuws; mensen willen gewoon doorgaan met wat ze kennen,' zei Bryony geruststellend. 'Dat is de aard van het beestje.'
'Elke vijf jaar gaat er iets mis,' zei Nick. 'Ik herinner ze eraan dat ik erbij was toen de Japanse huizenbubbel barstte, toen de peso instortte, toen de roebel gedevalueerd werd, en toen de internetbubbel barstte. Weet je wat een van de jongens zei?'
Bryony schudde haar hoofd. 'Vertel,' zei ze.
'Hij zei dat ik zo oud was, dat ik me de Nederlandse tulpenmanie vast nog wel kon herinneren,' zei Nick. 'Dat was in de zeventiende eeuw!'
'Dat is best grappig,' zei Bryony.
'Hij bedoelde dat ik mijn grip kwijt ben,' zei Nick. 'Ik vertel ze dat ze de CDO-machine moeten vertragen of in elk geval elke deal moeten verzekeren tegen verlies, en zij willen de boel juist opvoeren. Sukkels.

Bij Goldman hebben ze eind vorig jaar al hun hypotheekposities verkocht en wedden ze op een crash. Hedgefunds gaan short op investeringsbanken die te veel geld hebben uitstaan. Ze wedden dat hun aandelenprijzen gaan zakken.'

'Je zei toch dat de winst van Lehman Brothers in het tweede kwartaal met zevenentwintig procent gestegen was?' protesteerde Bryony.

'Dat zat allemaal in M&A, fusies en consolidaties,' zei Nick. 'Fixed Income is veertien procent in waarde gedaald.'

'Hank Paulson zei gisteren dat volatiliteit op de markt nu eenmaal een gegeven is, en dat de kredietcrisis even door het systeem moet trekken,' zei Bryony. 'Als de Amerikaanse minister van Financiën zoiets zegt, komt het vast allemaal wel goed. En dan zijn jullie de slimme jongens die het goed gezien hadden. Misschien reageert de markt gewoon overdreven?'

'Kijk naar de feiten, Bryony,' zei Nick. 'Accredited Home Lenders gaat over de kop. New Century heeft uitstel van betaling aangevraagd. Bear Stearns heeft twee van zijn hedgefondsen moeten redden. Moody's en Standard & Poor's verlagen de kredietratings op de obligaties achter de subprime-hypotheken. De enige verrassing is dat ze het niet al veel eerder hebben gedaan, omdat de huizenmarkt in de VS midden in de snelste wanbetalingscyclus ooit zit. Als de prijs van obligaties en leningen zakt, moet je je toch afvragen of er soms een weersverandering aan zit te komen, lijkt je niet?'

'Maar nu nog niet,' zei Bryony terwijl ze zachtjes zijn wang streelde. 'Zolang iedereen zich goed houdt, komt het ook goed. Bij ons was de vaart ook uit de M&A's en nu komen er weer een paar deals mijn kant op.'

'Ik heb zo'n mazzel dat ik getrouwd ben met een vrouw die begrijpt wat ik doe,' mijmerde Nick terwijl hij zich naar Ali omkeerde, alsof hij zich ineens weer bewust werd van haar aanwezigheid. 'Niemand anders begrijpt dat.' Zijn rechterwang was rood door de warmte van Bryony's hand.

Ali was gefascineerd door dit gesprek. Ze zag Bryony en Nick zelden samen. Ze waren bijna nooit tegelijkertijd thuis en als dat wel het geval was, betekende het dat ze uitgingen of mensen te eten kregen. Soms vroeg ze zich af of hun relatie alleen bestond als er publiek was.

In de tijd dat zij in Holland Park Crescent woonde, had ze hen zelden samen zien eten, hoewel ze soms zag dat Bryony met Jake en Izzy aan tafel ging, vooral sinds de zorgen over het afvallen van Izzy. Trouw aan haar belofte was Izzy na de kerstborrel op dieet gegaan, met dezelfde ijver die ze eerder had geïnvesteerd in overeten, en was allerlei etenswaren gaan vermijden tot alleen gestoomde groenten overbleven.

Ali's eigen ouders kregen daarentegen zelden bezoek en aten elke avond om zes uur samen. Waar praatten zij over? Ali probeerde het zich te herinneren. Het ging heel vaak over afnemende krabstanden. De vissers weten het aan overbevissen, de deskundigen aan klimaatverandering, 'want dan hoeft niemand er iets aan te doen,' zei haar vader dan verbitterd. Of het goed was dat het krabseizoen verlengd werd tot december. Ze praatten veel over geld. Soms praatten haar ouders over Jo. Een vriend van haar vader had haar in Norwich gezien. Ze had gebeld om te zeggen dat ze langskwam en was niet komen opdagen. Ze overwoog om een poosje in het buitenland te gaan wonen.

'Deze vakantie geeft je een nieuw perspectief. Je verzint wel iets. Dat doe je altijd. Daarom staan die headhunters altijd voor de deur. Nick Skinner weet altijd precies waar de volgende klapper valt,' zei Bryony.

'Misschien moet ik er nu uit stappen?' zei Nick op gekscherende toon, die desondanks suggereerde dat hij het idee niet voor het eerst ter sprake bracht.

'Je bent te jong om nu al bijen te gaan houden,' zei Bryony kortaf. 'Kijk deze maar eens even door.' Ze haalde makelaarsbrochures tevoorschijn van een paar huizen in Oxfordshire, de streek waar Foy was opgegroeid. 'Ik ben helemaal weg van dit huis. Thornberry. Er moet veel aan gedaan worden, maar er zit zestien hectare grond bij en een zwembad. Het zou fantastisch zijn om je te ontspannen in de weekenden.'

'Ziet er geweldig uit,' zei Nick, het enorme jakobijnse landhuis nauwelijks een blik waardig keurend.

'Weet je, ik denk echt dat Sophia moet overwegen om een andere nanny te nemen,' zei Bryony. 'Het compliceert de gezinsverhoudingen als ze langer dan vier jaar blijven.'

'Vergeet het platteland, ik denk echt dat wij moeten overwegen om hier een eigen huis te nemen,' zei Nick toen de auto de lange oprijlaan van Villa Ichthys in draaide. 'Ik weet niet zeker of ik een week met Foy in Villa Vis wel trek.'

'Nog één goed jaar, en we doen het allebei,' zei Bryony; zijn flauwe vertaling van de naam van haar vaders huis negeerde ze.

'Welkom in Chateau Chesterton,' zei Foy uitbundig, en hij dreef iedereen het huis binnen door een imposante achttiende-eeuwse deur die de toegang vormde tot de originele olijfpers. Hij deed de eikenhouten deur achter hen dicht, zodat de schelle liefdesliederen van de mannelijke cicaden ineens stilvielen.

Met haar ene hand op een eenvoudige ronde houten tafel stond Tita bleek en statig in de gang. Ze stak een wang naar voren om gekust te worden en stond eerst Nick en toen Bryony toe zich te buigen naar het poederige oppervlak. Ze bukte zich niet naar de tweeling, maar liet zich door hen de hand kussen, wat ze zwierig deden, gecharmeerd door de nieuwigheid. Ze droeg een eenvoudige witte broek en een zijden kaftan met Liberty-print die ze met kerst van Bryony had gekregen.

'Hallo, papa,' zei Bryony toen ze Foy omhelsde. Hij zag er even bruin en hard gebakken uit als de aarde in de bloembedden langs de oprijlaan naar het huis.

Hector holde op hem af en zei: 'Je ziet eruit als een hagedis!'

'En jij ziet eruit als een wandelende tak, en hagedissen vinden wandelende takken heerlijk,' zei Foy en hij begroef zijn neus in Hectors hals.

Hij zette een stap achteruit en zei bewonderend tegen zijn oudste dochter: 'Jij ziet er daarentegen prachtig uit.' Haar telefoon ging. 'Zet dat rotding toch uit. Je bent op vakantie.'

'Ik ben een heel grote deal aan het afronden,' zei Bryony met een blik op het nummer. 'Het is Felix maar. Ik bel hem later wel terug.' Ali verwachtte dat Foy vragen zou stellen over de deal, de naam van haar klant, de krant die er de meeste kolommen aan had besteed. 'Het is de grootste overname van het jaar,' zei Bryony hoopvol. Foy hapte niet.

'Alles goed in de grote stad?' vroeg hij aan Nick. 'Nog steeds met de papierwinkel in de weer?'

Nick trok een gezicht.

'Wat levert dat nou uiteindelijk voor concreets op?'

'Ik zal beslist niet kunnen beweren dat ik het gewone volk heb laten kennismaken met gerookte zalm,' zei Nick vriendelijk. 'Maar op mijn eigen bescheiden manier heb ik er wel voor gezorgd dat miljoenen mensen hun eigen huis konden kopen.'

'Dat deed Thatcher een kwart eeuw geleden al,' zei Foy.

'Dan zijn we haar een heleboel dank verschuldigd,' zei Nick.

Bryony schonk hem een dankbare blik. Op eigen terrein kon Foy onuitstaanbaar zijn.

'Ik dacht dat we vanavond maar eenvoudig moesten eten om onszelf te sparen voor de feestelijkheden van morgen, als Hester en Rick er zijn,' zei Tita, die recht naar de deur keek, al was die nu dicht. Ze sprak Ricks naam uit alsof ze een sinaasappelpit uitspuugde. 'Dat vinden jullie toch niet erg...?' Haar stem stierf weg.

'Klinkt prima,' zei Nick vriendelijk.

Bryony's aandacht verplaatste zich snel naar Jake, die de gang binnenwandelde in een ruime zwembermuda bedrukt met onwaarschijnlijk felle anemonen. Zijn arm lag om Lucy heen en ze hadden samen één handdoek om hun schouders. Bryony omhelsde hem.

'Je lijkt wel een stuk mahoniehout,' plaagde ze hem met een klopje op zijn stevige, gepolijste borstkas. Vervolgens gaf ze Lucy een kus op elke wang. Lucy en Jake lieten elkaars hand niet los.

'Ze zijn met elkaar verkleefd,' grapte Foy. 'We hebben de een nog niet zonder de ander gezien. 's Morgens komen ze tegelijkertijd uit hun onderkomen tevoorschijn en 's avonds duiken ze er samen weer in.' Iedereen lachte. Lucy had een sarong om haar heupen geknoopt en ze deden allemaal hun best om niet naar haar witte bikinitopje te kijken.

'Zullen we weer naar het zwembad gaan, Lucy?' vroeg Jake.

'Ik hoopte dat je Ali even wegwijs zou willen maken,' opperde Bryony. Jake trok een gezicht.

'Hector en Alfie vinden dat vast minder vervelend dan ik,' zei hij.

'Wij willen in het zwembad,' protesteerden die.

'Als je me even op weg helpt, red ik me vast wel,' zei Ali onhandig. Tot haar verrassing bood Tita aan om haar rond te leiden.

'Ik ben lid van de Mediterranean Garden Society,' zei Tita toen ze Ali voorging de tuin in. 'En ik heb geprobeerd om me zo veel mogelijk te beperken tot inheemse planten. Chinese winterjasmijn is mijn enige zwak, die ruikt zo verrukkelijk.' Ze wees naar de voorkant van het huis waar de jasmijn de hele rechterkant bedekte en de omgeving van de deur vulde met zijn zware, zoete geur. Tita sloot haar ogen en snoof de geur diep in. Het was een vreemd ongekunsteld gebaar van een vrouw wier persoonlijkheid bepaald werd door wat ze niet prijsgaf. Uit beleefdheid deed Ali hetzelfde, met één oog open om er zeker van te zijn dat Tita niet op haar stond te wachten.

Ali begreep meteen dat Foy dan misschien meer over Villa Ichthys praatte dan iedereen, maar dat de ziel van het huis aan Tita toebehoorde. Het verbaasde haar, omdat Tita het nog minder vaak over Corfu had dan Nick. Wellicht was haar zwijgzaamheid een manier om de relatie geheim te houden. De beste liefdesverhoudingen waren clandestien, dacht Ali weemoedig.

Tita sprak over de planten alsof het oude vrienden waren, 'de oleanders, mijn lieve maagdenpalm, zoete aardbeiboom, stoïcijnse salie,' en af en toe raakte ze even een blad of een bloem aan. Verder zei ze niet veel, iets wat Ali waardeerde, omdat ze zo haar eigen relatie met het landschap kon vormen.

'Jasmijn wordt in de ayurvedische geneeskunst gebruikt om de zenuwen te kalmeren en spanningen weg te nemen,' zei Tita. 'Als Hector en Alfie dus lastig zijn en je er even uit moet, kun je je hier komen ontspannen. Ik heb het ook rond het terras bij het zwembad geplant, maar daar is het altijd zo druk... Ga naar de bank voor het huis. Niemand denkt er ooit aan om daar te gaan zitten.'

Haar zin vervloog en Ali wist weer niet zeker of ze uitgepraat was. Ze deed haar mond open om iets te zeggen, maar Tita ging verder: 'Je zou het zo niet zeggen, maar jasmijn is verwant aan de olijf. Ze zijn allebei lid van de familie der Oleaceae. Net als forsythia, seringen en liguster.'

'Tot vandaag had ik nog nooit een olijfboom gezien,' zei Ali.

'Je zult er hier nog heel wat tegenkomen,' zei Tita. 'Sommige bomen staan hier al sinds de twaalfde eeuw. Tijdens de bezetting van Corfu door de Feniciërs werden de mensen betaald voor elke olijfboom die ze plantten. De Corfioten mochten zelfs hun belastingen in olijfolie betalen.'

Tita stond even stil om de indeling van de tuin te beschrijven. Even dreigde Ali zich schuldig te voelen, omdat ze haar in de middaghitte uit de relatieve koelte van het huis haalde, maar algauw besefte ze dat de rondleiding voor Tita's genoegen plaatsvond, niet voor dat van haar. Tita liep verder. Er stond een groepje sinaasappelbomen achter het huis, verder van het zwembad. De vruchten werden dagelijks geplukt en geperst om sap te maken. Links van het huis was een grote, met wijnranken overdekte binnenhof waar de meeste maaltijden genuttigd werden. Voor het huis lag een formeler terras en een parterre met een spiegelend beeldhouwwerk van Barbara Hepworth in het midden.

'Ze is hier komen logeren nadat het geplaatst was,' vertelde Tita. 'Net voor haar dood.'

'Dit heb ik al eens eerder gezien,' zei Ali.

Ze realiseerde zich dat ze bij een bezoek met de tweeling bij Tita en Foy thuis een tijd had staan kijken naar een groot tuinontwerp, dat ingelijst aan de muur hing. Het was getekend in zwarte inkt, met kleine symbolen die de verschillende planten en struiken aangaven.

'Jij ziet ook alles, hè,' zei Tita. Een stelling, geen vraag, besloot Ali snel. 'Ik heb het allemaal zelf ontworpen, en Christos de tuinman heeft mijn instructies uitgevoerd. We hebben veertienduizend kubieke meter grond van een ander deel van het eiland moeten halen om de wortels te laten groeien. Planten moeten zeker zijn van de grond onder hun voeten om goed te gedijen. Net als mensen, eigenlijk.'

'Het is erg mooi,' zei Ali, ineens dorstig.

'Ben jij zeker van de grond onder je voeten?' vroeg Tita. 'Ik dacht altijd dat ik dat was, maar tegenwoordig ben ik er niet meer zo van overtuigd. Misschien omdat ik elke dag een beetje verder uit elkaar val.' Ze lachte.

'Een tuin is een waardevol erfgoed,' zei Ali, blij dat ze nu eens de juiste woorden had gevonden.

'Het heeft jaren gekost,' zei Tita. Ze keek over Ali's hoofd heen naar de zee in de verte. 'Voordat Foy met pensioen ging, kwam ik hier vaak alleen.'

'Dan moet het fijn voor u zijn om hier nu vaker samen te zijn,' zei Ali. Terwijl ze het zei, wist ze al dat het niet waar was.

'Zoals je je kunt voorstellen, is Foy niet erg goed in prutsen,' zei Tita met een vage glimlach. 'Jij weet toch iets van tuinieren?'

Ali kon zich niet herinneren dat Tita haar ooit ergens naar had gevraagd en wist van verlegenheid niet meteen antwoord te geven. 'Ik heb je in Londen uitgebloeide rozen zien verwijderen.'

'Mijn moeder tuiniert,' murmelde Ali. 'Het valt niet mee bij de zee. Het zout en het zand maken het moeilijk.' Tita negeerde haar antwoord.

'*Lavandula pinnata*, ziet er prachtig uit maar ruikt nergens naar,' zei Tita bedachtzaam tegen een andere plant. 'Een plant zonder inhoud. Lijkt wel wat op Lucy.'

Ze wandelden zwijgend langs een kronkelend pad geflankeerd door olijfbomen met cipressenkruid ervoor. Elke stap bracht hen dichter bij de zee. Onder aan het pad verbreedde het landschap zich, bij een zwembad met uitzicht op zee.

Het bad was enorm en aangenaam asymmetrisch. Aan de ene kant, ingebouwd in de oorspronkelijke terrassen, klaterden een paar kunstmatige watervallen. Het bad was kobaltblauw geschilderd, zodat het paste bij de Ionische Zee. In het midden was een overdekt paviljoen met een grote marmeren tafel, waar geluncht kon worden.

'Het is een zoutwaterbad,' vertelde Tita. 'De watervallen overstemmen het geluid van het verkeer op de weg beneden. In de zomer kan het aardig druk worden.'

'Nick zei al iets over de auto's,' zei Ali.

'En waarschijnlijk nergens anders over,' mompelde Tita. 'Hij verzet zich tegen de lokroep van Corfu. Dat is waarschijnlijk Foys schuld. Zoals de meeste dingen.'

'Wat is dat?' vroeg Ali, wijzend naar een gebouwtje rechts van het zwembad, in dezelfde stijl gebouwd als het grote huis.

'De kleedkamers,' zei Tita met een achteloos handgebaar. 'Daar kom ik nooit.'

Tita ging aan de tafel zitten. Ze legde haar handpalmen op het gladde marmeren blad. Haar handen waren breed, heel anders dan die van Bryony. Ze waren aan het verkrampen met de eerste aanzet van artritis en hun knokige verschijning deed Ali denken aan de kronkelhazelaar bij haar moeder in de tuin. Tita staarde zwijgend naar de zee. Ze legde uit dat Ali's slaapkamer zich in de aanbouw bevond, aan de kant van het gebouw dat de oorspronkelijke olijfpers herbergde. Op de derde verdieping, tegenover de tweeling. Haar stem daalde tot een gefluister.

'Ga nu maar terug naar het huis,' droeg ze haar op.

'Kan ik wat water voor u halen?' vroeg Ali.

'Ik zit hier prima,' zei Tita en ze glimlachte naar haar. Haar gezicht lichtte op in de late middagzon die langs de hemel kroop en even vroeg Ali zich af of ze niet, in de stijl van Chagall, de ruimte in zou zweven.

Ali hoorde stemmen van het olijfbomenpad komen en besloot naar het huis terug te lopen via de route die Tita haar had gewezen, door het groepje sinaasappelbomen. De voordeur stond nog open en de hal met zijn stenen tegels was heerlijk koel. Aan de linkerkant was een kleine vestibule waar hele bundels hoeden, tennisrackets en wandelstokken aan oude eiken kapstokken hingen. Ali ging naar binnen, dronk dorstig uit de kraan en plensde wat water in haar gezicht.

Ze liep langs een zitkamer en zag door een half openstaande deur dat Nick aan de telefoon was. Het was een ouderwetse telefoon, aan een draad, wat betekende dat hij niet zoals gewoonlijk heen en weer kon ijsberen door de kamer. Dus zat hij op de witte bank zijn benen over elkaar te slaan en weer van elkaar te halen. Hij was iemand instructies aan het geven.

'We moeten het tegen dinsdag op gang hebben,' herhaalde hij een paar keer in de hoorn. 'Dinsdag, niet donderdag, anders zijn we te laat. Heb je dat, Ned?'

Ze werkten zeker samen aan een deal, dacht Ali, toen Nick met de punt van zijn voet zachtjes de deur dichtduwde.

12

Ali zat op het terras aan het ontbijt met Hector en Alfie. Ze hadden erop gestaan dat ze bij hen aan het uiteinde van de enorme marmeren tafel midden in het openluchtpaviljoen kwam zitten, al was daar niet gedekt en stond al het eten in een pittoreske halve kring van manden en aardewerken kommen aan het andere eind.

Het was een gril die Bryony zou irriteren als ze verscheen, want ze zou het beschouwen als een onderdeel van Hectors en Alfies verlangen om zich van alle anderen te onderscheiden. Het feit dat Ali niet alleen door hen uitgenodigd was, maar zelfs was gevraagd om tussen hen in te komen zitten, zou ook met argwaan worden bezien, alsof zij hun excentrieke gedrag goedkeurde. Maar Bryony scheen nooit voor elf uur buiten te komen en het was te heet om in discussie te gaan, dus zaten ze keurig op een rij, hun dijen gezellig tegen elkaar geplakt met een stroperige lijm van zonnebrandcrème en zweet.

Ze zaten tegenover de deur die vanaf het terras het huis in leidde, alsof ze het meer voor de hand liggende spectaculaire uitzicht op zee opzettelijk negeerden. Hector en Alfie pakten ieder een croissant en een chocoladebroodje uit het mandje dat de bejaarde Griekse huishoudster vanaf het andere eind van de tafel meebracht. Ze namen om beurten een hap uit het ene broodje en daarna uit het andere, hun bewegingen even ritmisch als een metronoom. Ali woelde door hun haar en legde een arm om elk paar schoudertjes, en ze nestelden zich tegen haar ribbenkast.

'Wat zullen we vandaag eens gaan doen?' vroeg ze.

'*Palanguyan*,' zei Hector onmiddellijk.

'Ja,' beaamde Alfie. 'Palanguyan.'

'Het zwembad dus,' bevestigde Ali, die een lijst van meer dan honderd woorden en zinnen had samengesteld voor de onderwijspsycholoog die ze vorige maand hadden bezocht. Ze reikten allebei naar hun glas sinaasappelsap. Ali probeerde het patroon te doorbreken door Alfies arm vast te houden, terwijl Hector zijn best deed om zijn kleine vingertjes om het glas heen te strekken. Maar Alfie, toch meestal de meegaandste van de twee, schudde haar ruw van zich af en mompelde iets onverstaanbaars tegen zijn broer.

'Probeer alsjeblieft om dingen op verschillende momenten te doen, niet tegelijkertijd,' smeekte Ali.

'Waarom?' zei Alfie.

'Omdat mama dat vervelend vindt,' zei Ali, voorzichtig haar woorden kiezend. 'Ze maakt zich ongerust dat jullie anders zijn dan andere mensen als jullie alles tegelijk blijven doen als jullie ouder worden.'

'We zijn ook anders dan andere mensen,' protesteerde Hector.

'We zijn genetische klonen,' beaamde Alfie, met de woorden die hij de onderwijspsycholoog had horen gebruiken.

'Ze wil dat jullie leren om dingen alleen te doen, omdat jullie op een dag een meisje zullen ontmoeten en verliefd worden en dan moeten jullie ook leren om niet meer bij elkaar te wonen,' legde Ali uit.

'Wij worden later verliefd op hetzelfde meisje,' zei Alfie nadrukkelijk.

'En we gaan in hetzelfde huis wonen,' zei Hector.

'Misschien trouwen we wel met jou,' voegde Hector eraan toe.

'Dan ga je nooit meer bij ons weg,' zei Alfie, en hij leunde achterover in zijn stoel alsof hij een ingewikkeld raadsel had opgelost.

'Ik ga voorlopig nergens heen,' stelde Ali hen gerust, 'en hoe meer jullie afzonderlijk doen, hoe langer ik zal kunnen blijven.'

Ali had onlangs een zorgvuldig verwoorde e-mail gestuurd aan haar mentor om hem te vragen haar plaats aan de universiteit nog een jaar op te schorten. Ze had blijvende insolventie aangevoerd en de kans om genoeg te verdienen om zonder enige schuld af te studeren. Will MacDonald had meteen een e-mail teruggestuurd waarin hij haar verzoek toekende. Het leek een eenvoudige overeenkomst. De waarheid was echter even verdraaid en verwikkeld als de wilde frambozenplanten die Tita onder het terras kweekte.

Katya, duidelijk wantrouwig, had Ali stevig aan de tand gevoeld toen ze Thomas en Leo bracht om bij de tweeling te komen spelen. Ze hadden in de speelkamer zitten praten, terwijl de kinderen televisiekeken. Ali legde Katya uit dat ze bij de Skinners wilde blijven, omdat het leven met hen leuker was dan het leven zonder hen. Ze was te gehecht geraakt aan Hector en Alfie om ineens te vertrekken. Bryony had haar nodig. En ze wilde niet weer betrokken raken bij de problemen van haar zus.

Ze vertelde Katya dat ze Bryony aan de telefoon tegen iemand had horen zeggen dat ze haar leven niet kon regelen zonder Ali. Katya merkte op dat de Skinners zich prima hadden gered voordat Ali kwam, en dat waarschijnlijk ook na haar vertrek wel zouden doen.

Ali wuifde Katya's opmerking weg als jaloezie. Misschien aasde ze zelfs op Ali's baan. Onder de nanny's was de consensus dat Ali het neusje van de zalm te pakken had, maar de geloofsbrieven ontbeerde om zich de rechtmatige eigenaar te mogen noemen. Toen had Katya haar omhelsd en gezegd dat ze blij was dat Ali bleef, maar zeker wilde weten dat ze het om de juiste redenen deed.

'Je moet je leven niet via een andere familie willen leven,' waarschuwde Katya.

'Dat doe jij toch ook,' sprak Ali haar tegen.

'Omdat ik geen keus heb,' zei Katya.

'Nou, dit is mijn keus,' zei Ali.

Ali had Katya graag de waarheid willen vertellen, maar ze was bang dat het haar besluit zou ondermijnen. Bovendien was ze er vrij zeker van dat Katya haar eigen geheimen had en haar dit leugentje wel zou vergeven. Dus vertelde ze niets over de door begeerte gedreven, gejaagde omhelzingen in het pikkedonker van de achterbank van Will MacDonalds Volvo-stationwagen na het oppassen op zijn kinderen. Ze had nog nooit iemand over die relatie verteld, zelfs Rosa niet, niet omdat ze hun afkeuring vreesde, maar omdat ze de relatie zelf niet overtuigend vond. Het versterkte Ali's gevoel dat ze een toeschouwer was in het leven, niet iemand die haar eigen lot in handen had.

Ali dacht terug aan het onverwachte begin van de verhouding. Het ene moment zat ze in de passagiersstoel van de auto van haar mentor te bespreken of *Tristam Shandy* de eerste postmoderne roman was, het volgende moment zette hij de auto langs de weg, bekende dat hij nooit verder was gekomen dan hoofdstuk drie en kuste haar kuis op de lippen. Zonder waarschuwing. Zonder inleiding. Tot op dat moment had ze zelfs nooit gefantaseerd over Will MacDonald. Ali wist nog dat ze 'Ik ben een homunculus' had gedacht, terwijl ze hem met open ogen terug zoende. Daarop volgde een minder ordentelijke kus, die zo lang duurde dat Ali de volgende dag spierpijn in haar wangen had.

Ook vertelde ze niet dat hij de kinderzitjes zorgvuldig in de kofferbak zette om plaats te maken op de achterbank, of dat hij babydoekjes gebruikte om het sperma van haar dijen en zijn buik te vegen. Ze vermeldde niet dat ze wel geloofde in Wills lustige begeerte voor haar, maar niet in haar begeerte voor hem, wat betekende dat ze vaak een vreemde afstand voelde tot de seksuele daad. Alsof ze zowel uitvoerend kunstenaar als criticus was. Evenmin beschreef ze hoe de eerste opwinding van ongeoorloofde aantrekkingskracht was ontaard in een zure mengeling van hartstocht en schuldgevoel, totdat schuldgevoel het enige was wat er overbleef.

Hij had geprobeerd haar te overreden om te blijven. Zijn relatie met zijn vrouw was zo koud als permafrost. Ze waren al jaren niet meer gelukkig samen; ze hadden geen seks meer; ze begreep hem niet. Het klonk allemaal zo passief, dacht Ali, die zich huwelijkse disharmonie als een dramatisch gebeuren voorstelde waarbij met borden gesmeten werd. De dag nadat hij had gezegd dat hij zijn vrouw misschien voor haar zou verlaten, had Ali de advertentie uit *The Spectator* geknipt. Misschien verschilde ze niet zo heel veel van haar zus: in een crisissituatie namen ze allebei de benen.

'Wist jij dat wij van hetzelfde ei gemaakt zijn, Ali?' vroeg Alfie gewichtig.

'En eidooiers kun je niet scheiden,' zei Hector.

'Op een dag zullen jullie je eigen weg moeten gaan,' zei Ali beslist.

'Op een dag,' gaf Alfie toe.

'Maar niet vandaag,' zei Hector onvermurwbaar.

Ali keek omlaag en zag dat ze allebei haar arm vastgrepen. Ze boog zich voorover om ze allebei een kus te geven, maar het was slechts een excuus om het kratertje onder aan hun nek te besnuffelen. Waarom had niemand haar ooit verteld hoe heerlijk zoet kleine kinderen ruiken? Het was de geur van onschuld, voordat het verraderlijke hormonenspoor werd aangelegd.

Ze streelde zachtjes hun haar langs het randje waar hun nek zichtbaar werd, zich ervan bewust dat zij nu haar bewegingen synchroniseerde met die van hen. Ze herinnerde zich dat hun onderwijzeres haar net voor de vakantie apart had genomen om haar over een nieuw incident op het speelplein te vertellen. Hector was in zijn arm gebeten. Haar opluchting dat Hector deze keer het slachtoffer was in plaats van de dader werd onmiddellijk getemperd toen de onderwijzeres vertelde dat Alfie onverwacht in huilen was uitgebarsten en over zijn arm was gaan wrijven, ook al was hij binnen aan het lezen met een leesjuf. Ali kon zich er niet toe brengen om Bryony te vertellen dat de jongetjes volgens hun onderwijzeres elkaars pijn voelden. Het zou het respijt dat zij had weten te bedingen, om ze het volgend jaar samen in dezelfde klas te laten zitten, in gevaar kunnen brengen.

Bryony zag de bekoring van hun relatie niet. Ze vond hun gehechtheid griezelig en verweet zichzelf dat ze het had verergerd door buitenshuis te blijven werken. In Ali's ogen was het de zuiverste vorm van liefde die ze ooit had gezien. Het omvatte wederzijdse steun, begrip, empathie, edelmoedigheid. Ze deelden alles, ze maakten vrijwel nooit ruzie en ze stonden altijd voor elkaar klaar.

'Als je hem pijn doet, doe je mij pijn,' zei Alfie tegen de jongen die zich had gespecialiseerd in het treiteren van Hector.

Ooit had Ali eenzelfde soort relatie gehad met haar zus. Nu was het moeilijk te geloven dat Jo vroeger de filter was voor al Ali's onzekerheden. Waarom beschouwde haar moeder de zee als een rivale voor haar vaders genegenheid? Waarom viel Jo alleen op de vriendjes van andere meisjes? Waarom vond zij niet dat de lucht in Cromer lekkerder rook dan overal waar ze ooit was geweest? Maar toen kwamen de drugs, de psychoses en de moeizame tocht naar herstel en de teleurstelling van de terugval; het meisje dat zij kende, veranderde in heel iemand anders en hun relatie liep scheef en werd een relatie waar de een te veel om gaf en de ander helemaal niets. Ze was vastbesloten om te vermijden dat de band tussen Hector en Alfie voortijdig verbroken zou worden.

Ali ademde diep in. De bedwelmende, zoete jasmijn die tegen de zuilen van het openluchtpaviljoen groeide en de sterke geur van vis uit de rijstschotel die Andromeda zojuist op een dienblad naar de tafel had gebracht, maakten haar misselijk.

Ze roerde door het gele rijstmengsel en diepte hardgekookt ei, paddenstoelen, gerookte schelvis en een sterke kerriegeur op. 'Wat is dit?' vroeg ze.

'Dat is *kedgeree*,' zei een stem vanaf het lagergelegen terras. Nick verscheen in een druipende zwembroek, *The Economist* onder zijn arm. Toen hij Ali zag, wikkelde hij een handdoek om zijn middel en trok zijn buik in. Hector en Alfie renden naar hem toe en stortten zich op hem.

'Waarom zitten jullie allemaal zo op elkaar geperst aan deze enorme tafel?' vroeg Nick, met Hector en Alfie als aapjes om zijn benen geklemd. Zijn toon was eerder verstrooid dan kritisch. Hij legde het tijdschrift op tafel naast de rest van zijn vakantieleesvoer. Het was een gevarieerde mix die niets onthulde over de persoonlijkheid van de lezer: *De aanval op de redelijkheid* van Al Gore, *Mannen die vrouwen haten* van Stieg Larsson en *De zwarte zwaan* van Nassim Nicholas Taleb. Ongetwijfeld zou hij ze methodisch doorploegen, net zoals hij elke dag zijn vijftig baantjes trok in het zwembad.

Op zoek naar een gespreksonderwerp keek Ali naar het omslag van *The Economist*. Er stond een zakenman op afgebeeld in een te strak korset. TIJD OM DE BROEKRIEM AAN TE HALEN stond erbij. Ali begreep dat het iets te maken had met Nicks woorden in de auto.

De tweeling trok aan zijn handdoek en vroeg dringend: 'Ga je mee zwemmen, papa?'

Nick hurkte tot hij op hun hoogte was: 'Ik moet vanochtend een poosje werken,' zei hij. 'Misschien later.'

Het zou niet gebeuren, wist Ali. Bryony en Nick hadden schijnbaar altijd wel een reden om geen tijd met hun kinderen door te brengen.

'Maar ik kom nu wel met jullie ontbijten,' voegde hij eraan toe.

Hij ging zitten en lepelde kedgeree op zijn bord. De tweeling deed een rijmspelletje.

'Een ara uit Andorra.'

'Een kangoeroe uit Timboektoe.'

'Een bongo uit Congo.'

'Een impala uit Kampala.'

'Een kolibrie uit Fiji,' stelde Nick voor. Ze keken hem verbijsterd aan.

'Hoe weet jij nou hoe dat moet, papa?' vroegen ze.

Hij rinkelde met de bel die op tafel stond en Andromeda verscheen. Beleefd verzocht hij om koffie en sinaasappelsap. Ze keek hem een poosje zwijgend aan en ging toen weer naar de keuken.

'Is ze niet doodeng?' zei Nick. 'Foys ogen en oren.'

'Verstaat Andromeda ons eigenlijk?' vroeg Ali.

'Geen woord,' zei Nick. 'Maar ze begrijpt alles.'

Hij legde een lepel kedgeree op Ali's bord. Ali was dankbaar voor het gebaar, ook al wilde ze het niet proeven. Hij hield de opscheplepel onhandig in zijn vuist en ze zag dat het vel rond zijn nagelriem rauw en gescheurd was. Toen hij haar zag kijken, verborg hij zijn duim onder zijn vingers.

'Is dit een Grieks gerecht?' vroeg Ali.

'Engelser kan haast niet,' zei Nick. 'Het dateert uit de tijd van India en de Raj. Past goed bij Foys postkoloniale pretenties. In India aten ze de vis altijd bij het ontbijt, omdat die tegen de avond al bedorven was. Het is een van zijn Corfiotische rituelen.'

Hij lachte en Ali glimlachte; ze wist niet of het wel toelaatbaar was om met hem mee te lachen. Zijn pogingen tot vertrouwelijkheid leken altijd ten koste te gaan van iemand anders en hadden de onfortuinlijke neiging om de afstand tussen hen slechts te bekrachtigen.

'Ik dacht dat jij misschien 's avonds een keertje met Jake en Lucy mee uit zou kunnen gaan?' opperde Nick. 'Er zijn een paar cafés in het dorp. Allemaal heel simpel. Misschien wil je weleens even aan de drukte ontsnappen. Het is moeilijk om hier alleen te zijn, en het kan behoorlijk intens worden als de hele familie bij elkaar is.'

'Ik denk dat ik nogal in de weg zou lopen,' zei Ali beleefd.

'Is het niet lastig, om altijd zo verstandig te zijn als je pas tweeëntwintig bent?' vroeg Nick ineens. 'Je neemt bijna nooit een weekend vrij en als je dat wel doet, ga je eigenlijk nooit uit.'

'Ik vind het niet erg om thuis te blijven. Inmiddels ben ik eraan gewend,' zei Ali en ze stond op om de jongetjes naar het zwembad te begeleiden.

Ze liepen het pad af dat Tita Ali de dag tevoren had laten zien. Hector en Alfie waren eerder bij het zwembad dan zij en stonden met open mond te staren naar Lucy, die op haar buik op een comfortabel ogende ligstoel lag, terwijl Jake haar met zonnebrandolie insmeerde. Ze droeg weer hetzelfde witte bikinibroekje, maar nu zonder topje. Jake had een andere vormeloze zwembermuda aan in dezelfde lawaaiige kleuren. Rond zijn dijbenen bolde de stof op in de bries die van zee kwam.

Jake zat rechtop en smeerde vlijtig Lucy's rug in. Hij begon bovenaan en besteedde evenveel tijd aan elk schouderblad, waarna hij een spoor van kokosnootzonnebrandolie over haar ruggengraat druppelde tot de plek waar huid en bikinibroekje elkaar raakten. Met zijn vinger trok hij door de zonnebrandolie heen een streep terug naar haar nek, en ze rekte zich vergenoegd uit, als een kat in de zon.

Ali kuchte en de tweeling schreeuwde, maar door het geklater van de watervallen hoorden Jake en Lucy hen niet. Na een tijdje begon het voortdurende kabbelen en klateren op je zenuwen te werken. Corfu was verbazend luidruchtig. De vorige avond kwebbelden de cicaden onophoudelijk, af en toe overstemd door de doordringende kreten van schreeuwende uilen in de hete nachtlucht. Ali vroeg zich af of je de watervallen uit zou kunnen zetten, en moest lachen bij het idee. Maar het maakte haar ook nostalgisch, want de reden dat ze het zo opdringerig vond, was omdat zij dit geluid niet met de zee associeerde. Ze miste de gulzige, roekeloze emotionaliteit van de Noordzee en zijn luide, lawaaiige verleidingstechnieken. Ze hield van zijn onverzettelijke karakter.

Gisteravond had het geluid van Jake en Lucy die in de kamer boven de hare de liefde bedreven, haar wakker gemaakt. Eerst had ze geprobeerd het te negeren, maar toen Lucy's kreten luider werden, stond ze op om de boekenplank te doorzoeken in de hoop daar afleiding te vinden. Al snel merkte ze dat ze in een kinderkamer logeerde. Het was een en al *Alice in Wonderland*, Dr. Seuss en Enid Blyton. Dus ging ze het balkon van haar kamer op.

Van daaruit had Ali Nick op een stoel zien zitten op het balkon van zijn slaapkamer in het woonhuis, met zijn laptop op schoot. Af en toe keek hij even naar de kamer van Jake en Lucy. In het vage licht van zijn computerscherm zag ze hem op zijn bovenlip bijten. Hij strekte zijn armen en Ali zag tot haar verbazing dat zijn handen trilden.

Toen ze er zeker van was dat hij haar niet kon zien, bleef ze een poosje met haar ogen dicht staan luisteren naar de stem van de Middellandse Zee. Zijn gefluisterde beloftes en doffe gekabbel konden niet concurreren met Lucy's hoge, dierlijke kreetjes en uiteindelijk zocht Ali haar toevlucht tot een paar oordopjes die ze in de badkamer vond, naast de kleine potjes shampoo en douchegel. Ze dempten het geluid, maar ze kon de trillingen van het hoofdeinde van hun bed tegen de muur nog steeds voelen. Jake wist in elk geval wel hoe hij een meisje moest verwennen, dacht Ali, al was Lucy ongetwijfeld het soort meisje dat beleefd genoeg was om te doen alsof.

Met die herinnering in gedachten wuifde ze nu naar Jake, in de hoop zijn aandacht te trekken, maar hij was te geconcentreerd bezig met

Lucy's lange bruine benen. Hij wreef olie in haar voeten, met evenveel aandacht voor elke afzonderlijke teen. Samen met de tweeling keek Ali geboeid naar zijn hand die in slow motion naar het randje van Lucy's bikini dwaalde. Zijn hand talmde tussen haar benen en ze draaide zich op haar rug om hem aan te kijken. De tweeling naderde.

'Boezems!' riepen ze in koor. Lucy ging geschokt overeind zitten en stak haar hand uit naar haar bikinitopje op een mozaïektafeltje. Jake ging voor haar staan om haar af te schermen en liep naar de tweeling toe.

'Jullie hadden moeten zeggen dat jullie er waren,' verweet hij Ali terwijl Hector en Alfie in het zwembad sprongen. 'Dat is niet eerlijk tegenover Lucy. Ze heeft recht op haar privacy.'

Ali keek even naar Lucy, die vergenoegd keek over Jakes reactie.

'Dat hebben we geprobeerd,' zei Ali, en ze deed voor hoe ze naar hem had gewuifd en hoe de tweeling schreeuwend op en neer had gesprongen.

'Is dit je wraak omdat ik jou met papa betrapt heb?' vroeg Jake met een half lachje.

'Wat bedoel je?' vroeg Ali.

'Je weet best waar ik het over heb,' zei Jake.

'Je zit er helemaal naast,' zei Ali.

'Ik weet wat ik heb gezien,' zei Jake schouderophalend.

'Ali, zou jij een engel willen zijn en uit het huis een paar cola lights willen halen?' riep Lucy. 'Andromeda heeft de voorraad in de koelkast in het zwembadhuisje niet aangevuld gisteravond. Ik ga wel even met de tweeling zwemmen, terwijl jij weg bent. En als je mijn boek zou willen meenemen, zou dat helemaal fantastisch zijn.'

'Welja,' zei Ali, en ze liep het zwembadhuis binnen om te zien of Lucy gelijk had of alleen haar autoriteit even wilde laten gelden. Ze was blij dat ze kon ontsnappen. Tita had haar het gebouwtje gisteren niet van binnen laten zien en het bood haar een excuus om even stil te staan en zich te herstellen. Haar adem kwam met horten en stoten. Ze was verontrust door Jakes uitbarsting. Niet zozeer door de inhoud. Ze begreep wel hoe hij tot de verkeerde conclusies was gekomen. Het was het feit dat zijn emoties zo dicht aan de oppervlakte lagen en elk moment dreigden over te lopen. Misschien zou hij zijn moeder vertellen wat hij had gezien. En dan zou Ali haar baan kwijt zijn en met schande overladen terug moeten naar Cromer, bestraft voor de verkeerde affaire.

'Waarom nu?' wilde ze hem vragen. 'Net nu ik bijna volmaakt gelukkig ben.'

Ali keek rond en probeerde zich te oriënteren. Het huisje was zoveel meer dan een kleedkamer. Na wat Tita had gezegd, had zij zich iets voorgesteld als het schuurtje waar haar vader zijn visgerei bewaarde en een oude transistorradio die op batterijen liep. Dit was echter een perfect gevormd dwerghuisje, compleet met keuken, bar en zitbanken.

De koelkastdeur stond vol met hele rijen bierflesjes, blikjes Sprite en sinaasappelsap. Op een van de schappen stond een grote schaal watermeloen en op de andere lag een half dozijn sinaasappels. Maar inderdaad geen cola light. Ze keek uit het raam naar Lucy. Lucy ving haar blik en schokschouderde verontschuldigend, zonder aanstalten te maken om op te staan. Ze zat Uno te spelen op het zonnematras met Hector en Alfie, en met Jake wijdbeens achter zich met zijn hoofd op haar schouders geleund. Uit woede over Lucy's veeleisendheid sloeg Ali met de koelkastdeur. Er vielen een paar mobiele telefoons in de wasbak. Die waren vast van Nick, dacht Ali. Ze zou ze meteen even meenemen naar het huis. Dat haalde de angel uit Lucy's verzoek.

Ali liep de heuvel naar het huis op, hijgend en puffend naarmate het pad steiler werd. Het gevoel dat de zon diep in haar longen brandde vond ze heerlijk. Halverwege stopte ze en ging even zitten om het uitzicht over de baai te bewonderen. In de verte doorkruiste een gigantisch passagiersschip traag haar gezichtsveld. Ze kneep haar ogen halfdicht om naar de vlag te turen. Een van de BlackBerry's trilde in haar hand. Ali keek op het scherm en drukte op het e-mailicoontje om te zien of ze de telefoon aan de juiste persoon ging afleveren. Tot haar genoegen zag ze een vloed van berichten over Nicks deal.

'Gefeliciteerd,' stond in een ervan, 'alleen jij kunt rotzooi er zo mooi uit laten zien.'

Er was een verzoek van het Wereld Economisch Forum aan Nick om bij hun volgende vergadering in Davos kredietmarkten te bespreken. 'Ik maak me geen zorgen over die vlakke rentecurves...' begon een andere. Misschien hoefde hij toch niet naar huis te vliegen, dacht Ali, en ze richtte haar aandacht op de tweede BlackBerry. Voor de tweeling zou het geweldig zijn om wat meer tijd met hun vader door te brengen. Ze werden veel te vaak omringd door vrouwen.

Toen ze de e-mailberichten bekeek, besefte Ali al snel dat de tweede telefoon van Bryony was. De bovenste drie berichten waren ongelezen. 'Dagelijkse samenvatting *Financial Times*', 'Beurs 4AM', 'Lex'. Bij de vierde stond vertrouwelijk, en die was geopend. 'Project Beethoven,' stond erin. 'Russisch energiebod – strikt vertrouwelijk.'

'Je telefoon,' zei Ali tegen Nick die nog steeds aan de ontbijttafel zat.

'Heel erg bedankt,' zei hij met een glimlach; hij schoof zijn zonnebril boven op zijn hoofd, zodat ze zijn ogen kon zien. 'Het is een goed teken dat ik hem heb laten liggen. Betekent dat ik me niet verzet tegen de vakantie. Heb je die andere ook meegebracht?'

'Bedoel je die van Bryony?'

'Ik pas op haar telefoon, zodat zij kan uitslapen,' glimlachte hij door zijn onlangs opnieuw gebleekte tanden. Nick zat in zijn zwembroek en ongewild vergeleek Ali zijn bovenlichaam met dat van Jake. De bouw was hetzelfde, maar de omtrekken waren zachter. Als in cellofaan verpakt rauw vlees. Als hij niet op reis was, liep Nick bijna elke dag hard en bij terugkeer werkte hij een slopend regime van buikspieroefeningen en gewichten af in de fitnessruimte in het souterrain.

'Ik wilde het nog ergens met je over hebben,' zei Ali impulsief.

'Ga je gang,' zei Nick met een geamuseerde blik. Hij sloeg *The Economist* dicht en legde hem netjes op tafel naast zich. 'Ik sta helemaal tot je beschikking. In elk geval voor de komende vijf minuten. Daarna moet ik een paar telefoontjes afwerken.'

Hij keek even de nieuwe berichten op zijn BlackBerry door. 'Dow Jones crasht door Bear Stearns' was de onderwerpregel van een bericht van Reuters. Hij opende het en vloekte binnensmonds.

'Is er iets gebeurd?' vroeg Ali.

'Een van de ratingbureaus heeft Bear Stearns van stabiel naar negatief gedegradeerd,' zei hij vaag, alsof hij zich er niet van bewust was dat hij het tegen Ali had. 'Die had zwaar geïnvesteerd in subprimes.'

'Is dit geen goed moment?' vroeg Ali.

Hij keek op van zijn BlackBerry en zei: 'Niet voor de wereldeconomie, maar in feite bevestigt het mijn beweringen. Wat wilde jij zeggen?'

'Weet je nog toen Jake vorige herfst de zitkamer binnenkwam en mij naast jou op de bank aantrof, om halfzes 's morgens?' zei ze. Ze had besloten dat nauwkeurigheid het enige wapen was waarmee ze haar verlegenheid over wat ze ging zeggen enigszins kon bedwingen.

'Vaag,' zei Nick.

'Nou, hij lijkt de verkeerde conclusie te hebben getrokken,' zei Ali, op een openhartige toon die haar gezien de omstandigheden gepast leek.

Nick boog zich iets voorover en keek haar aan met zijn doordringende blauwe ogen half toegeknepen. 'Wat bedoel je precies?' vroeg hij.

'Hij dacht dat er iets tussen ons was gebeurd,' zei Ali en keek zonder met haar ogen te knipperen terug.

'Waarom zou hij dat in vredesnaam denken?' vroeg Nick verbijsterd.

'Jouw gulp stond halfopen en ik had alleen een T-shirt en een vestje aan en ik veronderstel dat wij er misschien uitzagen alsof we... alsof we... intiem waren geweest,' vervolgde ze, zichzelf onmiddellijk berispend voor het belachelijk victoriaanse bijvoeglijk naamwoord.

'O,' zei Nick op neutrale toon. 'Heeft Jake je dat laten weten?'

'Hij is altijd nogal koel tegen me geweest, maar vandaag insinueerde hij specifiek dat hij dat geloofde,' zei Ali. Ze klonk rustiger dan ze zich voelde.

'En wat wil je dat ik eraan doe?' vroeg Nick.

Ali keek naar haar voeten en zei: 'Dat weet ik niet. Misschien de waarheid vertellen?'

'Wat zag jij toen je de zitkamer in kwam?' vroeg Nick. De vraag verbaasde Ali.

'Ik zag jou op de bank met je gulp halfopen zitten kijken naar iets op Jakes computer,' zei ze.

'En wat nam je toen aan?' vroeg hij.

'Weet ik niet,' loog Ali.

'Ik denk dat jij ervan uitging dat ik naar porno zat te kijken,' zei Nick, 'en dat ik Jakes computer gebruikte, zodat het niet in mijn webgeschiedenis zou komen.' Er viel een lange stilte.

'Ik had me nooit kunnen voorstellen dat ik een dergelijk gesprek zou voeren met de nanny van mijn kinderen,' zei Nick hoofdschuddend. Zijn zonnebril viel op tafel, maar hij nam niet de moeite om hem op te rapen.

'Het kan mij niet schelen dat je naar porno kijkt,' zei Ali snel, 'maar je moet tegen Jake zeggen wat je aan het doen was, want eerlijk gezegd is dat het minste van twee kwaden.'

'En als ik nu net thuisgekomen was van de meest vermoeiende zakenreis ooit, en aannam dat er niemand binnen zou komen en de knoop van mijn broek had losgemaakt om alles even te laten hangen en twee computers gebruikte, omdat ik op het ene scherm de rendementsgrafieken wilde bekijken en op de andere aan een document wilde schrijven?' vroeg Nick.

'Dan zou ik zeggen dat ik net zo goed verkeerde conclusies heb getrokken,' zei Ali. Nick lachte hol.

'Ik zal met Jake praten,' zei hij, met zijn vingers op tafel trommelend. 'Je moet weten dat dit een historisch precedent heeft.'

'Wat bedoel je?' vroeg Ali. Nick haalde diep adem.

'Toen Jake klein was, een jaar of tien, betrapte hij Foy op seks met de vrouw van Julian Peterson, Eleanor, toen ze hier samen op vakantie waren,' zei hij met een zucht. 'Dat was voordat ze hun eigen huis hier hadden. Op een avond ging Jake naar het zwembadhuis om een pot vol sprinkhanen te halen die hij had verzameld. De deur stond open, hij liep naar binnen en hij zag Foy Eleanor Peterson neuken. Ze zagen hem niet. Zie je het voor je? Foy met zijn broek halverwege zijn blote kont en Eleanor met haar rok om haar middel. Eleanor is een knappe vrouw die eleganter oud geworden is dan heel wat anderen, maar indertijd was ze ook al bijna zestig. Alles bij elkaar lag er die avond meer dan honderd jaar vlees op tafel.'

'Op tafel?' herhaalde Ali.

'Ze lag op tafel, als een buffet,' zei Nick afwezig. 'Jake kwam bij mij en vertelde me wat er gebeurd was. We hebben het nooit aan iemand verteld. Tita zal het wel geweten hebben. Bryony en Hester weten van niks.'

Ze hoorden stemmen naderen.

Nick stak zijn hand uit en vroeg: 'Mag ik Bryony's telefoon alsjeblieft?' Hij pakte hem aan en hun vingers raakten elkaar even onhandig. Ali bloosde gegeneerd. Foy verscheen vanaf de voorkant van het huis in een zandkleurige korte broek die boven zijn navel sloot, wat zijn buikomvang benadrukte.

'*Les invités sont arrivés!*' verkondigde Foy triomfantelijk. Hij kwam naar buiten met Hesters dochters onder de ene arm en Izzy onder de andere, en riep hoe petieterig Izzy aanvoelde in zijn omarming. Dat was echter een list om de opzichtige veranderingen in Izzy's verschijning te bagatelliseren: ze had haar haar ravenzwart geverfd en hoog op haar voorhoofd in een rafelige pony geknipt; haar nagels waren zwart gelakt en ze droeg paarse lippenstift; haar wenkbrauwen waren zwart geverfd.

Ze droeg een shirt met afgeknipte mouwen, een kort minirokje en grove zwarte laarzen.

'Mijn god, Izzy, wat heb je met jezelf uitgehaald!' zei Nick. 'Bryony, Bryony! Kom eens hier!'

Bryony kwam met Tita en Hester het huis uit. Kennelijk had Hester het drama van het geheel nog eens aangezet door haar moeder en haar zus niet te waarschuwen.

'Ze is een postpunk geworden,' zei Hester triomfantelijk in Bryony's onthutste stilte.

'Waarom heb je jezelf met opzet zo lelijk gemaakt?' vroeg Bryony. Ze keek alsof ze in tranen zou uitbarsten. Ze wendde zich tot Hester.

'Hoe heb je haar dat kunnen laten doen?' vroeg ze.

'Ik had er niets mee te maken,' protesteerde Hester. 'Ze zag er volkomen normaal uit toen ze naar Camden Market ging en ze kwam zo terug.'

'Het is een kwestie van zelfexpressie,' zei Izzy. 'Hester had er niets mee te maken.'

'Als jij me soms wilt vertellen dat dit komt doordat ik fulltime werk, ga ik lichamelijk geweld gebruiken!' schreeuwde Bryony tegen Hester.

'Ik denk dat je er gevoeglijk vanuit kunt gaan dat Izzy jou niet als een rolmodel beschouwt,' zei Hester, gekwetst door Bryony's uitval.

'Zijn ze oud genoeg om hun aankomst te vieren met een glas champagne?' vroeg Foy, Andromeda aansporend om onmiddellijk een fles te gaan halen.

'Ik denk van wel,' zei Nick met een glimlach tegen Izzy die op zijn schoot kwam zitten.

'Wil je dan alsjeblieft wel die grove zware laarzen uittrekken? Je krijgt nog zwerende voeten in deze hitte.' Izzy schudde ze van haar voeten en onthulde daarmee een kleine tatoeage van een yin-yangsymbool op haar linkerenkel.

'Wat is dat?' vroeg Nick.

'Het staat voor vrede en harmonie,' zei Izzy.

'O. Nou, dat kunnen we hier goed gebruiken,' zei Nick.

'Ik heb je al zo lang niet gezien, papa,' zei ze, zichtbaar genietend van de aandacht. 'Waar ben je geweest?'

'Hard aan het werk om genoeg geld te verdienen om jou uit de schulden te houden,' zei Nick. Hij keek naar Izzy op het puntje van zijn schoot alsof ze een bizar mythologisch kwelgeestje was.

'Ik kan echt niet geloven dat je dit hebt gedaan, Izzy,' riep Bryony. 'Waarom wil je me zo straffen?'

'Kalm aan, Bryony,' zei Foy.

Ali trok zich terug in de jasmijn om het uitgebreide begroetingsritueel te bekijken, want ze wist dat haar aanwezigheid het nog lastiger zou maken. Mensen wisten nooit of ze haar moesten negeren of aanspreken. Stilte had de voorkeur boven de misplaatste zoenen en onhandige omhelzingen die ze soms probeerden. Ze bedoelden het goed, maar het benadrukte haar onduidelijke status. Ze was buitengewoon opgelucht dat Izzy's metamorfose in haar afwezigheid had plaatsgevonden.

Ze zag Nick de hand van Rick grijpen en zijn andere hand op diens schouder leggen in een gebaar dat als neerbuigend had kunnen worden geïnterpreteerd, behalve dat Rick het beantwoordde met een beerachtige omhelzing die Nick duidelijk op het verkeerde been zette. De tweeling en Lucy en Jake kwamen erbij en Rick deelde een uitbundig rondje high fives uit. Hector wierp één blik op Izzy en barstte in tranen uit. Lucy bekeek haar misprijzend van top tot teen. Jake beet op zijn onderlip en keek naar Ali.

'Ik wil Izzy terug!' jammerde Hector. Izzy hurkte bij hem neer om hem gerust te stellen dat ze nog steeds dezelfde was.

'Het is een vermomming, Hector,' legde ze uit.

Foy eiste dat iedereen de handgemaakte slippers zou bewonderen die Tita voor zijn verjaardag had gekocht. Boven de teen van de linker stond een olijfboom geborduurd in het fluweel en op de rechter een zalm. Tita liep loom en met gespreide armen naar Hester en omhelsde haar dochter.

'Het is zo heerlijk om jullie hier allemaal bij elkaar te hebben,' zei Tita met tranen in haar ogen.

'Het is heerlijk om hier te zijn, mam,' zei Hester met haar armen om haar moeder heen.

Foy schudde Rick enthousiast de hand.

'Gefeliciteerd, Foy,' zei hij, en hij legde behoedzaam een cadeautje op de marmeren tafel.

Foy staarde er even naar tot hij zeker wist dat iedereen keek. Toen pelde hij zorgvuldig de lagen papier en kussentjesfolie af tot hij een olieverfschilderij van Villa Ichthys in handen had, dat Hester had laten maken door een Engelse schilder die op Corfu woonde.

'Het is schitterend, Hester,' zei Foy, al was de lijnvoering misschien wat te abstract naar zijn smaak en waren de kleurvelden te gedempt voor zo'n extraverte man. 'Wat slim van je.'

'Het was Ricks idee,' zei Hester en ze keek hem scherp aan, op zoek naar tekenen van onoprechtheid.

'We moeten het meteen ophangen in de zitkamer, zodat Julian en Eleanor het kunnen bewonderen als ze komen,' zei hij.

'Als Foy in de stemming is voor cadeautjes, moeten we dat van ons misschien ook maar geven,' opperde Nick.

'Al heb ik geen idee wat hij voor je gekocht heeft, papa,' zei Bryony. 'Dat is zijn grote geheim.'

'We moeten ervoor naar het strand,' zei Nick.

'Kun je het hem niet gewoon hier geven?' zei Bryony met een nerveuze blik op Hester.

'Laat me nou maar,' zei Nick en hij legde zijn arm om haar schouders.

'Aan de kant van Kouloura of van Kassiopi?' vroeg Tita.

'Kouloura, anders worden de Rothschilds jaloers,' grapte Nick.

Bryony zag haar staan onder de jasmijn en zei: 'Kom met ons mee, Ali, je zult het een prachtig strand vinden.'

Ali kon Nick en Bryony horen ruziën, al lag hun kamer op een andere verdieping in het hoofdgebouw, waar vroeger de olijfpers stond, en waren hun luiken dicht. De oude stenen muren konden geen geheimen bewaren. In de zomer heerste er een roerloze stilte, de lucht bewoog niet en elk geluid dreef in geheimzinnige patronen van de ene naar de andere kant van het huis. Zonder te luisteren wist ze dat de ruzie om de boot ging die Nick voor Foys verjaardag had gekocht.

Ze herinnerde zich dat Nick naast Foy op het strand één hand voor de ogen van zijn schoonvader had gehouden en die op zeker moment theatraal had weggehaald om de zeven meter lange speedboot te onthullen. Foy waadde rechtstreeks het water in en klom meteen in de bestuurdersstoel, lachend om de naam die Nick de boot had geven: *De dreiging*.

'Wat een beest,' bleef Foy maar zeggen, niet in staat om zijn blijdschap te onderdrukken. Alfie en Hector waren achterin geklommen en eisten als eersten een tocht door de baai. Izzy was met haar nichtjes op de voorsteven gaan zitten. Zelfs Jake had zich los weten te maken van Lucy om aan boord te klimmen. Foy had Tita gevraagd of ze ook mee wilde, maar Tita wist dat het gedein haar nog duizeliger zou maken dan anders. Hester en Rick stonden met uitgestreken gezichten aan wal.

'Hoeveel heeft hij gekost?' vroeg Bryony steeds.

'Maakt dat wat uit?' antwoordde Nick. Aan zijn lome stem te horen lag hij op bed, bier te drinken.

'Jij bent degene die steeds zegt dat we dat huis in Oxfordshire niet moeten kopen,' zei Bryony.

'Deze boot heb ik een jaar geleden al betaald,' zei Nick. 'Toen was alles anders.'

'Hoeveel kostte hij?' drong ze aan. 'Ik kan het toch online opzoeken, dus je kunt het me net zo goed vertellen.'

'Driehonderdduizend pond,' zei Nick, alsof die informatie op wonderbaarlijke wijze een einde zou maken aan de discussie. 'Het is een Silvestris.'

'Waarom heb je hem gekocht?' vroeg Bryony.

'Ik wilde je vader iets geven wat hij echt geweldig zou vinden,' zei Nick.

'Ik geloof je niet.'

'Waarom denk jij dan dat ik het gedaan heb?'

'Omdat je mijn vader wilt laten zien dat je een cadeau voor hem kunt kopen dat hij zelf niet kan betalen. Het hoort allemaal bij die belachelijke rivaliteit van je, die behoefte om je tegenover hem te bewijzen. Er is meer in het leven dan geld alleen, Nick.'

'Dat geloof je zelf niet, anders zou je me wel bij de bank weg laten gaan,' riep Nick terug.

'Dat werkt niet,' zei Bryony.

'Wat werkt niet?' vroeg Nick.

'Als jij daar weggaat, werkt het tussen ons niet,' zei ze.

13

Foy stond rechtop in *De dreiging*, met één hand op het stuurwiel en met de andere zwaaiend naar Julian Peterson, terwijl hij de boot iets te hard op de kleine steiger af stuurde die onder aan het huis van de Petersons aan de baai van Agios Stefanos lag. De neus van de boot bonkte tegen de pas aangelegde houten loopplank en bracht Julian uit zijn evenwicht, zodat hij even gevaarlijk wankelde naast het water. Hij zette een stap achteruit om zich te herstellen en Ali zag dat zijn beige short en blauwe overhemd met korte mouwen bespat waren met zeewater.

'Laat het feest maar beginnen!' riep Foy triomfantelijk en hij nam zwierig zijn panamahoed af voor Julian om zijn begroeting af te ronden. Bryony legde een arm om zijn schouder om hem vast te houden, omdat hij de boot aan het schommelen bracht, maar Foy verzette zich. Zijn plotselinge enthousiasme in het vooruitzicht van een borrel bij de Petersons was verrassend, gezien de manier waarop hij het grootste deel van het tien minuten durende tochtje had zitten klagen dat ze hun eigen eten en drinken hadden moeten meenemen, omdat Julian zo'n krent was.

'Wat is dit nu weer?' vroeg Julian, die zich vooroverboog om de naam van de boot te kunnen lezen en om het handgestikte leren interieur beter te kunnen bekijken.

'Verjaarscadeautje van mijn schoonzoon,' zei Foy, met moeite nonchalance veinzend.

'Mijn god, het is een Silvestris, hè? Jij grote mazzelaar,' zei Julian, waarmee hij precies reageerde zoals Foy had gehoopt. 'Nick doet het zeker goed. Of hij probeert je te vermoorden, natuurlijk.'

'Het vereist een helder hoofd en een vaste hand, en gelukkig heb ik die allebei nog,' zei Foy, niet in staat om zijn opgetogenheid te beteugelen. 'Is het geen beest? Glijdt als een torpedo door het water. Ik neem jou en Eleanor straks mee.'

'Opa heeft een papegaai op zijn schouder nodig!' schreeuwde Hector opgewonden.

'Neem alsjeblieft een papegaai,' smeekte Alfie. 'Neem alsjeblieft een papegaai.' Als iemand een boot voor zijn verjaardag kon krijgen die duurder was dan een huis, was een papegaai helemaal niet zo excentriek, dacht Ali terwijl ze de tweeling op de steiger hielp. Bryony, Tita, Maud en Ella volgden hen op de voet.

Ali stond er ongemakkelijk bij, terwijl iedereen Julian met een zoen begroette. Ze kende het ritueel onderhand. Twee zoenen, één op elke wang. Zou Julian haar nog kennen? En zo niet, zou Bryony zijn geheugen dan opfrissen? Uiteindelijk vergaten ze het allebei. Foy, die Ali meestal beter dan de anderen wist te betrekken in de begroetingen, had het te druk met het bespreken van de motorinhoud van zijn boot om haar onbehagen op te merken. Even overwoog ze om zichzelf voor te stellen, ook al had ze Julian al een paar keer eerder ontmoet. Het was een minder gênant vooruitzicht dan hem later tegen te komen en te moeten uitleggen dat ze geen vriendinnetje was van Jake en ook geen dochter van Hester, maar gewoon de nanny.

Foy beende het steile pad op naar het nieuwe huis van de Petersons, Julian hijgend achter zich latend. Nu was het de beurt aan Foy om gepast enthousiasme op te brengen voor de aankoop van een villa met acht slaapkamers en uitzicht op de Ionische Zee.

'Schitterende locatie... prachtige tuin... fantastisch huis...' zei hij uitbundig; hij klonk als een makelaar. 'Wat zal het heerlijk zijn om jou en Eleanor zo dichtbij te hebben in de nadagen van ons leven.'

'Heb je al besloten om na je pensioen hier te gaan wonen?' vroeg Julian. 'En je zaak dan?'

'Ik kan nog niet met pensioen,' zei Foy korzelig. 'Fenton kan de verantwoordelijkheid nog niet aan. Veel te lichtzinnig. Het vergt een ferme hand aan het roer om met die verrekte supermarkten te onderhandelen. Ze bieden zulke krappe marges, dat er nauwelijks een velletje papier tussen winst en verlies past.' Allemaal grootspraak. Zelfs Ali wist dat Foys mening geen gewicht meer had bij Freithshire Fisheries.

Ali bleef op de achtergrond met de kinderen, achter Bryony en Tita, die over Izzy praatten. Sinds hun aankomst was dit de eerste keer dat Tita de familie vergezelde op een uitstapje. Meestal was ze onzichtbaar. 's Ochtends, als Ali met de tweeling bij het zwembad was, bezocht Tita beroemde Corfiotische tuinen op zoek naar nieuwe ideeën. Af en toe ging ze naar een vriendin of met een van de gasten naar een plaatselijke markt. 's Middags nam Ali de tweeling meestal mee naar het strand en als ze dan thuiskwamen zat Tita in de zitkamer foto's in te plakken of te lezen. Altijd biografieën. Nooit fictie. Soms kwamen ze haar in de namiddag tegen in het zwembad. Ze droeg een badmuts met paarse en oranje plastic bloemen en zwom de traagste schoolslag die Ali ooit had gezien, haar hoofd rechtop boven water.

Met tegenzin had Tita op het laatste moment besloten mee te gaan op de boot, na veel aandringen van Bryony en Foy, die allebei volhielden dat ze erbij moest zijn op de eerste echte tocht van *De dreiging*. De vraag hoe iedereen naar de Petersons zou reizen was aanleiding geweest voor een lange discussie die van het ontbijt tot de lunch had geduurd. Veel langer dan het duurde om hier te komen, realiseerde Ali zich nu.

Hester en Rick hadden aangekondigd dat ze zouden wandelen, ook al was het zo heet dat Leicester op het terras blaren op zijn pootjes had opgedaan. Het was een ecologische principekwestie, had Rick vroom verkondigd. Izzy weigerde met de boot te gaan omdat het haar make-up zou ruïneren. Nick had echt meegewild in *De dreiging*, maar was gezwicht toen Bryony hem onder druk zette om Jake, Lucy en Izzy mee te nemen in de Landrover. Bryony had erop aangedrongen dat hij meer tijd zou doorbrengen met zijn getroebleerde tienerdochter. Terwijl ze buiten stond te wachten op de gasten die met de boot mee zouden gaan, had Ali gehoord dat Nick de motor van de Landrover liet loeien op de oprijlaan en de claxon bijna een minuut lang non-stop ingedrukt hield tot Jake en Lucy eindelijk naar buiten kwamen. En net toen ze allemaal op hun plaats zaten, ging zijn telefoon over.

'Sorry Izzy, ik zit midden in een soort crisis, ik maak het later wel goed met je.'

'In jouw wereld is het elke dag crisis, pap.'

'Je zit er niet ver naast, deze keer,' had Nick gemompeld terwijl hij ongerust de e-mail bekeek die net binnengekomen was, met het onderwerp: 'Markten verstoord, oorzaak onbekend'. Hij scrolde snel op en neer tussen zijn berichten. 'Ik zal een paar dagen terug moeten naar Londen.'

'Izzy wordt zo lastig,' zei Bryony terwijl ze de heuvel op liepen. 'En ze was altijd zo gemakkelijk.'

'Het is een moeilijke leeftijd,' zei Tita.

'Zo was ik toch niet?'

'Ik geloof het niet,' zei Tita vaag.

'Ik snap niet waarom Izzy zo weinig zelfvertrouwen heeft. We hebben haar van alles het beste gegeven. We hebben haar op een geweldige school kunnen krijgen. Tegen alle verwachtingen in, eerlijk gezegd. Ze heeft aanleg voor muziek. Als ze geen domme dingen doet, kan ze een handvol echt hoge cijfers scoren op haar examens. Echt, we kunnen onmogelijk meer voor haar doen dan we al hebben gedaan, en dan komt ze hier zó aan. Ik moet haast wel denken dat dit niet gebeurd zou zijn als ze maar niet bij Hester was gaan logeren.'

Bryony stopte even om Tita de kans te geven haar in te halen. Tita liep met een rechte rug, alsof ze in haar jeugd houdingslessen had gevolgd met een dikke *Hoe hoort het eigenlijk* op haar hoofd.

'Denk jij dat het is omdat ik werk?'

'Lieverd, Hester en jij zijn vrijwel uitsluitend door nanny's grootgebracht en het heeft jullie ook geen kwaad gedaan.'

Ali had er graag aan toegevoegd dat het werkverhaal een wassen neus was, en dat sommige mensen nu eenmaal geboren werden met een neiging tot zelfvernietiging. Haar moeder was thuisgebleven tot haar zus en zij tieners waren en toch had Jo een drugsprobleem ontwikkeld. 'Daar denkt Hester heel anders over.'

'Hester moet altijd iemand anders de schuld geven van haar eigen problemen. Daarin is ze precies haar vader. Ze weigert verantwoordelijkheid te nemen voor zichzelf. Ik vind het juist fantastisch dat je zo dol bent op je werk. Dat betekent dat je altijd je vrijheid zult hebben. Als ik in een ander tijdperk geboren was, had ik misschien ook zoiets gedaan.'

'Vind je het vervelend dat je zo afhankelijk bent van papa?' vroeg Bryony ineens. Het was een vraag die Bryony al haar hele leven had willen stellen, maar nu de gelegenheid zich voordeed, was ze bang voor het antwoord. Tita stond even stil en keek op naar Foy, die de top van het steile pad had bereikt en Eleanor extravagant omhelsde aan de rand van het terras dat voor het huis langsliep.

'Ik houd heel veel van je vader. Maar meer onafhankelijkheid zou wellicht een troost zijn geweest in moeilijke tijden,' zei ze, met een taalgebruik dat zo economisch was dat Ali ervan verbleekte, omdat er zoveel turbulentie achter verborgen lag. In moderne opvoedingshandboeken zou Tita misschien een afstandelijke ouder zijn genoemd, maar ze wist genoeg van menselijke emoties om te begrijpen dat haar dochter geen volledige openbaring wilde.

Ze zagen Izzy naar hen wuiven vanaf het terras. De bemanning van de Landrover had hen verslagen. De intense hitte was niet echt geschikt voor het soort outfit waarmee een tiener haar neogotische overtuigingen kon botvieren. Tot Ali's opluchting had Izzy haar zwartleren laarzen ingeruild voor slippers. Ze droeg een heel kort spijkerrokje, een gescheurd T-shirt en weer die paarse lippenstift waar ze een cartoonesk gezicht van kreeg. Nu ze naast Foy stond, leken haar armen en benen nog spichtiger.

'Kijk eens hoe mager ze is,' zei Bryony. 'Ik dacht dat het goed zou zijn als ze een beetje babyvet kwijtraakte, maar Izzy moet natuurlijk weer een stap verder gaan. Denk je dat ze echt anorectisch is? We hebben de computer van haar kamer gehaald, zodat ze niet meer naar die weerzinwekkende websites kan. Ze gaat naar een therapeut voor eetstoornissen. We zijn een paar keer met haar mee geweest voor een gezinsgesprek.'

'Ze heeft een ongezonde instelling wat eten betreft,' beaamde Tita, die zelden etend te zien was. Bryony bleef over Izzy doorpraten tot ze uiteindelijk het terras boven aan de helling bereikten. Haar oplossingen waren allemaal zo extreem dat het voor Tita moeilijk was om een middenweg te vinden die het bespreken waard was.

'Moeten we haar harder aanpakken of juist niet? Moeten we haar laten eten wat ze wil, of haar naar een kliniek voor eetstoornissen brengen? Of naar kostschool, of thuisonderwijs?' Tita stond stil en draaide zich om naar de zee. Ze stak een hand uit naar een tengere oleander om haar evenwicht te vinden en even dacht Ali dat ze zou vallen. Misschien werd ze duizelig van de conversatie.

'Ben jij dat, Ali?' vroeg ze, haar ogen toegeknepen tegen de zon. 'Zou jij me misschien even een arm willen geven?'

Julian en Eleanor Peterson hadden niets over andere gasten gezegd toen ze de bewoners van Villa Ichthys uitnodigden voor een borrel aan het eind van de eerste vakantieweek. Het was dan ook dubbel schrikken voor Bryony dat Sophia en Ned Wilbraham daar met Rick en Hester van de champagnecocktails nipten.

Nick stond met Ned te smoezen. Ze stonden zo dicht naar elkaar toe gebogen, dat hun voorhoofden elkaar bijna raakten. Ze keken naar hun voeten en Ali vroeg zich af of het hen opviel dat ze identieke bruine bootschoenen en beige kakibroeken droegen, het uniform van de bankier op vakantie. Nick sloeg even zijn ogen op naar het groepje dat van het pad het terras op liep, maar reageerde niet.

'Ik krijg net een e-mail van een collega in Londen die zegt dat er iets vreemds aan de hand is op de markt. Amerikaanse staatspapieren en goud stijgen en beleggers dumpen alles met kredietrisico, maar niemand weet waarom.'

'Kennelijk heerst het idee dat er een liquiditeitsprobleem bestaat, maar ik ben ervan overtuigd dat het een kwestie van zenuwen is,' zei Ned instemmend. 'Het komt doordat BNP Paribas hun beleggers geen geld wilde laten opnemen uit die drie fondsen.'

'Ik denk dat het ernstiger is dan dat. Of het vertrouwen is verdwenen, of de mensen hebben geen cash meer,' betwistte Nick.

'Ik zie dat de Europese Centrale Bank al heeft aangekondigd dat ze het geld zullen leveren dat de banken nodig hebben om aan de vraag naar kapitaal te voldoen. Dat zou de mensen gerust moeten stellen,' zei Ned.

'Wanbetalingen op subprime-hypotheken zijn hoger dan ooit sinds 2002,' zei Nick. 'Als er geen geld binnenkomt om de schuldhouders te betalen, wie zit er dan met de gebakken peren?'

'Het risico is toch gespreid via kredietderivaten en CDO's om de schokken op te vangen?' vroeg Ned.

'Dat ligt eraan wat je van vette staarten vindt,' antwoordde Nick.

'Nu kan ik je niet meer volgen,' zei Ned. 'Ik heb geen masteropleiding aan Harvard gedaan, weet je nog? Ik ben maar een eenvoudige M&A-man.'

'Zo noemen we dat, als de stabiliteit van een systeem op middellange termijn gebaseerd is op een uiterst pijnlijke aanpassing aan het eind. Met die kredietderivaten ziet het systeem er nu misschien stabieler uit, maar er kan best een dikke vette walvisstaart aan het eind zitten die ons allemaal overboord zwiept als de conjunctuur vertraagt,' legde Nick uit.

'Maar volgens Greenspan profiteren we allemaal van de "grote matiging",' viel Ned hem in de rede. 'Het is altijd een kwestie van waarneming op die markten. En de rekenmodellen kunnen er toch niet allemaal naast zitten.'

'Wiskundige voorspellingen zijn een kompas. Ze zijn niet onfeilbaar en ik maak me zorgen, omdat iedereen dezelfde modellen gebruikt. Wat gebeurt er als het basisprincipe fout is, en er veel vaker extreem negatieve dingen gebeuren dan de formules ons vertellen?' vroeg Nick.

'Dan zijn we allemaal genaaid,' zei Ned. 'Ga nou niet in de put zitten vanwege Bear Stearns. Ze hadden veel te veel geld uitstaan. En ze zaten met een looptijdverschil. Te veel langlopende hypotheekactiva waar ze niet snel genoeg vanaf konden, gefinancierd door kortlopende schuldpapieren die ineens in rook opgingen.'

'Kijk eens naar die boten daarbuiten,' hield Nick vol. Ze wendden zich allebei naar de zee waar een heel assortiment cruiseschepen, zeilboten en veerponten doelbewust door het kanaal onderweg was. 'De statistische waarschijnlijkheid dat ze allemaal tegelijk kapseizen is piepklein, maar het is niet onmogelijk. En het is niet onmogelijk dat het hele systeem in één keer leegloopt.'

'Wat is jouw advies dan?'

'Ik zou vandaag nog zorgen dat we alle passiva in de boeken kwijtraken. Ik zou alle Mezzanine-schulden en de meeste superseniorschijven dumpen, of in elk geval proberen om iets van verzekering te krijgen.'

'En je heren en meesters? Heb je die al van je strategie overtuigd?'

'Nee dus,' zei Nick met een holle lach.

Ali richtte haar aandacht op de andere kant van het terras waar Sophia Rick uithoorde over onderwijs. Was het tegenwoordig echt gemakkelijker om kinderen van openbare scholen op Oxbridge te krijgen? Moest ze Martha de laatste twee jaar van haar middelbare school op een openbare school laten doen om zeker te zijn van een plaats aan de universiteit? Dacht hij echt dat een intelligent kind het op elke school even goed zou doen? Kende hij een goede bijlesleraar Engels? Want de meest recente bijlesleraar van haar oudste dochter had onlangs ontslag genomen, met als reden onverenigbare meningsverschillen over Thomas Hardy. Toen ze Bryony zag, sprong Sophia op uit haar stoel.

'Wat een fantastisch toeval!' juichte ze.

Bryony probeerde enig enthousiasme bijeen te schrapen: 'Ja, wat enig om jullie te zien.'

Sophia droeg een duur uitziend dun zijden topje op een witte broek; toen ze opstond deed ze Ali denken aan een zeilschip dat van koers veranderde.

'Ik kwam Sophia tegen in de supermarkt. We kennen haar ouders. Foy en Tita ook,' zei Eleanor stralend tegen Bryony. 'De wereld is zo klein.'

'Ik wist niet dat jullie van plan waren om naar Corfu te komen,' zei Bryony, op een toon die suggereerde dat ze wellicht haar vakantieplannen zou hebben herzien als ze dat had geweten.

'Ik heb het tijden geleden al geboekt en daarna ben ik het je helemaal vergeten te zeggen. Ik ben hier de hele maand, maar ik hoef me natuurlijk niet terug te haasten om te werken. Martha zou het heerlijk vinden om Izzy te zien. Heeft ze haar cello bij zich? Dan zouden ze hier hun kwartet kunnen oefenen.'

Achter Sophia's rug haalde Izzy driftig haar vinger langs haar keel, in het zicht van Eleanor, die nerveus voorstelde dat ze misschien wel met de andere kinderen in het zwembad wilde gaan zwemmen. 'Sophia's nanny past daar op de kleintjes.'

'Heb je zin om te zwemmen, Martha?' vroeg Izzy en ze pelde haar T-shirt af om een zwart bikinitopje en een ribbenkast als een piano te onthullen. Dat was speciaal voor Martha. Ali wist dat zij vorig jaar begonnen was met de hatelijke opmerkingen over Izzy's gewicht. Martha bleef nukkig in een stoel naast haar moeder zitten. Haar houding suggereerde geen enkele opgetogenheid over Izzy's gezelschap.

'Wil je een handdoek, Izzy?' vroeg Eleanor.

'Nee hoor, dank u wel.'

'En jij Jake? Willen Lucy en jij misschien gaan zwemmen?'

'Het koude water zou jullie goeddoen,' zei Foy.

'Nee bedankt, Eleanor,' zei Jake, zijn stem gedempt, omdat Lucy over zijn knie hing en zijn mond verborg. Hij was feilloos beleefd tegen Eleanor, maar kon haar niet recht aankijken. Lucy verschoof op zijn schoot. Roerloos en plakkerig bleven ze op elkaar zitten. Op zeker moment zag Ali Jake langzaam aan Lucy's schouderblad likken.

Seksuele aantrekkingskracht was dodelijk vermoeiend, wist Ali. Het was net eczeem. Hoe meer je krabt, hoe erger het jeukt. Ineens zag ze een beeld van haarzelf, tijdens een college over Daniel Defoe. Will MacDonald gaf les over Defoes weergave van vrouwen. Hoewel ze zijn mond open en dicht zag gaan, hoorde ze geen woord van wat hij zei en het papier waarop ze aantekeningen zou moeten maken bleef leeg. Maar ze kon zich wel de exacte sensatie herinneren van zijn vinger die hij de avond daarvoor toen hij haar na het oppassen naar huis reed, langs de binnenkant van haar dij had laten glijden.

Meteen na het college was ze naar zijn werkkamer gelopen. Ze kon geen woord uitbrengen toen hij de deur opende en meteen weer achter haar op slot draaide. Hij had haar tegen zich aangedrukt en hees 'Ali' gefluisterd. Ze herinnerde zich dat ze misselijk was geweest van begeerte. Omstrengeld en aan elkaars kleren rukkend struikelden ze zijdelings naar een bank vol koffievlekken bij het raam. Hij droeg een riem, en het leek uren te kosten om die los te maken. Hij duwde een paar boeken op de grond en zij ging op een stapeltje ongecorrigeerde essays liggen. Toen lag hij boven op haar en ze zoenden zo enthousiast dat hun tanden tegen elkaar botsten. Al snel vond zijn hand de weg naar haar beha. Voor haar geestesoog verscheen een beeld van een kleine Jake, die Eleanor en zijn grootvader aantrof in het zwembadhuisje.

'Wil je iets drinken?' vroeg Eleanor aan haar.

'Nee, dank u,' zei Ali, de handen van de tweeling strak in de hare, meer om zichzelf gerust te stellen dan voor hen.

'En jij, Foy?' zei Eleanor. 'Het gewone recept?'

Eleanors gezicht bestond uit een massa tegenstellingen, waarin de verwikkelingen die het leven haar had toegeworpen sinds de beste vriend van haar man al die jaren geleden voor het eerst een hand op haar knie had gelegd tijdens een etentje in Holland Park Crescent weerspiegeld werden. In de jaren zeventig had zij als een van de eerste vrouwen in Engeland een facelift laten uitvoeren, had Foy hun onlangs tijdens een zondagse lunch uit de doeken gedaan. Als je goed keek, zag je de littekens van de nietjes nog achter haar oren zitten. Het was een van die gevaarlijke feitjes waar de tweeling verrukt van kon raken. Sindsdien was ze in hun ogen een soort Frankenstein-figuur.

Natuurlijk was Foys aandacht vleiend geweest, maar zelfs Eleanor moest hebben geweten dat het niet zozeer om haar ging, als wel om het feit dat ze met Julian getrouwd was. Foy en Julian waren weliswaar al vanaf hun vroegste jeugd bevriend, maar Foys drijfveren waren zuiver competitief. Ali wist echter maar al te goed dat seks gemakkelijk een gewoonte kon worden als je het een paar keer had gedaan, en ze veronderstelde dat Eleanor noch Foy bijzonder geneigd was tot analyseren.

Toen de relatie eenmaal was ontstaan, was het waarschijnlijk eenvoudiger geweest om ermee door te gaan. Misschien was het ook wel prettig geweest. Foy was ongetwijfeld een gullere minnaar dan hij anders zou zijn geweest, omdat hij wist dat Eleanor zou vergelijken. Volgens Katya, die dit alles in detail had beschreven, had Foy ongelooflijke risico's genomen – in een gondellift die vastliep toen ze aan het skiën waren in Val d'Isère, wetend dat Julian en Tita op hen zaten te wachten in het restaurant beneden; op het toilet bij Nick en Bryony thuis, terwijl Thatcher toekeek vanaf die foto; in het zwembadhuis in Corfu. Kennelijk was dat de laatste keer geweest.

En daarom moest het des te vernietigender zijn geweest toen Foy er ten slotte een eind aan maakte. Ook al had ze geweten dat ze nooit de enige was geweest, ze had zich bijna dertig jaar gekoesterd gevoeld in die relatie, en toen er een einde aan kwam, moest Eleanor hebben gevoeld dat de onzichtbaarheidsmantel van de oude dag om haar heen viel. En de enige die ze waarschijnlijk graag in vertrouwen had willen nemen, was getrouwd met de man die haar zoveel verdriet had gedaan.

'Je hebt de verkeerde olijven op tafel gezet,' zei Julian. Eleanor bloosde.

'Deze zijn heerlijk,' zei Foy en hij propte er twee of drie tegelijk in zijn mond. 'Veel lekkerder dan de mijne.' Hij bukte zich om er eentje aan Leicester te geven, die hem walgend uitspuugde. Toen ze het terras verlieten, kwam er nog een stel aan. Hij zag er vaag bekend uit. Julian stelde hem aan iedereen voor alsof hij net een konijn uit een hoed had getoverd.

'Chatham House-regels, dames en heren, totale discretie,' zei Julian pompeus, terwijl hij hem aan de aanwezige volwassenen voorstelde. De nieuw aangekomene was een vriend van hun oudste zoon. Ze hadden samen in Oxford gestudeerd. Hij logeerde bij vrienden in het dorp.

Ali kon zijn naam niet verstaan, maar uit de manier waarop Foy op hem af liep maakte ze op dat het iemand was die aandacht verdiende. Ze begonnen over het jacht dat aan de andere kant van de baai aangemeerd lag, tegenover het landgoed van de Rothschilds. Het was van een Russische oligarch, legde Foy uit.

'Een van de grootste jachten ter wereld. Het heeft een landingsplatform voor een helikopter en een zwembad op de voorsteven. Daarmee vergeleken is mijn Silvestris een roeibootje.'

'Ik ben erop geweest,' zei de nieuwe gast, die heel goed wist dat iedereen dat geweldig opwindend zou vinden.

'Hoe was het interieur?' vroeg Eleanor.

'Een en al goud en leer,' hoorde Ali de gast zeggen, terwijl ze met de tweeling en Leicester het pad naar het zwembad af liep.

Pas op de terugweg naar de villa realiseerde Ali zich dat het de schaduwminister van Financiën was geweest met zijn vrouw.

'Denk jij dat ze nog steeds verliefd zijn?' vroeg Katya aan Ali, toen ze kameraadschappelijk naast elkaar op de rand van het enorme nieuwe zwembad zaten en met hun voeten in het water naar de zwemmende kinderen keken. Het was zo'n vraag die Katya graag midden in een gesprek opwierp, een van de redenen waarom ze zulk opwindend en uitputtend gezelschap vormde. Ze stommelde van afstandelijkheid naar intimiteit als een kind dat met een cameralens speelt.

Ali had nog steeds moeite om te wennen aan Katya's verrassende aanwezigheid op de borrel van de Petersons. Het feit dat haar vriendin niet in het minst beduusd was, sprak boekdelen over haar flexibiliteit.

'Ik denk dat ze te jong zijn om dat te weten. Als je achttien bent, zijn liefde en lust ongeveer hetzelfde.'

'Ik bedoel Jake en Lucy niet,' lachte Katya. 'Ik bedoel het volmaakte echtpaar, Nick en Bryony.'

Snel telde Ali de koppen in het zwembad, want Katya had slechts oog voor Thomas, ook al droeg hij zwembandjes. 'Eén, twee, drie, vier, vijf, zes, zeven,' telde Ali binnensmonds alle kinderen onder haar hoede.

Hector en Alfie speelden met Thomas in het ondiepe: ze moesten insecten uit het zwembad redden met een visnet en ze dan verplegen in een geïmproviseerd Lego-ziekenhuis dat in de langgerekte, smalle schaduw van een cipres stond, tot ze weer gezond waren. Aan het andere eind kreeg Leo duiklessen van Hesters oudste dochter Maud.

Izzy en haar jongere nichtje Ella werkten aan een nummer synchroonzwemmen. Izzy droeg een zwarte bikini waarin haar pas gepiercete navel goed uitkwam. Het enige wat er van haar postpunkkenmerken over was, was het ravenzwarte haar en de zwarte nagellak; de bleke foundation en de donkere lipstick die ze voor het ontbijt had opgesmeerd, waren door het water weggewassen, al hadden de geverfde wenkbrauwen het bad wel doorstaan.

'Hoewel Jake er wel heel fiet uitziet.'

'Je bedoelt fit,' corrigeerde Ali haar. Katya's Engels was onberispelijk, tenzij ze populaire spreektaal bezigde. Dan werd het een verwarrende verzameling versprekingen en verhaspelingen.

'Ik denk dat ik hem niet op die manier bekijk.'

'Doe niet zo preuts,' plaagde Katya haar met een van haar favoriete nieuwe woorden. 'Als je hem Lucy ziet insmeren met zonnebrandcrème, zou je dan niet willen dat jij het was?'

'Absoluut niet,' zei Ali. 'Jake en ik hebben nooit echt met elkaar overweg gekund.' Ze wilde eraan toevoegen dat ze hem niet goed kende, maar dat klonk absurd, alsof ze iets wilde verdoezelen. Ze overwoog wat ze wel wist: hij sliep met het licht aan, hij gebruikte geen hoofdkussen, hij had zijn doorgegroeide wenkbrauwen een keer geharst, hij had zijn zus verteld dat mannen niet van magere vrouwen houden, hij gebruikte deodorant van Axe, hij zei tieten in plaats van borsten. Intieme, zelfs vertederende weetjes, maar gestolen, niet gekregen.

'Aantrekkingskracht is een soort tijdelijke blindheid, je hoeft niet te kunnen zien om het toch te voelen,' zei Katya.

'Ik zie hem gewoon echt niet zo,' zei Ali ongedurig.

Ze keek rond om te zien of er iemand in de buurt was. Vooral Izzy had een scherp zesde zintuig voor gesprekken waarvan je niet wilde dat zij ze hoorde, al beweerde ze dat het veelbesproken onderwerp Jake en Lucy haar mijlenver de keel uithing. Tot het nieuws kwam dat er alweer een verkeerd aangepakte mond-en-klauwzeercrisis was uitgebroken in Engeland, dreigde hun verhouding het belangrijkste gespreksonderwerp van de vakantie te worden.

Lucy en Jake waren weer verdwenen. Nick had Jake geplaagd met zijn wagenziekte toen ze bij het huis van de Petersons aankwamen. Te oordelen naar de slecht verborgen bobbel in zijn zwembroek was het een eufemisme voor smachten van verliefdheid. Ze hoopte maar dat ze een discreet plekje hadden gevonden, want naast insectendoktertje was het andere favoriete tijdverdrijf van de jongere kinderen Jake en Lucy bespioneren, en uitgebreide verslagen schrijven over wat ze hadden gezien. Gisteren had ze hen over seks horen praten.

'Wat is orale seks?' had Alfie aan zijn nichtje Ella van twaalf gevraagd.

'Dat is seks hebben en daarna heel lang met iemand praten,' antwoordde Ella.

Het was negen uur geweest. De zon hing al laag aan de hemel maar straalde nog een laatste lading energie uit, voordat hij onder de horizon zakte.

'En hij is zo slim,' vervolgde Katya. Ali keek haar niet-begrijpend aan en besefte toen dat ze het nog steeds over Jake had. 'Bryony en Nick wilden dat hij economie ging studeren in Oxford, maar hij wilde beslist Engels studeren. Ze hebben hem zelfs geprobeerd over te halen om er een jaar tussenuit te gaan zodat hij er langer over kon denken, maar dat wilde hij niet. Ik mag dat wel, een man die weet wat hij wil.'

'Hoe weet je dat allemaal?' vroeg Ali.

'Je weet toch hoe het is. Nanny's horen alles,' zei Katya schouderophalend. 'Maar denk jij dat Nick en Bryony nog van elkaar houden?'

'Ik denk van wel,' antwoordde Ali afwezig, terwijl ze het doorzettingsvermogen van Leo bewonderde die uit het zwembad klom nadat hij voor de zoveelste keer pijnlijk op zijn buik was terechtgekomen.

'Drie van de tien,' riep Maud met haar hoge stemmetje. Ze was een harde leermeester, net als haar moeder, dacht Ali.

'Hoe weet je dat dan?' vroeg Katya. 'Ze zien elkaar maar weinig.'

'Dat zijn de omstandigheden, niet omdat ze dat zo willen,' zei Ali. 'En als ze bij elkaar zijn, lijken ze het goed te kunnen vinden. Ze hebben bijna nooit ruzie.'

'Dat kan ook betekenen dat ze geen band hebben,' merkte Katya op.

Ali had graag tegen Katya willen zeggen dat ze niet zeker wist of zij zelf ooit verliefd was geweest en zich daarom niet bij machte voelde om andermans relaties te beoordelen. Maar als zij iets vertrouwelijks vertelde, zou Katya misschien op haar beurt hetzelfde doen, en Ali wist niet zeker of zij Katya's geheimen wilde bewaren.

Ze overpeinsde haar situatie. Tijdens hun affaire, die een jaar had geduurd, vertoonde ze alle symptomen: ze luisterde naar muziek die haar aan Will MacDonald deed denken, ze las boeken die hij had aanbevolen, ze vond in elk gesprek wel een manier om het over hem te hebben, en als ze in bed lag met haar hand tussen haar benen, verbeeldde ze zich dat die vingers van hem waren en niet van haar. Maar was dat liefde? Want toen ze eindelijk naar Londen was vertrokken, was dat binnen een paar weken allemaal vervaagd, tot ze merkte dat ze zich alleen afzonderlijke gelaatstrekken voor de geest kon halen, omdat ze het geheel vergeten was, en zelfs die waren na een poosje verdwenen.

'Als ik Bryony en Nick samen zie, denk ik dat ze een verstandshuwelijk hebben,' vervolgde Katya. 'Het is allemaal te kalmpjes.'

'Waarom zou het verstandig zijn?' vroeg Ali, wier nieuwsgierigheid het won van haar aarzeling om de relatie van haar werkgevers te bespreken. Als Mira bij hen was geweest, zou ze beslist hun loyaliteit in twijfel hebben getrokken.

'Simpel: hij geeft haar rijkdom, zij geeft hem status,' zei Katya. 'Hij is van nederige afkomst.'

'Als hij zoveel geld verdient, waarom moet Bryony dan werken?' vroeg Ali. Het was een vraag die ze al wilde stellen sinds ze bij de Skinners was komen wonen.

'Ook simpel,' zei Katya. 'Met een vader als Foy als je belangrijkste rolmodel, vind je geen enkele man betrouwbaar, en ze wil indruk op hem maken.'

'Ik weet niet hoe hun relatie in elkaar zit,' zei Ali, geïrriteerd omdat ze die conclusies niet zelf had getrokken, 'maar ze zijn goed voor mij en dat is eigenlijk het enige waar ik me druk over hoef te maken.'

'Flirt Nick weleens met je?'

Ali dacht even na. Flirten had ze nooit echt begrepen. 'Ik geloof van niet.'

'Wat zijn jouw ouders voor mensen?' vroeg Katya een paar minuten later.

Ali kreeg een beeld voor ogen van haar vader en moeder die 's avonds om zes uur kameraadschappelijk geroosterd brood met jam aten, net voor de scheepsberichten. De eenvoud van de relatie van haar ouders leek haar nu wonderbaarlijk. Dat had ze nooit opgemerkt, voordat ze bij de Skinners introk. Zelfs de jaloezie van haar moeder op haar vaders relatie met de zee leek nu betoverend.

'Gewoon,' zei Ali beslist. 'En jouw ouders?'

'Ik ben door mijn moeder grootgebracht,' zei Katya. Het was voor het eerst sinds Ali Katya had ontmoet, dat ze over haar leven in Oekraïne praatte. 'Mijn vader is verdwenen. De ene dag was hij er en de volgende dag was hij, poef, verdwenen.'

'Waar is hij naartoe gegaan?'

Katya trok met haar voeten rimpels in het water en zei: 'Mijn moeder denkt dat hij nog een vrouw en een gezin had in het zuiden van Oekraïne. Maar we weten het niet.'

'Wat akelig,' zei Ali.

'Is goed levensles,' zei Katya. Ali merkte de zeldzame grammaticafout op. 'Het leert je dat alles wat je gekregen hebt je ook weer afgepakt kan worden. Je leert het moment te grijpen, wanneer je maar kunt.' Ze stak haar arm omhoog en greep een vuistvol dunne lucht, om te laten zien wat ze bedoelde. Ali volgde haar blik naar het zwembad waar ze toekeek hoe Thomas zich uit het ondiepe hees. Hij kwam naar Katya toe rennen en ze riep een paar woorden in het Oekraïens, waarop hij zijn pas vertraagde. Ze trok haar lange benen uit het zwembad en sloeg ze in kleermakerszit over elkaar, zodat Thomas in het warme holletje in het midden kon zitten.

'Ben je daarom naar Engeland gekomen?' vroeg Ali. Katya knikte ernstig.

'Ik stuur bijna alles wat ik verdien terug naar mijn moeder voor mijn broers en zusjes. Dat is mijn verantwoordelijkheid.'

'Hoe heb je Mira leren kennen?' vroeg Ali.

'We hebben de reis samen gemaakt. Ze heeft me geholpen. Ze heeft me gered van een paar heel, heel slechte mensen. Maar dat is nu allemaal voorbij.' Ali voelde dat Katya genoeg had gezegd. Ze wiegde heen en weer en zong een Oekraïens slaapliedje voor Thomas.

'Waar zijn de andere kinderen?' vroeg Katya. Ali keek naar het zwembad en zag dat ze allemaal verdwenen waren. Het insectenziekenhuis was nog intact, maar de ontsnapte patiënten repten zich allemaal terug naar de wildernis. Sommige beesten dwaalden terug naar het zwembad waar ze net uit waren gered. Wat moest je daaruit opmaken, vroeg Ali zich af. Dat sommige insecten intelligenter waren dan andere? Dat het lot willekeurig was? Of dat sommige insecten nu eenmaal door pech achtervolgd werden?

'Ik ga ze wel zoeken,' bood Ali aan.

'Wil je Thomas meenemen, zodat ik even kan zwemmen?' vroeg Katya. Ze duwde hem van haar knieën en stond op om haar lange benen te strekken. Er zaten kleine vlekjes stof en grind op haar billen en dijen geplakt. Ze nam niet de moeite om ze weg te vegen. Ze droeg een felrode bikini. Ze deed Ali denken aan een rijpe exotische vrucht, op het punt om open te barsten. Katya tilde Thomas op Ali's heup en hij speelde tevreden met haar haar toen ze de olijfgaard onder in de tuin door liep, roepend om Hector en Alfie.

Toen ze weer op het terras aankwam, zag Ali dat de kinderen aan tafel kebab en stukken kip van de barbecue zaten te eten. Bryony stapelde vuile borden op en vulde glazen met water. Ze wierp Ali een afkeurende blik toe, omdat ze er niet was geweest om op de tweeling te passen, al was de Griekse huishoudster van de Petersons in de buurt om te helpen. Hector en Alfie deelden een stoel en aten van hetzelfde bord, een dubbele overtreding in Bryony's ogen, hoewel alle anderen opmerkten hoe schattig het was dat ze zo aan elkaar gehecht waren.

'Sorry, ze waren ineens allemaal tegelijk verdwenen,' zei Ali tegen Bryony. Ze zette Thomas in een stoel naast Hector en gaf hem een met honing geglazuurde kippenpoot om te kluiven.

Sophia wuifde zichzelf koelte toe met een servetje en zei: 'Deze hitte is zo vermoeiend. Ik voel me bijna verdoofd.'

'Dat is precies wat er in *De storm* van Shakespeare gebeurde,' zei Ali, om Bryony's goedkeuring terug te winnen.

Sophia keek belangstellend en Ali legde uit dat de arme schipbreukelingen uit *De storm* die aanspoelen op het eiland in de greep raken van de dromerigheid en zich bevrijden van de beperkingen van hun benarde Milanese leven, om slaapwandelaars en dromers te worden.

'Sommige mensen zijn van mening dat Shakespeare het stuk op Corfu liet spelen,' verklaarde ze. 'De moeder van Kalibaan heet Sycorax, en dat is bijna een anagram van Corcyra, de oude naam van Corfu.'

Ze keek naar Bryony, die haar een brede glimlach schonk.

'Weet jij waar Leicester is?' vroeg Bryony.

'We hebben hem bij het zwembad achtergelaten,' zei Ali. 'We hadden hem afgekoeld met een emmer water en daarna viel hij in slaap onder een ligbed.'

'Wil je hem alsjeblieft even gaan halen?' vroeg Bryony. 'Hij kent de weg hier niet.'

Opnieuw ging Ali op weg naar het zwembad. Leicester lag niet meer onder het ligbed, al was aan een stoffig komvormig holletje te zien waar hij had gelegen. Ze zocht naar pootafdrukken, maar vond alleen stukjes Lego en een paar dode sprinkhanen. Inwendig vervloekte Ali de hond. Hij strafte haar omdat ze hem geen aandacht had gegeven. Toen hoorde ze iets vallen in het zwembadhuis van de Petersons en ze zag dat de deur openstond.

Er klonk een geluid alsof er een koelkast open- en dichtging. Die kon Leicester toch zeker niet zelf openmaken? Op haar tenen liep ze over het stenen pad naar het huisje, met spijt dat ze haar schoenen boven op het terras had laten staan, want het was akelig heet onder haar voeten.

Wat hadden deze mensen toch veel koelkasten, dacht Ali. Er stonden er minstens vijf in Holland Park Crescent en nog meer in het huis in Griekenland. En de Petersons waren al net zo. Ze herinnerde zich dat haar ouders een paar jaar geleden de koelkast moesten vervangen die ze bijna een kwart eeuw in huis hadden gehad. Het kostte bijna zes maanden van bladeren in catalogussen, weifelen tussen verschillende modellen, vergelijken van prijzen, energieverbruik, omvang en ontwerp om tot een besluit te komen. Koelkasten groeien niet aan de bomen, had haar vader gekscherend gezegd toen hij de verveelde uitdrukking op Ali's gezicht zag na alweer een tijdrovende discussie. 'Voor sommige mensen wel,' kon ze hem nu laten weten.

Heel stilletjes ging ze het zwembadhuis binnen, om Leicester op de plaats delict te kunnen betrappen. Maar in plaats van Leicester zag ze Ned, zijn broek en zijn onderbroek omlaag getrokken tot onder zijn onwaarschijnlijk witte billen, boven op Katya, naakt op haar bikinitopje na, dat over haar ribben omhoog geschoven was en toch al zo nietig was dat het de naam kledingstuk nauwelijks verdiende. Hij streelde haar borsten alsof het heilige voorwerpen waren. Ze glansden van het zweet. Neds hoofd was opzij gedraaid zodat Ali kon zien dat zijn mond in een vreemde hoek openstond, alsof hij een woord als reine-claude uitsprak, met die lange klinkers. Zijn gezicht was zo rood als een tomaat. Ze giechelde bijna hardop over het absurde van haar ontdekking. Ze was er redelijk zeker van dat Katya haar niet had gezien en stapte terug het zonlicht in.

'Is het niet ongelooflijk dat die schaduwminister er was?' vroeg Foy onderweg naar huis. Hij had Tita overgehaald weer met hem mee te gaan in de boot. Ze weigerde te gaan zitten, ondanks het opspattende water. Ze hield zich liever met een hand vast aan het windscherm en met de andere aan Foys schouder. 'Zijn smoel stond me wel aan,' zei hij. 'Hij vroeg om een bijdrage.'

'Julian heeft een zesde zintuig voor richting waarin de politieke wind waait,' zei Tita. 'Hij vertelde me dat hij denkt dat Blair hem misschien in de adel verheft, voordat hij opstapt.'

'Dat is Julian niet. Dat is Eleanor,' zei Foy, niet in staat om de bewondering in zijn stem te verhullen. 'Ze weet mensen heel goed het idee te geven dat ze hun beste vriendin is.'

‘Hoe vond je het huis?’ vroeg Tita.
‘Te weinig stopcontacten,’ zei Foy afwerend.
‘Jammer dat Nick terug moet naar Londen,’ zei Tita.
‘Het is elk jaar hetzelfde liedje,’ bromde Foy.

14

September 2007

De dag nadat Nicks bank betere kwartaalresultaten aankondigde dan voorzien, wandelde Izzy naar beneden in een wijde mohair trui (met een zichtbare paarse beha eronder), een Schots geruite rok, een panty met zorgvuldig aangebrachte gaten en een zwartleren jasje, klaar voor een avondrepetitie van haar strijkkwartet bij Sophia Wilbraham thuis.

Ze deden mee aan een muziekwedstrijd op school en Sophia had Ali gevraagd om te zorgen dat Izzy uiterlijk om acht uur bij hen thuis was, zodat ze het strijkkwartet Nr. 14 in cis klein voor de laatste keer konden repeteren. Ali kon de ontevredenheid en de verbolgenheid horen in het klomp, klomp, klomp waarmee Izzy's Dr. Martens de keuken in slenterden. De cello stond een flink pak rammel te wachten.

Het was een slecht plan. Izzy was al moe van een hele dag school. Ze had genoeg van de cello. En ze was het zat dat haar leven door andere mensen geregeld werd. Maar Bryony was pas terug uit Kiev en daarom niet bij machte om het plan in dit late stadium te torpederen. En uit medelijden (altijd een twijfelachtige motivatie) omdat de man van Sophia een verhouding had, had Ali zich laten overdonderen. Ze had er ook mee ingestemd om Izzy om halftien weer op te halen, omdat Sophia de verantwoordelijkheid om haar alleen naar huis te laten lopen niet op zich wilde nemen, 'gezien al haar problemen'. Zoals Izzy Ali eerder die dag nogal duidelijk had laten weten, paste het allemaal bepaald niet in haar nieuwe leven.

Nick en Bryony zaten, ongebruikelijk genoeg, samen te borrelen aan de keukentafel. Ze hadden net getekend voor het huis in Oxfordshire en Bryony wilde de renovatie bespreken, omdat ze de volgende dag naar Moskou vloog. Sinds zijn voortijdige vertrek uit Corfu was Nick nauwelijks thuis geweest. Soms ving Ali brokstukken van gesprekken op als hij 's avonds thuiskwam, maar ze stelde geen vragen. 'We hebben twee miljard dollar aan CDO's die we niet tegen een fatsoenlijke prijs kwijt kunnen... we verkopen met honderd miljoen dollar verlies... een kwart van Countrywide's subprime-hypotheken wordt niet afgelost... we zitten in een negatieve feedbacklus.'

Vanuit Ali's gezichtspunt was de omvang van de verliezen duizelingwekkend en kennelijk beïnvloedden ze Nicks zelfdiscipline, want hij verruilde zijn fitnessroutine in het souterrain voor een fles wijn in de zitkamer.

Bryony was met een deal bezig. Ali had de voorpagina van 'Project Beethoven' (strikt vertrouwelijk, beperkte verspreiding) in de papierbak gevonden en na een snelle blik op de eerste bladzijde begrepen dat een van Bryony's Russische energiemaatschappijen een bod wilde doen op een Britse energieleverancier. Uit Bryony's gespannen telefoongesprekken wist ze ook dat de Britse regering niet erg gelukkig was met het beheer van de gasleveringen door Rusland en dat de meeste krantenartikelen die mening reflecteerden. De resultaten van de Oekraïense verkiezingen van een paar weken geleden voorspelden niets goeds. De pijpleiding die Europa bevoorraadde, liep door Oekraïne en de Russen maakten al dreigende geluiden omdat ze de popperige nieuwe premier, Yulia Tymoshenko, niet vertrouwden.

'Ze leveren toch al bijna al ons gas, wat maakt het dan uit of zij het ook verspreiden?' instrueerde Bryony de journalisten 's avonds vanuit de keuken. Een van haar andere deals werd 'vijandig', wat Ali aan cowboyfilms deed denken. Bryony's humeur was niet goed genoeg om haar te kunnen vragen wat dat precies betekende. Aan haar stressniveau te oordelen was het in elk geval niet positief.

De tekeningen van de architect lagen opengevouwen op de tafel en Bryony gaf een efficiënte opsomming van wat zij de 'hoofdlijnen' van de verbouwing noemde. Ze negeerden Ali, die discreet de boekenplank doorzocht naar Izzy's al dagen ontbrekende muziekbladen. Als Bryony niet thuis was, verdwenen de muzieklessen ver naar de achtergrond.

'Hoeveel?' vroeg Nick.

'Hij schat in de zeven cijfers.'

'Wat?' Ali stond met haar rug naar hem toe, maar ze hoefde Nicks gezicht niet te zien om de verontwaardiging in zijn stem te horen.

'Ik ben een sober mens, Nick. Ik zie niet hoe het goedkoper zou kunnen.' Bryony's toon was zacht, bijna berouwvol. Het klonk alsof ze monopoly aan het spelen was en zich verontschuldigde omdat ze vier huizen op de duurste straat bouwde. Ali was blij dat ze haar gezicht niet konden zien terwijl ze doelloos telkens dezelfde stapel papier doorbladerde. Sinds ze afgelopen april op de *rich list* van *The Sunday Times* hadden gestaan was Ali zich niet meer zo bewust geweest van de enorme rijkdom van de Skinners.

'Daar zit alles bij in,' zei Bryony.

'Dat is fijn om te weten,' zei Nick, zijn stem druipend van het sarcasme.

Hoe kon iemand zoveel geld uitgeven om een huis te verbouwen, vroeg Ali zich af. Het was niet echt een morele vraag, al zou het dat wel moeten zijn. Het was eerder logistiek. Ze begreep nu wel dat een paar gordijnen voor een vroeg-victoriaanse zitkamer met twee schuiframen bijna tienduizend pond kon kosten, omdat ze de rekening van de binnenhuisarchitecte had gezien voor het vervangen van de gordijnen die de tweeling op de kerstborrel had vernield. Voor acht paar gordijnen kon je een huis kopen in Cromer, had ze uitgerekend. De nieuwe gordijnen waren zo dik, dat Hector de zoom niet in één hand kon vasthouden. Ze hadden voering, tussenvoering, loodjes, verduisterende voering, passementwerk, muurwerk. Toen ze de architecte met Bryony had horen praten, voelde Ali zich net een antropoloog die per ongeluk op een geheimtaal was gestuit die slechts door een kleine Britse stam werd gesproken.

'Vertel eens wat "alles" precies inhoudt,' vroeg Nick.

'De keuken uitbouwen, het dak vernieuwen, isolatie, de tennisbaan renoveren, een alarmsysteem, zwembad, thuisbioscoop, speelkamer, orangerie... Het staat er allemaal in.' Met een ongeduldige vinger tikte ze op de papieren om aan te geven dat hij de specificaties maar moest bekijken. Hij pakte het uit acht pagina's bestaande document op en begon te lezen.

'Je bent ermee akkoord gegaan om achtduizend pond uit te geven aan een gerestaureerd koperen bateaubad? Ik ben verdomme Hendrik de Achtste niet, of heb je soms ook al een fluwelen toiletdeksel besteld?'

'Koper is een uitstekende geleider voor elektriciteit en warmte,' zei Bryony rustig. 'Het beste materiaal voor een bad. Houdt de warmte heel goed vast, dus uiteindelijk bespaar je geld op heet water.'

'Bryony, je kunt niet serieus beweren dat je bespaart op de gasrekening als je je billen wast in een bad dat duurder is dan een nieuwe G-Wiz.'

‘Ik betaal het bad wel,’ zei Bryony schouderophalend.

‘Pleisterwerk, dertigduizend pond?’ vervolgde Nick. ‘Je gaat echt te veel met Russische oligarchen om.’

‘De jakobijnse plafondornamenten moeten helemaal gerenoveerd worden,’ legde Bryony uit. ‘Het originele pleister moet geanalyseerd worden om iets te vinden wat overeenkomt met het origineel. Volgens de architect wordt het waarschijnlijk een combinatie van een deel calciumcarbonaat op vijfentwintig delen kalk. Er zijn maar twee mensen in het land die dat kunnen doen. Het huis staat op de monumentenlijst. We moeten de oorspronkelijke sfeer van het gebouw bewaren.’

‘Ik snap niet waarom we dit allemaal moeten doen. De mensen van wie we het kopen wonen daar al bijna een halve eeuw, met alle soorten van genoegen.’

‘Dat hebben we nu eenmaal afgesproken. Daar was je bij. En hun smaak is afgrijselijk. Ik kan echt niet leven met al dat chintz.’

‘We kunnen het niet betalen.’ Nu was Bryony aan de beurt om ongelovig te kijken. Ze zweeg even, boog zich toen op haar ellebogen naar hem toe, haar vingers stevig vervlochten tot haar trouwring onzichtbaar was, en glimlachte.

‘Doe niet zo belachelijk, Nick,’ zei ze kalm.

‘Waarom kunnen we niet de helft nu doen en de rest later?’

‘Omdat het dan uiteindelijk nog duurder wordt en het nog langer duurt voordat het allemaal klaar is. Ik begrijp niet waarom je zo moeilijk doet.’

Bryony pakte de krant en bladerde naar de financiële pagina’s tot ze het artikel over de resultaten van Lehman vond.

Ze wreef met haar vinger over de krantenkop zodat het topje zwart werd: ‘Hier staat dat alles beter is dan verwacht en dat je bazen denken dat de ergste krimp voorbij is. “Lehman Net daalt minder dan verwacht.” Je bent veel te pessimistisch.’

‘Fuld ziet ze vliegen. Ze geven geld uit als water, terwijl de rest van de wereld de broekriem aanhaalt. Ze kopen hedgefondsen op tegen de hoogste prijs, kopen aandelen terug om indruk te maken op beleggers, investeren in onroerend goed, terwijl ze zouden moeten verkopen. We hebben leningen op de boeken staan die vierendertig keer zoveel waard zijn als de hele bank. Ik denk echt dat ze gek geworden zijn. En ik ben niet de enige.’

'Heb je het erover gehad met iemand die hoger geplaatst is?' vroeg Bryony op een toon die suggereerde dat ze hoopte van niet.

'Vandaag heb ik in een conference call geprobeerd te zeggen dat Merrill in juni negentien CDO's had die ze niet tegen de juiste prijs kwijt konden. Ze zeiden dat ik te voorzichtig en niet creatief genoeg was,' zei Nick schouderophalend. 'We zitten op de top van de markt. Ik ruik het. En nog steeds wil Fuld meer risico binnenhalen.'

'Lehmans aandelen zijn vandaag weer gestegen en je zit op een hele stapel van die dingen, dus kunnen we alsjeblieft de architect gewoon groen licht geven, zodat ik dit uit mijn hoofd kan zetten en weer aan het werk kan?' Bryony zweeg even. 'Ik kan er altijd wat van mijn geld in stoppen en papa vragen om de rest bij te leggen.'

Nicks hand balde zich tot een vuist en hij zei: 'Als je dat maar uit je hoofd laat, Bryony.'

'Ik wil papa's zeventigste verjaardagsfeest in juni in het nieuwe huis vieren. De tijd staat niet stil, Nick.'

Dus toen Izzy naar de tafel slenterde met een kom muesli met yoghurt, de snack die de eetstoornissentherapeut had aanbevolen voor de avond, vlogen Bryony en Nick haar allebei aan vanwege haar kledingkeuze in plaats van haar te prijzen omdat ze verstandig at.

'Zo kun je niet naar de Wilbrahams! Wat moeten ze wel niet denken?' sputterde Bryony. 'Je ziet eruit als een punker.'

'Ik ben ook een punker,' reageerde Izzy tussen dikke lagen paarse lippenstift door die Ali deden denken aan de frambozenjam op de avondboterham van de tweeling.

'Punk was eind jaren tachtig al dood,' zei Bryony.

'Jakobijnse huizen al in de zestiende eeuw,' zei Izzy. 'Hoe dan ook, ik ben postpunk.'

'Het was de zeventiende,' corrigeerde Bryony.

'Mij maakt het niks uit, al ben je een prehistorische punker: je ziet er niet uit,' zei Nick, hoofdschuddend naar Bryony kijkend, alsof het allemaal haar schuld was. 'Ik kan me niet voorstellen dat ze het bij jou op school goedvinden dat je je zo kleedt.'

'Het enige wat mijn school iets kan schelen, is hoe ik mijn examens maak,' antwoordde Izzy. 'En ik zie er misschien vanbuiten niet uit, maar vanbinnen voel ik me een stuk beter. Bij de therapeut zeggen jullie steeds dat jullie van me houden om wie ik ben, niet om hoe ik eruitzie, dus dan moeten jullie ook maar door de schil heen kijken naar wat eronder zit.'

'Je bent volkomen onredelijk, Izzy,' zei Bryony. Haar toon werd zachter. 'Waarom gaan wij van het weekend niet even naar Selfridges? Ik bel mijn personal shopper wel voor een afspraak. Je mag kopen wat je wilt. Mijn god, ik zie het prijskaartje van de tweedehandswinkel zelfs uit dat leren jasje steken.'

'Heeft je BlackBerry soms gezoemd om je te vertellen dat je tijd aan je dochter moet besteden?' vroeg Izzy. Ze zat met behulp van een handspiegeltje kohl rond haar ogen aan te brengen. Toen ze klaar was, klapte ze het spiegeltje dicht en keek Bryony aan.

'Als ik hele dagen winkelde en koekjes bakte of bij je zat terwijl je je huiswerk deed, zou je dan niet gaan twijfelen aan het doel van je opleiding?' vroeg Bryony. 'Ik ga me echt niet verontschuldigen omdat ik werk. En op een dag zul je me daarvoor bedanken.'

Jake kwam de keuken in om te vertellen dat hij met vrienden uitging. Hij werd geacht te werken in de tijd voordat hij begin oktober naar Oxford zou gaan, maar ondanks eindeloze discussies over mogelijke stageplaatsen – een week bij Julian Peterson bij de BBC, een paar dagen archiveren voor zijn peetmoeder bij de financieel toezichthouder of een tijdje bij een reclamebureau van een andere vriend van zijn ouders – was er niets tot stand gekomen omdat Jake geen zin had om de benodigde telefoontjes te plegen. Ali had zich vaag afgevraagd of zij zich niet in zijn plaats zou kunnen aanbieden.

'Wat het leven de moeite waard maakt, is niet het najagen van geluk, maar het geluk van het najagen. Ik probeer filosofisch afstand te nemen van het concept dat geld gelukkig maakt, omdat ik hier in huis weinig bewijs zie dat die geloofsovertuiging ondersteunt,' vervolgde Izzy. 'En ik kan deze zaterdag niet, want dan ben ik bij tante Hester. Ik krijg Ricks oude elektrische gitaar. Ik ben helemaal klaar met de cello. Dit Beethoven-kwartet zou weleens mijn zwanenzang kunnen zijn.'

Ali trok een gezicht. Izzy wist de genadeslagen wel uit te delen.

'Ik kan hier niets mee, ik moet aan het werk,' verkondigde Nick ineens.

'Papa, het is acht uur 's avonds,' zei Izzy.

'Kom op, Nick,' zei Bryony. Haar stem werd zachter. Ze boog zich over de keukentafel heen en legde haar hand op de zijne. Eronder spanden

Nicks vingers zich. 'Lehman heeft net zevenhonderd miljoen dollar van hun balans afgeschreven om de subprime-verliezen te dekken, dan zit je toch goed?'

'Volgens mijn berekeningen hebben we ongeveer tweeëntwintig miljard illiquide hypotheekactiva op risiconiveau drie in de boeken staan, waarvan de waarde onmogelijk vast te stellen is,' zei Nick, terwijl zijn nagels onder Bryony's hand over de tafel heen en weer krasten. 'Niemand wil zijn vingers branden aan CDO's, Bryony.' Hij boog zich naar haar toe over de tafel. 'Als dit schip zinkt, lijkt Enron daarmee vergeleken op een storm in een glas water en als jij zo doorgaat, zinken wij mee. Het hele New Labour-project is alleen maar tijdelijke welvaart, gebouwd op een illusie. Dit zijn allemaal klassieke voortekenen van een barstende zeepbel.'

'Wat moet ik dan tegen de architect zeggen, Nostradamus?'

'Kan me niet schelen.' Daarmee stond hij van tafel op, stapelde de tekeningen van de architect netjes op, ordende pennen en potloden en verliet het vertrek.

'Ik ga me niet omkleden,' herhaalde Izzy toen Nick naar boven liep.

'Wil je jezelf soms zo onaantrekkelijk mogelijk maken?' vroeg Jake aan zijn zus toen hij beneden kwam en meteen naar de broodrooster liep met een paar sneden witbrood. Malea haastte zich naar hem toe om ze uit zijn hand te pakken en ze erin te stoppen.

'Ik wil mijn eigen script schrijven, niet dat van iemand anders volgen,' zei Izzy. 'Een nobel streven.'

'En uit welk zelfhulpboek komt dat nu weer?' vroeg Jake spottend.

'In elk geval verken ik mijn eigen identiteit, in plaats van mijn ego onder te brengen in een bejaarde relatie. Het is gewoon ziekelijk zoals jij en Lucy aan elkaar verkleefd zitten.'

Dit was een nieuw thema in de relatie tussen Jake en Lucy post-Corfu. Foy had op de laatste dag tegen de rest van de familie en binnen gehoorsafstand van Ali opgemerkt dat Lucy alleen nog naar zichzelf verwees in de eerste persoon meervoud. ('Als we terug zijn in Londen... Als we mensen voor het eten uitnodigen... Als we naar Schotland gaan met mijn ouders...')

'Jake zou de ene meid na de andere moeten versieren,' klaagde Foy op een avond bij een glas whisky op het terras aangeschoten tegen Julian

Peterson. 'Zij is het soort meisje dat een vent alleen wil pijpen als ze denkt dat er een trouwring tegenover staat.'

'Heel iets anders dan mijn echtgenote dus,' had Julian droog geantwoord. Foy had bijna gekwetst geleken door die opmerking en vaag gemompeld dat Eleanor het soort vrouw was dat elke warmbloedige vent uit haar japon zou willen 'pellen', alsof Julian de ontrouw van zijn vrouw als een compliment voor zijn goede smaak zou moeten opvatten, en niet als een belediging van zijn mannelijkheid.

Terug in Londen had Lucy de zaak voor Jake nog verergerd door hem voor zijn negentiende verjaardag een paar dure schapenvachtpantoffels te geven en erop te staan dat hij het cadeau ten overstaan van zijn familie openmaakte. Alsof ze geroepen werd, kwam Lucy nu naar beneden om Jake te laten weten dat ze voor de borrel bij haar ouders thuis werden verwacht.

'Geen witbrood eten, Jake,' zei ze en ze pakte het bord geroosterd brood af. 'Ik heb dat heerlijke driegranenbrood voor je gekocht.' Even hielden ze het bord allebei vast. Ali en Izzy keken in geboeid stilzwijgen naar de ontstane impasse.

'Moet dat, kunnen we niet meteen uitgaan?' vroeg Jake, nadat hij zich door Lucy het bord had laten afpakken.

'We hebben beloofd dat we de foto's van Corfu zouden laten zien,' zei Lucy. Ali keerde zich om en ving zijn blik. Gegeneerd keek hij naar zijn voeten. Hij leek niet eens op een hert in het licht van koplampen, dacht Ali, op zoek naar de juiste metafoor. Een hert kon nog wegrennen. Hij leek meer op de poster van Laurel en Hardy in een kooi op de slaapkamer van de tweeling, met hun gepijnigde blik smekend om de openbaring van het doel van hun leven.

Door de geluiden die de schoorsteenpijp naar haar kamer geleidde, wist ze dat de seks tussen Jake en Lucy wat mechanisch was geworden. Ze schaamde zich een beetje voor het afluisteren, maar de dynamiek van hun aflopende relatie was te interessant. Dus ze wist dat Jake een langgerekte performance verlangde. Hij wilde het licht aanhouden en de subtiele veranderingen in de spieren rond Lucy's mond observeren, terwijl zijn hand langzaam tot dusver onbezocht terrein verkende. Hij wilde haar klaarmaken met zijn mond. Hij wilde diepgang en ongeremdheid, terwijl zij net zo lief wat in het ondiepe wilde peddelen en niets meer doen dan haar deel van de overeenkomst vereiste. Het was dus niet onplezierig en Lucy betoonde zich altijd gewillig, maar was merkbaar van het slag 'hoe sneller het erop zit, hoe beter'.

Ali had hem tegen zijn vrienden horen zeggen dat hij genoeg tijdschriften van zijn zus had gelezen en genoeg porno had gekeken om te weten dat er een hele wereld van genot was die hem werd onthouden en die Lucy zichzelf onthield. Toen een van hen hem dan ook vertelde hoe ontiegelijk sexy hij Lucy vond, zei Jake niets om hem te ontmoedigen.

'Zullen we de charmante meneer en mevrouw Skinner aan hun huiselijke idylle overlaten en naar het andere eind van de straat lopen?' stelde Izzy voor.

Lucy zette haar stekels op, maar haar beheerste aard betekende dat ze haar boosheid stak in het nijdig beboteren van Jakes toast. Naast haar kookte Jake van woede. Toen Ali gedag zei, negeerde hij haar.

Vrijwel zodra Izzy aanbelde, deed Sophia Wilbraham de deur open. Ali stond naast Izzy met de cello voor zich, blij dat ze ballast had tussen haar en Sophia, al wist ze dat ze eruitzag als een bagagekruier.

Over de glazen van haar halvemaanvormige leesbril heen keek Sophia naar Izzy. Ali zag de zelfvoldaanheid over haar gezicht trekken toen ze de gaten in Izzy's kousen, de paarse lippenstift op haar voortand en de afgebladderde nagellak in zich opnam. 'Geen concurrentie voor Martha,' zag Ali haar denken.

Het herinnerde Ali aan een bezoek aan Cromer met haar moeder, toen zij een tiener was en het verval van haar zus het gesprek van de dag vormde. Ze herkende de zelfgenoegzame glimlach, de afkeuring en de opluchting dat haar eigen kinderen niet zo duidelijk op de vernieling afstormden. Ali had het woord *Schadenfreude* pas geleerd toen ze bij Will MacDonalds studiegroep kwam. Er heerste heel wat leedvermaak in de achttiende eeuw. In *The Man of Feeling* van Henry Mackenzie bijvoorbeeld, en Holland Park liep ervan over.

'Wat een opvallende outfit,' zei Sophia terwijl ze hen binnenhaalde, uit de kou. 'Je combineert dingen zo... decoratief.'

'Dank u wel,' zei Izzy, die scherp genoeg was om te weten dat Sophia's opmerking onoprecht was, ook al begreep ze haar beweegredenen niet.

'Sorry dat we een beetje laat zijn,' zei Ali, al waren ze dat niet. 'Bryony is net terug uit Rusland en ze wilde Izzy even zien.'

Ze had meteen spijt van haar woorden, omdat ze wist dat Sophia informatie verzamelde en als deviezen gebruikte; ze spaarde inlichtingen op om die later te kunnen inwisselen. Zelfs de meest onbenullige feitjes – Foys verjaardag, het onderwerp van Izzy's meest recente opstel voor Engels (een feestje waarbij een meisje per ongeluk uit het raam valt) – werden gerangschikt en opgeslagen.

'Hoe lang is ze weggeweest?'

'Weken,' verzuchtte Izzy.

'Wat moet dat vermoeiend voor haar zijn,' zei Sophia. 'En voor jou, Ali.' Ze schonk haar een van haar meest vleiende glimlachjes, in afwachting van Ali's reactie. 'Zoveel verantwoordelijkheid, want ik neem aan dat Nick ook lange uren maakt. En de tweeling is op zo'n moeilijke leeftijd.'

'Ze is steeds maar een paar dagen achtereen weg. Hooguit.'

Sophia keek haar argwanend aan, alsof ze wilde peilen of Ali opdracht had om details voor zich te houden. Ze ontbeerde het psychologische inzicht om te begrijpen dat Izzy haar eigen redenen zou kunnen hebben om haar moeder zo zwart mogelijk af te schilderen, en hield vast aan haar kant-en-klare stereotype van Bryony als typische werkende moeder, die de prijs betaalde voor haar zelfzuchtige leventje met een onhandelbare dochter en een bizarre tweeling. Bij Jake bleef ze liever niet te lang stilstaan, want die had op Corfu te horen gekregen dat hij zijn eindexamen met vlag en wimpel had gehaald.

'Bryony had wel even wat kunnen komen drinken,' zei Sophia.

'Ze heeft het te druk met het nieuwe huis bespreken met papa,' schokschouderde Izzy. Ali prikte Izzy met de punt van de cello. Izzy negeerde haar en deed een stap opzij. 'Er moet een hoop aan gedaan worden.'

'Welk huis?' vroeg Sophia.

'Ach, u weet dat mama altijd een of ander project moet hebben,' ging Izzy verder. Sophia's hoofd ging zo heftig op en neer dat haar bril naar het puntje van haar neus zakte en haar dubbele kin wiebelde. Ze staarde Izzy aan, gespannen azend op meer informatie.

'Nu hebben ze weer een huis op het platteland gekocht,' legde Izzy uit. 'Een enorme jakobijnse kast in Oxfordshire. Ik heb het nog niet echt gezien. Maar dit weekend gaan we er allemaal heen, als mama terugkomt uit Rusland.'

'Gaat ze dan alweer weg?' vroeg Sophia.

'Maar een paar daagjes,' kwam Ali tussenbeide.

'Ach, gelukkig ben ik er om in de muzikale bres te springen,' zei Sophia.

'Gelukkig wel,' zei Izzy. Sophia gaf een knorrend kuchje van voldoening, waardoor het knoopje aan de zijkant van haar rok opensprong.

Ze liepen achter haar aan door het huis en Sophia vroeg: 'Heb je veel gestudeerd voor je oefenexamens, Izzy?'

'Elke avond vier uur,' zei Izzy beleefd. Sophia keek haar verward aan, verscheurd tussen ongerustheid over die openbaring omdat Martha's schema kennelijk lichter was en twijfel of Izzy de waarheid vertelde.

'Beethoven roept,' zei ze ten slotte, en duwde Izzy de zitkamer in. 'We gaan vooral het derde deel oefenen.'

Ali ging achter Izzy aan naar binnen om de cello neer te zetten. Sophia's dochter Martha zat haar viool te stemmen aan de piano. Ze wuifde verlegen naar Ali, ving even haar blik en keek toen snel weer weg. Ali dacht terug aan het feest in Notting Hill en aan de kloof tussen Sophia Wilbrahams beeld van haar dochter en Martha's werkelijke leven. Hetzelfde gold voor Bryony en Izzy. Bryony zou zelfs minder inzichtelijk genoemd kunnen worden, omdat ze zich minder zorgen over Izzy had gemaakt toen ze een eetstoornis dreigde te ontwikkelen, dan ze nu bij haar herstel deed.

Dat bracht Ali op haar moeder en Jo. Zelfs toen het Ali – die toen veertien was – duidelijk was dat het feit dat haar zus in de vroege ochtenduren thuiskwam en tot vier uur 's middags lag te slapen meer te maken had met de werkingsperiode van verdovende middelen dan met de biologische klok van een puber, wilde haar moeder nog steeds geloven dat Jo gewoon een fase doormaakte, net als de andere tieners in Cromer. Haar vader was realistischer geweest. Hij had de pukkels gezien, het feit dat Jo geen korte mouwen meer droeg, de diepliggende ogen, en zijn vrouw en zijn dochter gesmeekt om hulp te zoeken. Misschien was die blinde vlek iets wat alle moeders gemeen hadden. Misschien hielden ze zich blind, of dachten ze dat ze hun kinderen konden genezen door meer van ze te houden.

Ze zag dat Martha een bloes droeg waarvan de knopen kuis tot bijna bovenaan gesloten waren. Ze kreeg het beeld van haar borst in de mond van die jongen niet van haar netvlies. Ali voelde een steek van medelijden. Ze wist van Izzy dat de jongen sindsdien niet meer tegen haar had gepraat en op zijn Facebook-pagina had geklaagd dat ze harige tepels had. Martha was onmiddellijk naar een schoonheidsspecialiste gegaan en had daar niet alleen die haren laten verwijderen maar ook een Brazilian laten doen.

'Vind je ook niet dat vrouwen een non-proliferatieverdrag zouden moeten tekenen tegen ontharing, Ali?' had Izzy gevraagd toen ze haar dit verhaal vertelde. 'Of dat de jongen die dat schreef zelf een Brazilian zou moeten krijgen?'

'Dat laatste klinkt praktischer,' had Ali lachend gezegd.

Ali glimlachte bij de herinnering aan dat gesprek. Nu Izzy meer at, was ze minder sikkeneurig. Hoewel ze tegen Ali had bekend dat ze nog steeds alles wat ze at en dronk bijhield in een dagboek, inclusief alle keren dat ze haar tanden poetste omdat tandpasta ook calorieën bevatte, zei ze dat ze niet was afgeweken van het streefgewicht dat de therapeut had vastgesteld. Belangrijker was nog dat ze niet meer op die afschuwelijke pro-ana-sites kwam.

Ali was gerustgesteld door haar openhartigheid, omdat ze op internet genoeg had gelezen om te weten dat geheimhouding een van de voornaamste aspecten was van anorexia. En hoewel Bryony het niet zo zag, was Izzy's onvolmaakte verschijning een goede maatstaf voor de afstand die ze had genomen van haar eetstoornis. Bryony had Ali wel verteld dat anorexia en perfectionisme hand in hand gingen, maar ze was kennelijk niet in staat om de omgekeerde logica op haar dochter toe te passen.

'Ze is aangekomen,' zei Sophia toen ze Ali voorging naar de gang en haar voorstelde om naar de keuken te gaan om Katya op te zoeken. Ali wilde net uitleggen dat het een heel slecht idee was om zoiets te zeggen met een meisje dat uit de afgrond van een eetstoornis aan het klimmen was op gehoorsafstand. Ze snoerde zichzelf echter de mond omdat ze zich tijdig realiseerde dat Sophia viste naar informatie om de diagnose te bevestigen.

'Ik ga alleen even gedag zeggen,' zei Ali, die het sinds de zomer had vermeden om met Katya alleen te zijn.

Katya stond te koken in het souterrain. Ze sneed bieten en kool op een snijplank, haar nauwkeurigheid ongehinderd door de snelheid van het mes. Haar handen waren bloedrood van het sap. Op het fornuis lagen twee grote, kruidig geurende worsten te sudderen in een pan.

Ze kwam naar Ali toe en omhelsde haar met de woorden: 'Hallo, vreemdeling. Ik maak borsjtsj. Het is het lievelingsgerecht van Thomas.

Hij moet de enige driejarige zijn in Londen die bietensoep verkiest boven vissticks. Ik zweer dat hij een Oekraïense ziel heeft.'

Ali luisterde met een half oor. Als het over Thomas ging, was Katya erger dan de meest toegeeflijke moeder of geobsedeerde minnaar.

'Misschien heeft Sophia heel veel bietjes gegeten toen ze borstvoeding gaf,' opperde Ali.

'Ze heeft geen borstvoeding gegeven,' zei Katya iets te snel. 'Ik heb Thomas met de fles gevoed.'

'Ik kwam alleen even gedag zeggen,' zei Ali en ze wees op de trap. 'Ik kom straks terug om Izzy te halen. Bryony is net thuisgekomen.'

'Je hoeft niets uit te leggen,' zei Katya in haar vreemde, kort afgebeten accent. Ze bleef snijden, het mes gleed nu deskundig heen en weer over een ui. Ze liet geen traan. Haar haar was in een staart uit haar gezicht gebonden en ze droeg een eenvoudig hemdje en een zwarte minirok. De ingrediënten en de pannen stonden in een rij opgesteld naast het fornuis, alsof ze indruk op haar wilden maken met hun bereidwilligheid.

Er lag geen kookboek. In tegenstelling tot Malea, die zwoer bij *How to Cook* van Delia Smith alsof het een heilige tekst was en weigerde er vanaf te wijken, kookte Katya uit haar herinnering en volgens haar instinct. Ze scheurde peterselie in stukken, strooide ze in de bouillon, boog zich over de pan om de geur op te snuiven, hakte vervolgens een teentje knoflook fijn en begon weer opnieuw.

Haar soepele manier van bewegen deed Ali denken aan stroop die van een lepel glijdt.

Ali kon haar ogen niet van haar afhouden. Ze vroeg zich af of Katya zich bewust was van de aandacht die ze trok. En hoewel ze van plan was geweest om meteen weer weg te gaan, ging Ali op een kruk naast het keukeneiland zitten kijken hoe ze kookte en over Thomas praatte. Zelfs toen ze een potje kruiden op de grond liet vallen en zich bukte om het op te rapen, leek het deel van een enkele vloeiende beweging. Ze was vloeibaar. Geen wonder dat Sophia Wilbrahams echtgenoot zo vaak als hij kon bij haar naar binnen wilde glijden.

Ali was nog nooit verder geweest dan de voordeur van het huis van de Wilbrahams, en tot haar verbijstering zag ze dat de keuken bijna een exacte kopie was van de keuken die ze net had verlaten. De Aga had een andere kleur. Het graniet van het werkblad was een tint donkerder. Maar de indeling was zo bekend dat ze bij het openen van de kast onder de trap al wist dat ze borden op de onderste plank zou aantreffen en soepkommen op de bovenste.

'Ze heeft dezelfde architect en dezelfde interieurontwerpster,' zei Katya. 'Als ik zoveel geld had, zou ik origineler willen zijn, maar Sophia is helemaal weg van Bryony.' Ze haalde haar schouders op.

'Ik dacht dat ze een hekel aan elkaar hadden,' zei Ali.

'Liefde en haat slapen toch vaak genoeg in hetzelfde bed?' zei Katya.

In welk bed slaap jij? vroeg Ali zich af. En ze verweet het zichzelf onmiddellijk. Zij wilde beperkte betrokkenheid. Gesprekken op lage intensiteit. Soberheid in de details, wat volkomen in tegenspraak was met Katya's persoonlijkheid. Ze wist dat Bryony thuis zat te wachten om het dagboek te bespreken. De avond tevoren had Ali aantekeningen voor een hele week opgeschreven. Ze had voor elke dag een andere kleur pen gebruikt en baldadig gebeurtenissen over de tweeling opgesmukt en details over Izzy's vorderingen op school verzonnen, evenzeer voor haar eigen amusement als om Bryony's nieuwsgierigheid naar het leven van haar kinderen in haar afwezigheid te bevredigen. Maar Katya stelde altijd meer vragen dan ze beantwoordde en Ali vond het altijd moeilijk om haar te weerstaan.

'Doet ze dan niet altijd rot over Bryony?' vroeg Ali.

'Jazeker wel,' zei Katya. 'Ze bekritiseert Bryony omdat ze haar kinderen verwaarloost voor haar carrière, omdat ze publiciteit zoekt, omdat ze zo ijdel is om een personal trainer te hebben, omdat ze zoveel geld uitgeeft aan kleren, om het gedrag van de tweeling... om alles. Maar eigenlijk wil ze haar zíjn. Het komt omdat ze onzeker is over de beslissingen die ze in haar eigen leven heeft genomen.'

Het was een ongewoon barmhartige analyse van haar werkgever. Misschien voelde Katya meer sympathie voor Sophia nu ze een verhouding had met haar man. Ali dacht aan Will MacDonald en herinnerde zich dat ze steeds aardiger ging doen tegen zijn vrouw toen het feit dat ze niet betrapt waren hen steeds brutaler maakte (ze bezocht hem geregeld op zijn werkkamer, ze hadden seks in het bed dat hij deelde met zijn vrouw, en ze waren een paar keer samen naar de bioscoop geweest). Op zeker moment verbeeldde ze zich zelfs dat zijn vrouw op de hoogte was van hun verhouding en het door de vingers zag, omdat hij er gelukkiger van werd en daardoor leefbaarder.

Ineens schoof Katya de rest van de ingrediënten in de bouillon en draaide zich om naar Ali met de woorden: 'Ik weet dat je ons hebt gezien.' Ali knikte, waarmee ze de verklaring bevestigde, maar wist niet hoe ze precies moest reageren. Dus deed ze wat haar vader deed als hij in een hoek werd gedreven en zweeg, omdat mensen stilte niet konden verdragen.

'Hij is verliefd op me,' legde Katya uit. Ze zei het neutraal, zodat haar gevoelens over de situatie onmogelijk te peilen waren. Ze gaf geen blijk van blijdschap of verdriet. Was Katya verliefd op hem? Of verdroeg ze zijn liefde voor haar alleen maar? Dacht ze misschien dat ze ontslagen zou worden als ze hem afwees? Ali was die scenario's inwendig nog aan het doornemen, toen Katya op de kruk naast haar kwam zitten en een hand op haar onderarm legde.

Ali keek nerveus naar de trap, ongerust dat Sophia naar beneden zou komen, maar ze kon haar door het plafond heen bevelen horen blaffen tegen het strijkkwartet: '*Andante, andante, andante*,' loeide ze.

'Ned gaat bij haar weg,' zei Katya, een vinger omhoog gericht naar de zitkamer boven de keuken, 'en dan gaan we samenwonen.'

'Dat kun je niet maken,' zei Ali stellig.

'Dat is wat Ned wil,' zei Katya schouderophalend. Ze sloot haar ogen en knikte wijs, alsof ze een onaantastbare waarheid had gesproken.

'Is het wat jij wilt?'

'Ze is op zoek naar een nieuwe nanny, Ali. Ze wil me hier weg hebben.'

'Maar dat is toch niet iets tweeledigs, Katya?'

'Wat bedoel je?'

'Ik bedoel dat het feit dat Sophia jou wil vervangen, niet betekent dat jij met haar man moet gaan samenwonen. Dat heet doorgedraaide logica.'

'Hij is verliefd op me,' herhaalde Katya.

'Ben jij verliefd op hem?'

'Ja,' zei Katya zonder overtuiging. Ali probeerde een andere aanpak.

'En Thomas dan? Hij zal heel ongelukkig worden als zijn ouders gaan scheiden.'

'Ned en ik gaan trouwen. Ik word de stiefmoeder van Thomas. Ik zal altijd deel van zijn leven blijven.' Het klonk alsof ze in een taalles varianten van de toekomende tijd aan het oefenen was.

'Misschien neemt hij het je later wel kwalijk dat je het huwelijk van zijn vader en moeder kapotgemaakt hebt. Heb je daaraan gedacht?'

'Thomas en ik hebben een speciale band. Hij houdt van me.'

'En Sophia dan?'

'Zij vindt wel iemand anders. Ned geeft haar wel geld. Hij is een heel rijke man,' zei ze zakelijk. 'Ali, wees blij voor me. Het is een heel goede optie voor mij.'

'Doe je dit omdat je bang bent dat je Thomas nooit meer ziet als je je baan kwijtraakt?' vroeg Ali.

'Natuurlijk,' zei Katya.

'Maar dat is geen goede reden,' hield Ali vol. 'Heb je het aan Mira verteld?'

'Natuurlijk.'

'Wat zei ze?'

'Ze begrijpt mijn strijd, omdat het ook de hare is,' zei Katya raadselachtig. 'Je bent heel lief, Ali, maar je staat niet in mijn laarzen.'

'Schoenen,' zei Ali. 'Ik sta niet in jouw schoenen.'

'Ken je het verhaal van hoe we hier zijn gekomen?' vroeg Katya. Ze liep naar de ijskast, haalde er een fles wijn uit en schonk Ali een glas in. Ali keek op haar horloge en zag dat het bijna kwart voor negen was. Ze kon net zo goed wachten tot Izzy klaar was en dan naar huis gaan.

'Ik had altijd het idee dat Mira en jij er niet over wilden praten,' zei Ali. 'Maar ik wil het graag horen.'

Katya keek recht voor zich uit naar een punt in het midden van de ijskast. Ali veronderstelde dat ze haar gedachten bijeenraapte, moeite had om zich iets te herinneren dat jaren geleden had plaatsgevonden. Maar toen Katya haar verhaal begon te vertellen, begreep Ali dat het was alsof ze iets beschreef wat op dit moment voor haar ogen plaatsvond. Ze zag het zo levendig voor zich, dat ze het in de tegenwoordige tijd vertelde.

'Ik kom uit een dorpje in het noorden van Oekraïne, ten zuidoosten van Odessa. Mijn familie is heel arm. Mijn vader gaat weg, dus ik ga naar Kiev om werk te vinden in een bar. Maar ik verdien nog geen tweehonderd dollar per maand. Op een dag komt er een man in de bar die zegt dat hij meisjes zoekt om in Europa te werken als nanny. De man heeft een reisbureau in het centrum van Kiev. Hij zegt dat hij een vals Tsjechisch paspoort voor me kan regelen en dat ik een studentenvisum kan krijgen en voor een gezin in West-Europa kan werken omdat ik Engels spreek. Hij laat me foto's van verschillende gezinnen en kinderen zien en e-mails die ze hebben gestuurd met gegevens over het werk.'

De soep was aan de kook geraakt. Bubbels paarse vloeistof barstten aan het oppervlak uiteen en sproeiden fonteintjes op het fornuis. Katya leek het niet te merken.

'Ik was achttien. Overdag studeerde ik Engels aan de universiteit en 's nachts werkte ik. Ik was zo moe dat ik niet kon slapen, mijn zicht was troebel en ik werd mager. Deze man wilde me helpen. Zou jij niet hetzelfde hebben gedaan?'

'Ja,' zei Ali, die het altijd zo veel mogelijk eens was met Katya. 'Heb je Mira zo ontmoet?'

'Ik kende Mira toen nog niet.' Katya zweeg even en liet Ali's arm los. Ze keek omlaag en zag rode vlekken waar Katya's vingers in haar arm hadden geknepen.

'In september 1998 ontmoet ik die man op zijn kantoor. Er zijn nog zes andere meisjes. Een ervan ken ik van de universiteit. Hij wijst naar posters van de Acropolis, de Big Ben en Florence aan de muur en vertelt ons dat we binnen een week in Europa zullen zijn. Midden in de nacht vertrekken we samen naar Polen. Er zijn twee Tsjechische chauffeurs. Ze leren ons onze naam en hallo zeggen in het Tsjechisch zodat we zonder problemen de Poolse grens over kunnen. We rijden de hele nacht. Ik maak me zorgen over het paspoort dat ze me gegeven hebben, omdat de inkt uitgelopen is.

We eten van het voedsel dat we bij ons hebben en we verstoppen ons geld in onze schoenen omdat ze zeggen dat het bij de grens afgepakt kan worden. Ik heb honderd dollar. Als we bij de grens komen, geven ze ons onze Tsjechische paspoorten en we gaan de grens over, en daarna nemen ze de paspoorten weer terug.'

Katya zweeg en raapte haar handtas van de grond. Ze pakte er een kleine leren portemonnee uit en haalde twee biljetten van vijftig dollar uit een zijvakje.

'Dit is het geld. Ik bewaar het om me te herinneren aan waar ik vandaan kom en wat ik heb moeten doen om hier te komen.' Daarop streek ze de biljetten glad met haar hand en vouwde ze weer zorgvuldig in vieren om ze terug te stoppen in de portemonnee. Deze handeling had ze klaarblijkelijk al zo vaak herhaald, dat de trekken van het gezicht van Ulysses Grant ondertussen volkomen impressionistisch waren.

'Als we de grens over zijn, stappen we in een andere auto met andere chauffeurs. Er komen nog twee meisjes bij. Er zijn andere mannen bij ons. Ik praat met niemand. Zelfs niet met het meisje van de universiteit. We zijn zo bang dat iemand ons hoort. We reizen 's nachts. Soms stoppen we in een bos om te slapen. Bij de Tsjechische grens worden we in kleine groepjes verdeeld om geen aandacht te trekken. Ik heb geluk want het paspoort dat ze me gegeven hebben heeft al twee Duitse stempels. Een van de meisjes mag er niet in en ze laten haar zomaar achter. Ik wens dat ik het ben, want ik vertrouw de mensen met wie we reizen niet.'

'Waar waren jullie toen?' vroeg Ali, wensend dat ze beter had opgelet toen de topografie van Centraal-Europa behandeld werd op school.

'Tsjechië,' zei Katya geduldig. 'Andere auto's halen ons op. Ik ben weer bij de oorspronkelijke groep meisjes. Deze keer spreken de chauffeurs Russisch. We verlaten de grens en rijden misschien wel twee dagen. Mijn eten is op. We stoppen een keer bij een garage en daar kan ik mijn waterfles vullen. Die middag slaat de auto van de grote weg af, en we rijden over een zandpad door een bos.'

Ali merkte dat Katya's handen waren gaan beven. Boven hoorde ze harde stemmen. Iemand schreeuwde. Voeten stampten over de vloer. Een deur sloeg dicht. Toen was het stil. Ze moest eigenlijk naar boven, maar niets leek belangrijker dan luisteren naar Katya, die geen aandacht besteedde aan de commotie boven.

'Ik denk dat ze ons gaan vermoorden. Een van de meisjes begint te huilen. De mannen lachen alleen maar en bieden ons wodka aan maar iedereen weigert. Ik heb in Kiev duizend dollar betaald voor het paspoort en deze mannen zeggen dat ik ze meer geld verschuldigd ben voor het organiseren van de reis. Ze zeggen dat ik voor hen zal moeten werken tot ik hen terugbetaald heb. Ik zeg dat ik een baan als nanny heb in Engeland en ze lachen me midden in mijn gezicht uit.'

'Waarom heb je dit allemaal niet eerder verteld?' vroeg Ali.

'Omdat ik vooruitkijk, niet achteruit,' zei Katya. 'En soms krijg ik nachtmerries als ik erover praat.'

'Wil je nu dan liever ophouden?' vroeg Ali. Katya schudde haar hoofd, sloot haar ogen en praatte verder.

'We komen bij een rivier. Hij is zo breed dat je de andere kant niet kunt zien en we wachten tot het donker is. Ze worden dronken en vergeten de paspoorten terug te nemen. Dan zetten ze de auto op een vlot en we klimmen erin en het vlot drijft het water op. De rivier is zo woelig dat sommige meisjes misselijk worden. Ik stop mijn paspoort in een plastic zak en verberg het in mijn broek. We zijn bijna aan de overkant als het vlot in het water ergens tegenop botst en omslaat. Twee meisjes verdrinken. Ze kunnen niet zwemmen en het is zo koud. Ze schreeuwen naar mij om hulp, maar ik kan niets doen. Ik zie ze onder water verdwijnen en dan zijn ze stil. Ik hoor mensen naar ons roepen en ik probeer naar hun stemmen toe te zwemmen. De stroming is sterk, maar ik weet de oever te bereiken. Als ik eruit kom vind ik nog een groep Oekraïners. Een van hen is Mira.

De man van de auto komt naar ons toe en zegt dat ik van hem ben en dat ze me aan hem moeten teruggeven. Mira maakt ruzie met hem in het Russisch. Uiteindelijk geeft ze hem tweehonderd dollar om mij met haar groep te laten meegaan. De andere twee meisjes blijven bij hem. Mira's gids vertelt me dat de man aan wie ik ontsnapt ben voor een groep Oekraïners werkt die vrouwen smokkelen om in de seksindustrie te werken. Er is geen werk als nanny. Het zijn allemaal leugens. Mijn vriendin van de universiteit is nooit teruggezien. Haar ouders hebben nooit meer iets van haar gehoord. Ze denken dat ze misschien meegenomen is naar Athene en daar gedwongen werd om als prostituee te werken. Of misschien in Israël. Of in Engeland.'

'Het is allemaal zo vreselijk, Katya,' zei Ali.

'Zo zit de wereld in elkaar. Sinds de val van het communisme zijn vrouwen gewoon handelswaar geworden. Net als olie en gas.'

'Weet Ned dit allemaal?'

'Ned wil een vrouw die voor hem zorgt en die er op toeziet dat hij zich goed voelt over zichzelf. Hoe dan ook, mijn ervaring is erger dan sommige, maar beter dan de meeste. Ik ben vrij.'

'Wat is er gebeurd met de man die jou smokkelde?' vroeg Ali. 'Is hij gepakt?'

'De man van dat reisbureau?' vroeg Katya. Ali knikte. 'Die is nu een van de rijkste mannen van Oekraïne. Hij is trouwens een klant van Bryony.'

'Hoe weet je dat?' vroeg Ali.

'Ned zei het.'

'Hoe weet hij dan wie Bryony's klanten zijn?'

'Van Nick.'

‘Maar die zien elkaar bijna nooit.’

‘Ze bellen,’ zei Katya. Ze wachtte even om haar woorden te benadrukken en zei toen: ‘Vaak. Heel vaak.’

15

Onderweg terug naar nummer 94 ging Ali's telefoon. Izzy zat midden in een tirade over Sophia Wilbraham die Ali diplomatiek negeerde, hoewel ze het er volkomen mee eens was. Ze had de schimprede gemakkelijk van de rails kunnen krijgen met een paar goedgeplaatste vragen, maar ze was te nieuwsgierig naar wat er boven gebeurd was. Bovendien vormde het een nuttig contrapunt als afleiding van wat Katya haar had verteld. Ali keek neer op haar scherm, zag dat het haar moeder was en besloot haar de voicemail te laten inspreken, waar het bericht zich bij de talrijke andere zou voegen die haar ouders de afgelopen maanden hadden achtergelaten.

'Je kunt met mijn moeder geen kort gesprek voeren,' grapte Ali, waarmee ze de relatie een luchthartigheid toedichtte die niet bestond.

'Vertel mij wat,' zei Izzy, alvorens terug te keren naar het onderwerp Sophia.

'Ze zei dat ik niet genoeg geoefend had en dat als ik evenveel energie besteedde aan mijn muziek als aan jongens, dat derde deel niet zo'n ramp zou zijn.'

Ali glimlachte omdat Izzy een uitstekende imitatie ten beste gaf van de huichelachtige toon die Sophia bezigde als ze de tekortkomingen van anderen veroordeelde. 'Waarop Martha even rood werd als de soep die Katya maakt, dus ik wist dat het van haar kwam. Toen zei Sophia dat het zonde was dat mijn moeder er niet vaak genoeg was om me discipline bij te brengen, en dat ik in plaats daarvan in het derde deel van mijn kindertijd werd overgelaten aan de grillen van een onbekende en onervaren nanny van net in de twintig die rechtstreeks van het platteland kwam.'

Ali keek verbolgen. Het vreemde van Sophia Wilbraham was dat een heel kleine dosis van haar gezelschap voldoende was om elk positief idee dat je over haar zou kunnen hebben te verzieken. Elk restje medelijden vanwege haar overspelige man verdampte dan ook onmiddellijk.

'Wat zei jij toen?'

'Ik zei dat ik mijn energie grotendeels wijdde aan het bijhouden van mijn borderline-eetstoornis en dat seksuele onthouding kennelijk niet vereist was voor muzikaal talent als Martha een maatstaf was, wat dubbel en dwars bewezen werd door die enorme zuigzoen in haar nek die ze probeerde te verbergen.'

'Schitterend.'

'Ik kan me zoveel beter uitdrukken als ik boos ben. Ik denk dat luisteren naar Joy Division helpt om daar nog efficiënter in te worden. Het is allemaal een kwestie van gevoelens uiten in plaats van ze passief te ondergaan. Weerzin tegen anderen en niet tegen jezelf.'

Jake had gelijk. Izzy klonk als een wandelend zelfhulpboek.

'Toen liet ze Martha haar bloes uittrekken en zag de zuigzoen. Ze ging tegen haar staan schreeuwen en Martha smeet haar viool op de grond, stampte de kamer uit en rende naar boven, en Sophia verklaarde dat het oefenen afgelopen was.'

'Zei ze verder nog iets?'

'Ze zei dat het adagio sneller moest. Het andere meisje zei dat de docent ons had verteld dat het langzamer moest, en zij zei dat hij het helemaal mis had en dat zij meer live-uitvoeringen van dat stuk had gehoord dan dat hij warme maaltijden had genoten. Ze stond letterlijk tegen ons te blaffen.'

Ali's telefoon ging weer.

'Verkeerd gebruik van letterlijk,' zei Ali met een snelle blik op het schermpje, waar ze zag dat het weer haar moeder was. 'Als je dat zegt, betekent het dat ze echt blafte.'

'Doe niet zo pedant. Hoe dan ook, naast Sophia lijkt Leicester nog onderdanig en haar stem klinkt sowieso meer dierlijk dan menselijk.'

'Correct gebruik van pedant.'

Weer negeerde Ali de telefoon in haar tas, maar ze haalde er wel een pakje sigaretten uit.

'Ik zal niks zeggen,' beloofde Izzy.

'Bedankt,' zei Ali, terwijl ze diep inhaleerde en zich afvroeg wat ze met haar ouders moest.

Ze had zich voorgenomen om contact op te nemen als ze terugkwam van Corfu, eind augustus. Dat had ze nog niet gedaan, omdat ze nog steeds niet wist wanneer ze vrij kon krijgen. Komende maand moest Bryony bijna elk weekend werken. Aanstaande zondag vloog ze naar de

Verenigde Arabische Emiraten. Het weekend daarop bezocht ze een aluminiumsmelterij in Kazachstan. De zaterdag daarna had ze weer een vergadering met de aannemer en de architect in Oxfordshire. Het was ongelooflijk dat zij de hele wereldbol over reisde, terwijl Ali het moeilijk vond om Holland Park te verlaten.

Van Nicks schema was ze minder zeker, maar zelfs al was hij in de buurt, dan zou hij nog niet willen dat Ali hem alleen liet met de kinderen. Izzy had ook een keer terloops gezegd dat hij nog nooit langer dan een paar uur achter elkaar alleen voor hen had gezorgd.

Daarom wilde Ali haar moeder vermijden tot ze haar gerust kon stellen door een datum te geven. Ook wilde ze elk gesprek vermijden waarin zij uiteindelijk de Skinners moest verdedigen tegen de beschuldiging dat ze misbruik maakten van haar goedhartigheid. Dat was een soort thema geworden, sinds het tot haar ouders was doorgedrongen dat ze dit jaar niet terug zou gaan naar de universiteit. Net voor de zomer had Ali hen eindelijk verteld dat ze overwoog om nog een jaar te blijven en precies onthuld hoeveel ze verdiende. Aan de andere kant van de lijn was haar moeder er stil van geworden.

'Ik denk trouwens dat ze eigenlijk een man is... haar handen zijn enorm, net grote hammen... ze knipt met haar vingers tegen Katya... ze zei dat naast Alfie en Hector zelfs Romulus en Remus tam leken,' vervolgde Izzy.

'Dat klinkt verontrustend,' zei Ali, maar eigenlijk dacht ze aan haar ouders.

'Is dat wat er met vrouwen gebeurt als ze hun werk opgeven omdat ze kinderen krijgen?' vroeg Izzy. 'Ik dacht dat mama een controlfreak was, maar zij moet de teugels wel loslaten omdat ze de deur uitgaat naar haar werk.'

'Misschien heeft mevrouw Wilbraham haar kans op geluk in één enkel ding geïnvesteerd. Het is een riskante gok: het kan enorme winst opleveren, maar ze wordt ook kwetsbaarder als het misgaat. Ze heeft veel te veel uitstaan.'

'Je klinkt net als papa over zijn stomme werk,' lachte Izzy. 'Wat ik niet begrijp is waarom Martha's vader met haar is getrouwd. Hij is altijd zo relaxed over alles. Ze had een winkeldochter moeten zijn, vind je niet?'

Ze gebruikte Foys lievelingsuitdrukking voor een onaantrekkelijke vrouw die in zijn ogen geen echtgenoot verdiende.

'Waarschijnlijk was ze niet zo toen ze trouwde. Het is moeilijk om alles in perspectief te houden als je kinderen hebt. Ze slokken je op tot ze klaar zijn om je uit te spugen, en dan vraag je je af wat er nog van je overgebleven is.'

'Is dat met jouw moeder gebeurd?'

'Mijn grote zus Jo heeft ons allemaal opgeslokt.'

'Hoe bedoel je? Als een roofdier? Een haai?'

'Ze was niet uit op vernietiging, maar op de een of andere manier beet ze alles om zich heen kapot. Jo had heel veel problemen en er bleef weinig ruimte over voor de rest – mijn moeder, mijn vader en ik waren allemaal op haar gericht.'

'Wat voor problemen?' vroeg Izzy. Ali aarzelde even, afwegend of ze de waarheid zou vertellen.

'Drugs,' zei ze ten slotte. 'Maar praat er niet over.'

'Wiet?'

'Van alles. Ze was niet kieskeurig.'

'Ben jij hier gekomen om daaraan te ontsnappen?' vroeg Izzy.

'Deels,' zei Ali vaag.

'Was je daarom zo ongerust over mij op dat feest?'

'Onder andere,' zei Ali. 'Ik was ongerust over je omdat ik verantwoordelijk voor je ben, en als die jongen dat filmpje op YouTube had gezet, zou dat onder mijn toezicht zijn gebeurd. En zelfs als het ons was gelukt om het te verwijderen, zou dat toch zijn wat iedereen zich van jou herinnerde.'

'Je geeft echt om ons, hè Ali? Je vindt ons niet alleen maar verwend en waardeloos?' vroeg Izzy nerveus.

'Natuurlijk niet,' zei Ali behoedzaam. 'Jouw leven is alleen heel anders dan dat van mij.'

'Hoe dan?'

'Jij hoeft je niet op dezelfde manier zorgen te maken om geld. Je hebt onvoorstelbaar veel mogelijkheden. Je neemt dingen vanzelfsprekend aan. Maar ik denk niet dat je daar noodzakelijkerwijs vrijheid mee koopt. Alleen maar meer keus, en een grotere last van verwachtingen.'

Ze waren bij de treden voor het huis van de Skinners aangekomen. Even stond Ali stil en keek omhoog. 's Avonds zag het huis er nog imposanter uit dan anders. Aan de reling hingen twee schijnwerpers die gericht waren op de gevel, waar ze de erkerramen van de zitkamer aan de ene kant en een enorme camelia in een pot aan de andere kant accentueerden. Koel bekeek Ali de blauwe plaque op de zijkant van het huis, het ijzige oppervlak van het chromen nummer op de voordeur, en de hoogglanzend gelakte zwarte reling. Het was nog steeds moeilijk te geloven dat ze hier echt woonde, dat ze opgenomen was in dit gezin; dat ze de buren bij de voornaam noemde, dat de auto op de parkeerplaats speciaal voor haar was aangeschaft, dat ze de tweeling had geholpen de plantenbakken op de vensterbanken aan weerszijden van de voordeur te vullen met wilde bloemen. Wat zei het over iemand als ze zich zo naadloos kon aanpassen aan het ritme van een andere familie, en haar eigen familie zo snel kon vergeten?

Achter elk raam op de eerste drie verdiepingen brandde licht. In de zitkamer zag ze Bryony uitnodigingen doornemen op de schoorsteenmantel. In het raam daarnaast dacht ze Foys haardos boven de rug van een leunstoel uit te zien steken. Beneden in de keuken stond Malea steelpannen te schrobben. Vignetten van tevreden huiselijkheid, die Ali deden denken aan een adventskalender. Ze glimlachte tegen Izzy terwijl ze haar sleutels tevoorschijn haalde en deskundig de deur openmaakte. De Skinners waren geïsoleerd van de buitenwereld en zij nam met liefde plaats in hun cocon.

'Trouwens, weet je dat Martha denkt dat haar vader verliefd is op de nanny?' vroeg Izzy toen ze de gang in liepen. 'Daarom fluit ze altijd dat liedje van *The Sound of Music* als Katya binnenkomt.'

'Martha heeft een levendige fantasie,' zei Ali iets te vlug.

Beneden in de keuken luisterde Ali even haar voicemailberichten af, terwijl Izzy haar moeder en haar grootvader welterusten wenste. Het waren er vier. Het eerste was van Bryony, die vroeg wanneer ze thuis zou zijn om het dagboek te bespreken. De andere drie waren tot haar teleurstelling van haar moeder. Rosa belde niet meer, ongetwijfeld omdat het zo lang duurde voordat Ali terugbelde. Van Will MacDonald had ze al ruim zes maanden niets meer gehoord.

'Jo is thuis,' luidde het bericht van Ali's moeder. Of liever gezegd, *Joos thuis.*

Het geluid van het langzame, golvende accent van haar moeder met de opgerekte klinkers en de zangerige, opwaartse toon aan het einde van haar zinnen deed Ali glimlachen. Het Engels was in hun streek geboren, had haar moeder haar verteld toen ze merkte dat Ali van haar Norfolkse accent af wilde. Ze zou er trots op moeten zijn. Het was een advies dat Ali zich herinnerde, omdat haar moeder zich zo zelden met haar leven bemoeide. Even sloot ze haar ogen en ze liet zich omarmen door de vertrouwde genegenheid.

Dat vluchtige genoegen werd echter snel vervangen door irritatie bij de onaangedane toon van de rest van het bericht. Het was onmogelijk te zeggen of haar moeder verrukt of verontrust was door Jo's terugkeer. Er klonk geen triomf en geen uitputting in haar stem. Ali wist dat het een list was om haar te dwingen terug te bellen en te ontdekken wat er aan de hand was, zodat ze betrokken zou worden bij een nieuw zussendrama. Ze voelde zich schuldig over haar ergernis, en vervolgens ergerde ze zich aan haar schuldgevoel. Het was een eindeloze, bekende lus: Ali's verlangen om vrij te zijn van de ketenen van de verwachtingen van haar familie, op de voet gevolgd door een claustrofobisch gevoel van verantwoordelijkheid. Iets waar ook de jonge Skinners zich mee zouden kunnen identificeren. Plichtsgetrouw belde ze het nummer van haar moeder.

'Hallo mam, met Ali,' zei ze toen haar moeder na slechts één beltoon de telefoon opnam.

'Alison, ben jij dat?' antwoordde haar moeder.

'Ik zei toch dat ik het was,' zei Ali, haar ongeduld nauwelijks bedwongen. 'Ik heb net je bericht gehoord.'

'Ik heb er meer dan één achtergelaten.'

Buiten hoorde ze Leicester klaaglijk blaffen. Ze liep naar het raam en zag dat de schuifdeuren vol modderige pootafdrukken zaten. Waar was Malea?

'Ik hoor je niet, je breekt weg.'

'Ik val weg,' zei Ali glimlachend. Ze schoof de schuifdeuren net ver genoeg open om Leicester binnen te laten. Hij keek beledigd en Ali verontschuldigde zich en vertelde hem dat het haar schuld niet was.

'Tegen wie praat je?' vroeg haar moeder wantrouwig.

'De hond.'

'Luister je wel?' vroeg haar moeder. 'Je belt maandenlang niet en dan heb je nog meer aandacht voor de hond dan voor mij.'

'Hoe is het met Jo?'

'Ze wil je graag zien.'

'Waarom heeft ze me dan niet gebeld?'

'Doe nou niet zo moeilijk, Ali.'
'Kan ik haar nu spreken?'
'Ze is even weg.'
'Hoe is ze eraan toe?'
'Hetzelfde,' zei haar moeder voorzichtig.
'Hetzelfde goed, of hetzelfde slecht?' vroeg Ali, in de wetenschap dat ze nooit een ondubbelzinnig antwoord zou krijgen, omdat haar moeder voortdurend wankelde tussen het verlangen om te geloven dat Jo in orde was en de angst dat ze misschien weer in een nieuwe crisis verviel.
'Je vader probeerde haar mee te krijgen op de boot, maar ze bleef liever in bed.' Dat was slecht nieuws. Ali liet zich op de bank zakken en Leicester sprong op om naast haar te komen zitten. Ze was deze vage antwoorden gewend en in de loop der tijd was ze gaan begrijpen dat ze misschien meer essentiële waarheid bevatten dan een eenvoudige zwartwitte respons. Haar vader geloofde, net als Ali, dat de zee een genezend effect had op de ziel. Ali vond het heerlijk om de lichtjes van Cromer te zien vervagen en de zachte roze tonen van de dageraad aan de horizon te zien verschijnen, als ze van de kust wegvoeren om de krabbenfuiken op te halen. Als Jo in orde was, was ze het met hen eens. Als het slecht met haar ging, zag ze de zee als haar kwelgeest, wat hij beslist kon zijn na vijf uur in een boot bij straffe wind.
'Ze overweegt een nieuwe kliniek. Een dure. We weten niet zeker of het de juiste plek is, Ali. We kunnen wel geld opnemen uit de hypotheek, maar het is krap.'
'Wil je dat ik naar huis kom?'
'Ja,' zei haar moeder met klem.

Ali haalde diep adem en duwde zachtjes de deur van de zitkamer open. Foy boog zich voorover en tuurde naar haar om de leuning van zijn fauteuil bij de haard.
'Het is de mus,' baste hij. 'Wat breng je ons voor nieuws uit het gevederde koninkrijk? Wat is je tweet van de dag?'
'Dag, meneer Chesterton,' zei Ali terwijl ze naar binnen liep.
'Zeg in vredesnaam Foy tegen me, anders voel ik me zo oud,' riep hij door zijn van wijn verkleurde tanden. Op het tafeltje naast hem zag Ali een vrijwel lege fles wijn staan.
'Er is één ding over mussen dat je beslist moet weten, Ali. Ze paren

voor het leven. Al heeft er weleens een enkele alleenstaande mus geprobeerd om de partner van een ander te stelen.'

'Dat wist ik niet,' zei Ali.

'Wil je een glas wijn?' vroeg Bryony, heftig knikkend tegen Ali om te beduiden dat ze ja moest zeggen. Bryony vulde het glas tot de fles leeg was.

'Ik vroeg me af of ik even met je zou kunnen praten, Bryony,' zei Ali.

'Het is tijd dat wij naar huis gaan,' zei Tita, die Ali nu pas bij het raam zag staan, waar ze naar buiten stond te kijken. Ze wendde haar hoofd en glimlachte raadselachtig.

'Waar kom je vandaan?' vroeg Foy. Ali vertelde over de muziekoefeningen bij Sophia Wilbraham thuis, met veel overbodige details over de technische moeilijkheden van de derde beweging maar zonder iets te onthullen over het drama dat zich zojuist had afgespeeld, in de hoop hem tot zwijgens toe te vervelen.

'Hoe Ned Wilbraham ooit met die vrouw heeft kunnen trouwen is me een raadsel,' zei Foy hoofdschuddend. 'Ik heb nog nooit zo'n winkeldochter meegemaakt. Natuurlijk vindt ze mij meer dan afkeurenswaardig. Ik geloof dat ik haar moeder ooit geprobeerd heb te versieren toen ik dronken was. Die ging nog wel. Minder boers.'

'Pap,' berispte Bryony hem.

'Ik zeg niets wat je moeder niet allang weet,' mokte Foy. 'Toch, Tita?' Tita reageerde niet.

'Het zit bij die Sophia allemaal in de kont, hè? Ik zag haar op het strand op Corfu. Ze blokkeerde vrijwel al het zonlicht met haar achterwerk. Het is net een planeet waar de rest van haar lichaam omheen wentelt. Grappig dat vrouwen zo worden, terwijl oude mannen nauwelijks een potlood tussen hun billen kunnen knijpen. Behalve Tita natuurlijk.' Hij keek snel naar zijn vrouw, in de hoop dat zijn waardering haar goedkeuring verdiende.

'Je moet niet zo over Sophia praten. Straks zeg je nog iets waar Izzy bij is,' zei Bryony bestraffend.

'Hoe kun je Izzy nou met die vrouw vergelijken?' ontplofte Foy.

'Dat doe ik niet,' verduidelijkte Bryony. 'Ik wil alleen maar zeggen dat we hier in huis niet over gewichtsproblemen praten. Het is een van de dingen die de eetstoornistherapeut heeft aanbevolen. We hebben het over gezond eten.'

'Mijn god, jullie zijn allemaal verslaafd aan die verrekte zelfhulpgoeroes,' zei Foy. 'Als Winston Churchill nog leefde, zouden ze hem naar de Anonieme Alcoholisten hebben gestuurd en iemand anders de oorlog hebben laten regelen. Dan zouden we dit gesprek in het Duits voeren.'

'Misschien zou dat het leven van zijn vrouw wel hebben vereenvoudigd,' prevelde Tita. Ze richtte zich tot Bryony. 'Hij valt zo wel in slaap. Bij Foy raast de storm altijd voor de stilte.'

'Maar dan blijft hij hier slapen,' zei Bryony. 'Nicks tolerantieniveau is momenteel erg laag. Hij heeft veel stress op zijn werk.'

'Stress,' zei Foy, en herhaalde het woord een paar keer ongelovig. 'Hij weet niet eens wat het woord betekent. Toen ik de Freithshire Fisheries opzette, werd ik vijf jaar lang elke nacht wakker van de zorgen over het afbetalen van mijn lening. Dat is tenminste creatief. Hij belegt alleen maar geld van andere mensen. Het mijne, waarschijnlijk.'

'Hij werkt dan ook bij een beleggingsbank,' zei Bryony bits. 'Hij maakt zich erg veel zorgen dat de directie Lehman Brothers de verkeerde kant op stuurt.' Ze probeerde indruk te maken op haar vader door Nicks rang bij de bank te onderstrepen, en de moed waarmee hij tegen de heersende opinie inging. Ali merkte op dat alles wat Bryony nu zei, het tegendeel was van wat ze eerder op de avond tegen Nick had gezegd. 'Hij probeert ze meer schuld te laten afschrijven. Je hebt gezien wat er met Northern Rock gebeurd is. Er is een liquiditeitsprobleem. De markt is onrustig. Mensen die krediet willen, krijgen het niet. Lenen wordt steeds duurder.'

'Hij vindt wel weer een manier om geld te verdienen aan andermans ongeluk,' zei Foy. 'Daar is hij goed in. Ali, heb ik jou al eens verteld hoe ik begonnen ben met mijn zalmhandel? Dat is nog eens een interessant verhaal. Een liefdesverhaal en een thriller in één.'

'Dit is niet het moment,' zei Bryony smekend.

'Weet je, volgens mij willen ze me er helemaal uit werken,' verkondigde Foy plotseling. Hij zakte terug in zijn stoel, zijn energie vervlogen, net als Hector na een driftbui. 'Na alles wat ik heb gedaan om dat bedrijf op te bouwen.'

'Wat bedoel je?' vroeg Tita.

'De raad van bestuur heeft een motie van wantrouwen aangenomen, omdat ik de overgang naar biologisch niet wil steunen. Ze willen dat ik ontslag neem. Wat heeft het voor zin om half zoveel vis te kweken voor twee keer zoveel geld? Het is financieel niet logisch.'

'Pap, je wist dat dit kon gebeuren,' zei Bryony. 'Ze hebben het er al tijden over.'

'Ze willen inheemse zee-egels kweken die zich voeden met de uitwerpselen in het zeewier en de bedden onder de kooien, om de nitraten en de fosfaten die de zalm erin stopt, eruit te halen. En ze introduceren een systeem waarbij ze de bedden om het jaar braak laten liggen. Ze gaan geen antibiotica meer gebruiken en ze hebben het keurmerk van Freedom Food. Het verbaast me dat ze nog geen acupuncturist hebben aangenomen om de vissen te helpen ontspannen.'

'Het is een goed plan,' zei Bryony. 'Waarom kun je er niet gewoon in meegaan? Elk bedrijf moet evolueren. Wij gaan een unit voor overheidszaken opzetten om voor verschillende klanten bij de regering te lobbyen. En duurzame ontwikkeling is nu eenmaal het thema *du jour* voor beleggers.'

'Ik ben te oud om te veranderen,' verzuchtte Foy en hij deed zijn ogen dicht. Binnen een paar tellen was hij diep in slaap.

'Laat hem maar, mam,' zei Bryony zacht. 'Ik laat Malea wel een bed voor hem opmaken, dan komt hij morgenochtend wel naar huis.'

Even bespraken Bryony en Tita het feest voor de zeventigste verjaardag van Foy. Moest Nick een speech houden? Zou de verbouwing tegen juni volgend jaar klaar zijn? Gingen ze Fi Seldon-Kent vragen om het te organiseren? Moesten de kleinkinderen muziek maken of een toneelstukje opvoeren? Het was niet het moment om Bryony te vragen of ze van het weekend een paar dagen naar huis kon, maar morgen zou het te laat zijn. Ali liep naar Bryony en Tita toe en kuchte lichtjes.

'Ja?' zei Bryony ongeduldig.

Ali legde haar het dilemma zo impressionistisch mogelijk voor ('iets aan de hand... onvoorziene gebeurtenis... mijn moeder heeft me naar huis geroepen'). Toen ze Bryony's tong tegen haar wang zag draaien, had ze spijt van die tactiek en wenste dat ze gewoon met de waarheid voor de dag was gekomen, omdat ze dan wellicht meer medeleven had gekregen.

'Het is wel erg lastig.' Bryony verhief haar stem niet, maar ze had die gespannen, kribbige klank die Ali herkende als de voorbode van een driftbui. Met moeite een gelijkmatige toon aanhoudend en in een groef krabbend die Hector ooit in de tafel had gekrast, legde Bryony zorgvuldig uit dat haar leven heel ingewikkeld zou worden als Ali dit doorzette.

'Toen je deze baan aannam heb je beloofd dat je de behoeftes van dit gezin altijd voorop zou stellen. Ik weet dat je weinig vrij hebt gehad, maar je kunt met kerst tien dagen nemen.'

'Ik moet mijn ouders ergens mee helpen.'

'Is er een probleem met geld? Want dan kunnen wij misschien helpen.'

'Dat is heel vriendelijk aangeboden,' zei Ali, ontsteld over het gebrek aan verbeeldingskracht in Bryony's eendimensionale reactie op haar situatie. 'Dankjewel. Maar het is geen kwestie van geld.'

'Zie het als een bonus voor je eerste dienstjaar,' drong Bryony aan.

'Dat kan ik niet doen,' zei Ali, die vond dat het voorstel eerder als omkoperij klonk dan als een bonus.

'Kan Katya voor je invallen?' stelde Bryony voor. Ali dacht even na; ze herinnerde zich hoe Katya op Corfu alleen oog had voor Thomas.

'Ik denk dat het een erg grote verantwoordelijkheid zou zijn,' zei Ali. Het bleef lang stil.

'Hoe zou je het vinden als de tweeling met je meeging?' vroeg Bryony ten slotte. 'Het zou enig voor ze zijn om je ouders te leren kennen en een weekend niet in Londen te zijn.'

Ali overwoog Bryony's suggestie. Haar ouders zouden het niet erg vinden. Als Bryony iets vermoedde over haar zus, liet ze dat niet merken.

'Is er genoeg plaats?' vroeg Bryony.

'Het is een geweldig idee,' zei Ali. 'Mijn ouders zijn dol op kleine kinderen.' Bryony straalde van voldoening dat er zo snel een wederzijds gunstig compromis was gevonden.

'Dat vind ik nu zo fijn van jou,' zei ze. 'Je vermogen om flexibel te zijn en snel oplossingen te zien. Help me onthouden dat ik een stel kaarsen van Jo Malone meegeef voor je moeder en je zus. Wat is hun lievelingsgeur? Limoen, basilicum en mandarijn?' Ze greep haar BlackBerry en toetste een herinnering in. Ali was opgelucht dat ze haar blik afwendde.

Ze kreeg ineens een absurd beeld van Jo die haar heroïne opkookte in een theelepeltje boven een peperdure geurkaars en moest hard in haar hand knijpen om dreigend gegiechel te smoren.

16

En zo had Ali bij haar eerste weekend thuis na meer dan een jaar Hector en Alfie op sleeptouw. En Izzy, die op het laatste moment had geroepen dat ze niet als vijfde wiel aan de wagen bij Jake en Lucy in Londen wilde blijven.

'En ik dan?' had Jake gevraagd bij hun vertrek naar het station op zaterdagochtend. Ali lachte, tot ze merkte dat hij het maar half als grapje bedoelde.

'Wij gaan lunchen met mijn zus en mijn zwager,' zei Lucy, terwijl ze haar arm door de zijne stak. 'We gaan hun nieuwe baby bewonderen.'

'En je zou de ochtend gezellig in Hatton Garden kunnen doorbrengen?' riep Izzy over haar schouder naar Jake toen ze de deur uit liepen.

Ze klommen in de taxi en Ali vroeg: 'Wat gebeurt daar dan?'

'Daar gaat iedereen heen om trouwringen te kopen,' giechelde Izzy. 'Ze heeft hem stevig bij de *cojones*.'

Toen ze vroeg in de middag in Cromer aankwamen, wachtte Ali's vader hen op bij het station. Jim Sparrow stond voorovergebogen tegen de wind, in de broek van een oud pak dat Ali al jaren niet meer had gezien en een jasje met leren elleboogstukken. Dat laatste was vermoedelijk haastig van een rek getrokken in een van de tweedehandswinkels in de hoofdstraat, nadat ze laat op de avond had gebeld om te waarschuwen dat ze niet alleen kwam.

Ali voelde haar maag verkrampen om de inspanning die hij zich had getroost, vooral omdat Izzy uitgedost was in een van haar excentriekere outfits, die onder andere bestond uit een paar zware platformlaarzen met veters, een visnetpanty en een heel kort minirokje met bretels. Niet dat haar vader daarvan zou opkijken. Dit was immers de man die ooit naar het kraakpand in Norwich was gegaan waar Jo woonde, zijn oudste dochter half bewusteloos had aangetroffen in een poel van haar eigen kots en haar als een klein kind in zijn armen naar de auto had gedragen. Langs de groep puisterige junks met hun ingevallen wangen en diepliggende ogen, die hem zwijgend nakeken.

Bovendien was Jim Sparrow geen zedenprediker. Veronderstel nooit zomaar iets over wie dan ook, tot je weet wat er onder de oppervlakte gebeurt, was een van de weinige adviezen die hij zijn dochters had meegegeven. Hij gebruikte de zee als voorbeeld. Net voor de kust, bij de Duivelsmuil, lag een krijtrichel die zich mijlenver langs de kust uitstrekte met een heel netwerk van zeeleven dat een volledig ecosysteem van levende wezens ondersteunde, waarvan sommige nog nooit waren geïdentificeerd. Hij had het met zijn eigen ogen gezien. Op een windstille ochtend in oktober leek de zee misschien grijs en dof, maar onder water lag een verborgen wereld te wachten om ontdekt te worden. En mensen waren net zo.

Het was een houding die Ali had geholpen zich aan te passen aan de Skinners. Ze had geen oordeel geveld over hun leven, en ze was er ook niet van onder de indruk. Hun rijkdom, hun ingewikkelde relaties, hun ongerijmde moraal spoelden allemaal langs haar heen, als de zee over die krijtrichel. Die eigenschap bepaalde haar leven bij de Skinners in deze periode, want als zij niet zo open was geweest, waren ze wellicht meer op hun hoede geweest in haar aanwezigheid.

Jim omhelsde Ali. Hij rook naar goedkope aftershave, mottenballen en krab. Ze klemde zich nog even aan hem vast toen hij haar al had losgelaten.

'Ik heb je gemist, papa,' zei ze.

'Het is fijn om je thuis te hebben, meis,' bromde hij.

'Ze gaat weer met ons mee terug,' zei Hector, Ali's hand strak in de zijne. Jim glimlachte om zijn felheid.

Hij hurkte neer op Hectors hoogte en vroeg: 'Hoe heet jij, jongen?'

'Wat is dat op je gezicht?' vroeg Hector wantrouwig. Jim keek zijn dochter vragend aan.

'Dat is een baard,' legde Ali uit.

'Er is een stukje uit,' zei Hector.

'Dat heet een kinnebaard,' zei Jim.

'Barabas,' zeiden Alfie en Hector tegelijkertijd.

'Wat zeggen ze?' vroeg Jim aan Ali, terwijl hij overeind kwam.

'Soms gebruiken ze hun eigen woorden voor dingen,' legde ze uit.

Ze stelde Izzy voor, die tevergeefs probeerde om de wind uit haar haar te houden. 'Heel, heel erg bedankt dat ik mag komen logeren. Ik heb

Cromer altijd al zo graag willen zien.' Het enthousiasme was aangeleerd. Het was dezelfde toon die Tita aansloeg als Ali een kop thee voor haar maakte of als ze Foy voorlas uit *The Telegraph* als hij op de koffie kwam; de beleefdheid bekrachtigde de ongelijkheid van hun relatie. Zoals gewoonlijk was Izzy's lippenstift uitgelopen, zodat ze er nog meer uitzag als een kind dat oefende met de grotemensenwereld. Ali gebaarde haar om haar onderlip af te vegen. Izzy begreep de wenk, maar smeerde het uiteindelijk over haar kin.

'Nu heeft Izzy ook een kinnebaard,' zei Hector.

'Ik kijk er echt naar uit om mee te gaan in uw boot,' zei Izzy.

'Zo zo, dus jij gaat morgen om drie uur opstaan om de krabbenfuiken te bekijken?' vroeg Jim droogjes. 'Ik zie dat je de juiste kleding al aanhebt.'

Ze liepen over de lege parkeerplaats naar de hoofdstraat en Ali vroeg: 'Waar staat de auto?'

'In de garage,' zei hij. 'Jo heeft een ongeluk gehad. Ze is achteruit tegen de bus van de buurman opgereden. Ik kan hem nog niet laten maken.'

'Hoe is het verder?' Het bleef lang stil.

'Ze zegt dat ze weer een kliniek wil proberen. Maar als ze van de NHS gaat, moet ze zes maanden wachten. Je moeder gaat eraan kapot als ze tot die tijd weer thuis komt wonen.'

'En particulier?'

'We kunnen geen tweede hypotheek krijgen op het huis. Ik weet dat het veel gevraagd is, maar we vroegen ons af of jij zou kunnen helpen, Ali?'

Hij moest boven het lawaai van wind en water uit roepen toen ze de hoek om liepen naar de straat die naar de boulevard leidde. De vraag werd meegevoerd naar de zee. Instinctief boog iedereen zijn hoofd en ze gingen op een kluitje lopen. Hier hadden ze haar natuurlijk voor naar huis gelokt, dacht Ali. Ze was altijd een bijzaak in Jo's behoeften.

'We worden weggeblazen!' schreeuwde Alfie en hij klemde Ali's hand vast.

'Net als Dorothy in *De tovenaar van Oz*,' beaamde Hector.

Aan het einde van de straat stonden ze even stil en ze tuurden naar de zee. Het water en de horizon versmolten in grijze vegen. De golven braken rusteloos, alsof ze het niet eens konden worden over een ritme. Sommige waren sneller en slokten kleine, minder vastberaden golven op, waarna ze hun dubbele lading in een boze branding op het strand spuwden. 's Zomers braken ze soms ver weg tussen de zeeweringen in een enkele doorlopende lijn. Nu waren ze rommelig en verward. De wind kwam vast uit het noordwesten.

'Elke golf is uniek,' schreeuwde ze. 'Elke golf heeft zijn eigen vorm, zijn eigen snelheid en hoogte.'

'Dus er zijn geen tweelingen?' schreeuwde Alfie. Iedereen lachte.

'Zullen we de golven tellen?' vroeg Hector.

'Laten we dat binnen gaan doen,' stelde Ali voor, wijzend naar een rij vissershuizen van rode baksteen aan het einde van de boulevard.

'Kun je echt de zee zien vanuit jullie huis?' vroeg Izzy.

'Je kunt hem zien vanuit je slaapkamer als je dat wilt,' zei Ali's vader. 'Ali's raam kijkt uit op het strand. Daar slapen jullie allemaal samen.'

'Dat is helemaal gigantisch geweldig,' zei Hector.

Ali probeerde haar huis te bekijken door de ogen van de tweeling. Het was vanzelfsprekend veel kleiner. Ze was er zelfs vrij zeker van dat het vloeroppervlak van de keuken in het souterrain van Holland Park Crescent groter was dan het vissershuisje waarin zij was opgegroeid. Op de benedenverdieping was een enkele kamer, met een keuken aan de achterkant die uitkeek op de straat en een zitkamer aan de voorkant met uitzicht op zee. Het zwart-witte linoleum op de vloer was hier en daar versleten, vooral bij het aanrecht en het fornuis. Daar ijsbeerde haar moeder, in haar kooi, wachtend op Jo in de nachten dat ze niet thuiskwam. Ali bukte zich en raakte de gaten aan, en voor het eerst voelde ze in plaats van boosheid iets wat meer op medelijden leek.

'Wat doe je?' vroeg haar moeder.

'Het moet zo zwaar voor je zijn geweest,' prevelde Ali.

'En voor jou,' zei haar moeder, die zich snel van haar afwendde om de koelkastdeur open te doen, hoewel de melk al in een kan op tafel stond.

Ali's moeder had de ergste schade verstopt onder een kleed dat telkens opkroop en weggleed als iemand erop liep. Het formica op het aanrecht liet los en de pogingen van haar vader om het vast te plakken aan de naden waren mislukt. Alles had een flinke peeling nodig. Het was een doffe, kleurloze ruimte.

De tweeling had alleen belangstelling voor de vloer, waar ze verrukt van waren vanwege de gelijkenis met het bovenmaatse schaakspel in

Holland Park. Maar Ali zag Izzy kijken naar de ramen met het dubbele glas, de vitrage, de placemats en de gehaakte antimakassars, en de afstand meten tussen Ali's leven en het hare.

'Ik kan jullie het geld geven voor de afkickkliniek,' zei Ali, na uit haar hoofd snel te hebben berekend hoeveel langer ze voor de Skinners zou moeten werken om haar schulden te betalen en de kliniek te subsidiëren. 'Maar ik wil er niet bij betrokken worden.'

Ali's moeder hield haar even stevig vast in een zwijgende omhelzing en ging toen verder met de voorbereidingen voor de lunch. Ze had de eettafel uitgeklapt en een wit geborduurd tafelkleed neergelegd. Er stonden porseleinen kopjes en schoteltjes uit een kastje in de zitkamer, en een bordje boterhammen waar de korstjes van af waren gesneden. Ali knuffelde haar terug en vond dat ze kleiner en breekbaarder aanvoelde onder een van de drie dikke truien die ze afwisselend droeg in de wintermaanden.

'Dankjewel dat je gekomen bent, Ali,' zei haar moeder met een glimlach. 'We hebben je gemist.' Opnieuw een scherpe steek van schuldgevoel.

'Ik zal ze even laten zien waar ze slapen,' zei Ali tegen haar moeder, en ze nam de drie kinderen mee naar boven. Jo's kamerdeur was dicht, maar als ze thuis was zou Ali dat hebben gemerkt aan de spanning op het gezicht van haar ouders. Ze liep er voorbij, zich afvragend of de muren nog steeds zwartgeverfd waren en of Jo haar drugsparafernalia nog steeds onder haar matras verstopte.

Ali's slaapkamer was nog precies zoals ze hem had achtergelaten. De tweeling stortte zich op haar verzameling Sylvanian Family-figuurtjes. De dassenfamilie Underwood en de otterfamile Vandyke ontbraken, waarschijnlijk gestolen door Jo en verkocht op eBay. Daarna bekeken ze de schatten die Ali in de loop der jaren op het strand had verzameld. Haar moeder had ze ordentelijk in de vensterbanken opgesteld.

'Vertel eens wat het allemaal is,' smeekte Hector. Er lag een schedel van een scholekster, ondoorzichtig groen zeeglas, drijfhout, schelpen, stenen met exotische rode aderen. Juttersbuit en wrakhout van haar tienerjaren, dacht Ali. Izzy las een gedicht voor dat ingelijst aan de muur hing. *Aan de Noordzee* van Algernon Swinburne.

'Een land eenzamer dan ruïnes, een zee die vreemder is dan dood...' Ali kon zich alleen het eerste couplet herinneren. Het was een verjaardagscadeau van Will MacDonald. Ze kon het niet op haar kamer hangen in Norwich, want daar wist iedereen dat het zijn lievelingsgedicht was. Ze haalde het van de muur en legde het ondersteboven op haar bureau.

Ze gingen de trap weer af voor de lunch. Izzy ging meteen aan het hoofd van de tafel zitten. Ali's vader trok even een wenkbrauw op, maar zei niets. Argwanend bekeek Izzy de boterhammen, vanwege haar ongemakkelijke relatie met koolhydraten. Vergeleken met de crackers die in een keurige kring op een porseleinen bord met een bladerpatroon lagen, waren ze het minste van twee kwaden, dus nam ze er een paar en knabbelde beleefd aan de randjes. De jongetjes stapelden hun bord vol en aten crackers voordat ze aan de boterhammen begonnen. Ze waren verrukt van het uitzicht.

'Mogen we nog wat, alstublieft?' vroeg Hector met zijn charmantste gezicht.

'Natuurlijk,' zei Ali's moeder en ze stapelde nog meer crackers op zijn bord. Met haar andere hand woelde ze door zijn haar. Zijn dikke krullen waren nog weelderiger teruggegroeid na het incident op de dag van de kerstborrel, bijna een jaar geleden.

Ze vulde hun glazen met sinaasappellimonade en vroeg: 'Hebben jullie een goede reis gehad?'

'Prima,' zei Ali. Ze keek rond of er iets was veranderd, en zag tot haar opluchting dat alles hetzelfde was gebleven. Een paar jaar geleden toen Jo – weer – helemaal aan de grond zat, waren er van de ene op de andere dag dierbare voorwerpen van haar ouders van de muren en de schoorsteenmantels verdwenen. De tafelklok die elke dag vijf minuten kwijtraakte, de twee porseleinen hondjes die de enige boekenplank in huis bewaakten, zelfs een collectie Agatha Christie-boeken die Ali in de loop der jaren verzameld had.

Ali overhandigde de Jo Malone-kaarsen. Zonder de doos open te maken legde haar moeder ze in een la. Ze stelde vragen over Ali's leven in Londen en Ali was dankbaar voor Izzy's aanwezigheid, omdat ze daardoor in algemeenheden kon antwoorden. Ja, iedereen was 'heel aardig,' het was echt zo dat er veel vrouwen uit Oost-Europa als nanny werkten. Nee, ze hoefde helemaal geen schoonmaakwerk te doen, want er was een huishoudster. Ja, ze wist haar weg te vinden in de ondergrondse.

'Heb je al met je mentor gesproken over dat jaar uitstel?' vroeg haar moeder na een pauze in de conversatie. 'Heb je contact met hem gehad?'
'Via e-mail,' zei Ali.
'Hij heeft me opgebeld,' zei haar moeder. Ali keek op om te zien of er verwijt in haar moeders ogen te lezen stond, maar ze vond het niet. 'Hij wilde weten of je zou kunnen oppassen in de kerstvakantie.'
Ali werd bevangen door een bekend gevoel van beklemming. Het tikken van de nieuwe klok leek luider te worden. Ze herinnerde zich dat ze naast de oude had zitten tellen hoe haar leven wegglipte op het eindeloze ritme van alweer een zondagmiddag zonder iets te doen, behalve luisteren naar haar ouders die zich zorgen maakten over Jo, of huiswerk dat ze binnen een uur had kunnen maken de hele middag laten duren, tot de hemel om halfvier eindelijk donkerder werd. Ze keek uit het raam en vroeg zich af of de zee haar gunstig gezind zou zijn als ze ging zwemmen. Soms, als je door de grillige golven van de branding dicht bij de kust heen brak, kwam je in een andere zee terecht, vooral als de deining van de zee zelf kwam en niet van de wind.
'Ik vroeg me af of jullie even op de kinderen zouden kunnen letten, zodat ik vanavond even naar Norwich kan om mijn vrienden op te zoeken?' zei Ali impulsief. 'Ik wil kijken of ik een paar leeslijsten kan kopieren en misschien wat boeken kan lenen, zodat ik in elk geval met een deel van het werk bij kan blijven.'
Haar moeder keek vergenoegd en Ali voelde zich schuldig.
'Natuurlijk,' zei ze. 'Misschien kunnen zij je wel ompraten.'
'Ik zal nog minstens een jaar moeten blijven,' zei Ali vastbesloten.
'Dat moet,' beaamde de tweeling knikkend.
Buiten ruziede een vlucht zeemeeuwen over een zak patat die een kind op de boulevard had laten vallen. Gefascineerd zwijgend keek de tweeling toe. Izzy keek ook en vroeg zich ongetwijfeld af waarom zeemeeuwen wel ongestraft koolhydraten naar binnen konden werken.

In de trein van Cromer naar Norwich stuurde Ali haar vroegere mentor een berichtje of hij iets met haar wilde gaan drinken. Ze schreef het snel, voordat ze de kans had om haar beweegredenen te analyseren en deletete het meteen, zodat ze zich vijf minuten later afvroeg of ze het wel echt verstuurd had.
Ze hoopte dat Will de ambivalentie die zo'n afspraak op het laatste

nippertje kenmerkte zou aanvoelen. Als ze hem echt had willen zien, had ze dagen geleden al contact opgenomen. Of misschien, bedacht ze ineens, zou hij het opvatten als een wanhoopsdaad? Misschien leek het nu alsof ze had geworsteld om zijn lokroep te weerstaan en haar standvastigheid was kwijtgeraakt op het moment dat haar trein de stad vol herinneringen aan hem binnen reed. En als zijn vrouw de telefoon oppakte en het bericht las? De informaliteit, de bondigheid, de impliciete intimiteit zouden haar meteen verraden.

Zijn vrouw was altijd zo aardig geweest als ze voor hen oppaste. Soms fantaseerde Ali dat ze het prima vond dat Ali met haar man sliep, omdat dat dan tenminste van de lijst huishoudelijke verplichtingen geschrapt kon worden. Andere keren ergerde Ali zich aan haar, omdat ze niet besefte wat er aan de hand was. Hoe kon ze zo onbenullig zijn dat ze niet doorhad waarom haar man de oppas elke week naar huis reed? Als ze de affaire nu zou ontdekken, zou dat een ramp zijn.

Ze had zich geen zorgen hoeven maken. Will had de donkere kunst van het bedriegen van zijn vrouw goed onder de knie en sms'te binnen een paar minuten terug. Hij bood aan om haar van het station te halen, waarmee hij de kroeg ontweek en terugviel op hun oorspronkelijke modus operandi.

Waarom doe ik dit? vroeg ze zich af toen de trein het station binnenreed. Het was een passend grafschrift voor haar relatie met Will. Als ze bij hem was, leek het een perfect plausibele combinatie, maar zodra ze uit elkaar gingen kon ze nauwelijks meer geloven wat een gecompliceerd web van leugens ze voor zichzelf had geweven. Ze speelde liefde zonder die werkelijk te voelen. Toen bedacht ze dat Will MacDonald eigenlijk een brug was, van het ene deel van haar leven naar het andere.

'Je hebt een nieuwe auto,' zei Ali toen ze net buiten het station van Norwich in de Saab-stationwagen stapte. Hij kuste haar kuis op elke wang, met één oog op de andere mensen die de parkeerplaats op stroomden. Hij rook vaag vertrouwd, maar pas achteraf besefte Ali dat het saucijsjes waren. Ze vermoedde dat hij met vrouw en kinderen had gegeten, misschien had geholpen ze in bad te stoppen, en toen een smoes had verzonnen over terug moeten naar kantoor om essays op te halen die hij vergeten was. De persona van verstrooide professor bood een goede dekmantel. Ontrouw was heel simpel als je de basisprincipes eenmaal doorhad. Trouw was de grote uitdaging. Dat was een levensles die ze tot haar genoegen eerder had geleerd dan de meeste mensen.

'We hebben er een baby bij,' zei hij, wijzend naar het kinderzitje op de middelste bank. 'Er zit een fantastische achterbak in. Twee volwassenen kunnen er overdwars in liggen. Ze is nu zes maanden oud.'

Er was zoveel mis met die vier zinnen wat volgorde en inhoud betrof, dat Ali even in de verleiding kwam om ze met een agressieve verbale rode pen door te krassen. Je zei dat je nooit seks had met je vrouw? Is die nieuwe baby verwekt tijdens onze verhouding? Hoe weet je dat de achterbak groot genoeg is voor twee volwassenen overdwars? En met wie was je toen je die ontdekking deed? Maar een ondervraging zou haar misschien jaloers doen lijken en Ali realiseerde zich dat het haar niet genoeg kon schelen om een scène te maken.

Ze keek even opzij naar hem toen hij de stad uitreed op de weg naar Yarmouth. Hij zag er nog precies hetzelfde uit. Wit T-shirt. Zwarte spijkerbroek. Oud groen jasje. Stoppelbaard van een dag of drie. Reuze rock-'n-roll voor iemand die gevangenzat in de dwangbuis van de achttiende-eeuwse literatuur. Zijn haar was iets langer en iets dunner.

'Hoe is het in Londen?' vroeg hij. Hij zette de cd-speler aan, die *Twinkle, Twinkle, Little Star* begon te spelen.

'Shit,' zei hij, gejaagd knopjes indrukkend tot de stem van Leonard Cohen klonk.

'Geweldig,' zei Ali. Hij legde een hand op haar dij terwijl Suzanne naar de rivier werd meegenomen. Ali werd een beetje verrast door de vertrouwde kloppende warmte die ze tussen haar dijen voelde. Het was een jaar geleden dat ze seks had gehad en ze vond het een opluchting dat de chemie van haar lust niet was geneutraliseerd door haar ascetische Londense leven. Ze wist niet zeker of ze met Will weer wilde beginnen waar ze was gebleven, maar het was geen onaangenaam gevoel, dus liet ze zijn hand liggen en ze leunde naar hem toe tot haar hoofd op zijn schouder rustte. Even overwoog ze zijn gulp open te ritsen en hem te pijpen. Dat had ze al eens eerder gedaan terwijl hij aan het stuur zat. Het was een plezierig lichtzinnig gevoel geweest en ze was bang dat hij elk greintje lust zou doven als hij verder praatte.

Ze legde haar hand op zijn kruis en begon zijn rits omlaag te trekken. Hij was al stijf. Zijn adem werd heser, wedijverend met Leonard Cohen. Hij maakte een geluid dat Ali deed denken aan de cavia's van de tweeling. Het leek uit zijn neus en zijn mond tegelijk te komen. Ali smoorde een giechel. Toen hij zijn benen spreidde om haar meer speelruimte te geven, drukte Wills voet per ongeluk op het gaspedaal, maar Ali maakte zich toch al ongerust over wat er met de tweeling zou gebeuren als hij een botsing veroorzaakte en ze in een onbekende omgeving wakker werden zonder dat zij er was om hen gerust te stellen. Dus ging ze weer rechtop zitten en deed haar veiligheidsriem goed. De band was verbroken. Lust was net als godsdienst, dacht Ali, als je niet meer geloofde, leken andermans overtuigingen vaag belachelijk.

'Ik heb last van mijn nek,' mompelde ze bij wijze van excuus. Ze liet haar hoofd overdreven verschillende kanten op rollen. Toen pakte ze zijn hand tussen haar dijen op en hield die in de hare. Hij was breed en zwaar en ze kon geen comfortabele manier vinden om hun vingers in elkaar te passen. Ze was de kleffe warmte van de handjes van de tweeling gewend, zo klein dat ze ze in haar eigen hand kon verstoppen. 'Te veel kinderen getild.'

'Vertel mij wat,' zei hij, met een blik op haar om te zien of alles nog in orde was, want hij begreep de vluchtige aard van lust beter dan de meeste andere mensen.

'Ik heb vorige week iets in de krant gelezen over de vrouw voor wie je werkt,' zei hij. 'Ze klonk indrukwekkend.'

'Dat is ze ook,' zei Ali, 'hoewel je zo dicht bij een gezin natuurlijk wel beseft dat iedereen gebreken heeft. Het leven van andere mensen ziet er alleen aan de buitenkant volmaakt uit.' Hij haalde zijn hand weg om de richtingaanwijzer aan te zetten en reed een landweggetje op dat Ali niet herkende. Een kilometer lang raakten ze elkaar niet aan, tot hij een laantje naast een kerk insloeg en de auto stilzette.

'Er stond in dat ze de dochter van een multimiljonair was. Dat moet haar wel een voorsprong hebben gegeven.'

'Misschien wel.'

'Hoe zijn de kinderen? Verwend, zeker,' zei hij, terwijl hij uit de auto stapte en naar de achterbak liep. Hij klom erin en spreidde zorgvuldig een paar geruite dekens uit, die waarschijnlijk bij een picknick met het hele gezin voor het laatst daglicht hadden gezien. 'En emotioneel verwaarloosd, zoals alleen rijke Engelse families dat kunnen.'

Ali probeerde haar ergernis niet te laten merken.

'De tweeling is vreemd, omdat het een tweeling is, maar ze zijn heel lief,' riep ze hem toe vanaf de voorbank. 'Ze hebben samen een vreemde taal en ze blijven me maar vertellen dat ik die moet leren. Ze hebben me in zekere zin in hun wereldje binnengelaten, omdat ik die accepteer, in plaats van hen eruit te willen dwingen. Ze hebben weinig vrienden, omdat de meeste kinderen afkerig zijn van hun ondeelbaarheid. Ze hebben heel veel spullen en ze gaan voortdurend op vakantie naar exotische plaatsen, maar het enige wat ze echt belangrijk vinden, is samen zijn.'

'Je klinkt als hun therapeut,' zei hij, en wenkte haar om bij hem te komen in de achterbak.

'Ik zal het wel opgepikt hebben van de onderwijspsycholoog,' zei Ali, met haar blote voeten op het dashboard.

'Izzy heeft meer problemen. Ik zou haar graag uit Londen weghalen en een poosje hierheen sturen, zodat ze geen indruk meer hoeft te maken op andere mensen en kan ontdekken waar zij zelf van onder de indruk raakt. Ze vergelijkt zichzelf voortdurend in negatieve zin met haar moeder, en omdat Bryony zo uitzonderlijk is, is ze lastig te evenaren.'

'Kom je bij me zitten, Ali?' vroeg Will. Hij stak een aangestoken joint in de lucht als lokaas.

Ali stapte uit de auto en sloeg het portier dicht. Ze wendde haar gezicht naar de hemel. Het was een heldere nacht en ze wist zonder te kijken dat ze een halvemaan zou zien, want die ochtend was het doodtij geweest. Even bleef ze staan, haar hoofd in haar nek, uit het oog verliezend dat ze geacht werd een stijve nek te hebben.

Ze was vergeten hoeveel sterren er op een heldere nacht aan de hemel stonden in Norfolk. Het leek alsof het universum gevuld was met een miljoen ogen die over haar waakten. Ze herinnerde zich dat ze als tiener de tuin in was gelopen en aan de sterren had gevraagd om op haar zus te passen als ze weer eens niet thuisgekomen was. Een keer kwam haar vader bij haar staan en toen ze verlegen uitlegde wat ze stond te doen, vertelde hij dat hij dat ook weleens deed.

Ze dacht aan de sterrenkaart op de deur van haar oude kamertje in Cromer. Haar vader had haar de verschillende sterrenbeelden geleerd, bijna in dezelfde periode als ze had leren lezen. Dus ze wist dat Ursa Major in deze tijd van het jaar rijzende was, met Ursa Minor eronder genesteld.

'Je bent zo'n oude hippie, Ali,' zei Will van achter uit de auto toen ze met haar vinger de stippen in de lucht aan elkaar tekende en binnensmonds de verschillende namen prevelde. Ali hoorde hem niet. Ze was vervuld van een vertrouwde euforie. Ze voelde zich heel klein in het landschap, maar verbonden met iets groters dan zijzelf. Het was een stille nacht en ze rook de zoete geur van marihuana die uit de achterbak van de auto opsteeg.

'Als ik hem helemaal oprook, moet jij terugrijden,' zei hij. Hij wist nog hoe hopeloos ze was geweest achter het stuur.

'Eerlijk gezegd rijd ik nu zelfs in het centrum van Londen. De Skinners hebben een G-Wiz voor me gekocht.'

Ze klom in de achterbak. Hij had gelijk. Ze konden bijna languit liggen.

Will had een soort kussen gemaakt van een paar jassen. Hij leunde voorover om het portier dicht te trekken en Ali vroeg of het open mocht blijven. Ze nam een diepe haal van de joint.

'Ik wil de lucht op mijn gezicht voelen,' zei ze.

'Je hebt de oudste niet genoemd,' zei Will ineens. 'Ik herinner me dat ze het over een tienerjongen hadden toen ik je referentie schreef.'

'Jake is negentien, die heeft zijn eigen leven,' zei Ali, en ze gaf de joint terug omdat ze niet slaperig wilde zijn als ze haar vrienden zag. 'Hij is net begonnen in Oxford. Engelse literatuur. Niet wat zijn ouders wilden, maar hij was vastbesloten.'

'Jullie hebben zeker veel gemeen?'

'Ach, jij en ik, wij houden allebei van boeken, maar we hebben toch ook niet veel gemeen?' zei Ali onnadenkend. Even keek Will MacDonald, MA, PHD, gekwetst. Ali krabbelde snel terug, want hij was geneigd dingen te veel te analyseren. 'Wat ik bedoel, is dat we elkaar niet echt goed genoeg kennen om te weten waar het gemeenschappelijke terrein ligt.' Zorgvuldig gebruikte ze de tegenwoordige tijd. 'We spreken soms af. We praten over Moll Flanders, of ze de eerste feministische literaire heldin was. We houden allebei van chocoladekoekjes. We houden niet van Tony Blair.'

'We zijn seksueel verenigbaar,' zei Will en hij draaide zich naar haar toe met een zweem van opzet in zijn lichtblauwe ogen.

'Wat betekent dat?'

'Het betekent dat we kunnen communiceren zonder te praten.'

'Dat is iets vluchtigs. Het is niet duurzaam.'

‘Maar het zou gebruikt moeten worden waar het bestaat,’ hield Will vol; hij was op zijn zij gaan liggen en stak zijn arm uit om haar borst aan te raken. ‘Wat is het dan voor jongen?’

In haar hoofd botsten verschillende beelden van Jake op elkaar en Ali zei: ‘Dat weet ik niet zeker.’ Jake die de zitkamer binnenkwam en haar daar aantrof met Nick, drie maanden nadat ze voor de Skinners was komen werken. Jake die Izzy naar de auto droeg na het feest in Notting Hill. Jake die de confrontatie met haar aanging op Corfu. Hun relatie had niets vanzelfsprekends. Hun interactie was zelfs zo minimaal, dat ze niet eens wist of het wel een relatie genoemd kon worden.

‘We hebben geen beste start gemaakt en sindsdien ook weinig vorderingen,’ zei Ali afwijzend.

‘Wat is er dan gebeurd? Al die jongens slapen toch met hun nanny? Heb je hem soms afgewezen toen hij je wilde versieren?’

Ali glimlachte om zijn ouderwetse taalgebruik, maar besloot er niets van te zeggen omdat hij zo’n man van middelbare leeftijd was die graag een joint rookte met zijn studenten en muziek van de Libertines downloadde om zijn jeugdigheid te bekrachtigen.

‘Toen ik daar pas werkte, trof hij me om vijf uur ’s ochtends naast zijn vader op de bank van de zitkamer aan en daar trok hij totaal verkeerde conclusies uit.’

‘Wat bedoel je?’

‘Ik droeg een T-shirt en Nick had zitten rukken en zat er wanordelijk bij. Jake dacht dat we geneukt hadden.’

‘Je werkgever zat voor je neus te rukken?’ vroeg Will.

‘Doe niet zo belachelijk. Hij was er al toen ik binnenkwam. Hij keek op een computerscherm.’

‘Zit die man dan achter je aan?’ Will klonk woedend bij het idee. Hij zou wel jaloers zijn, besloot Ali. Hij kon onmogelijk morele verontwaardiging tentoonspreiden, gezien de wilde schommelingen in zijn eigen gedrag.

Ali deed haar best om niet geïrriteerd te klinken en vroeg: ‘Zit wie achter me aan?’

‘De vader, natuurlijk,’ zei Will. ‘Dat is een klassieke plotlijn, het jonge dienstmeisje als lustobject van haar meester.’

‘Jij zit veel te diep in die vreselijke Richardson,’ zei Ali, die ineens dringend bij hem weg wilde.

'Vergeet niet dat Pamela uiteindelijk trouwt met de man voor wie ze werkt,' zei Will.

'Dit is de eenentwintigste eeuw, Will,' zei Ali.

'En hoe ga je je van die mensen losrukken?'

'Ik denk nog niet aan weggaan, als je dat bedoelt.'

'Het is gekkenwerk om nog veel langer te blijven. Zelfs als je hier niet wilt terugkomen, zou je je studie ergens anders moeten afmaken. Ik help je wel. Je kunt kiezen. Keus genoeg. En ik zou me schuldig voelen als je het niet deed.'

'Ik vind het leuk om bij hen te wonen en hun leven te leiden. Het is amusant en op een vreemde manier voel ik me vrij.'

'Dat zeggen slachtoffers van ontvoeringen ook. Pas maar op dat je geen stockholmsyndroom ontwikkelt. Iemand vertelde me over een nanny die bij een gezin bleef toen de kinderen allang naar de universiteit waren, omdat ze het idee niet kon verdragen om weg te gaan.'

Het kwartje viel meteen.

'Je hebt een verhouding met Rosa, hè?'

Schuldbewust keek hij opzij. Ze voerden nog een ongemakkelijk gesprek over *Das Leben der Anderen* en of het de beste film ooit gemaakt was, stapten in de auto en reden zwijgend terug naar het station van Norwich. Ali nam de eerste trein terug naar Cromer.

De volgende ochtend ging Ali naar het strand om te zwemmen, alleen. De zee had altijd een zuiverend effect op haar ziel. Ze kon zichzelf vergeten in zijn omhelzing, vooral op een ochtend als deze, als het vloed was en de golven zo hoog waren dat de plaatselijke jeugd kon surfen. Ze ging het water in zoals ze altijd deed, door er snel op af te rennen, zonder zich de tijd te gunnen om te denken aan de verlammende kou terwijl ze spetterend door de eerste golven stampte. Dat waren allemaal druktemakers, boze opscheppers die indruk wilden maken met hun persoonlijkheid en vervielen tot een schuimige soep van woede over hun onvermogen om hun vaart te behouden.

Dicht bij de kust braken ze zwaar en hard en Ali wist dat ze pas rust zou vinden als ze in de zone kwam waar de pier eindigde, bij het gebouwtje van de reddingsbrigade. Ze hield een flinke afstand van het bouwwerk zelf, op haar hoede voor de kinderen die de krablijnen over de rand lieten bungelen en voor de muien rond de draagbalken.

Ze kon zichzelf horen ademhalen, een geschokt, hijgend happen naar lucht. Lopend en zwemmend tot ze niet meer kon staan drong ze zich door de golven. Het water werd kouder en ze draaide zich op haar rug en trapte door, in de rugslag tot ze haar bestemming had bereikt. Daar bleef ze even watertrappelen en keek terug naar het strand. Soms wachtte ze bij dit punt een poosje, zich afvragend hoe lang het zou duren tot ze te koud en te moe zou zijn om terug te zwemmen. Het was een troostrijke gedachte dat ze haar leven als het haar niet langer beviel op deze manier kon beëindigen, en dat niemand dan ooit zou weten of ze per ongeluk of met opzet was verdronken.

Op het strand zag ze de tweeling en Izzy staan, met haar moeder. Ze zwaaiden naar haar. Ze stak haar hand in de lucht en zwaaide terug. Hector en Alfie sprongen op en neer. Haar moeder legde een kalmerende hand op Alfies schouder. Ali dook onder water en sperde haar ogen open. Onder zich zag ze niets anders dan het troebele groen van de zee. Ze hield haar adem zo lang in als ze kon en stoof toen briesend naar het oppervlak; ze voelde zich net een van de zeehonden die elke dag langs deze route heen en weer zwommen. Haar ogen traanden van het zout.

Onder het oppervlak, waar haar benen trappelden, voelde ze het vreemde trekken van tegenstrijdige stromingen, waardoor ze wist dat het tij aan het keren was. Ze had geen idee hoe lang ze al in het water lag. In borstcrawl zwom ze terug naar het strand, waar ze Hector en Alfie snikkend aantrof naast haar moeder en Izzy.

'Ze dachten dat je verdronken was,' legde haar moeder uit.

'We probeerden het je te laten weten,' zei Izzy, die nog geschokter leek door de reactie van de tweeling dan Ali's moeder. Ze klemden zich aan Ali's kippenvelbenen vast en smeekten haar om nooit meer in zee te gaan. Ze stelde hen voor om hun zwembroek aan te trekken en een klein eindje met haar mee het water in te gaan.

'Nee, nee, nee!' riepen ze in koor.

Onderweg terug naar huis zei Ali's moeder dat het niet gezond was voor kinderen om zo gehecht te zijn aan iemand die betaald werd om voor ze te zorgen.

'Zo wordt het voor jou wel heel moeilijk om weg te gaan,' waarschuwde ze boven Hectors en Alfies gesnik uit.

Ali's zus verscheen voor de eerste en enige keer toen ze op het punt stonden om te vertrekken. Ali was opgelucht dat Jo die nacht weggebleven was, want ze zag er verschrikkelijk uit. Zelfs Izzy, die toch een fervent bewonderaar was van grunge en uren bezig kon zijn om de perfecte gaten in haar kousen te maken en dreadlocks in haar haar te leggen, schrok van haar uiterlijk. Jo's huid was vaal, zelfs onder het bruin van de zon, en vooral afgezet tegen de bonte primaire kleuren van haar enkellange rok en gebatikte T-shirt. In plaats van interessant en romantisch zag ze er vuil en onverzorgd uit. De geweven polsbandjes waren vervaagd en de grove armbanden vestigden de aandacht op haar magere armen. Haar kleren roken naar verschaalde patchoeli. Ze glimlachte naar Izzy en de tweeling. Haar tanden waren grijs. Eentje ontbrak. Ze was pijnlijk mager, magerder dan Izzy op haar magerst. Ze omhelsde Ali.

'Deze keer ga ik het echt doen, Ali,' fluisterde ze. 'Ik zal je niet teleurstellen.'

Ik heb het allemaal al eerder gehoord, wilde Ali zeggen.

'Misschien moet ik het nog een keer thuis proberen? Zou jij me willen helpen?' vroeg Jo. De tweeling klemde Ali's handen vast, alsof ze in Jo een rivale voor haar genegenheid vermoedden. Ali legde een arm om elk kind. Bij Jo waren de keuzes altijd grimmig: leven of dood, ziek of gezond. Hoe kon ze haar noden ooit vergelijken met die van haar zus? Ze zou alles wel willen doen om haar te helpen.

'Ze helpt al door mee te betalen, zodat jij nog een keer naar de kliniek kunt,' hoorde ze haar moeder abrupt tussenbeide komen. 'Ze kan niet zomaar van haar werk weglopen. Ali heeft haar eigen leven.'

Daarmee bleek haar altruïsme een onverwachte bonus te hebben: het bezorgde Ali onbedoelde vrijheid. Toen ze weer in Londen was, wist Ali niet zeker of er iets was gebroken of hersteld, maar plotseling had ze meer duidelijkheid over wat ze niet wilde dan ze in jaren had gehad.

17

November 2007

Een paar weken na de reis naar Norfolk kreeg Ali tot haar verbazing een e-mail van Nick. Hij communiceerde meestal niet rechtstreeks met haar, maar liet speciale verzoeken bij voorkeur via Bryony lopen (pakken laten stomen, wegenbelastingsticker vernieuwen, vluchten boeken, ondergoed kopen). Ze maakte het bericht meteen open. Het was formeel geschreven, als een brief, met echte alinea's, correcte interpunctie en elk woord in zijn geheel uitgeschreven. Hij wilde dat Ali Hector en Alfie naar zijn kantoor in Canary Wharf zou brengen, zodat hij ze kon meenemen naar Lehmans jaarlijkse kerstfeestje voor de kinderen.

Nick liet Ali weten dat echtgenotes deze evenementen in het algemeen niet bijwoonden om vaders de gelegenheid te geven voor quality time met hun kinderen. Vervolgens nodigde hij Ali uit om hem te vergezellen voor het geval hij een telefoontje zou moeten beantwoorden. Hij vertelde verder niets over het feestje, behalve dat hij een paar dagen later de datum en de tijd bevestigde in een andere mail, waarin hij Ali waarschuwde dat de kledingvoorschriften serieus opgevat werden, maar vergat te vermelden wat die voorschriften dan wel mochten zijn.

Ali putte moed uit het geruststellend normale verzoek en stemde er enthousiast mee in. In de afgelopen paar maanden waren Nick en Bryony schijnbaar voortdurend aan het werk geweest. Weekdagen en weekenden waren nauwelijks van elkaar te onderscheiden. De tweemaandelijkse dinertjes waren afgelopen, de zondagse lunch met Tita en Foy was opgeschort en de jaarlijkse kerstborrel geannuleerd. Op de meeste avonden at Ali 's avonds alleen met de kinderen.

Het tochtje naar Norfolk leek de parameters van Ali's taak te hebben verschoven zodat de verantwoordelijkheid voor de weekenden bij haar lag en niet langer bij Bryony. Uit haar telefoongesprekken had Ali opgemaakt dat Bryony nog steeds met dezelfde Russische energiedeal worstelde en er ondanks haar inspanningen niet in slaagde om positieve berichten in de Britse pers te genereren. Haar klant was lomp en veeleisend en dreigde voortdurend de opdracht aan een ander bureau te geven. Na veel soebatten schreef Felix Naylor een stuk voor de *Financial Times* waarin hij zei dat je niet vóór globalisering kon zijn zonder te aanvaarden dat belangrijke Britse bedrijfstakken wellicht in buitenlandse handen zouden terechtkomen. Hij kwam ook een keer laat op de avond langs om Bryony te waarschuwen dat een journalist van zijn krant onderzoek deed naar haar Oekraïense klant.

Bij een fles wijn had Felix Bryony gewaarschuwd: 'Hij heeft een dubieuze achtergrond.'

'Dat geldt voor al die oligarchen,' had Bryony laatdunkend geantwoord. 'Als niemand anders zich druk maakt om hun vuile handen, waarom zou ik dat dan wel doen? Zij worden vaker uitgenodigd op Downing Street 10 dan ik. En ze hebben vrijwel het hele IJslandse financiële systeem gekaapt.'

'Deze regering is volkomen gespeend van kritisch inzicht in de mensen met wie ze omgaan en volledig in de ban van iedereen die met groot geld zwaait,' beaamde Felix. 'Maar met deze vent moet je echt oppassen.'

'Wat zeggen ze over hem?' vroeg Bryony verder.

'Laten we zeggen dat hij na de val van de muur nauw betrokken was bij niet-traditionele exportpraktijken,' zei Felix.

'Kun je me iets meer vertellen dan dat?'

'Alleen als jij me vertelt of de aandeelhouders van Northern Rock compensatie kunnen verwachten.'

'Ik zal je vertellen wat ik weet.'

'Ze zeggen dat hij het meesterbrein was achter een internationale vrouwensmokkelbende vanuit Oekraïne. Maar dat heb je niet van mij.'

'Fuck,' zei Bryony.

'Zeg dat wel,' zei Felix.

Bryony werkte tenminste 's avonds nog vanuit huis. Nick kwam zelden bij daglicht in Holland Park Crescent. Als hij wel verscheen voordat de tweeling naar bed moest, kwam hij zonder een woord te zeggen de trap naar de keuken af. Malea bracht hem zijn avondeten, dat hij woordeloos aanvaardde en waar hij vervolgens de helft van liet staan. Als Hector en Alfie zijn zwijgende gepieker wisten te doorbreken, reageerde hij altijd met relevante vragen die suggereerden dat hij toch redelijk op de hoogte was. Toen hij Izzy in de tuin betrapte met een sigaret, zei hij alleen dat ze de peuken moest oprapen zodat Leicester ze niet zou opeten. Hij vroeg niet meer naar schoolwerk. Noch naar muziekles. Noch of Foy langs geweest was. Eén keer vroeg hij naar Jake, en Ali herinnerde hem er voorzichtig aan dat die op de universiteit was.

Hij leek zich meer zorgen te maken over Bryony. Hun nonchalance over elkaars verblijfplaatsen was een van de bepalende kenmerken van hun relatie geweest. Ze hadden altijd gereisd zonder hun agenda's te synchroniseren en rekenden vaak op Ali om hen te vertellen in welk land of zelfs in welk werelddeel de ander zich bevond. Tegenwoordig wilde Nick precies weten waar Bryony was als ze weg was. Hij liet Ali e-mails met adresgegevens en telefoonnummers voor noodgevallen doorsturen. Hij verlangde details, of ze alleen reisde of met collega's. Hij stelde belang in Bryony's agenda voor de komende week. Hij wilde weten wanneer ze weer thuiskwam. Hij deed ongewone verzoeken: de doos voor oud papier moest in de keuken staan in plaats van buiten bij de achterdeur; de rekeningen voor de mobiele telefoons moesten in zijn werkkamer worden bewaard; Bryony's handtas moest op hun slaapkamer worden neergezet.

Ali vond zijn gedrag nogal vertederend, tot ze boze stemmen uit hun slaapkamer begon te horen op vreemde tijden van de zeldzame nachten dat ze allebei tegelijkertijd in Londen waren. De vorige avond had haar nieuwsgierigheid het gewonnen van haar gezonde verstand en ze was op de gang gaan staan om te horen waar ze ruzie over maakten. Ze voelde zich vreemd gerechtvaardigd tot deze inbreuk op hun privacy, met als betoog dat ze op de hoogte moest zijn vanwege de tweeling. Ze verbeeldde zich mogelijke scenario's: Nick was zijn baan kwijt; het huis in Oxfordshire overschreed het budget; Nick wilde niet dat Foy daar zijn zeventigste verjaardag vierde; Bryony had een verhouding; Nick had een verhouding. Waar maakten getrouwde stellen anders ruzie over?

'Een gebrek aan libido is een teken van depressie,' hoorde ze Bryony tieren.

'Of een teken dat ik je niet meer aantrekkelijk vind,' had Nick geantwoord. Er viel iets op de grond. Een boek, misschien. Of de wekker. Schuldbewust verborg Ali zich verder in de schaduw, al wist ze heel goed dat ze zou moeten weglopen.

'Waarom zoek je dan niet iemand anders om seks mee te hebben?' beet Bryony hem toe.

'Omdat ik niet in jouw vader wil veranderen.'
'Wat bedoel je daarmee?'
'Je weet heel goed wat ik daarmee bedoel.'
'Hij mag dan in de afgelopen jaren af en toe eens een avontuurtje gehad hebben, ze zijn in elk geval getrouwd gebleven.'
'Ik weet niet of Eleanor Peterson er ook zo over denkt. Of Julian, trouwens.'
'Hij heeft nooit een relatie gehad met Eleanor. Ze is mijn peetmoeder. En mijn moeders beste vriendin.' Bryony klonk verveeld.
'Foy blijft graag dicht bij huis.'
'Papa heeft geen seks gehad met Eleanor.' Tegen elke verwachting in begon ze te lachen. Het klonk vermoeid. Eerder gesnuif dan geschater.
'Waarom gaan onze ruzies uiteindelijk altijd over mijn vader?'
Het bleef lang stil. Ali overwoog Bryony's opmerking en kwam tot de slotsom dat het wellicht helemaal niet zo vreemd was – haar ouders ruzieden bijna uitsluitend over Jo, Ned en Sophia Wilbraham kibbelden altijd over Katya's relatie met Thomas, en Will MacDonald en zijn vrouw hadden het altijd aan de stok over de rommel die de kinderen in de auto maakten, wat wel heel schijnheilig was, gezien zijn eigen gebruik ervan. Toen deed Nick zijn mond open.
'Omdat hij als de Midgaardslang om ons huwelijk gewikkeld zit.'
Ali hapte naar adem en stak haar vuist in haar mond om verdere ongewilde erupties te voorkomen.
'Doe niet zo melodramatisch,' zei Bryony boos.
'Hij is het probleem.'
'Je kunt hem niet de schuld geven van wat er bij jouw bank aan de hand is. Ik weet dat hij een heleboel gebreken heeft, maar je kunt hem toch moeilijk aansprakelijk stellen voor de kredietcrisis.'
'Dat kan ik wel,' zei Nick korzelig, 'want als hij er niet was geweest, was ik misschien jaren geleden al iets heel anders gaan doen met mijn leven en dan zat ik nu niet tot aan mijn nek in de stront.'
'Wat dan?' vroeg Bryony uitdagend.
'Dan was ik toneelschrijver geworden, of academicus.'
'Of astronaut?' opperde Bryony wrang. 'Waarom heb je dat dan allemaal niet gedaan? Ik verdien genoeg om je te onderhouden. Je had alles kunnen worden wat je maar wilde.'
'Nee, dat kon ik niet,' antwoordde Nick nukkig.

'Waarom niet?'

'Omdat ik anders net zo geworden zou zijn als Rick, met afgehakte ballen. Ik zou de hatelijke opmerkingen en de steken onder water stilzwijgend hebben moeten verdragen, omdat ik niet mag happen naar de baas met de portemonnee in zijn handen. En net zomin als Hester zou jij de verleiding om telkens meer geld van hem aan te nemen hebben kunnen weerstaan.'

'Ik zou hebben geleerd om zuiniger te leven,' protesteerde Bryony.

'Toen ik je wilde overreden om geen miljoen uit te geven aan de renovatie van een jakobijns landhuis dat ik niet eens wilde hebben, wist je niet hoe gauw je hem om geld moest vragen.'

'Wil je nu beweren dat je bij een beleggingsbank werkt om indruk te maken op mijn vader?'

'Ik doe het deels om onze onafhankelijkheid van hem te garanderen. Ik zou het niet kunnen verdragen om financieel afhankelijk van hem te zijn.'

'Maar ik ben financieel onafhankelijk. We hebben zijn geld niet nodig.'

'Dat zou nog erger zijn,' zei Nick.

'Dat snap ik niet.'

'Dan zou het lijken alsof ik jou niet kon onderhouden.'

'Bedoel je dat jij niet minder zou kunnen verdienen dan ik, omdat je je daardoor ontmand zou voelen?' vroeg Bryony.

'Jij kunt je werk gemakkelijker opgeven dan ik.'

'Wil je dan dat ik stop met werken?'

'Nee,' verzuchtte Nick. 'Ik vind het geweldig dat je werkt. Ik probeer je alleen duidelijk te maken dat het weer iets is wat je vader tegen me gebruikt.'

'Hij is een van de redenen dat ik werk.' Bryony praatte nu zo hard dat Ali zichzelf toestond om gewoon adem te halen. 'Ik zou nooit afhankelijk willen zijn van een man zoals mijn moeder afhankelijk is van hem. Ze zou jaren geleden al bij hem weggegaan zijn als ze de keus had gehad.'

'Dus je geeft toe dat hij een verhouding met Eleanor heeft gehad.'

'Ik weet dat hij waarschijnlijk verhoudingen heeft gehad. Alleen niet met Eleanor. Doet het er echt toe met wie hij precies het bed heeft gedeeld? Hij is mijn vader. Ik kan niet zomaar bij hem weglopen zoals jij bij jouw ouders weggelopen bent.'

De slaapkamerdeur klapte ineens open en Nick stormde naar buiten en sloeg de deur hard achter zich dicht.

‘Wat doe jij hier?’ vroeg hij woedend.

‘Jullie hebben me wakker gemaakt. Ik hoorde het lawaai. Ik kwam kijken of alles in orde was,’ stamelde Ali.

‘Nou, alles is helemaal hartstikke geweldig,’ brulde Nick, en hij stormde naar beneden.

Zoals afgesproken stond Ali de volgende middag om twee uur precies met Hector en Alfie op Nick te wachten in de lobby van Lehman Brothers. In de wetenschap dat Nick een agressieve klokkijker was, was ze bijna een uur te vroeg op Canary Wharf aangekomen en had met de tweeling rondgewandeld. Op het plein stond een gigantische kerstboom vol lichtjes en kerstballen, maar hij viel helemaal weg tegen de lange winterse schaduwen van de omringende wolkenkrabbers.

Alles was grijs. Het water in het kanaal. De lucht. De gebouwen. Het enige beetje kleur kwam van de rode neon tickertape die om het gebouw tegenover Nicks kantoor liep met het aandelennieuws van de Londense beurs. Hector en Alfie staarden er gefascineerd naar en probeerden te ontdekken hoe lang het duurde voordat hetzelfde aandeel weer verscheen.

‘Wat betekent het allemaal, Ali?’ vroegen ze, alsof ze een groot filosofisch vraagstuk aankaartten. ‘Waarom gaan sommige omhoog en andere omlaag? Waarom verandert het steeds?’

‘Dat weet ik niet echt,’ zei Ali.

Ze liepen rond met hun hoofden in hun nek, overweldigd door de schaal van de gebouwen. Ali was nog nooit in New York geweest, maar ze stelde zich voor dat het daar ook zo was. Mensen, voornamelijk mannen, haastten zich voorbij, met een doelbewustheid die Ali nergens anders in Londen had aangetroffen. Sommigen glimlachten vertederd naar Hector en Alfie, die hen ongetwijfeld aan hun eigen gezin herinnerden. Anderen keken ietwat geschokt, omdat dit beslist geen plek voor kinderen was.

‘Het lijkt op dat stuk uit *Chitty Chitty Bang Bang*, als er nergens kinderen op straat zijn, omdat de ouders ze hebben verstopt voor de kinderlokker,’ fluisterde Alfie en hij zocht met zijn handje naar die van haar. Hij begon het deuntje van *Two Little Boys* te fluiten.

‘Griezelig,’ beaamde Hector, met hun nieuwe lievelingswoord.

Net voor twee uur stonden ze voor het gebouw van Lehman Brothers te tellen hoeveel verdiepingen er precies waren van boven naar beneden.

'Drieëndertig!' riep Hector triomfantelijk.

'Waar werkt je vader?' vroeg Ali.

'Weet ik niet,' zei Hector schouderophalend. 'We zijn hier nog nooit geweest.'

Terwijl ze zich afvroegen hoe de Kerstman zijn slee moest neerzetten op zo'n hoog gebouw, belde de receptioniste naar Nicks kantoor en vertelde dat meneer Skinner even een telefoontje afrondde en dan zo gauw mogelijk beneden zou komen. Ali probeerde de tweeling over te halen om een bord te lezen ter herinnering aan de opening van het gebouw door Gordon Brown drie jaar geleden, maar ze vonden het interessanter om over de marmeren vloer heen en weer te glijden of tikkertje te spelen om de enorme bruine pilaren heen. Op zeker moment begonnen ze zo luid mogelijk te zingen. Het hoge plafond van het atrium werkte als een echokamer. De receptionistes glimlachten toegeeflijk.

Ten slotte stapte Nick uit de lift. Hij verontschuldigde zich niet voor zijn vertraging, omdat hij geen idee had hoe lastig het was om twee jongetjes van zes meer dan twintig minuten lang bezig te houden in een dergelijk gebouw. Ali zocht op zijn gezicht naar sporen van de ruzie van gisteravond. De rimpels rond zijn ogen waren iets dieper gegrift, zijn blauwe ogen stonden dof en hij glimlachte iets te gemakkelijk, alsof hij wist dat hij zijn best moest doen om er gelukkig uit te zien. In elk ander opzicht zag hij er tot haar geruststelling hetzelfde uit.

'Papa!' juichte de tweeling toen ze hem zagen.

Nick leek blij met hun reactie. Trots stelde hij Hector en Alfie voor aan de receptioniste, die opmerkte dat ze even knap waren als hun vader. Ze keek van het ene gezichtje naar het andere, zoals altijd wanneer iemand hen voor het eerst zag, verward door het feit dat ze elkaars spiegelbeeld waren. Hectors linkerooglid was iets groter dan een halvemaan, had Ali haar kunnen vertellen. En Alfie had een geboortevlek in de vorm van een amandel op zijn rechterschouderblad. Nick glimlachte om het compliment. Hij besteedde er genoeg aandacht aan om haar te laten weten dat ze niet te persoonlijk was geweest, maar niet zoveel dat hij ijdel genoemd zou kunnen worden.

'Dankjewel voor het brengen, Ali,' zei hij onderweg naar de lift. Ze liepen langs een paar enorme schilderijen. Alles in dit gebouw was bovenmaats, dacht Ali. Het was een monument voor het mannelijke ego. Hoge plafonds, roomkleurige marmeren vloeren, zwarte marmeren muren, enorme pilaren, en leren banken die zo diep waren dat de benen van de tweeling niet over de rand konden hangen. Een en al scherpe randen en koele, harde vlakken.

'Wat gebeurt hier precies?' vroeg ze aan Nick.

'Hier veranderen we geld in nog meer geld,' zei hij met een glimlach.

Ali had het gevoel dat ze kromp, terwijl Nick juist leek te groeien toen hij ze door de veiligheidssluis dieper het gebouw in leidde. Tot haar opluchting zag ze dat hij deze omgeving helemaal in de hand had. Hij was hier meer op zijn gemak dan thuis, begroette iedereen bij naam en vertelde trots dat hij met zijn kinderen onderweg was naar de Kerstman op de eenendertigste verdieping. 'Waar jij anders altijd je toverkunsten uithaalt,' zei een van de weinige vrouwen die Nick begroette.

De manier waarop hij zijn ruimte hier vulde, herinnerde haar aan Will MacDonald in het universiteitsgebouw: zij behoorden niet aan hun omgeving toe, de omgeving behoorde hen toe. Terwijl ze op de lift stonden te wachten nam Nick hen mee naar een grote zwart-witfoto van voetballers met een montage van groene en witte ronde vormen in het midden.

'Welk team?' vroeg Hector.

'Geen idee,' zei Nick. 'Daar heeft nog nooit iemand naar gevraagd. Maar waarschijnlijk Mexicaans, want het is een werk van een beroemde Mexicaanse kunstenaar die Gabriel Orozco heet.'

'Ik vind het mooi,' zei Alfie. 'Kunnen we het kopen voor onze slaapkamer?'

Nick lachte.

'We hebben hier een geweldige kunstcollectie,' zei hij, meer tegen Ali dan tegen de tweeling.

'Antony Gormley, Lucian Freud, Robert Rauschenberg, Gerhard Richter. Maar jij vindt de antieke boeken vast interessanter. Er staat een hele collectie van Samuel Johnson. Dat is toch jouw tijdperk?'

'Hij heeft eigenlijk maar één boek geschreven,' zei Ali, 'maar hij was een briljante literatuurcriticus.'

Hij probeerde haar op haar gemak te stellen, maar Ali wilde liever dat hij zich met Hector en Alfie bezighield.

'We hebben ook eerste edities van Byron en Shakespeare.'

De lift was er. De tweeling sprong erin en meteen weer eruit, bang dat de deuren dicht zouden gaan voordat Ali en Nick instapten. Nick opperde dat ze zijn kantoor misschien wel wilden zien, omdat er een heel mooie stoel stond waar ze op konden ronddraaien.

'Vet,' zeiden Alfie en Hector tegelijkertijd. Ze pakten ieder een van Nicks handen en lieten Ali alleen in een hoekje staan. Nick bleef praten, terwijl de lift omhoogging naar de eenendertigste verdieping.

'Op de bovenste verdieping is een restaurant met een eigen chef-kok. Daar eten we met onze klanten. Op de zevende verdieping zijn veel restaurants. Een Benugo, een Mongoolse grill, een wokrestaurant. En een fitnessruimte, een gezondheidscentrum en een tandarts.'

'Net een stadje,' zei Ali.

Hector en Alfie luisterden niet. Ze hadden het te druk met een spel waarbij de een zijn ogen dichtdeed terwijl de ander probeerde te raden welke verdieping de lift had bereikt. Toen hij eindelijk stilstond, stapten ze weer een groot atrium binnen. Als een paar stuiterballen stoof de tweeling de gang in.

'Hier hangt de Antony Gormley,' zei Nick, stilstaand voor een lithografie. '*Wolkenman*. Ik heb ze gevraagd om hem hier te hangen, omdat ik het geheimzinnige ervan mooi vind. Het idee dat de identiteit van de mens niet vaststaat. Dat spreekt me aan.'

'Dan moet je John Locke lezen,' zei Ali. 'Dat was zijn theorie.'

Nick sloeg rechts af en liep naar zijn werkkamer. Er hing een metalen bordje met NICK SKINNER op de deur. Zijn secretaresse maakte een hoop drukte over de tweeling – ze liet hun krullen door haar vingers glijden en vroeg Ali naar dingen die je normaal gesproken aan een ouder zou vragen: houden ze van voetbal, hadden ze liever Star Wars-Lego of autootjes en treintjes, vielen ze allebei tegelijk in slaap? Welke van de twee liep er het eerst?

Ali keek rond in Nicks werkkamer. Er stond een leren bank, een groot L-vormig walnoothouten bureau met drie Bloomberg-schermen aan één kant en een foto van Nick die Gordon Brown de hand schudde bij het Mansion House-diner in juni, amper een week voordat Brown premier werd. Ali wist nog dat Nick stralend thuiskwam na dat evenement. Hij was vol lof over Browns 'briljante' speech en declameerde uit zijn hoofd hele zinnen tegen Bryony en Ali toen hij hen in de keuken aantrof, waar ze het dagboek aan het bespreken waren. Hij vertelde dat Brown de bankiers had gefeliciteerd met de uitvinding van de 'modernste financiële instrumenten' en dat het land door hun prestaties een tijdperk zou beleven 'dat de geschiedenis in zal gaan als het begin van een nieuwe Gouden Eeuw'. Dat goud had zijn glans knap snel verloren, dacht Ali.

Ze liep naar een foto van Sebastião Salgado aan de muur. Het was een foto van duizenden mijnwerkers onder in een gigantische put, waar ze de grond afkrabden en in zakken stopten die ze lange ladders op droegen naar de top van de Serra Pelada-mijn in Brazilië om te zeven op zoek naar goud. Het was een visioen van de hel. Zag hij niet hoe ongerijmd het was dat deze foto hier hing? Het verbaasde haar niet echt. Sinds ze in Holland Park Crescent was komen wonen, had ze genoeg rijke mensen ontmoet om te weten dat hun maatschappelijke betrokkenheid niet veel verder strekte dan af en toe aanwezig zijn bij liefdadigheidsveilingen en andere evenementen.

'Dat is een ander soort goudkoorts dan die in de City van de afgelopen tien jaar. Zij verdienden zo'n twintig cent per dag,' zei Nick toen hij haar belangstelling voor de foto zag. 'Mensen doen wanhopige dingen om hun familie te helpen. Dat weet ik van mezelf ook.'

Veel later, na Nicks verdwijning, dacht Ali aan die opmerking terug. Het was gemakkelijk om veel dingen die Nick in die periode had gezegd opnieuw te bezien in het licht van wat er daarna was gebeurd. Alles leek zich te nuanceren. Zelfs zoiets banaals als zijn besluit om te gaan roken kon verkeerd uitgelegd worden. Liep hij 's avonds de tuin in om te roken? Of deed hij iets anders? Doorzocht hij de papierbak echt om documenten te vernietigen, omdat hij zich zorgen maakte over diefstal van persoonsgegevens? Of ging het hem ergens anders om?

In die tijd was er echter geen reden om te veronderstellen dat Nick het over zichzelf had. Even later ging zijn telefoon en hij liep naar de kamer van zijn secretaresse om het zoveelste gesprek af te handelen. De tweeling zat achter zijn bureau en liet zich om beurten ronddraaien in zijn stoel. Ali ging bij een salontafel aan de andere kant van de kamer zitten en pakte een *Financial Times* uit zijn openstaande aktetas. Met een half oog las ze een stuk van Felix Naylor over de inherente gevaren van het feit dat banken, analisten en kredietbeoordelaars allemaal dezelfde wiskundige formule gebruikten om het risico van collateralized debt obligations te meten. Onder de krant lag een agendaatje dat Ali nog nooit had gezien. Ze bladerde door de afgelopen maanden en zag tot haar schrik dat Nick elke vrijdagavond om dezelfde tijd een afspraak had met een therapeut. Snel frommelde ze het weer onder de krant en onthulde daarmee een aantal goedkoop uitziende mobieltjes, een paar simkaarten, en een stukje papier waar met potlood een telefoonnummer op geschreven stond.

'Wat doe je?' vroeg Nick scherp. Ali had hem niet horen terugkomen.

'Ik lees het artikel van Felix,' zei Ali nerveus en ze pakte de krant weer op.

'En wat denk je dat hij probeert te zeggen?'

'Ik weet het niet echt,' weifelde ze.

'Hoe heet die formule?' vroeg Nick.

'Ze zit niet op school,' viel Hector hem aan.

'De Gaussische copula?' herinnerde Ali zich ineens.

'Heel goed.' Nick schonk haar een snelle glimlach. 'Hij wijst erop dat de copula van Gauss geen historische gegevens gebruikt om de waarschijnlijkheid van wanbetalingen te meten, alleen die van *credit default swaps* van de afgelopen tien jaar. Hij heeft naar me geluisterd.'

Nick liet Hector en Alfie rondtollen op zijn grote zwartleren stoel. Toen ze misselijk waren van duizeligheid strompelden ze naar een walnoothouten dressoir en pakten een fotolijst op. De foto moest kort na hun geboorte gemaakt zijn. Ze waren in de zitkamer bij Tita en Foy thuis en Bryony had een baby onder elke arm, als een paar rugbyballen. Haar haar zat wild en ze had haar mond iets open. Ze zag er schitterend en uitdagend uit. Maar wie daagde ze uit, vroeg Ali zich af.

Een van de jongetjes reikhalsde naar haar borst, ogen dicht, mond open, alsof hij door haar bloes heen naar melk zocht. Het was Hector en Alfie niet duidelijk wie van hen tweeën zo gulzig was. Ali vroeg zich af hoe dat zou zijn, jezelf niet kunnen herkennen op een foto? Hoe kon je je uniek voelen, als je elke dag werd geconfronteerd met een exacte kopie van jezelf? Maar beschreef dat niet bijna hoe zij zich had gevoeld, toen ze dat weekend thuis was in Norwich? Ze herkende degene die ze was toen ze daar woonde niet langer. Ze kon zich niet meer voorstellen dat ze het grootste deel van haar wakende uren aan Will MacDonald had gedacht. Hij was zo middelmatig.

'Was Norfolk leuk?' vroeg Nick.

'We hebben het heel leuk gehad, dankjewel,' zei Ali. 'We zijn naar het strand geweest, we hebben het reddingsbotenmuseum bezocht en gebakken vis gegeten op de pier. Hector en Alfie zijn met mijn vader mee geweest op de boot. En Izzy ook, al weigerde ze andere schoenen aan te trekken. Uiteindelijk is ze in die enorme platformdingen de zee opgegaan.'

'Het was lief van je om ze mee te nemen,' zei Nick.

'Mijn ouders vonden het enig,' zei Ali. 'Het zijn ook erg leuke jongetjes.' Het speet haar meteen dat ze dat had gezegd, omdat het verwijtend had kunnen klinken, alsof ze vond dat hij meer tijd met hen door zou moeten brengen.

'Heb je nog kans gezien om oude vrienden op te zoeken?' vroeg Nick. Ze keek hem even aan. Sinds haar sollicitatiegesprek had hij haar niet meer zoveel vragen gesteld.

'Ik ben zaterdagavond naar Norwich geweest en de rest is thuisgebleven.' Ze hield het antwoord opzettelijk vaag.

'Zullen we gaan kijken of de Kerstman er al is?' vroeg Nick. Ze gingen via de brandtrap naar de bovenste verdieping, zodat de tweeling en Ali het uitzicht vanaf de rand van het gebouw konden bewonderen. Ze konden helemaal tot de Millenniumkoepel kijken, aan de andere kant van de rivier.

'Volkomen in strijd met alle regels,' lachte Nick, iets te wild. Ze schrok een beetje van zijn onbezonnenheid. Toen ze de deur boven aan de trap openmaakten, bleken ze midden in de grot van de Kerstman te zijn beland. Er stonden opgewonden jongens en meisjes in de rij om hem te zien en welwillende vaders hielden de handjes vast van kinderen die duidelijk niet gewend waren aan deze mate van vaderlijke betrokkenheid bij hun dagelijks leven. Iedereen keek een beetje beduusd bij hun onorthodoxe entree, met inbegrip van de Kerstman, die opmerkte dat ze een elf omver hadden gegooid toen ze de deur openduwden.

Een geïrriteerd kijkende elf van middelbare leeftijd in een rok met ruches die haar niet flatteerde, suggereerde dat ze maar het beste via de voordeur in de rij konden gaan staan voor cadeautjes, net als iedereen. Haar onuitgesproken verwijt was duidelijk dat Nick zich kennelijk gerechtigd voelde om de regels te overtreden vanwege zijn positie bij de bank.

'Waarom zijn er ezeltjes, papa?' vroeg Alfie.

Nick haalde zijn schouders op: 'Zodat de kinderen erop kunnen rijden.'

'Hoe denk je dat ze die hier gekregen hebben?' vroeg Ali ongelovig.

'Met de lift,' zei Nick. 'Dit feestje gaat helemaal over de kunst van het mogelijke.'

Ze baanden zich een weg naar het midden van de ruimte. Er stond een draaimolen waarop kleine kinderen eindeloos konden draaien. In de hoek waren een paar clowns aan het goochelen. Ali telde ten minste drie vuurvreters. Er was een fotohokje waar kinderen en ouders (voornamelijk vaders) samen op de foto konden en een chocolademachine met drie etages spuide gesmolten melkchocolade waar de kinderen stokjes met marshmallows in konden steken. Het kleintje op de schoot van de Kerstman haalde het papier van zijn cadeautje, een Nintendo DS die bijna honderd pond moest hebben gekost. Ali vond de hele voorstelling een kruising tussen *Sjakie en de Chocoladefabriek* en *De tovenaar van Oz*. Het lawaai was oorverdovend. Er zou een zanger komen, Pixie Lott, volgens de geruchten, om iedereen een paar uur lang te vermaken. Ali stond versteld. Dit zag er niet uit als een bank in een crisissituatie.

Ze stak haar neus in de lucht zoals ze op het strand in Norfolk zou hebben gedaan om een flinke vleug van de zoute tegenwind op te snuiven. Het rook naar kopieermachines en airconditioning. Ze werd bevangen door een onbehaaglijk gevoel, dat vanuit het midden van haar lichaam opkroop tot in het uiteinde van elk van haar ledematen. Ze schudde even met haar handen en benen om het kwijt te raken. Ze dacht aan Holland Park Crescent, met de fitnessruimte en de wijnkelder. Ze dacht aan de thuisbioscoop in ditzelfde souterrain, met de leren stoelen die groter waren dan de stoelen op een eersteklasvlucht. De provisiekast vol eten, dat vaker bedorven raakte dan opgegeten werd. De schilderijen. Het antiek. De feesten waar beroemde rocksterren zich voor duizenden ponden verkwanselden. Er was iets mis met een wereld waarin zij niet terug kon naar de universiteit, omdat ze het verblijf van haar zus in een afkickkliniek moest betalen. Hoewel Ali's investering, in tegenstelling tot Nicks CDO's, nu al dividend opleverde. Volgens haar ouders, die Jo afgelopen weekend hadden bezocht, was ze door de lichamelijke verschijnselen heen en werkte ze intensief met een therapeut aan het ontrafelen van haar verslavingspatroon.

Naar de rijken wordt altijd beter geluisterd dan naar de armen, dacht Ali. Ze herinnerde zich iets uit een gesprek tussen Felix Naylor en Bryony over de manier waarop stadse normen en waarden in de afgelopen vijftien jaar het leven in Groot-Brittannië waren gaan overheersen.

'Het probleem met mensen die geld verdienen, is dat hun ego een afspiegeling is van hun bankrekening,' had hij gezegd. 'Hoe meer geld ze hebben, des te hoger hun eigendunk. Ze twijfelen nooit aan zichzelf, en mensen die niet aan zichzelf twijfelen, zijn gevaarlijk.'

Het was, zoals Foy zou zeggen, *la loi de l'emmerdement maximum*. Oftewel Murphy's law. Ze herinnerde zich een gesprek over subprimehypotheken waarin Nick de loftrompet stak over de voordelen van het lenen aan gezinnen met lage inkomens, omdat die meer rente moesten betalen om geld te lenen, zodat hun schuld meer inkomsten opleverde. Ze had willen opmerken dat hij daarmee op mensen zoals haar ouders doelde, maar had het niet gedurfd.

'Het is wat, hè?' zei hij tegen Ali. 'Dat regelt het evenemententeam allemaal.'

'Het is knap overdreven,' beaamde Ali. 'Ik bedoel, er lijkt hier bepaald geen liquiditeitsprobleem te zijn.'

'Wat weet jij van liquiditeitsproblemen?' vroeg Nick lachend.

'Ik hoor jullie weleens praten,' zei Ali, een beetje gegeneerd.

'Jij krijgt echt een panoramisch beeld van ons, hè?' zei Nick met een lach. 'Ik mag in de toekomst wel oppassen, voordat ik beschuldigd word van het openbaar maken van geheime informatie.'

DEEL DRIE

18

Juni 2008

Het was, daar was iedereen het over eens, ontzettende pech dat Foys zeventigste verjaardagsfeest net aan het einde van een week viel waarin Lehman Brothers zulke enorme verliezen aankondigde dat de bank in de hele wereld de krantenkoppen haalde. Dubbele pech, want slechts een paar dagen voor het feest had Nicks baas in Londen gebeld dat hij voor het einde van de week ontslag zou nemen, en hoopte dat ze er begrip voor zouden hebben als hij en zijn vrouw niet aanwezig zouden zijn. Zelfs Izzy voelde zich gedwongen om haar vader te beklagen bij zijn terugkeer uit New York, waar hij de meest recente ontslaggolf had overleefd.

'Een miljard is veel, hè pap?' vroeg Izzy bij het eerste gezamenlijke avondeten sinds weken.

'Het was 2,8 miljard, om precies te zijn,' zei Nick, nerveus met zijn vingertoppen op tafel trommelend. 'Binnen drie maanden. Een hele prestatie, eigenlijk, aangezien het de eerste keer is dat we ooit een verlies hebben geregistreerd.'

'In elk geval heb je je baan nog,' zei Bryony.

'Soms was ik die net zo lief kwijt,' zei Nick.

Hij sloot even zijn ogen en draaide langzaam met zijn hoofd om zijn nekspieren te ontspannen. Toen schonk hij Bryony een geruststellende glimlach die zo geforceerd en vluchtig was, dat elk effect onmiddellijk ondermijnd werd.

Ze keek hem scherp aan. De antidepressiva hadden intussen de spanningen moeten gaan neutraliseren. In april had Bryony hem eindelijk zover gekregen dat hij haar Fluoxetine ging slikken, met het argument dat niemand het recept naar hem zou kunnen herleiden. Toch had Nick nog steeds moeite met eten. Hij sneed kleine stukjes rundvlees af en verborg ze onder omgekeerde Yorkshire puddingen die op kleine bunkers leken. Naast hem op tafel zwierf een hele stapel kranten. 'Miljardenverlies Lehman Brothers', 'Lehman onder druk', 'Lehman Brothers onderuit op Wall Street'.

'Dit is nog maar het topje van de ijsberg,' verzuchtte hij.
'Je klinkt net als dat paniekzaaiende kuiken, Chicken Little,' zei Bryony.
'Nou, de hemel komt ook naar beneden,' antwoordde Nick.
'Wat bedoel je?'
'De verliezen hadden nog groter moeten zijn.'
'Hoe kun je verlies nou verbergen?'
'Creatief boekhoudwerk, net als bij Enron. We hebben een repo-fonds waaraan we onze beste activa tijdelijk verkopen, net voordat resultaten worden afgekondigd om onze balans op te krikken. Een week later kopen we ze dan weer terug.'
'Dat is toch zeker illegaal?' vroeg Bryony.
'Het is juridisch acceptabel, maar moreel verwerpelijk, daarom hoor je er ook niemand over. Ik geloof niet dat andere banken het doen, in elk geval niet in die mate. Het is een middeltje speciaal van ons. Ik protesteer er al sinds vorig jaar tegen.'
'Waarom kunnen jullie niet gewoon je verlies nemen en al die lastige activa verkopen?'
'Omdat het daar te laat voor is,' zei Nick. De trommelende vingers waren gestopt en nu haalde hij ze keer op keer door zijn haar. Dat was een nieuwe gewoonte. Hij ging niet meer naar de kapper, besefte Ali ineens. Het leek belangrijk, maar ze wist niet precies waarom.
'Vrijwel alle activa in onroerend goed en hypotheken zijn illiquide. We kunnen ze niet verkopen zonder enorme klappen te incasseren, en de meeste zijn niet eens verkoopbaar. De shortsellers houden ons scherp in de gaten. David Einhorn heeft ons in de peiling.'
'Wie is dat?' vroeg Bryony.
'Groot hedgefondsfiguur. Hij is degene die erop wees dat we twintig procent cash hebben zitten in de schuld op de deal in onroerend goed met Archstone-Smith, en hij heeft publiekelijk verkondigd dat we verlies verbergen.'
'Misschien wil hij gewoon zorgen dat zijn grote aandelengok, zijn "big short", ook inderdaad uitkomt.'
'Hij geeft gelijk, Bryony. Hij heeft gewoon gelijk,' zei Nick.
'De Amerikaanse regering laat een bank die zo groot is als Lehman echt niet omvallen,' zei Bryony om hem gerust te stellen.
'De Federale Bank heeft geen trek in reddingsoperaties.'

'Bear Stearns was heel iets anders,' zei Bryony. Ze zweeg even. 'Misschien moet jij ook maar ontslag nemen?'

'Misschien wel,' zei Nick ondoorgrondelijk. 'Maar hoe moeten we dan de hypotheek betalen op onze Regency-stadsvilla en ons jakobijnse landhuisje? Het stikt momenteel niet bepaald van de banen in de financiële sector.'

'Nog een jaartje,' zei Bryony, vooroverleunend om zijn rusteloze hand te bedekken met de hare. 'Dan kun je het allemaal achter je laten.'

'Dat zeg je elk jaar,' zei Nick.

'Tegenslag is de beste leermeester,' zei Izzy. 'En voordat je begint te gillen, dat heb ik niet uit een zelfhulpboek. Ik heb het van Ali.' Izzy was in een uitgelaten bui. Ze had net haar plannen voor de zomervakantie besproken met haar ouders: een week surfen in Cornwall, drie weken naar Corfu met vrienden, een feest in Norfolk (met een Zuid-Amerikaans thema) en een feest in Schotland (met een Marokkaans thema).

Ze zat aan tafel in een wolk van parfum, een onmiskenbaar teken dat ze aan het roken was geweest. Opgelucht dat de neopunklook van afgelopen zomer was ingeruild voor een vrouwelijker tintje, hadden Bryony en Nick besloten om de sigaretten even door de vingers te zien.

'Eigenlijk was het Disraëli,' riep Ali vanaf de tafel bij de boekenplank aan de andere kant van het vertrek.

'Krijg je soms een eetstoornis, pap?' vroeg Izzy aan Nick. 'Want dan kan ik je wel wat subtielere kunstjes leren om eten te vermijden.'

Nick wist een glimlach te produceren.

'Ik wil Malea niet beledigen,' fluisterde hij.

'Geef het aan Leicester,' opperde Izzy met een klopje op zijn arm. 'Dat deed ik ook altijd.'

'Hoe dan ook, misschien zijn deze veranderingen aan de top wel goed voor je,' zei Bryony. 'Hebben ze geen mensen gepromoveerd die jouw ideeën delen?'

'Ze hebben een paar van de idioten aan het roer van het gekkenhuis ontslagen, maar het is veel te laat en bij lange na niet genoeg,' zei Nick, terwijl hij nog een bunkertje met rundvlees vulde. 'Het lijkt dat stuk in *Titanic* wel, als je de ijsberg op je af ziet komen, maar het al te laat is om te remmen.'

Ze begonnen halfslachtig te bespreken of ze Foys feestje moesten annuleren en wisselden emotieloos meningen uit over de tafel, alsof ze een lui spelletje tafeltennis speelden dat niemand echt wilde winnen. Het was te heet voor onenigheid, dacht Ali. De temperatuur was eerder die week opgelopen tot bijna achtentwintig graden en 's avonds ging de vloerverwarming nog steeds aan, zodat Leicester het 's nachts niet koud zou krijgen.

Bryony had de uitnodiging in haar hand en waaide zich er af en toe wat koelte mee toe. De partyplanner had heel slim een hologram voorgesteld. Als ze de kaart schuin naar voren hield, zag Ali een foto van Foy en Tita op hun trouwdag, en als ze hem naar achteren bewoog, verscheen er een close-up van de foto waarop ze verkleed waren als Griekse boeren.

Aangezien Nick zich steeds had verzet tegen het hele idee van een feestje voor Foy, verbaasde het Ali dat hij geen gebruikmaakte van deze laatste ramp en tenminste uitstel bepleitte. Bryony herinnerde Nick eraan dat er een paar weken geleden vierhonderd gasten op de bruiloft van een collega bij Lehman New York waren geweest, zonder dat er de volgende dag iets in de roddelbladen had gestaan.

'Ze hadden expres weinig ophef gemaakt,' zei Nick.

'Ze droeg niet eens een lange jurk,' zei Bryony instemmend. 'Alleen een knielange Missoni.'

'En ze hadden Neil Diamond afgezegd en een coverband genomen,' zei Nick.

'Misschien moeten we de vuurvreters, de buikdansers en de steltlopers afbellen, en alleen de jazzband laten komen?' opperde Bryony. Ze zweeg even. 'En de kamelen dan?'

'Ik hoop dat je een grapje maakt,' zei Nick.

'Ze horen bij het Oosterse thema,' zei Bryony beklemd.

'Als ik een kameel onder ogen krijg, schiet ik hem ter plekke dood,' zei Nick giftig.

'Maar ik heb al mijn vrienden beloofd dat we op kamelen zouden rijden!' protesteerde Izzy.

'Izzy, je klinkt als de verwende dochter van een rijke beleggingsbankier,' zei Nick. Hij wendde zich tot Bryony. 'Waarom moet jij altijd zo verdomd buitensporig zijn?'

'Het was een ideetje van de partyplanner,' zei Bryony afwerend. 'Voor de authenticiteit.'

'Je had toch geen ja hoeven zeggen? Als ze een stel Toearegs had willen overvliegen vanuit de Sahara, zou je daar dan ook mee ingestemd hebben? Voor het geval je het nog niet had gemerkt, ik ben nog maar de helft waard van vorig jaar rond deze tijd, omdat mijn aandelen in de bank zo sterk in waarde zijn gedaald.' Nicks spanning lag zo dicht onder zijn huid, dat Ali vreesde het door zijn poriën naar buiten te zien borrelen.

'Ik zeg de kamelen wel af,' zei Bryony, op de gelijkmatige toon die ze de laatste tijd vaak tegen Nick aansloeg, 'ook al staan ze al in de wei naast het huis.'

'Laat ze daar dan maar staan.'

'Ik zal wel op ze passen,' bood Izzy vriendelijk aan. 'Ze eten alles. Lekker goedkoop.'

'Het is slecht voor ons imago om feest te vieren terwijl Rome brandt,' zei Nick. 'Dat zijn de dingen waar de tabloids gebruik van maken... er is momenteel een onstuitbare honger naar verhalen over excessen in de City.'

'Aan de andere kant zouden we meer aandacht trekken door het te annuleren...' zei Bryony.

'En het is zo'n afgelegen locatie dat ze waarschijnlijk toch niemand sturen...' mijmerde Nick. 'Iedereen weet dat het feestje van Foy is, niet van ons...'

'Al weten ze wel dat jij het betaalt...'

'En je vader zou het nooit goedvinden om het in deze fase af te zeggen. Hij werkt al maanden aan zijn speech... Je zorgt maar dat Felix de boel in de gaten houdt,' zei Nick uiteindelijk. 'Ik stel hem direct aansprakelijk voor eventuele vervelende columns.'

Ze vielen even stil, alsof ze verbaasd waren dat ze zoveel gemeenschappelijks bleken te hebben.

'Dit is waarschijnlijk geen goed moment, maar mag ik wat geld om uit te gaan vanavond?' onderbrak Izzy de stilte. 'Ik ga met een vriendin naar *Sex and the City*.' Ali verwachtte dat ze naar de identiteit van die 'vriendin' zouden vragen, maar ze pikten de hint niet op.

'Heb je geen examens meer?' vroeg Nick, terwijl hij zijn portefeuille trok en er vijftig pond uit haalde voor zijn dochter.

'Alleen nog mondeling Frans,' zei Izzy. 'Ali heeft iemand geregeld die maandag de hele ochtend Frans met me gaat praten. Ze is nu net alle vragen aan het opzoeken die ik zou kunnen krijgen.'

Nick keek naar de tafel aan de andere kant van de keuken, waar Ali ijverig vragen in Izzy's laptop zat te tikken met verzonnen voorbeelden van bijbehorende antwoorden.

'Hoe dan ook, ik begrijp niet waarom jullie je zo druk maken over geroddel, als iedereen het toch alleen maar over Sophia Wilbraham gaat hebben,' zei Izzy, die kalmpjes het perfecte moment had afgewacht om haar sensationele nieuwtje te dumpen.

'Wat bedoel je?' vroeg Bryony.

'Die komt nou natuurlijk niet, hè,' zei Izzy. 'Niet na wat er gebeurd is. Net zomin als Ned.'

Ali stopte met typen, maar draaide zich niet om.

'Wat is er dan gebeurd?' vroeg Bryony, met half toegeknepen ogen; ze probeerde te peilen of het goed of slecht nieuws was, en wat voor effect het kon hebben op morgenavond. Izzy wachtte even voor het dramatische effect, en leunde toen samenzweerderig naar haar ouders.

'Gisterochtend zou Sophia naar haar moeder in Edinburgh gaan. Nadat ze Thomas en Leo naar school had gebracht ging ze dus naar Euston Station,' begon Izzy. 'Maar net toen ze op de trein wilde stappen, zag ze dat Katya een verkeerd kaartje had gekocht. Wel voor dezelfde tijd, maar voor een dag eerder.' Die laatste zin werd op onheilspellende toon uitgesproken, alsof iedereen onmiddellijk het belang ervan zou inzien. Alleen Ali begreep het: Katya had gewild dat Sophia de trein zou missen, zodat ze onverwacht thuis zou komen.

'Gaat dit nog ergens heen, Izzy?' vroeg Bryony. Ze had haar dossiermap voor het feest opengeslagen bij de pagina waar TAFELSCHIKKING boven stond. Nu Nicks baas en zijn vrouw hadden afgebeld, moest ze twee andere mensen zien te vinden om de gasten aan die tafel aan te vullen. Dat was iets wat ze niet kon delegeren.

'Ze probeerde nog om het kaartje te veranderen, maar ze zeiden dat ze per se een nieuw kaartje moest kopen, dus besloot ze de reis tot de volgende dag uit te stellen. Toen ze thuiskwam, hoorde ze lawaai op de bovenste verdieping. Kennelijk klonk het als timmerlui.'

'Schiet eens op, Izzy,' pleitte Bryony, die een paar schetsen van herziene tafelschikkingen op papier zette.

'Ze ging naar hun slaapkamer op de bovenste verdieping, en daar vond ze Ned en Katya samen in bed.'

'Samen in bed?' echode Nick.

'Op bed, eigenlijk, eerder dan in bed,' corrigeerde Izzy zichzelf.
'Wat deden ze daar dan?' vroeg Bryony verbijsterd.
'Dat is een bijzonder intrigerende vraag, mam,' zei Izzy, die de gewoonte had aangenomen om bijvoeglijke naamwoorden te benadrukken als ze praatte, zodat ze soms wel een reclameboodschap leek. 'Want Ned probeerde Sophia ervan te overtuigen dat ze aan het rondrollen waren om de luchtbellen uit het waterbed te krijgen. Als je een ventiel open laat staan, een handdoek neerlegt en rustig over het matras heen en weer rolt, kun je kennelijk zelfs de meest vasthoudende luchtbellen wegkrijgen.'
'Luchtbellen?' herhaalde Nick.
'Sophia en Nick hebben een waterbed meegebracht uit New York,' verklaarde Izzy. 'Kennelijk zijn die heel goed tegen een slechte rug. Er zit zelfs een tv in, die uit de ombouw omhoogkomt.'
'Niet te geloven dat zij een waterbed hebben,' zei Nick.
'En wat zei Sophia?' vroeg Bryony. Malea kwam naar de tafel. Zwijgend duwde Nick zijn half leeggegeten bord naar haar toe.
'Ze vroeg waarom ze daar al hun kleren voor moesten uittrekken,' zei Izzy ademloos.
'Waren ze naakt?' vroeg Bryony ongelovig.
'Katya had een rok aan, maar verder niks,' zei Izzy. 'Ned droeg sokken. Hij zei dat ze hun kleren hadden uitgetrokken omdat de luchtbellen dan sneller weggingen, door de warmte.'
'Klinkt als een overtuigende verdediging,' zei Nick.
'Hij had een gigantische erectie, pap,' zei Izzy.
'Isabella!' riep Bryony streng. 'Zulke dingen zeg je niet waar je ouders bij zijn.'
'Zeg, ik sta hier anders niet in het beklaagdenbankje,' zei Izzy.
Even keken Nick en Bryony haar zwijgend aan, klaarblijkelijk verscheurd tussen de aandrang om door te vragen en het idee dat dat ongepast was.
Bryony kon de verleiding niet weerstaan en vroeg: 'Wat zei Sophia toen?'
'Ze zei dat ze het bijzonder op prijs zou stellen als Katya, als ze eenmaal klaar waren met luchtbellen ploffen, naar haar kamer ging om haar spullen te pakken en op staande voet vertrok. Ze zei dat ze geen referentie hoefde te verwachten voor de zeven jaar dat ze bij hen had

gewerkt en dat ze de politie zou bellen als ze ooit nog aan de deur kwam. Tegen Ned zei ze dat hij zich moest aankleden en beneden in de zitkamer kon gaan zoeken naar huwelijkstherapeuten of een advocaat, afhankelijk van de weg die hij wilde inslaan.' Dit alles uitgesproken in haar griezelig accurate imitatie van Sophia's stem.

'Arme sukkel,' zei Nick hoofdschuddend.

'Ik weet niet waarom je medelijden met hem hebt,' zei Izzy verontwaardigd. 'Ze zouden zijn ballen eraf moeten hakken.'

'Izzy!' zei Bryony.

'Het is voor iedereen een moeilijke situatie,' zei Nick, terugkrabbelend. 'Niet iets waarvan je wilt dat heel veel mensen het weten. En dat is duidelijk wel het geval. Hoe zijn ze achter alle akelige details gekomen?'

'Martha heeft haar privacy-instellingen op Facebook niet bijgewerkt,' verklaarde Izzy.

'Wat gebeurde er toen?' vroeg Bryony. Ze keerden zich beiden naar hun dochter, volkomen geconcentreerd op de rest van haar verhaal.

'Katya vertelde Sophia dat Ned bij haar weg wilde, en dat ze van plan waren om te gaan samenwonen. Ze zei dat ze verliefd waren en dat ze al meer dan een jaar een verhouding hadden. Ned ontkende alles, behalve dat ze al zo lang met elkaar omgingen, en zei meteen dat hij beslist niet van plan was van Sophia te scheiden.'

'Ik kan niet geloven dat een man serieus een scheiding zou overwegen om met de nanny te trouwen,' zei Bryony.

'Wel makkelijker dan een vreemde vrouw binnenhalen,' merkte Nick op. 'De kinderen zijn dol op haar en volgens Ned is ze een fantastische kokkin.'

'Wanneer heeft hij je dat verteld?' vroeg Bryony.

'Laten we niet afdwalen,' zei Izzy, een van haar moeders favoriete zinnetjes.

'Arme Katya,' zei Ali onnadenkend. Ze keek op haar telefoon om te zien of ze berichten had. Bryony en Nick keerden zich naar haar om. Kennelijk waren ze vergeten dat Ali ook in de keuken zat.

'Wist jij hier iets van, Ali?' vroeg Bryony op een toon die eerder geïnteresseerd dan beschuldigend klonk.

Ali keek even naar het computerscherm om haar gedachten te ordenen. 'Ze heeft een moeilijk leven achter de rug,' stamelde ze uiteindelijk blozend.

'Dat is geen excuus,' zei Bryony, duidelijk niet geïnteresseerd in Katya's achtergrond. 'Ik zal Sophia meteen even bellen om te vragen of we ergens mee kunnen helpen. En ik wil Katya hier niet meer in huis hebben, Ali.'

'Voor het geval ze besmettelijk is?' viel Izzy haar in de rede. 'Waarom geven jullie haar allemaal de schuld?'

'Ik kan het gewoon niet geloven,' zei Nick hoofdschuddend.

'Wat niet?' vroeg Bryony.

'Dat ze met zo'n lelijke vent als Ned naar bed is gegaan,' lachte hij.

Bryony wierp een blik op de gastenlijst voor Foys feest en streepte de Wilbrahams door met een zwierige haal van haar zwarte pen.

'Dat maakt het aanpassen van de tafelschikking in elk geval gemakkelijker,' merkte Nick op.

'Heb jij iets om aan te trekken voor morgen, Ali?' vroeg Bryony. Ze wachtte het antwoord niet af. 'Want ik heb een jurk die mij niet past die jou denk ik heel goed zou staan. Een Marc Jacobs.'

'Bedankt Bryony,' zei Ali, die het sterke vermoeden had dat ze afgekocht werd, maar niet zeker wist wat de deal precies was. Probeerde Bryony haar gerust te stellen en te benadrukken dat ze Ali er niet van verdacht zoiets met haar man uit te willen halen? Of was het een poging om haar loyaliteit te kopen, omdat ze haar daar juist wel van verdacht?

'Ik ben niet te koop,' wilde Ali haar zeggen.

Thornberry Manor viel niet mee bij de eerste kennismaking, maar Ali vermoedde dat dat meer aan de architectuur te wijten was dan aan de sfeer in het jakobijnse huis. Door de lambrisering en de hoge, in kleine ruitjes verdeelde ramen was het binnen donker en het eindeloze houtsnijwerk en de kroonlijsten maakten Ali een beetje misselijk, alsof ze te veel vruchtenfondantcake gegeten had.

Maar het was een geweldige plek voor een feest. Het stond op een heuvel in acht hectare tuin en bos. De eerste verdieping bood weidse vergezichten over de heuvelachtige Cotswolds. Meerdere kamers waren groot genoeg voor honderden gasten en hoewel de bouwwerkzaamheden nog niet waren afgerond, was het bij lange na niet de ramp die Bryony vier weken geleden had voorspeld.

Een aantal muurschilderingen van sibillen en profeten in de grote zaal op de eerste verdieping waren nog niet gerestaureerd, maar een handige interieurarchitect had de bladderende verf bedekt met een paar wandkleden van Barcheston vol bloemen en mythologische motieven. Aan de bibliotheek was nog helemaal niets gedaan, maar die zou niet worden gebruikt. En de reparaties van het pleisterwerk van rozen en linten in de lange hal waar straks een disco met een dj die Jake had uitgekozen zou plaatsvinden, waren pas begonnen. Zoals Bryony uitlegde tijdens een rondleiding door het huis voor haar gezin en Ali, waren dit onbelangrijke details, omdat het feest zich grotendeels in een tent op het gazon voor het huis zou afspelen.

Het huis deed Ali aan Foy denken. De buitenkant was een vreemde combinatie van opschepperij en conservatieve terughoudendheid. Het was gebouwd in een streng symmetrische E-vorm, maar die strengheid werd meteen weerlegd door de vijf hoge puntgevels en de elf druk versierde erkerramen aan de voorkant. Binnen zaten wandpanelen vol barok houtsnijwerk, en plotselinge wilde, buitensporige accenten: hangende versiersels die als glazuur van de wanden dropen, op de muren geschilderde bacchantische friezen en haarden die aan weerszijden vol gebeeldhouwde zwaarden en schilden zaten. Het dak was een verward complex van puntige gevels en koepels, te bereiken vanuit een lange gang die zich over de hele derde verdieping uitstrekte. Het was een opmerkelijk gebouw.

'*She's got a very big house, a very big house in the country,*' zong Izzy op de melodie van een liedje van Blur, terwijl ze haar moeder probeerde bij te houden, die hen door de gebogen deuropening aan de voorkant van het huis voorging naar de tuin.

'Ik zie niks,' zei Alfie, tranen uit zijn ogen knipperend toen hij vanuit de met donker eikenhout betimmerde hal de felle junizon van de tuin in liep.

'Ik vind het hier niet leuk,' verklaarde Hector. 'Ik wil naar huis.'

'Je hebt het fantastisch gedaan, lieverd,' zei Tita. 'Ik begrijp niet waar je de tijd gevonden hebt.'

'Iedereen zou een Ali moeten hebben,' zei Bryony met een hartelijke glimlach, en ze legde uit dat Ali de afgelopen maanden bijna elk weekend had gewerkt, zodat zij naar het huis kon om de vorderingen in de gaten te houden. Ali zou het anders hebben beschreven. Het project was voortgedreven door Bryony's pure wilskracht. De architect was doodsbang van de manier waarop haar vleiende, vriendelijke stem ineens zo dreigend kon worden. Hij had Ali toevertrouwd dat hij af en toe het gevoel had dat hij in een gewelddadige relatie verwikkeld was.

Bryony zette de rondleiding voort. Ze legde uit dat de met buksen omzoomde bloembedden in de Zonnewijzertuin naast het gazon waar de tent stond, door de vorige eigenaren vol geplant waren met bedwelmend geurende lavendel, rozen, clematis en salvia. En aangezien het ernaar uitzag dat het mooie weer zou aanhouden, hoefden maar weinig oudere gasten het huis in, behalve om gebruik te maken van de toiletten op de benedenverdieping, waar al hun aandacht zou uitgaan naar de rusteloze wijn- en rozenranken op de ribben en in de bewerkte hoeken van het plafond van de centrale hal, en naar een collage van foto's uit het leven van Tita en Foy.

'Wie ertoe in staat is, zou naar de lange galerij op de eerste verdieping moeten gaan om het uitzicht over de Cotswolds te bewonderen, voordat het donker wordt,' opperde Bryony.

'Geweldig excuus om te ontsnappen aan een zeurpiet,' baste Foy. 'Ik heb geen zin om me door Eleanor Peterson in een hoek te laten drijven.'

'Je zit anders wel naast haar aan het diner,' waarschuwde Bryony hem.

'Kan ik geen jong grietje krijgen?' zeurde Foy. 'Hoe moet ik nou een speech houden over dat zeventig het nieuwe vijftig is, met iemand naast me bij wie ik me tachtig voel?'

'Zoals wie?' vroeg Bryony, zich ervan bewust dat ze haar vader zowel gelukkig als in bedwang moest houden. Niet voor het eerst vroeg ze zich af hoe haar moeder die koorddans de afgelopen vijftig jaar had volgehouden.

'Wat denk je van Sonia Gonzalez?' opperde Tita. 'Ze is psycholoog. Heel interessant.'

'Ik wil niets interessants, ik wil iets amusants!' riep Foy.

'Sarah Kempe?' zei Bryony.

'Te plattelands, en ze valt in slaap als ze dronken wordt.'

'Caroline Peploe?'

'Laat me geen moment aan het woord.'

'Wie stel jij dan voor?' zei Bryony.

'Ali?' zei Foy hoopvol.

Iedereen draaide zich om naar Ali, die voelde dat ze even roze bloosde als de rozen in het bloembed achter zich. Ze staarde strak naar de zonnewijzer en vroeg zich af of de pijlen wel goed stonden, of dat de bouwvakkers ze ongewild verkeerd hadden gezet. Als ze haar vroegen om naast Foy te zitten, moest ze een besmettelijke ziekte veinzen of zich uit een raam op de eerste verdieping werpen, net als de vrouw des huizes uit de zestiende eeuw die ontdekte dat haar man een kind had verwekt bij het kamermeisje. Foy was onmogelijk als hij dronken was.

'Ali moet op de tweeling passen, tenzij je die ook bij jou aan tafel wilt?' zei Bryony uitdagend.

'Daar kom je goed vanaf,' mompelde Jake van achter in de groep. Hij kwam net van het station, een feit dat aanleiding had gegeven tot veel commentaar over zijn pas ontdekte voorliefde voor het openbaar vervoer. Hij verklaarde dat hij de volgende dag met vrienden naar Oxford terug zou rijden. Hij zag er gebruind en ontspannen uit; goed in zijn vel, vond Ali. Zijn haar was zo lang en krullerig dat de pony tot zijn onwaarschijnlijk lange wimpers reikte. Hij stond op een afstandje van de rest van de familie en grapte met Ali over de mogelijke valkuilen van een zitplaats naast zijn grootvader.

'Lucy dan,' stelde Foy voor.

'Prima wat mij betreft,' zei Jake schouderophalend.

'Vindt ze het niet erg om niet naast jou te zitten?' vroeg Tita aan Jake.

'Ze zal het als een compliment opvatten,' stelde hij haar gerust.

'Ze interpreteert het vast als een teken dat ze nog dieper in de boezem van de Skinners wordt opgenomen,' plaagde Izzy hem.

'Wat doen we dan met Eleanor?' vroeg Bryony, alsof ze van een ongewenst kerstcadeautje af moest zien te komen.

'Zet haar naast de vader van Sophia Wilbraham,' zei Foy. 'Of naast Sophia's saaie echtgenoot.'

'Hij is niet saai, opa,' zei Izzy. 'Hij is zelfs buitengewoon onsaai.'

'En wat nog belangrijker is, hij komt niet,' onderbrak Bryony haar. 'Dus hoeven we helemaal niet over hem te praten.'

Terwijl ze de tent in liep handelde Bryony telefoontjes af op haar BlackBerry: nee, de CEO van de Oekraïense energiemaatschappij kon niet rechtstreeks praten met de hoofdredacteur van de *Financial Times* over negatieve berichtgeving, sterker nog, gezien zijn verleden kon hij zich beter zo veel mogelijk op de achtergrond houden. Ja, ze kon het persbericht over het bod van de Franse supermarktketen op zijn Engelse tegenhanger uitstellen omdat de deal opgeschort was.

Tussen de telefoontjes door gaf ze beknopte, duidelijke antwoorden op gejaagde vragen van Fi Seldon-Kent, die met de organisatie van het feest was belast. Ja, Foy zou een microfoon nodig hebben voor zijn speech. Nee, de cadeaus moesten niet in de tent worden gezet. Ja, er moest de hele avond champagne beschikbaar zijn. Nee, de gasten mochten overal komen, zonder beperkingen. Dat was goed nieuws voor Jake en Izzy, die elk twintig vrienden hadden mogen uitnodigen en nu spijt hadden dat ze de verantwoordelijkheid op zich hadden genomen om te zorgen dat hun gasten zich vermaakten.

'Ik kan gewoon niet geloven dat dit huis van ons is,' zei Jake, die het pas één keer eerder had gezien.

'Dat is het ook grotendeels niet,' merkte Nick droogjes op.

'Wat bedoel je?' vroeg Jake.

'Het grootste deel is van de bank,' antwoordde Nick.

De enige die klonk alsof ze bij het huis hoorde, was Bryony. Ze had de geschiedenis ervan al geabsorbeerd alsof het de hare was. Ze legde aan Foy uit dat het gebouwd was in 1624 door een koopman, tijdens de consumptiehype na de hausse in de wolprijs. Volgens Foy was dat een stuk romantischer dan dat het gekocht was door een bankier die een fortuin had verdiend aan een kredietkhype na een hausse in de verkoop van foute hypotheken.

'Zonder mij had hij het niet eens kunnen kopen, pap,' zei Bryony kregel. Ze zette haar verhaal voort. Diezelfde familie was hier bijna drie eeuwen gebleven. De wapens met de ramskoppen en de sperwers waren van hen.

Ze raakten het kwijt toen de vrouw des huizes verliefd werd op een plaatselijke landjonker en haar echtgenoot vergiftigde met laudanum. Het huis werd verkocht aan een victoriaanse kunsthandelaar, die vervolgens het grootste deel van het eiken- en walnoothouten meubilair kocht dat nog steeds aanwezig was. In het begin van de twintigste eeuw was het gebruikt als kwartier voor het leger, en daarna had het leeggestaan tot de meest recente verbouwing rond 1950.

'Ik hoor dat Lehman naar verwachting de volgende dominosteen is die omvalt, Nick?' zei Foy.

'Daar is dit nu niet echt het moment voor, pap,' waarschuwde Bryony.

'Ongelooflijk dat ze hypotheken hebben verkocht aan die samoerais,' zei Foy.

'Bedoel je soms ninja's?' vroeg Nick. '*No income, no jobs or assets*?'

'Dat zeg ik,' zei Foy. Zijn twistpunt werd ernstig verzwakt door het verkeerde terminologiegebruik. 'In de wetenschap dat ze na twee jaar tien procent rente zouden moeten gaan betalen. En ik kan niet geloven dat jullie daar effecten van gemaakt hebben die zogenaamd net zo weinig risico droegen als schatkistpapieren, en dat mijn pensioenfonds die verdomme nog heeft gekocht ook.'

'Als de huizenprijzen waren blijven stijgen, was er geen enkel probleem geweest,' zei Nick. 'Dan hadden de mensen gewoon vermogen kunnen blijven opnemen om die hypotheek te betalen.'

'En trouwens, Nick probeert al meer dan een jaar om die kwestie aan te pakken,' viel Bryony hen in de rede. 'Hij heeft er echt zijn nek voor uitgestoken.'

'Je aandelen in Lehman zijn zeker nog maar de helft waard van wat ze vorig jaar waard waren?' zei Foy. 'Toen had je eruit moeten stappen. Daar herken je de echte beleggers aan, die weten de markt te voorspellen.'

'Dan is het maar goed dat mama ook werkt,' zei Izzy, die tegenwoordig bijna even behendig was in het afleiden als het opvoeren van spanningen. Bryony schonk haar een dankbare glimlach.

'Nou, ik hoop dat dit feest wel met echt geld betaald wordt,' zei Foy. 'Dankzij die kredietcrisis gaat biologische zalm de dodo achterna en gekweekte zalm is bijna net zo populair als een pedofiel op een kinderfeestje, dus ik kan je nergens mee helpen.'

'Zo is het wel genoeg, Foy,' zei Tita kortaf. Hij viel stil. Niet echt handig om lelijk te doen tegen iemand die over een paar uur een speech over je moet houden, dacht Ali. Ze keek naar Nicks gezicht, maar dat onthulde niets. Ze bedacht dat ze weliswaar al bijna twee jaar voor hem werkte, maar nog weinig meer van hem wist dan toen ze voor het eerst de deur binnenkwam.

19

Later die avond zat Ali met Alfie, Hector, Hesters jongste dochter Ella en een assortiment andere kinderen aan tafel, midden in de tent. Ze was tegelijkertijd opvallend en onzichtbaar. Ze was duidelijk aanwezig als de enige volwassene aan tafel, maar behalve de kinderen wilde niemand op het feest met haar praten. De kinderen waren dronken van de diverse verboden priklimonades, afgebedeld van serveersters die niet gewend waren verzoeken van veeleisende gasten te weigeren. En er waren te veel kinderen om de aanvoer te kunnen onderbreken. Een van hen had de rozenblaadjes opgegeten die als decoratie op tafel lagen, en had zo moeten hoesten dat ze was gaan kokhalzen. Een ander had een patatje zo ver in zijn neusgat gestoken dat hij een bloedneus kreeg.

Dit was het enige deel van Bryony's planning dat mislukt was. Katya had hier zullen zijn om Ali bij te staan. Na het nieuws van gisteren was zij echter persona non grata, hoewel het toen Ali voor het eten met de tweeling in de tuin rondliep, leek alsof haar naam viel in elk tweede gesprek dat ze beluisterde. 'Sinds ze weg is huilt Thomas aan één stuk door...' 'Weet je dat ze zelfs deed alsof ze zwanger was...?' 'Vroeger was ze prostituee...' 'Het schijnt dat ze zoiets al eerder heeft uitgehaald.'

Het zou verkeerd zijn om te stellen dat de strijdlijnen al waren getekend in de affaire van Katya en Ned, want dat zou betekenen dat er mensen waren die partij hadden gekozen voor het zevenentwintigjarige Oekraïense meisje dat zo dom was geweest om te geloven dat ze het voorwerp was van de liefde van een man. Katya werd afgeschilderd als een sluwe sirene die een brave echtgenoot had verleid door eerst de plaats van zijn vrouw in te nemen in de keuken, en vervolgens in de slaapkamer. Ned werd neergezet als een zwakkeling die niet in staat was geweest om de bekoringen van een femme fatale te weerstaan. Niemand wist waar Katya nu was. Zelfs Mira niet. Ze had haar mobiele telefoon aan Sophia teruggegeven en geen adres achtergelaten. Ali had één bericht van haar ontvangen.

'Ik ben vervangbaar,' stond erin.

'Ik ook,' had Ali teruggeschreven. Mira had gelijk. Het was een vergissing om haar werk bij de Skinners als iets anders te beschouwen dan een simpele zakelijke transactie. Het zou maar een enkele beoordelingsfout vergen om Ali hetzelfde lot te bezorgen als Katya. Waarom zou haar rommelige entree in hun gezin niet worden gevolgd door een even rommelig vertrek? De Skinners gingen onzorgvuldig met mensen om, zelfs met mensen die ze vrienden noemden. Ali's gedachten waren verward en onsamenhangend, als tegenstrijdige stromingen van een kerend tij.

Tot twee keer toe morste Hector tijdens het eten per ongeluk zijn Coca-Cola over het zwarte jurkje dat Bryony haar de vorige avond in handen had gedrukt, met de opmerking dat het Ali veel beter zou staan dan haar en de suggestie dat ze het altijd nog op eBay kon zetten als ze het niet leuk vond. Ze verliet de tent om de jurk op het toilet schoon te maken. Bijna overwoog ze om niet terug te gaan. Eén keer was ze zelfs helemaal tot de bibliotheek op de eerste verdieping gekomen en had over het platteland staan uitkijken, zich afvragend waar het dichtstbijzijnde stadje zou zijn. Het schemerde, maar ze vond de zachte pasteltinten van de ondergaande zon achter de heuvels eerder claustrofobisch dan opwekkend of pastoraal.

'Aan alle kanten ingesloten, geen zee te bekennen,' prevelde ze, en ze dwong zichzelf de tent weer in. Niemand hoorde het en het zou sowieso niemand iets hebben kunnen schelen. De enige die haar bij naam had begroet was Felix Naylor, die nadrukkelijk naar hun tafel was gekomen om haar te begroeten en zelfs nog vroeg of ze hem een goed boek kon aanbevelen. Julian Peterson was haar straal voorbijgelopen.

Hoewel de vlek op haar jurk onzichtbaar was, plakte hij door de suiker onaangenaam tegen haar bovenbeen en Leicester wilde haar niet met rust laten. Ali leunde achterover in haar stoel achter de vaas met bloemen midden op de tafel, dankbaar voor de paal naast haar, die het dak van de tent ondersteunde. Hun tafel heette Cromer Crab; speciaal ter ere van haar was hij als enige niet vernoemd naar een Indiase provincie.

Haar gevoel van vervreemding werd nog versterkt door het feit dat Bryony vergeten was de catering te vertellen dat er een volwassene aan tafel zou zitten. Dus ze at minihamburgertjes van biologisch rundvlees met frietjes zo dun als luciferhoutjes en dronk Coca-Cola, terwijl alle anderen zich te goed deden aan lamstajine met kumquats en gekruide piepkuikens met gezouten citroen, en genoten van hun Domaine de Sahari.

Hector trok aan haar jurk en zei: 'Wij moeten plassen.'

'Jullie kunnen het samen wel vinden,' zei Ali, terwijl ze zijn glas weer naar het midden van de tafel schoof.

'Wat gebeurt er als het spook van de vrouw die uit het raam gesprongen is op ons terechtkomt net als we de deur door gaan?' vroeg Hector.

'Spoken wegen niets,' zei Ali met een glimlach. 'Er kan je niks gebeuren. Je broertje past wel op je.'

Na het dessert ging Nick staan en verkondigde dat hij wilde toosten op Foy, die dan op zijn beurt 'een paar welgekozen woorden' zou zeggen. Zoals Nick had gehoopt brulde iedereen van het lachen bij het absurde idee dat Foy zich zou beperken tot een paar woorden. Efficiënt tilde hij de microfoon een paar centimeter hoger en liet het publiek weten dat hij hem wel weer zou laten zakken voor zijn schoonvader, wat nog meer geschater opriep. Ondanks haar bedrukte stemming moest Ali glimlachen. Ze zag Rick verveeld zuchten. De vijf centimeter die Nick langer was, vormden al jaren een belachelijke bron van onenigheid tussen hem en Foy. Nick pakte zijn speech conventioneel aan. Hij leverde een grappig en beknopt rondje bedankjes af waarin hij, tot haar verlegenheid, ook Ali vermeldde, 'de spil van de Skinners.'

'Hou toch op met doen alsof ik bij de familie hoor,' wilde ze roepen. 'Ik ben geen heilige. Ik word gewoon betaald om hulpvaardig te zijn.' Hij vergat niet om zowel Bryony als Hester te bedanken voor de organisatie van het feest, al had Hester weinig anders gedaan dan de tafelschikking op het laatste moment in haar voordeel aanpassen. Precies op het juiste moment boden Maud en Izzy hun moeders ieder een bos bloemen aan die groter waren dan zijzelf.

Ali hield even op met luisteren. Iedereen wist dat Nick en Foy elkaar niet mochten, of in elk geval dat Nick Foy niet mocht, omdat Foys meningen zelden standhielden, en het leek een ridicule vertoning om hem zijn deugden zo te horen prijzen. Daarop besefte ze dat de andere mensen zich dat misschien niet realiseerden, omdat ze geen getuige waren van dezelfde gesprekken als zij.

Toen ze weer opkeek, was de stemming in de tent subtiel veranderd. Mensen zaten iets te stijf rechtop in hun stoelen. Ze luisterden iets te oplettend. Ze glimlachten iets te gedwongen. Ali ving een glimp op van

Julian Peterson. Zijn harde mond stond strakker dan gewoonlijk, een afkeurende smalle streep.

Nick prees zijn schoonvaders karakter, zijn rusteloze energie, zijn kinderlijke enthousiasme en zijn concentratie. Hij beschreef hoe Foy alles in paren deed. 'Hij leest twee boeken tegelijk, hij koopt twee auto's en hij koopt twee verjaarscadeaus voor zijn geliefde echtgenote.' Daarop boog Foy zich naar Tita en gaf haar op elke wang een kus, waarbij hij met zijn lippen nauwelijks haar huid beroerde. Het was een goed gechoreografeerde voorstelling die Ali onthield, omdat ze elkaar zo zelden lichamelijke genegenheid betoonden. Tita glimlachte en blies hem met theatrale zwierigheid twee kussen toe.

Nick grapte slim dat twee cadeaus wel het minste was wat Foy kon doen voor Tita, een vrouw die bijna vijftig jaar huwelijk had verdragen met een man die het als een grote opoffering beschouwde dat hij geen twee vrouwen mocht hebben. Er kronkelde een nerveus gelach door de tent, en op dat moment begreep Ali dat er geen mens was die niet wist dat Foy Chesterton het grootste deel van zijn huwelijksleven het bed had gedeeld met de vrouw van zijn beste vriend. Toen hij dat punt had gescoord voor zichzelf en Bryony, krabbelde Nick netjes weer terug.

Hij vertelde zijn favoriete anekdote over Foy. Deze keer benadrukte hij zijn goede kwaliteiten.

Op de grond van Freithshire Fisheries stonden indertijd twee lege cottages. In het dorp was een Vietnamese familie komen wonen, die graag in de visverwerking aan de slag wilde. Foy gaf ze allemaal een baan en een huis om in te wonen. Er stonden een paar bijgebouwtjes naast, en de Vietnamezen spraken af dat zij die zouden verbouwen in plaats van huur te betalen. Ze kochten een auto. Ze betaalden hem de huur die ze hem schuldig waren. Ze namen ontslag. Ze gaven Foy en Tita zelfs eersteklastickets naar Phnom-Penh cadeau. En aan het einde van het jaar waren ze ineens verdwenen. De volgende dag kwam de politie, die ontdekte dat beide huizen waren omgebouwd tot hydroponische marihuanakwekerijen. Nick vertelde dit verhaal omdat het volgens hem zowel Foys hartelijkheid en zijn vrijgevigheid illustreerde, als zijn steun voor de kleine man. In Ali's ogen bewees het vooral zijn gebrek aan mensenkennis, maar ze applaudisseerde toch.

Toen stond Foy op. Hij bedankte Nick voor zijn vriendelijke woorden. Hij zei dat zijn publiek wel opgelucht zou zijn dat hij niet van plan was om twee speeches te houden. Hij vouwde de twee vellen papier die hij vasthield dubbel en legde ze op tafel neer. Hij keek even naar zijn gasten en begon toen ontroerend te vertellen dat zijn familie en zijn vrienden het getij waren dat hem door de laatste zeventig jaar had gedragen, en hoeveel plezier het hem deed dat zovelen van hen hier vanavond waren om hem door deze avond heen te slepen. Zijn verhaal riep meer gelach op dan het verdiende, omdat zijn publiek ontspanning nodig had na Nicks verontrustende opmerkingen. Hij vertelde over de beginperiode van Freithshire Fisheries, toen hij in zijn kantoor had geslapen om het geld voor een hotel te besparen en wekenlang 's middags en 's avonds niets anders had gegeten dan gerookte zalm.

'Ik ben een selfmade man,' zei hij trots. 'Ik heb altijd hard gewerkt, en ik heb altijd hard gespeeld.' Toen wendde hij zich tot Tita. 'Ik ben niet altijd een goede echtgenoot geweest. Maar laat niemand ooit zeggen dat ik deze vrouw niet mijn leven lang bemind heb.' Hij beschreef de eerste keer dat hij Tita zag staan op een Schotse vlakte, 'in een zee van heide, als een haven in een storm'. Hij zei nog iets over zijn eeuwige associatie van Tita met de subtiele schoonheid van de heide met zijn wilde, ongetemde vrijheid, een beeld dat Ali volkomen in tegenspraak vond met de werkelijke begrensdheid van haar leven. Hij prees Tita omdat ze zo helemaal zichzelf was gebleven, omdat ze zichzelf had toegestaan van hem te houden, tegen haar verstandigere instincten in (twee dingen waarvan Ali de waarheid betwijfelde) en voor het grote geschenk van twee prachtige dochters. Zo ging hij een poosje door, en Ali zag mensen hun ogen deppen. Vervolgens keek hij op zijn papier en vroeg of de aanwezigen een zeventig jaar oude man een verrassing wilden gunnen.

Bryony en Fi Seldon-Kent keken elkaar bezorgd aan, omdat Foy van de planning afweek. Hij haalde de microfoon uit het statief, deed een paar stappen achteruit en gaf de pianist in de hoek een teken, waarop die een paar akkoorden speelde. De pianist was in elk geval op de hoogte.

'Ik wil het liedje voor jullie zingen dat op de radio was toen ik Tita voor het eerst ontmoette,' zei hij, zijn stem verstikt van emotie.

Toen begon Foy *American Pie* te zingen. Eerst aarzelend, te hard strevend naar een Amerikaans accent in de stijl van Don McLean. Zijn stem was wankel, ruw en ongeschoold, maar hij kon wel zingen. Hij spoorde het publiek aan om mee te doen en tot Ali's verrassing zongen veel mensen het refrein met hem mee, zelfs de vrienden van Jake en Izzy. Naarmate zijn zelfvertrouwen groeide, werd zijn stem vaster. Tegen het derde couplet was hij de enige in de tent die de woorden kende. Hij zong alle zes de coupletten. En toen liep hij naar Tita, omhelsde haar, en gaf haar een doosje met een halsketting erin. 'Zeventig is het begin van iets, niet het einde,' zei hij tegen de gasten. Spontaan barstte er applaus los. Sommige mensen gaven hem een staande ovatie. Aan de hoofdtafel bleef alleen Eleanor Peterson zitten. Haar gezicht was asgrauw. Julian legde stijfjes een hand op die van zijn vrouw, maar die schudde ze woest van zich af.

Hierna bracht Ali de andere kinderen bij hun ouders en vertrok om de tweeling naar bed te brengen. Hun kamer bevond zich op de eerste verdieping van het huis, precies onder die van Ali. Ze lieten haar de twee eenpersoonsbedden tegen elkaar duwen en de kasten doorzoeken op monsters. Ze vonden het te donker, dus deed Ali de lampen op de nachtkastjes aan en de gordijnen open. Ze maakten zich zorgen over de manier waarop de bries de gordijnen de kamer in blies en over de schaduwen die de lampen wierpen, dus deed Ali de gordijnen dicht, het raam dicht, en de lampen uit. Toen bedachten ze dat de houten lambrisering weleens geheime gangen zou kunnen verbergen, en Ali was zo goed niet of ze klopte op elke hoek van elk paneel om te zien of er soms eentje openzwaaide. Uiteindelijk beloofde ze bij hen te blijven zitten tot ze samen in één bed in slaap waren gevallen, en straks in het andere bed naast hen te komen slapen.

'Waarom kunnen we niet gewoon één huis hebben en daar blijven?' snikte Alfie in zijn kussen.

'Waarom moeten we altijd maar ergens heen?' huilde Hector.

Het waren interessante vragen. Bij zichzelf bedacht Ali een paar hypotheses. Omdat ongelukkige mensen rusteloos waren. Omdat je een manier moet vinden om je geld uit te geven als je waanzinnig veel verdient. Omdat tentoonspreiden wat je allemaal kunt kopen de enige manier is om indruk te maken op andere mensen als je succes afmeet aan wat je verdient. Omdat je nooit tevreden bent met wat je hebt, want er is altijd wel iemand die meer heeft dan jij.

'Omdat jullie geluk hebben,' zei ze. 'Bedenk maar dat jullie van die gnoes zijn die we zagen bij David Attenborough, die op de Afrikaanse vlakten van de ene plek naar de andere trekken. Jullie leiden een heel opwindend leven, vergeleken met andere kinderen.'

Ze hoorden het gebrek aan overtuiging in haar stem.

'Bedenk eens hoeveel gnoes doodgaan onderweg,' fluisterde Hector.

Ali begon te citeren uit hun lievelingsboek van Dr. Seuss.

'Zeg maar bij jezelf, je weet nog niet half, nee nog niet half hoe gelukkig jij bent! Er zijn heel veel mensen... o jee zoveel mensen... die heel wat meer pech gewend zijn!'

'We hadden de kromhoornige groene baardschlot kunnen wezen,' zei Hector, 'met een staart in een eeuwig ontwarbare knoop.'

'Of de man die zijn gras maait, maar steeds bijna wegwaait en alleen maar kan kijken hoe snel zijn gras groeit,' zei Alfie. Eindelijk begonnen hun oogjes dicht te vallen.

Boven haar hoofd hoorde Ali de doffe dreun van muziek uit de Lange Zaal. Razorlight, Black Eyed Peas, Kaiser Chiefs. Dezelfde muziek waar zij vroeger naar luisterde met Rosa, Maia en Tom. Ze voelde zich eenzaam. Jake en Izzy waren met hun vrienden aan het dansen. Ze had graag haar eigen vrienden bij zich gehad, of misschien zelfs met hen meegedaan. Ze waren immers maar vier jaar jonger dan zij. Maar het zou niet gepast zijn, of in elk geval niet gepast voelen.

Ze besloot dus maar om haar spullen te gaan halen op haar eigen slaapkamer boven. Buiten haar kamer zag ze dat het luik naar het dak helemaal openstond. Als ze op haar tenen ging staan zag ze een vol maakt ingelijst vierkant met de sterren en de maan in de lucht erboven. De vouwladder was half opgeklapt, maar nog net binnen handbereik. Ze reikte omhoog om hem naar beneden te trekken en beklom de treden tot ze op het met lood beklede dak stond. Het was verbazend plat. Langzaam ging ze rechtop staan, probeerde zich te oriënteren en deed voorzichtig een paar stappen naar voren, bezorgd over de onweerstaanbare aantrekkingskracht van de dakrand. Ze vermoedde dat ze dicht bij de voorkant van het huis was, aan de zuidkant, onder de punt van de gevel waarin zich het raam van de kamer van de tweeling bevond.

'Wat doe jij hierboven?' vroeg een lome stem. Nu haar ogen aan het schemerlicht gewend waren, zag Ali Jake zitten in een smalle, met lood beklede spleet tussen het raam en een schoorsteen, waar hij het beste uitzicht had op het feest. Ali stond abrupt stil, niet zeker of ze zich moest terugtrekken of juist niet, met haar ogen naar Lucy zoekend.

'Ze is er niet.' In de roerloze avondlucht rook Ali de zoete geur van wiet. Naast hem stond een open fles champagne.

'Roken?' bood Jake aan. Hij stak haar een klein gebeeldhouwd voorwerp toe. 'Vredespijp.'

'Nee. Dankjewel.'

'Kom dan in elk geval even zitten,' zei Jake. 'Hierboven hebben we breedbeeld.'

Jake trok zijn smokingjasje uit en vouwde het tot een kussen in de ruimte naast hem. Hij gebaarde haar te gaan zitten. Vanuit de zaal beneden spiraalde muziek omhoog om de stilte tussen hen te vullen. Ze keek naar het jasje.

'Kom op, Ali,' zei hij. 'Ik kan wel wat van jouw wijsheid gebruiken. Die vier jaar levenservaring die jij op me voor hebt. Vertel, wat is de vriendelijkste manier om een meisje te dumpen?'

'Je bent stoned,' zei Ali. Het was eerder de vaststelling van een feit dan een verwijt.

Ze dacht even na. Jake keek op het feest neer, alsof het hem niet kon schelen of ze bleef of vertrok. Zijn ambivalentie gaf haar moed en voorzichtig zocht ze haar weg naar voren, haar schoenen uit omdat ze met blote voeten meer grip had op het loden dak. Ze ging naast hem zitten en tuurde over de rand.

De grond was verder weg dan ze had verwacht. Er liep een kleine, decoratieve balustrade langs de voorkant van het dak, slechts een centimeter of zestig hoog. Ali zette haar voeten ertegenaan en vroeg zich af wat er zou gebeuren als er een stuk meegaf.

Ze zou misschien niet vallen, maar ze zou iemand die beneden stond kunnen doden. Ze zei bij zichzelf dat ze Jake van het dak af zou moeten sturen. Maar Jake was niet langer haar verantwoordelijkheid. En bovendien zag ze hoe aanlokkelijk het was om het feest vanaf deze uitzichtpost te bekijken. Dus nam ze een flinke slok uit de champagnefles die hij haar toeschoof en besteedde geen aandacht aan het pijpje.

'Ik denk dat je helemaal eerlijk moet zijn en haar moet vertellen dat het voorbij is. Geef haar geen enkele hoop. Op de lange duur is dat het aardigst. Word niet persoonlijk over de dingen die je niet leuk aan haar vindt. Houd het simpel en zeg dat het een fantastische relatie was zolang het duurde, maar dat het nu tijd is om verder te gaan met je leven, dat jullie allebei te jong zijn om nu al zo serieus bezig te zijn.'

Jake stak zijn hand in zijn broekzak en haalde er een afgekauwd potlood en een treinkaartje uit. Hij begon op de achterkant van het kaartje te krabbelen.

'Wat doe je?' vroeg Ali.

'Aantekeningen maken,' zei hij. 'Wat je zei was precies goed.'

'Als je het uit je hoofd leert, klinkt het niet meer oprecht,' zei Ali lachend.

Ze vielen even stil, maar het was een kameraadschappelijke stilte. Ze leunden beiden voorover naar de balustrade om weer naar de menigte beneden te kijken. Hun schouders raakten elkaar. Ze voelde de warmte van Jakes bovenarm door zijn overhemd heen.

De lampjes om de tuin heen verlichtten de ruimte beneden als een toneel. Ze konden iedereen zien die op het terras stond. Zelfs de donkerdere gestaltes die tot in de Zonnewijzertuin waren gevorderd, waren zichtbaar in het flakkerende licht van de kaarsen die de paden verlichtten. Ze zagen Izzy over een van Jakes vrienden van de universiteit heen hangen. Ze droeg een zwarte jurk die ze in Camden Market gevonden had. Ze had de zoom ingekort en de mouwen verwijderd en een bloteschouderlook gecreëerd waarin ze er veel ouder uitzag dan zestien.

'Maak je geen zorgen. Hij is gay,' zei Jake toen Izzy en de jongen samen uit het zicht verdwenen.

'Heb ik verteld dat Lucy de laatste keer dat ze in Oxford kwam voor het weekend een stofzuiger meebracht?' zei Jake. 'Kun je je voorstellen hoe genadeloos ik afgezeken ben?'

'Je bent te vroeg tam geworden,' zei Ali. 'Dat is een goede les om te leren.'

'Niet iets wat jij hebt meegemaakt?' vroeg Jake.

'Nee, mijn relaties waren iets minder conventioneel,' zei Ali, met opzet vaag.

'Onconventioneel klinkt goed,' zei Jake. Hij dacht even na. 'Laat me raden, jij ging met je mentor naar bed? Dat is zó oud. Net zo afgezaagd als met je nanny naar bed gaan.'

'Misschien is het juist wel goed om al jong een paar clichés af te werken,' zei Ali. 'Dan heb je die maar vast gehad.'

'Dus als Ned Wilbraham zijn nanny had geneukt toen hij jong was, had hij het later niet hoeven doen?' vroeg Jake.

Even heerste er een ongemakkelijke stilte, terwijl ze de inhoud van hun gebabbel overpeinsden.

'Wat vind je van het uitzicht?' vroeg Jake.

'Fantastisch,' zei Ali. 'Hoewel ik me bij zo'n lange horizon zonder zeezicht altijd ingesloten voel en heimwee krijg.'

'Zo voel ik me bij ons thuis in Londen,' zei Jake. 'Niet dat ik last heb van heimwee. Eerder van claustrofobie. Alsof ik niet kan ademhalen, omdat iedereen voortdurend kijkt wat ik aan het doen ben. Elke cricketscore, elk proefwerk Latijn, elke vriendschap, elk detail van mijn leven wordt nauwkeurig gewogen en te licht bevonden. Ik snap niet hoe je het uithoudt om bij ons te wonen. Ambitieuze perfectionisten zijn niet bepaald om te lachen.'

'Omdat het mijn familie niet is.' Ze lachten allebei.

'Heb jij een gelukkige jeugd gehad?' vroeg Jake.

'Je klinkt als een therapeut.'

'Niet zo ontwijkend doen. Jij weet zoveel van mij en ik weet niets van jou. Het is een scheve verhouding.'

'Ik heb een jeugd tussen twee extremen gehad,' gaf Ali zich gewonnen. 'De eerste helft was een en al emmers en schepjes en boterhammen op het strand. Soms, als het mooi weer was en er geen storm dreigde, ging ik met mijn vader mee naar zee om te helpen met de krabfuiken.'

'Is hij een visser?'

'Zevende generatie,' bevestigde Ali. 'Er staan grafstenen met afbeeldingen van vissersboten voor mijn voorouders op het kerkhof van Cromer. Dan stonden we 's ochtends samen vroeg op, klommen in de vrachtauto, reden naar de haven en laadden dozen met aas op de boot. Je gaat met hoogwater weg en je komt met laagwater terug. We voeren Cromer in het donker uit, de lichtjes van het stadje fonkelend achter ons, in de richting van de horizon waar de dageraad gloorde. Dat is echt mooi. Je zou het een keer moeten doen.'

'Werd je nooit zeeziek?'

'Nooit. We bleven uren op zee, takelden de fuiken op, haalden de krabben eruit, stopten er nieuw aas in en gooiden ze weer overboord. De boot heeft gps maar papa weet de fuikgronden toch wel te vinden door de bakens op het land uit te lijnen.'

'Dat klink idyllisch,' zei Jake. 'Maar wanneer betrok de lucht?'

'Toen ik twaalf was, begon mijn zus veel wiet te roken. Daarna raakte ze aan de harddrugs. Heroïne vooral. Een paar jaar later verhuisde ze naar een kraakpand in Norwich en stopte met school. Mijn ouders stortten in. Mijn moeder werd iemand die zich met moeite de dagen doorworstelt. Mijn vader ontsnapte door steeds meer tijd op zijn boot door te brengen. Soms kwam mijn zus thuis om te proberen clean te worden. Dan verdween ze weer maandenlang. Slechte tijden. Vorig jaar heb ik haar afkickkliniek betaald. Ze zit er nog steeds, dus misschien krijgen we toch nog een happy end.'

'Dat is nogal wat,' zei Jake.

'Elk gezin rafelt aan de randjes. De meeste vallen niet helemaal uit elkaar. We zijn allemaal sterker dan we denken.'

'Lijkt me een goede levensovertuiging,' zei Jake.

Lucy kwam het huis uit lopen, bleek en zwierig in haar roomkleurige jurk, en zette koers naar de tent, waar ze bij de ingang halt hield naast een in bleekroze rozen en pioenrozen gedrapeerde boog en zich omdraaide om de menigte op het terras af te zoeken naar Jake.

'Als een bruid die bij de kerk in de steek gelaten is op haar trouwdag,' merkte Ali op, terwijl Lucy nerveus een lok haar uit haar gezicht veegde.

'Zeg dat nou niet,' kreunde Jake.

'Je moet recht op je doel afgaan,' zei Ali, die deze keer wel een hijs van het pijpje nam. Beslist een ontslaggerechtigde overtreding, dacht ze bij zichzelf. De gedachte kwam bij haar op dat ze misschien ook wel ontslagen wilde worden. Ze merkte dat ze afstand begon te nemen van haar baan bij de Skinners. Verontrust door deze gedachten dronk ze nog wat champagne, iets te snel, alsof ze flink haar best wilde doen nu ze toch besloten had om zich te laten gaan.

Beneden op het terras voor het huis wandelden groepjes mensen rond. Tussen hen door liep een stroom kelners en serveersters met dienbladen vol drankjes. Bryony stond met Felix te praten. Hun hoofden waren gebogen alsof ze elkaar geen van beiden wilden aankijken. Foy praatte met Eleanor Peterson, hoopvol over haar schouder kijkend op zoek naar een bliksemafleider. Af en toe kwamen er mensen zijn hand schudden of zijn wang kussen, maar Eleanors bezitterige lichaamstaal was moeiteloos verstaanbaar en ze verwijderden zich al snel.

Eleanor droeg een lange goudkleurige tafzijden jurk die suggereerde dat ze qua stijl onomkeerbaar in de jaren 1980 vastgeroest zat. Ze was gebruind na een vroeg zomerreisje naar Corfu, en haar haar was in een vreemde kleur honingblond geverfd.

'Ze lijkt wel een Oscar,' giechelde Ali.

'En ze praat met zo'n bierpul in de vorm van een dik mannetje,' zei Jake. Ze zagen Leicester zijn kop schuin naar hen opheffen onder hevig gekef en schoven achteruit de schaduw in om niet door hem verraden te worden. 'Mijn opa had een verhouding met haar. Jaren geleden. Ik zag ze...'

'Weet ik,' onderbrak Ali hem.

'Er is niet veel wat jij niet weet over mijn familie, is het wel?' vroeg Jake.

Ze keken hoe Eleanor zich naar Foy toe boog en iets in zijn linkeroor fluisterde.

Jake stak haar de fles weer toe en merkte op: 'Dat is zijn goeie oor.'

De belletjes brandden scherp in haar keel en ze verslikte zich. Jake klopte haar op haar rug en bij de derde keer voelde ze zijn vingertop even midden op haar ruggengraat rusten. Ze schoof iets naar voren, van hem weg. Onmerkbaar, zodat hij het niet beschuldigend zou opvatten, maar genoeg om de warmte van zijn hand niet door haar jurk heen te voelen branden. Er was iets verschoven in hun relatie, maar Ali was er niet van overtuigd dat dit nieuwe terrein minder verraderlijk was dan het oude.

'Ik moet gaan,' zei Ali.

Ze keek over haar schouder naar Jake en hij boog zich naar haar toe. Deze keer wendde Ali zich niet af. Van het terras beneden klonk lawaai. De betovering werd verbroken en ze keken over de rand van de balustrade omlaag, waar ze Eleanor tegen Foy zagen krijsen. Ze keken in gefascineerd stilzwijgen toe. Jake legde een arm om haar heen. Subliem, dacht Ali, die zich door de mist van wiet en champagne heen intens bewust was van de spanning tussen hen beiden. Foy staarde naar de grond, zo heftig knikkend dat zijn kinnen wiebelden. Hij prutste aan de knoop in zijn vlinderdas en maakte het knoopje eronder los. Zijn mond zag er vreemd uit, alsof de onderlip zich zo ver mogelijk van de bovenlip wilde verwijderen. Er was een kort moment waarin Foy en Eleanor elkaar aanstaarden met de hete gloed van gewezen minnaars, en vervolgens hief zij het champagneglas in haar hand in de lucht, gooide de champagne in zijn gezicht en smeet het glas op de grond.

'Ik ga alles aan Tita vertellen!' schreeuwde ze, net toen Tita naderbij kwam om te zien wat er aan de hand was. Na één blik op Foys gezicht wist Tita alles wat ze weten moest. Ze stond met open mond te kijken hoe Foy zich in Eleanors richting bewoog, één hand opgestoken, alsof ze op het punt stonden om een gecompliceerde Schotse dans uit te voeren. Ging hij haar slaan, vroeg Ali zich af. Maar hij viel om en zakte aan haar voeten in een verfrommelde hoop in elkaar. Eleanor hurkte naast hem neer en begon te gillen.

'Ik heb de man vermoord die ik liefheb!' huilde ze en ze trok Foy aan haar borst. De mouw van haar jurk was omlaag gegleden zodat haar stevig geconstrueerde beha zichtbaar was. Haar woorden hingen in de warme avondlucht en iedereen die buiten was, kon hen horen. Tita stond onbeweeglijk, zo duizelig dat ze zich niet kon bukken om haar man aan te raken. Julian Peterson kwam aanlopen en wist zijn vrouw van Foy af te krijgen.

Het was moeilijk om de precieze volgorde van de gebeurtenissen te bepalen, want behalve Tita en Foy was iedereen in beweging. Alles leek versneld te worden afgespeeld, dacht Ali. Bryony rende naar binnen om een ambulance te bellen. Hester rende naar Tita en legde een arm om haar heen. Rick legde Foy in de stabiele zijligging. Tot zijn eigen verbazing stond Felix Naylor Eleanor overeind te houden, trok haar behabandje omhoog en probeerde de mouw van haar jurk op zijn plaats te krijgen, terwijl Julian wegrende om een stoel te halen.

'Shit,' zei Jake. 'We kunnen maar beter naar beneden gaan.'

Ze stonden op, en beneden op het terras zag Ali dat Lucy omhoog stond te kijken naar hun tweeën op het dak.

20

Na zijn ontslag uit het ziekenhuis van Oxford eind juni, twee weken na het feest, trok Foy bij Nick en Bryony in. Met tegenzin gaf Nick toe dat hij onmogelijk naar huis kon, voornamelijk omdat Tita hem daar niet wilde hebben. Tita beweerde dat Foy bij hun thuis niet zonder hulp de trap op kon, dat hij moest worden geholpen met wassen en aankleden, en dat hij niet alleen gelaten kon worden. Ze had Bryony en Hester laten weten dat ze meer dan vijftig jaar had vastgezeten in haar huwelijk, en kalmpjes uitgelegd dat ze geen gevangene in haar eigen huis wilde worden.

In de dagen na het feest hoorde Ali Bryony en Hester meer met elkaar praten dan ze zich kon herinneren, terwijl ze probeerden vrede te stichten tussen hun ouders.

'Het is midden in een huwelijk al moeilijk genoeg om een verhouding te vergeven, maar onmogelijk als je er pas tegen het einde achter komt,' hoorde Ali Hester tegen Bryony zeggen. 'Ik wou dat ik het haar eerder had verteld.'

'Wist jij er dan van?' had Bryony gevraagd.

'Natuurlijk wist ik ervan,' antwoordde Hester ongeduldig. 'En jij ook. Alleen kon je het niet toegeven. Weet je soms niet meer dat papa en Eleanor 's avonds altijd samen gingen wandelen op Corfu, toen wij klein waren? Jij wilde de bewijzen gewoon negeren, omdat je papa niet van zijn voetstuk wilde stoten. Het lievelingskind had oogkleppen op.'

Toen Bryony aanbood om iemand te betalen om zes uur per dag in huis te komen helpen, vertelde Tita haar vriendelijk doch beslist dat ze die week naar Corfu vertrok, zoals gepland, om het huis voor te bereiden op de zomer, en niemand kon haar van gedachten doen veranderen. Er werd een nieuwe airconditioning geïnstalleerd en het was 'absoluut noodzakelijk' dat zij daarbij was om toezicht te houden op de werkzaamheden. Er werd niets besproken. Eleanor werd niet genoemd. Voor zover Ali zich kon herinneren, werd Eleanors naam nooit meer genoemd in het bijzijn van Tita.

'Ik laat me niet door een wildvreemde mijn reet afvegen,' protesteerde Foy toen Bryony voorstelde om een inwonende hulp voor hem te vinden in Tita's afwezigheid. Hester was vast van mening dat haar vader thuis moest blijven. Dat was niet zozeer een kwestie van overtuiging als wel een onderhandelingspositie, want Rick weigerde Foy in huis te nemen. Dus werd Malea in de zitkamer ontboden en daar verdubbelde ze haar salaris door een baantje te aanvaarden als Foys parttime verpleegster, tot hij volledig hersteld en Tita weer thuis was.

Het was bedoeld als een tijdelijke oplossing voor Foys beperkte mobiliteit en Tita's aanstaande afwezigheid. Foy stemde ermee in. Dus werd Ali naar zijn huis gestuurd om kleding en onmisbare bezittingen op te halen, met een lijst waar FOYS PARAFERNALIA boven stond, die hij aan Izzy had gedicteerd omdat zijn hand nog te beverig was om te schrijven. De lengte en de nauwkeurigheid ervan suggereerden dat Foy niet binnen afzienbare tijd naar huis verwachtte te gaan. Op de lijst stonden tomatenplantjes die pas eind juli zouden rijpen, golfclubs, zijn lievelingsjasje en de trouwfoto van de schoorsteenmantel in de zitkamer. Tita bood aan om alles later die dag in de auto naar Holland Park Crescent te brengen. Ze vertelde dat ze ook drie ongeopende dozen vol exemplaren van Foys zelf uitgegeven autobiografieën zou afleveren die aan de gasten gegeven hadden moeten worden aan het einde van het feest.

'Reuzehandig om de haard mee aan te steken,' suggereerde ze droogjes. Vervolgens kuste ze Ali ten afscheid met een zekere finaliteit.

'Ik heb in mijn leven vooral anderen plezier gedaan, in plaats van mezelf,' zei ze tegen Ali. 'Zorg dat jij dat niet doet.'

Nicks werkkamer op de benedenverdieping van Holland Park Crescent werd haastig leeggeruimd en voorzien van een eenpersoonsbed. Voor Foys kleren werd een ladekast gevonden. Ali hielp met het inruimen van Foys eigendommen in zijn nieuwe slaapkamer. Toen ze opmerkte dat Eleanor als een van de gasten aan het uiteinde van de familiefoto stond, voor de kerk in Oxfordshire waar ze bijna een halve eeuw geleden waren getrouwd, vroeg Foy Ali om haar van de foto te verwijderen.

'Ik moet haar uit mijn leven bannen,' zei hij theatraal, terwijl hij toekeek hoe Ali behoedzaam langs een lijn knipte totdat Eleanor op de vloer dwarrelde. Ali raapte de smalle strook van de zwart-witfoto op en veegde Eleanors gezicht af, alsof ze naar aanwijzingen zocht dat de verhouding voor of na de bruiloft was begonnen. Hij droeg Ali op om Eleanor in kleine stukjes te knippen en in een asbak te verbranden. Ali vond een doosje lucifers, maar er zat een stapeltje simkaarten in, dus pakte ze haar aansteker erbij. Foy hield de asbak met trillende handen vast tot Eleanor in de as was gelegd. Het rookalarm was afgegaan, maar Foy leek het niet op te merken.

'Hiermee is uw probleem nog niet opgelost,' liet Ali hem weten.

'Waarom heeft ze al die jaren gewacht?' vroeg Foy zich hoofdschuddend af.

'Schuldgevoel?' opperde Ali.

'Hoe kon ze verwachten dat Tita haar zou vergeven?'

'Dan wraak,' suggereerde Ali. 'Misschien wilde ze u net zo ongelukkig maken als zijzelf was.'

Tita had gelijk. In plaats van de verantwoordelijkheid voor zijn daden te nemen, was Foy al op zoek naar andere mensen om de schuld op af te schuiven. Er kwam een verpleegster aan huis met wat zij 'thuishulpmiddelen' noemde en wat Foy al snel omdoopte tot zijn 'gebrek-aan-seksspeeltjes'. In het toilet naast zijn kamer werd een rek neergezet en in de douche kwam een kruk. Hij werd aangemoedigd om een alarm om zijn hals te dragen voor het geval hij viel en niet zelf overeind kon komen.

De verpleegster legde uit dat zijn mobiliteit zou verbeteren, zijn vermoeidheid minder zou worden en zijn spraak een tijdje wisselvallig zou zijn, maar er was geen reden om aan te nemen dat er blijvende schade was aangericht. De kans dat hij in de komende drie maanden een ernstiger infarct zou krijgen was hoog, en naast de dagelijkse doses bloedverdunners en aspirines drong ze erop aan dat Foy met onmiddellijke ingang veranderingen zou aanbrengen in zijn manier van leven.

'Geen alcohol en geen vet of zout eten,' droeg Bryony Malea op waar Foy bij was, de dag nadat hij permanent in Holland Park Crescent was komen wonen. Flessen whisky en andere sterkedrank werden verwijderd uit de zitkamer, waar hij het grootste deel van de dag zou doorbrengen. Sigaretten werden verstopt. 'Bruine rijst en kip voor de lunch en een korte wandeling door Holland Park in de middag. Geen opwinding. Ali leest je 's ochtends en 's avonds de kranten voor. Na een beroerte is rust heel belangrijk.'

'Ik heb geen beroerte gehad,' zei Foy kregel. 'Het was een TIA, een transitoir ischemisch accident.' Hij praatte onduidelijk en zijn mond hing aan één kant omlaag, maar hij leek geen moeite te hebben om zich uit te drukken. Hij corrigeerde de tweeling nog steeds als ze grammaticafouten maakten en hij wist Malea over te halen om een zoutvaatje te verstoppen in de Chippendale-ladekast in de eetkamer, waar hij al zijn maaltijden genoot, omdat hij de trap naar de keuken in het souterrain niet af kon.

'Dat is gewoon een chique manier om lichte beroerte te zeggen, opa,' zei Izzy berispend terwijl ze een deken over zijn benen legde. Sinds zijn beroerte had hij voortdurend koude benen. 'En als je niet op jezelf past, krijg je er nog een en dan wil oma je helemaal nooit meer terug.'

Soms dutte Foy in als Ali hem aan het voorlezen was en dan riep hij in zijn slaap om Tita.

'Ze is weg,' fluisterde Ali dan.

'Ik voel me net als iemand bij wie een been is geamputeerd en die dat been nog wel voelt,' zei Foy. 'Ik ben volkomen onthand.'

Ali dacht aan de dagen daarna als de stilte na de storm. Veel later zou ze zich realiseren dat het eerder leek op die spookachtige kalmte in het oog van een orkaan. Bryony dacht optimistisch dat de veranderingen aan de top van Lehman Brothers de bank door de kredietcrisis zouden slepen en dat Nicks positie erdoor zou verbeteren. Het zag ernaar uit dat de Korea Development Bank belangstelling had voor een deal. Het nieuwe regime had hem gevraagd om de werkelijke waarde van CDO's die uit Europa afkomstig waren te bepalen, om een nauwkeuriger beeld te krijgen van de schaal van de verliezen van de bank. Bryony zag dit als een positief teken voor Nicks stijgende koers in New York. Ze mocht zich graag voorstellen dat ze een paar jaar met haar gezin naar New York zou verhuizen en vroeg Ali of ze in dat geval met hen mee zou willen. Haar enthousiasme was zo aanstekelijk dat zelfs Ali zich afvroeg hoe het zou zijn om aan de Upper East Side te wonen en misschien een studie te volgen aan de universiteit van Columbia.

De tweeling kreeg een nieuw vriendinnetje met de naam Storm, die bij hen thuis kwam en een spelletje verzon dat drieling heette waarbij zij zich moest verkleden in precies dezelfde kleren als Hector en Alfie. Jake bleef in Oxford om te werken in een wijnbar. Bryony maakte zich ongerust omdat zijn cv daar niet beter van werd, maar Nick leek zich geen zorgen te maken. Ali kreeg een sms van hem. 'Kom op bezoek.' Ze reageerde niet en wiste zijn nummer uit haar telefoon om niet in de verleiding te komen hem te bellen.

Sophia Wilbraham nam een nieuwe, veel oudere nanny aan en vond een uitstekende relatietherapeut die weekendjes in hotels op het platteland voorschreef en minder dwangmatige aandacht voor haar kinderen. Ali's ouders belden niet langer met updates over haar zus. Jo kwam uit haar kliniek en beweerde dat ze genezen was. Ze wilde bij Ali komen logeren. Ali weigerde. Jo schreef in een brief dat ze Ali's terughoudendheid begreep en haar grenzen respecteerde. Ze zei ook dat ze een deeltijdbaan had gevonden in Cromer en dat ze het geld ging terugbetalen dat Ali aan de kliniek had besteed. Een week later lag er een cheque in de brievenbus voor de eerste dertig pond.

Nick ging vroeg naar zijn werk en kwam heel laat terug. Bryony kwam vroeger thuis. Er waren geen deals waar ze aan moest werken. Ze bracht haar dagen door met het blussen van negatieve verhalen in de pers voor klanten van wie de aandelenprijzen instortten door de kredietcrisis. 's Avonds zat iedereen nu in de zitkamer om Foy gezelschap te houden. Het voegde een knusse dimensie toe die tot dan toe ontbroken had aan het leven in Holland Park Crescent.

Toen kwam Nick begin juli terug van alweer een reis naar New York met nog slechter nieuws over de omvang van Lehmans schulden. Ze zaten bij Foy in de zitkamer. Ali las Foy een krantenartikel voor over Gordon Browns eerste jaar als premier.

'Zestig procent van de Britten vindt Gordon Brown een rampzalige keuze voor de verkiezingen,' begon Ali.

'Zo zie je maar weer eens hoe verstandig het Britse volk is,' gromde Foy. Als hij moe was, praatte hij zonder zijn lippen echt te bewegen, zodat hij klonk als een tweederangsbuikspreker. Ali kon zich niet herinneren dat het haar ooit was gelukt een heel artikel van begin tot eind te lezen zonder dat Foy haar in de rede was gevallen. Zittend moeten leven maakte hem nog twistzieker dan hij van nature al was, vooral als Nick zich in de kamer bevond.

'Hoe ging je presentatie?' vroeg Bryony aan Nick.

'Ik heb hun verteld dat de Product Control Group de prijs van ongeveer een kwart van de CDO's niet heeft gecontroleerd. Toen moest ik uitleggen dat ze dezelfde rekenkundige modellen lijken te hebben gebruikt als de effectenhandelaren om de rest te waarderen, wat betekent dat ze nog minder waard zijn dan we dachten. Sommige zijn waarschijnlijk maar een dertigste waard van de waarde die ze toeschreven. Voor CEAGO hebben ze zelfs een lagere rating gebruikt voor de schijven met een hoger risico dan voor de seniorschulden met een lager risico. Waanzin.' Nick zag er uitgeput uit.

'Wat is CEAGO?'

'Dat is de grootste CDO-positie van de bank op dit moment. Lehman heeft rond de 1,2 miljard dollar in CDO's en CEAGO telt ongeveer vijfhonderdtwintig miljoen. Het is moeilijk te bepalen hoeveel het echt waard is, maar ik denk dat we er nog steeds zevenennegentig procent van hebben.'

'En hoe namen ze het op?' vroeg Bryony.

'Naast de verliezen in onroerend goed zag het er nog niet zo slecht uit.' Nick vertoonde de snelle halve glimlach die steno was geworden voor nog meer slecht nieuws. 'Daar zitten we op een tekort van honderdtwintig miljard.'

'Als jullie niet hadden geprobeerd snel rijk te worden door hypotheken te verkopen aan arme mensen die ze niet konden terugbetalen toen de rentetarieven omhooggingen, zaten jullie nu niet zo in de puree,' zei Foy. Hij had helaas de gewoonte ontwikkeld om te kwijlen als hij te snel praatte. Malea had een kleurige blauwe stippeltjessjaal om zijn nek gebonden om het spuug af te vegen. Achter zijn rug noemde Nick hem Dik Trom.

'Eigen huizenbezit was anders een van Thatchers fundamentele overtuigingen,' merkte Nick op.

'Jullie zijn te hebberig geweest. Jullie hebben jezelf gecorrumpeerd en het politieke systeem erbij. Al die verdomde politici van Labour zijn in de ban van de City,' zei Foy, Nicks opmerking negerend.

'Ik heb jou niet horen klagen toen Nick *De dreiging* voor je kocht,' prevelde Bryony.

'Jullie gaan het hele financiële systeem naar de knoppen helpen, stelletje hufters,' zei Foy. Toen viel hij gelukkig in slaap.

'In elk geval zien ze jou als een vaste hand aan het roer,' zei Bryony zachtjes.

'Er is geen roer,' zei Nick.

'Waarom gebruiken mensen altijd uitdrukkingen uit de zeevaart om de crisis te beschrijven?' vroeg Ali op een avond, na een nieuw gesprek in de zitkamer over het moment waarop Lehman Brothers de ijsberg zou raken. Nick had haar aangekeken alsof hij niet zeker wist waar zij precies paste in zijn leven. Hij was zo moe, dat hij niet eens zeker wist waar hijzelf in zijn leven paste. Dus had hij Ali een lege blik toegeworpen en zich weer tot Bryony gewend om haar te vertellen dat de cijfers krankzinnig waren en dat hij moeite had om de juiste woorden te vinden om te beschrijven hoe erg het allemaal was.

Vervolgens beschreef hij de sfeer van nauwelijks onderdrukte paniek op het kantoor in New York. Hij vertelde Bryony dat Dick Fuld vanaf de bovenste verdieping naar beneden was gekomen om iedereen toe te spreken via het interne communicatiesysteem, en daarna een vergadering had bijgewoond met het hogere management waar hij mensen had verteld niet meer over verliezen te praten en terug te vechten.

'Hij is de kluts kwijt,' zei Nick.

'Dat ben ik helemaal niet,' brulde Foy, die plotseling wakker werd.

Kort daarop kwam Felix op een vrijdagavond onaangekondigd langs, terwijl Nick nog aan het werk was.

Met een afwezig: 'Ali, hoe is het met jou?' keek hij over haar schouder of hij Bryony zag.

'Ze zit bij Foy in de zitkamer,' zei Ali.

Felix was aangekomen. Ali zag dat zijn buikje de knopen van zijn overhemd teisterde. Hij droeg een das en een colbert, maar alles zat scheef. Ali volgde hem naar de zitkamer waar ze had zitten kaarten met Foy. Hij had haar willen leren pokeren, maar om al te veel opwinding te vermijden waren ze bij wijze van compromis rummy gaan spelen. Felix stond bij de schoorsteenmantel en praatte snel. Hij pakte uitnodigingen op, bekeek ze en zette ze onnadenkend weer terug zonder te zien of ze ondersteboven of op hun kant stonden. Hij trok zijn colbertje uit en Ali zag grote zweetkringen onder zijn armen.

Eerst weet Ali zijn gedrag aan zenuwen. Hij was nooit helemaal ontspannen bij Bryony in de buurt. Maar toen ze luisterde naar wat hij vertelde, begreep ze dat hij aangeslagen was door het nieuws uit de City. Hij legde uit dat hij rechtstreeks van kantoor kwam, later dan voorzien, omdat er een bank was gevallen in Pasadena, waardoor de olieprijzen waren gestegen, de Dow was gezakt, en de aandelen van Lehman Brothers tot het laagste punt in de geschiedenis van de bank waren gezonken. Op zijn gezicht stond de aangename vermoeidheid afgetekend van iemand voor wie de crisis voorpaginaverhalen en een vetgedrukte naamsvermelding betekende.

'Het idee dat de crisis in het banksysteem op de een of andere manier geïsoleerd is van de rest van de economie is bullshit,' zei Foy net opgewonden tegen Bryony toen hij binnenkwam. 'Het is net zo'n Russisch poppetje. Alles houdt verband met elkaar. CDO's, beleggingsmaatschappijen, SIV's, monolineverzekeraars, kredietderivaten... De markt geneest zichzelf helemaal niet. De markt verwondt zichzelf!'

'Dat vind jij zeker wel fijn,' zei Bryony rustig en ze boog zich voorover om hem op beide wangen te kussen.

'Hallo, Felix,' zei Foy, die om zijn stoel heen keek. 'Dat zeg ik al tijden. Door die mensen veel te veel te betalen, zijn ze in hun eigen mythe gaan geloven. De meesten zijn middelmatig, maar toen ze die bonussen kregen, zijn ze goddomme gaan denken dat ze goden zijn.'

'Helemaal mee eens, Foy,' zei Felix. 'Waarom zou een of andere handelaar in vastrentende effecten een bonus van een miljoen moeten krijgen en een chirurg bij de nationale gezondheidszorg niet?'

'Nick waarschuwde hier vorige zomer immers al voor,' zei Bryony beschermend.

'Ik durf te wedden dat hij in januari wel zijn bonus heeft geïncasseerd,' zei Felix.

'Geld is nooit Nicks enige drijfveer geweest,' zei Bryony.

'Kom op, Bryony, doe niet zo naïef. Nick zou de eerste zijn om bij Jeremy Isaac binnen te stormen als hij vond dat zijn bonus zijn waarde voor de zaak niet voldoende weerspiegelde. Vertel me nou niet dat hij miljarden ponden aan obligaties op subprime-hypotheken goedkeurde uit maatschappelijk plichtsbesef, omdat hij zo'n medelijden had met arme mensen die geen eigen huis hadden. Dat deed hij omdat hij eraan verdiende.'

'Nick is nooit van plan geweest om zo rijk te worden,' zei Bryony. 'Hij heeft geluk gehad met de hoogconjunctuur op de markt de afgelopen jaren en hij is een van de knapste koppen in Fixed Income. Hij was een van de uitvinders van de credit default swaps. Ze hebben hem naar New York gehaald om te proberen de boel op orde te krijgen,' zei Bryony.

'Dus het is bij Lehman echt zo'n puinhoop als het lijkt?' vroeg Felix. Bryony zweeg, zich ervan bewust dat ze in een val gelopen was. Felix zag haar gezicht en liet zich vermurwen.

‘Ik bedoel alleen dat Lehman zo lang immuun leek voor de subprimebesmetting. En nu zien hun cijfers er ineens heel vreemd uit.’

‘Tja, jullie drukten het verhaal dat ze jullie vertelden ook zonder al te veel vraagtekens af,’ zei Bryony. Ze vroeg of hij iets wilde drinken en belde toen via de intercom naar de keuken om Malea een wodka-tonic te laten brengen. ‘Wat kom je eigenlijk doen?’

Ali en Foy gingen verder met kaarten. Ze zaten bij het raam. Buiten zag Ali een taxi staan met een lopende meter. Hij wachtte op Felix. Dat vond Ali verontrustend, omdat het de gejaagde sfeer van dit bezoek onderstreepte. Bryony en Foy zaten nu tegenover elkaar op de bank. De manier waarop hun knieën elkaar bijna raakten duidde eerder op gewezen intimiteit dan op hernieuwde aantrekkingskracht. Het late avondzonlicht stroomde door het raam naar binnen en verlichtte hun gezichten en profil.

‘Er gaan geruchten,’ begon Felix. Zijn gezicht was vreemd kneedbaar en onthulde de emotie achter wat hij wilde zeggen altijd al voordat de woorden uit zijn mond kwamen. Ali vroeg zich af of dit een vaardigheid was die hij gedurende zijn journalistieke carrière had ontwikkeld, of een aangeboren eigenschap. Ali zag de spieren in Bryony’s wangen verstrakken en het bekende draaien van haar tong in haar mond. Ze las zijn lichaamstaal verkeerd.

‘Als dit over mijn Oekraïense klant gaat, heb ik niets te melden,’ zei Bryony. ‘Kom maar met bewijzen, dan weten zijn advocaten precies wat jullie denken dat hij gedaan heeft, in plaats van al deze insinuaties en roddels. Heel veel Oost-Europeanen hebben onsmakelijke handeltjes gedreven toen de muur viel. Maar wat hij ook heeft gedaan, hij is heus van geen kant betrokken geweest bij vrouwenhandel. Van geen kant.’

‘Het is dichter bij huis, vrees ik, Bryony,’ zei Felix. ‘Ik heb een tip gekregen over Nick.’ Zijn stem werd steeds zachter, tot Ali niets meer kon verstaan.

De volgende dag, om precies halfzes ’s ochtends, werd er aanhoudend aangebeld, en vervolgens klonk er luid gebonk op de voordeur. Niemand besteedde ooit aandacht aan de chromen klopper behalve Malea, die hem eens per week poetste, en Izzy, die hem als laatste noodspiegel gebruikte als ze de deur uit ging. De meeste mensen bleven na het bellen geduldig voor het video-intercomsysteem staan wachten tot ze naar binnen gezoemd werden.

Hoewel Ali op de vijfde verdieping lag te slapen, was het doffe gedreun hard genoeg om haar wakker te maken. Ze ging rechtop in bed zitten en vroeg zich af of het de personal trainer van Bryony was of de chauffeur van Nick, al kwamen die meestal via de deur van het souterrain binnen.

Ze veronderstelde dat Bryony ondertussen wakker was, hoewel Bryony's hoofd, te oordelen naar de lege fles wijn die gisteravond op de keukentafel stond, vanmorgen wel zo zwaar moest zijn als beton. Misschien was het Nick zelf wel, die nu pas thuiskwam en zijn sleutels vergeten was. Hij werkte tegenwoordig zo laat door, dat het niet onvoorstelbaar was dat hij zijn werkdag beëindigde op het moment dat die van ieder ander begon. Hij besteedde al zijn wakende uren aan het stimuleren van de grote uitverkoop bij Lehman om de schulden van de bank te verminderen.

Heel even gunde ze zich de hoop dat het Jake was, die onaangekondigd thuiskwam na een laat feest in Londen om het einde van zijn eerstejaarsexamens aan de universiteit te vieren, alleen waren die al een maand geleden afgelopen. Ze zette de gedachte net zo snel weer uit haar hoofd.

Leicester blafte en gromde. Hij was in volledige staat van paraatheid, voorbereid op elke indringer. Hij smeet zich telkens weer tegen de brievenbus in de hoop dat iemand zijn hand erdoorheen zou steken, omdat hij wist dat dit de enige omstandigheid was waarin hij het recht had om zijn gemeen scherpe tandjes in warmbloedig mensenvlees te zetten.

Later zou Ali ontdekken dat de financieel toezichthouder de inval op Holland Park Crescent 94 bijna zes maanden lang had voorbereid. Dankzij de architecten die aan de renovaties hadden gewerkt, had elk lid van het team van acht mensen een recente plattegrond van het interieur. Ze hadden ook een uitvergroot beeld van de buitenkant van het huis van Google Earth gehaald.

Ze wisten precies hoeveel mobiele telefoons ze moesten verzamelen en hoeveel iPods ze moesten controleren; ze hadden een ruw idee waar de computers zich bevonden en waar Nicks aktetas zou kunnen zijn. Ze wisten dat de chauffeur, meneer Artouche, over een halfuur zou arriveren met Nicks auto en dat die zo snel mogelijk moest worden doorzocht en dat de simkaart uit de autotelefoon verwijderd moest worden. Je kon veel te weten komen over iemands leven aan de hand van de inhoud van zijn handschoenenkastje, hoorde Ali de man die het team leidde aan een jongere politieagent vertellen.

Het enige detail dat ze over het hoofd hadden gezien, was de aanwezigheid van Nicks schoonvader, de heer Foy Chesterton. Geen van de betrokkenen bij de informatieverzameling had gemerkt dat de voor de doeleinden van hun onderzoek meest essentiële kamer in de afgelopen week van een werkkamer in een slaapkamer was veranderd. Alle computerapparatuur was verwijderd en de archiefkast was naar Bryony's werkkamer boven verhuisd.

Ali trok haar ochtendjas aan en liep naar de overloop om uit het raam naar de voorkant van het huis te kijken. Er stond een grote witte bestelwagen voor de deur met zijn achterdeuren wijd open. Er liepen mensen in plastic overschoenen met grote transparante polyetheen zakken naar de voordeur. Niemand droeg een uniform, maar de meesten waren gekleed in goedkoop uitziende kostuums in duffe kleuren. In het huis aan de overkant zag Ali de buren vanachter de gordijnen voor hun raam op de eerste verdieping naar hetzelfde schouwspel kijken.

De Darkes stonden in hun ochtendjas bij de bestelwagen en vroegen de chauffeur wat er precies aan de hand was. Uit de slaapkamer naast het gangraam kwam de tweeling naar Ali toe, slaperig met hun knuistjes in hun ogen wrijvend. Ze verdrongen elkaar voor het raam.

'Is opa dood?' vroeg Hector bij het zien van het schouwspel. Foy was zo'n groots personage in hun leven dat ze zich hun vermoeden dat zijn dood tot een dergelijke fanfare zou leiden wel kon voorstellen.

'Nee hoor,' zei Ali met een glimlach. 'Hoor je hem niet schreeuwen beneden?' Ze luisterden even.

'Wil iemand me nu godverdomme eens vertellen wat er aan de hand is?' Foys stem kronkelde naar boven. Hij beefde van de inspanning om genoeg adem te krijgen, zodat hij de hele zin in één keer kon uitspreken.

'Maak de deur open, meneer Skinner,' riep een stem aan de andere kant van de voordeur. 'We hebben een huiszoekingsbevel van de rechtbank van Westminster.'

'Ik ben meneer Chesterton!' schreeuwde Foy terug.

Er klonken stemmen die deze onverwachte ontwikkeling bespraken.

'Wilt u meneer Skinner halen en hem vragen de deur open te doen, meneer Chesterton?'

'Wie is daar?' zei Foy, die krachten probeerde te verzamelen waarover hij niet langer beschikte.

'Het is de politie,' riep dezelfde stem door de brievenbus. 'Als u niet opendoet, zullen we de toegang moeten forceren.'

'Heeft dit iets te maken met de verkoop van zogenaamd biologische zalm?' schreeuwde Foy zo goed en zo kwaad als het ging terug. 'Want ik heb niets meer te maken met Freithshire Fisheries.'

Het was typisch Foy om te veronderstellen dat wat er ook speelde met hem te maken had en met niemand anders in huis. Toen voelde Ali zich schuldig, omdat hij vanzelfsprekend nog in de war was na zijn beroerte. Het schandaal dat zijn vroegere bedrijf had getroffen, had zowel zijn zelfvertrouwen als zijn bankrekening een flinke knauw gegeven. Het bonzen op de deur begon opnieuw.

Ali hoorde de deur van Bryony's en Nicks slaapkamer met een klap open- en dichtgaan. Nick rende met twee treden tegelijk naar beneden, zo snel dat zijn paisley ochtendjas in zijn kielzog achter hem aan zwaaide. Al gehuld in haar sportkleren liep Bryony achter hem aan. De tweeling en Ali slopen op hun tenen naar de overloop op de eerste verdieping, waar ze konden bekijken wat er in de gang beneden gebeurde zonder gezien te worden. Nick deed de deur open en een rechercheur van de politie van de City of Londen overhandigde een envelop met het huiszoekingsbevel.

'Heeft het iets met de bank te maken?' vroeg Bryony terwijl Nick de brief doornam. 'Ik zei toch dat je niet zo'n drukte moest maken.'

'We hebben toestemming om het huis te doorzoeken, meneer Skinner,' zei de politieman.

'Wat gebeurt er, Nick?' vroeg Bryony scherp.

'Ik heb geen idee.'

'Heeft het iets met Lehman te maken?' drong Bryony aan.

'Bryony, de enige met wie ik nu wil praten is een advocaat,' zei Nick heel rustig, terwijl hij een blik wierp op het huiszoekingsbevel en het weer netjes in de envelop stopte. 'Wil jij Hannah bellen en haar vragen om meteen hierheen te komen? En zeg verder alsjeblieft niets meer.'

'Waarom hebben we een advocaat nodig?' vroeg Bryony verward.

Malea kwam uit het souterrain. Toen ze de groep mensen in de hal zag staan, keerde ze meteen weer om.

'Malea Conjuangco?' vroeg de politieman met een blik op de aantekeningen die hij in zijn hand had. 'Wilt u even in de zitkamer komen?'

Malea verstijfde naast de trap.

'Malea Conjuangco?' herhaalde de politieman. Malea knikte om haar naam te bevestigen.

'Laat haar met rust,' blafte Foy. 'Ze is volkomen legaal.'

'Wilt u dat ik mijn papieren haal?' vroeg Malea zenuwachtig.

'We zijn niet geïnteresseerd in uw papieren,' antwoordde de politieman abrupt. Hij wendde zich weer tot Nick en vertelde hem op kalme toon dat ze hem arresteerden op beschuldiging van handel met voorkennis. Malea verdween weer naar beneden.

'Waar hebben jullie het in vredesnaam over?' vroeg Nick. Bryony klemde zich aan zijn arm vast, trok aan zijn mouw en vroeg telkens weer op hysterische toon wat er aan de hand was tot Nick zijn geduld verloor en haar van zich af schudde.

Ali luisterde vanaf de overloop. Ze kon niet geloven wat ze hoorde en zag. Ze had geen idee wat handel met voorkennis was, maar ze begreep wel dat Nick in de problemen zat. Izzy was uit haar kamer gekomen en stond naast haar. Haar nachtkleding was nog niet in gothstijl en ze droeg een bizar ensemble van een herenpyjamabroek en een lichtroze T-shirt zonder mouwtjes, waardoor ze er kinderlijker en kwetsbaarder uitzag dan anders. Ze was bleek, maar deze keer was dat niet te wijten aan dikke lagen foundation.

'Ik heb het gevoel dat ik een figurantenrol speel in *The Wire*,' lachte Izzy nerveus, in de hoop dat iemand ineens zou zeggen dat dit allemaal een enorme grap was die haar vader had opgezet om Foy op de kast te jagen. Ze hield Ali's arm stevig vast. Bij het horen van stemmen vanaf de overloop keek een politieagente halsreikend omhoog en stelde voor dat ze allemaal naar de zitkamer zouden komen.

'Hoor eens,' zei Nick, 'ik vertel mijn gezin zelf wel wat ze te doen staat. U hebt het helemaal mis. Laat mij even een paar telefoontjes plegen en dan zullen jullie inzien dat je een grote fout hebt gemaakt. Er gaan koppen rollen.'

'Als u ons niet met onze huiszoeking laat beginnen, belemmert u de rechtsgang,' zei de politieman rustig.

'Weet u wie ik ben?' vroeg Nick.

'Ja,' zei de politieman.

Hij vertelde dat er op dit moment in zijn werkkamer bij Lehman een vergelijkbare 'discrete' huiszoeking aan de gang was. Er kwamen een paar vrouwen door de voordeur binnen die volgens de politieman van de digitale technische recherche waren en de taak hadden om computerapparatuur te onderzoeken en te besluiten wat er precies in beslag genomen zou worden.

'Ze kunnen een heleboel informatie van uw harde schijf op geheugensticks downloaden, zodat de kinderen hun computers niet kwijtraken. Dat maakt het minder traumatiserend.'

'Kunnen we nu beginnen?' zei de politieman. 'We zijn hier het grootste deel van de dag mee bezig. Als we nu van start gaan, hebben we het meeste bewijsmateriaal al in de bestelbus zitten, voordat de buren wakker worden en vervelende vragen gaan stellen.'

Het was een tactiek die misschien zinvol zou zijn geweest als de meeste buren niet al uit hun huizen waren gekomen om te zien wat er aan de hand was.

'Inbraak,' riep Nick naar de Darkes, die de boodschap doorgaven aan andere mensen verderop in de straat. 'Wij zijn geen van allen wakker geworden. Beslist met voorbedachten rade.'

'Zeg het maar als we iets voor je kunnen doen,' zei Desmond Darke ernstig. 'Fijn dat de politie het zo ernstig opneemt. Toen er vorig jaar bij ons werd ingebroken, duurde het twee dagen voordat ze vingerafdrukken kwamen afnemen.'

'Ik laat je weten hoe het afloopt,' zei Nick, op een toon die suggereerde dat hij hun belangen in verband met de veiligheid in de buurt zonder enige twijfel zou behartigen, maar het op prijs zou stellen als ze hem op dit moment even zijn gang lieten gaan.

'Natuurlijk, bedankt Nick,' ik weet zeker dat jij wel tot ze door zult dringen.' Daarop ging hij met zichtbare tegenzin weer naar huis. Nicks strategie was doeltreffend en ook de andere toeschouwers drentelden hun huizen weer binnen, mompelend over de bedragen die ze betaalden aan het particuliere beveiligingsbedrijf om in de straat te patrouilleren, juist om dit soort nare gebeurtenissen te vermijden.

'Geeft u mij uw telefoon meteen maar, meneer Skinner,' zei de politieman, 'dan krijgt u tien minuten om iedereen in de zitkamer te verzamelen. Uw vrouw en kinderen kunnen van streek raken als ze zien dat hun eigendommen door vreemden worden doorzocht. We zullen de bewaarder van de in beslag genomen voorwerpen in de eetkamer hiertegenover installeren.'

'De bewaarder?' vroeg Nick ongeduldig.

'Hij schrijft precies op wat voor bewijs er wordt gevonden en waar, evenals de precieze tijd. We zijn op zoek naar notitieblokken, chequeboekjes en papieren over handelsovereenkomsten. Bankafschriften hebben we al. Kan hij de eetkamertafel gebruiken?'

'Hoor eens, ik moet naar mijn werk,' zei Nick. 'Ik neem aan dat u weet dat Lehman een enorme liquiditeitscrisis doormaakt.'

'Ik vermoed dat u voorlopig een hele tijd niet naar uw werk hoeft,' zei de politieman rustig.

'Gaan ze onze kamer doorzoeken?' vroeg Hector toen ze naar de eetkamer beneden liepen. 'Nemen ze Laurel en Hardy dan mee?'

'Ze zijn niet geïnteresseerd in cavia's,' zei Ali zachtjes.

Een politieagente die Ali nog niet eerder had gezien, zat op de bank. Ze ging staan en bood aan om een kop thee voor hen te gaan maken.

'Mag ik alstublieft warme chocolademelk?' vroeg Hector, die zijn kans schoon zag.

'Kan iemand me uitleggen wat er aan de hand is?' vroeg Bryony, nerveus lokken haar om haar vingers wikkelend.

'Uw man wordt verdacht van betrokkenheid bij handel met voorkennis,' legde de politieagente uit. 'Begrijpt u wat dat betekent?' Ze wachtte niet op antwoord.

'We hebben reden om aan te nemen dat hij illegaal prijsgevoelige informatie verzamelde om winst te maken op het verhandelen van aandelen.'

'Doe niet zo belachelijk,' reageerde Bryony. 'Hij verdient een vermogen. Waarom zou hij zich vermoeien met handel met voorkennis? Het is het risico niet waard. Mijn echtgenoot is een heel voorzichtig mens.' Ali was opgelucht door Bryony's toon, al vond ze haar beschrijving van Nick niet overtuigend.

'We raden u aan om eerlijk te zijn tegen de kinderen over het feit dat hun huis doorzocht wordt en hen gerust te stellen dat alles wat verwijderd wordt te zijner tijd ook weer wordt teruggebracht,' fluisterde de politieagente tegen Bryony. 'We gaan uw man meenemen naar het politiebureau van Bishopsgate voor een inleidend verhoor nadat hij op zijn rechten is gewezen. We houden hem in een cel tot zijn advocaat arriveert.'

De politieman kwam binnen en vertelde Nick dat er zojuist een persbericht met minieme details over de inval was vrijgegeven en dat een verzoek om al zijn activa te bevriezen was goedgekeurd.

'Wat bedoelt hij?' vroeg Bryony in paniek.

'Dat we niet aan het geld op onze bankrekeningen kunnen komen,' zei Nick.

'Voor hoe lang?' vroeg Bryony.

'Tot dit is opgelost,' zei de politieagente behoedzaam.

21

Toen Ali de volgende ochtend beneden kwam met de tweeling, was Malea nergens te bekennen. Voor het eerst sinds ze op Holland Park Crescent was komen wonen, stond er geen ontbijt op tafel toen ze om zeven uur 's ochtends de keuken binnenkwam. Het aanrecht stond vol ongewassen pannen, er lagen kruimels en hondenharen op de vloer, en de klep van de vaatwasmachine stond wagenwijd open. Leicester profiteerde uitgebreid van de situatie en was er helemaal in geklommen om er zeker van te zijn dat geen enkel bord of stuk bestek aan zijn lebberende tong ontsnapte. Hector trok hem eruit. Er zat chocoladesoufflé op zijn neus en pastasaus op zijn rug. Ali deed de deur naar de tuin open en keek toe hoe Leicester de maaltijd van gisteravond onmiddellijk op het gras dumpte. Ze ging niet naar buiten om het op te ruimen.

'Waar is Malea?' vroeg Hector.

'Misschien heeft de politie haar ook in beslag genomen,' opperde Alfie. Hij keek naar Ali in de hoop geprezen te worden, omdat hij de juiste term had onthouden. Ze leken opmerkelijk rustig te blijven onder de gebeurtenissen van gisteren, misschien omdat zij de enige gezinsleden waren die al hun gadgets hadden mogen houden, en omdat hun vaders verdwijning niets ongewoons was. Maar ook omdat juist hun gedeelde isolement, dat Bryony zo storend vond, Hector en Alfie beschermde tegen de stormen des levens.

'Wanneer brengen ze papa's computer terug?' vroeg Alfie, die aan tafel ging zitten wachten tot het ontbijt verscheen.

'Ze hebben hem alleen even geleend,' bracht Hector hem in herinnering. Ali wist niet zeker wat ze hen over de gebeurtenissen moest vertellen.

Bryony verscheen met vier ongeopende pakken ontbijtgraan uit de provisiekast als een accordeon tussen haar beide handen geklemd en zei opgewekt: 'Ze brengen hem terug als ze er niet meer mee hoeven te spelen.' Ze had geen idee wat iedereen meestal als ontbijt at, dus had ze het gezondste aanbod uitgezocht. Dat zette ze voor Hector en Alfie op tafel neer. In koor vertelde de tweeling dat Malea meestal wentelteefjes voor hen maakte.

'Ik weet niet hoe dat moet,' zei Bryony; ze klonk verslagen.

'Wij laten het je wel zien,' zei Hector. Alfie pakte haar bij de hand en nam haar mee naar het fornuis. Hector zette eieren, een koekenpan en twee sneetjes brood in het gelid en gaf instructies. Bryony produceerde een vluchtige kleine glimlach, waardoor haar gezicht er iets minder vermoeid uitzag. Ze was altijd bleek. Maar vanochtend bood haar huid een bijna doorzichtige aanblik. Haar ogen waren een tint lichter dan anders, en haar haar was een klittende, ongekamde rode wirwar. Ze droeg een rok, een zijden bloes en een paar hooggehakte zomersandalen die erop wezen dat ze op zeker moment wellicht aan het werk zou gaan. Of dat gewoonte was of opzet was Ali niet duidelijk.

'Je bent maar zoveel waard als je laatste maaltijd,' zei Alfie, die de eieren brak in een glas. 'Kloppen alsjeblieft.'

'Waar heb je het over?' vroeg Bryony, terwijl ze de eieren klopte met een vork. Er klotste een golfje over de rand van de kom op haar bloes, maar het kon haar niet schelen of ze merkte het niet.

'Het is een zinnetje uit *Masterchef*,' verklaarde Hector.

'Wanneer kijken jullie dat dan?' vroeg Bryony.

'Ik vond dat het onder de noemer educatieve televisie viel,' kwam Ali ongerust tussenbeide, hoewel ze Bryony of Nick nog nooit een maaltijd had zien bereiden en zich afvroeg of zij koken wel een essentiële vaardigheid zouden vinden. Het was immers een van die dingen waar je iemand voor kon aannemen.

'Mogen we bij de televisie ontbijten?' vroeg Alfie. Ali zei niets en liet de beslissing aan Bryony over.

'Wat denk jij, Ali?' vroeg die ten slotte.

'Misschien voor een keertje,' zei Ali instemmend, die niet te streng en niet te toegeeflijk wilde lijken.

Geen wonder dat nanny's die voor thuisblijfmoeders werkten zeiden dat die het ergst waren van allemaal. Hector en Alfie liepen naar de andere kant van de keuken en zetten meteen een dvd van *The Great Escape* op. Dat wist Ali omdat ze het themanummer floten en ruziemaakten over de namen van de drie tunnels.

'Waar is Malea?' vroeg Ali aan Bryony, die het brood in het ei doopte, maar niet alle korstjes meenam.

Er waren zoveel onbeantwoorde vragen, maar deze was in elk geval relatief onschuldig. Bryony wees naar een briefje op de ijskast. Ali las een zinnetje waarin Malea's besluit om ontslag te nemen als huishoudster formeel werd aangekondigd. Haar handtekening was groter dan de ontslagbrief. Er stond geen reden in. Misschien had de politie-inval akelige herinneringen opgeroepen aan iets wat haar in de Filipijnen was overkomen? Misschien was haar werkvergunning verlopen? Of was de Filipijnse geruchtenmachine na de inval van gisteren op hol geslagen en begreep Malea nu beter dan iedereen hoe de zaken ervoor stonden? Bryony schokschouderde om aan te geven dat zij geen idee en al helemaal geen zin had om het te bespreken.

'Weet jij hoe de wasmachine werkt?' vroeg ze aan Ali.

'Ik denk het wel,' zei Ali. 'In elk geval weet ik vrij zeker dat ik erachter kan komen.'

'Goddank. Ik was al bang dat ik naar een wasserette zou moeten.' Bryony glimlachte zwakjes. 'Dan kan iemand een foto van mij maken, terwijl ik de vuile was naar buiten breng.' Het was eerder een dapper dan een leuk grapje en Ali deed haar best om te lachen, maar ze vroeg zich wel bezorgd af of Bryony verwachtte dat zij het huishoudelijke vacuüm zou opvullen.

'Zal ik je nu laten zien hoe hij werkt, of na het ontbijt?' flapte Ali eruit. De spelregels waren subtiel veranderd. Bryony keek versteld.

'Na het ontbijt is prima,' zei ze uiteindelijk, waarmee ze de verschuiving in de machtsverhoudingen erkende. 'Alvast bedankt.'

Nu hun gewone routine volkomen verstoord was, overwoog Ali haar opties voor de komende dag. Het zou voor Hector en Alfie beter zijn als ze bij een vriendje gingen spelen. Gezien de omstandigheden nam ze aan dat de regel over apart spelen geen breekpunt zou zijn voor Bryony. Ze liep naar het prikbord waar de klassenlijst meestal hing om de nanny van Storm te bellen en te vragen of ze bij haar thuis konden komen spelen. Storms moeder zou de telefoon niet opnemen, omdat ze nooit voor de middag haar bed uit kwam, en ze slikte zoveel slaappillen dat het geluid van kinderen die zo vroeg in de ochtend kwamen spelen haar niet zou wekken. De lijst was echter verdwenen, hoewel er nog vier punaises in het bord zaten waar hij ooit had gehangen.

'Ik geloof dat ze hem hebben weggehaald als deel van dit onderzoek,' legde Bryony uit. 'Is het niet ongelooflijk? Ze hebben ook een stel fotoalbums en alle uitnodigingen van de schoorsteenmantel in de zitkamer meegenomen. Ze hebben zelfs bij Izzy een foto van haar volleybalteam van de muur gehaald. Waarschijnlijk omdat er allemaal meisjes in korte rokjes op stonden.'

'Wat zoeken ze eigenlijk precies, denk je?' vroeg Ali, die Bryony's toon iets milder vond worden.

'Ze zoeken naar bewijs voor die belachelijke aantijgingen tegen Nick, neem ik aan.' Bryony zuchtte diep, waardoor de mouw van de zijden bloes van haar schouder gleed en een stukje bleke huid onthulde. Ze masseerde het met kleine, ronde bewegingen. 'We hebben weinig geslapen vannacht. Nick kwam na middernacht thuis.'

'Waar hadden ze hem heen gebracht?' vroeg Ali.

'Eerst lieten ze hem een poos in een cel in Bishopsgate zitten, tot zijn advocaat arriveerde. Toen hebben ze hem vier uur lang ondervraagd en op borgtocht vrijgelaten. Hij kon nauwelijks praten toen hij thuiskwam.'

'Waar beschuldigen ze hem dan van?' vroeg Ali. 'Ik vroeg me gewoon af wat ik moet zeggen... als de kinderen ernaar vragen... of andere nanny's.'

'Handel met voorkennis,' zei Bryony, en ze legde de te lang gebakken wentelteefjes op een paar borden. Ali strooide er suiker overheen. Bryony verkoos die overtreding te negeren, maar aan de manier waarop ze op haar onderlip beet, zag Ali dat ze het vervelend vond. 'Hij wordt ervan beschuldigd dat hij informatie van iemand binnen een bedrijf heeft gebruikt om aandelen te kopen in dat bedrijf voordat het verkocht of overgenomen werd. Het is gewoon de financieel toezichthouder die zijn tanden wil laten zien vanwege de bankencrisis. En een managing director van Lehman is een perfect doelwit.'

Haar houding deed Ali denken aan die waarmee ze tegen journalisten praatte als ze een gerucht de kop in wilde drukken.

'Waarom zou iemand handelen met voorkennis?'

'Om geld te verdienen. Het komt heel veel voor. Daarom ben ik zo voorzichtig met wat ik tegen mensen zeg over mijn klanten en koop ik nooit aandelen in hun bedrijven. Het is een heel riskante, maar heel eenvoudige manier om heel veel extra zakgeld te verdienen: als een bedrijf verkocht wordt, neemt de waarde toe, en zodra de deal wordt aangekondigd stijgt de aandelenprijs,' legde Bryony uit.

Ze zweeg en keek Ali recht aan. Ali zag een zweem van staal. 'Nick heeft dat niet gedaan. Ze hebben de verkeerde te pakken.'

'Maar als iemand dat wel deed, hoe verdient hij er dan aan?' zei Ali volhardend.

'Als je eerder dan alle andere gegadigden weet dat er een deal gaat plaatsvinden, kun je aandelen in het betreffende bedrijf kopen, voordat de prijs omhooggaat, en die weer verkopen als de deal eenmaal is aangekondigd en de prijzen omhoogvliegen. Het verschil steek je in je zak.'

'Ik begrijp nog steeds niet waarom de politie dan de namen en adressen van ouders van school en foto's van jullie bruiloft en al die andere dingen heeft meegenomen,' zei Ali.

'Dat snap ik al net zomin als jij,' zei Bryony. 'Bedankt dat je gebleven bent, trouwens. Als dit allemaal voorbij is zullen we je loyaliteit zeker niet vergeten.'

Ali's telefoon piepte om aan te geven dat ze een bericht had. Ze keek wie haar had gebeld, maar herkende het nummer niet. Terwijl Bryony de wentelteefjes naar de tweeling bracht, belde Ali haar voicemail en beluisterde een bericht waarin Felix Naylor haar dringend vroeg om contact op te nemen.

'We kunnen niet aan de telefoon praten,' zei Felix. 'We moeten ergens afspreken. Zeg jij maar waar en wanneer, ik zorg dat ik er ben.'

Nick kwam naar beneden. Ali had hem niet meer gezien sinds hij de vorige middag in een politiewagen was gestapt en wist niet zeker of ze iets moest zeggen over wat eufemistisch 'de situatie' werd genoemd. Ze vond het onthutsend om hem op een doordeweekse dag in jeans en een T-shirt te zien. Hij had zich niet geschoren en zijn ogen waren even opgezet en gerimpeld als die van Leicester.

Ze stond met een ruk op voor het geval hij niet had gemerkt dat ze in de keuken zat. Haar stoel viel om.

'Rustig aan, Ali,' zei hij. 'Mijn zenuwen staan al strak genoeg.'

'Zal ik een kop koffie voor je zetten?' bood Ali aan.

'Waar is Malea?' vroeg Nick.

'Weg,' zei Bryony droog.

'Hoe bedoel je?' vroeg hij met gefronst voorhoofd. Bryony gaf hem het briefje. Hij las het en verscheurde het. 'Koffie zou fijn zijn, dankjewel. Dan ben ik in vorm voor mijn advocaat.'

Volgens Bryony had Nick de beste bedrijfsfraudeadvocaat in Londen aangenomen. Ze wist dat de vrouw zevenhonderdvijftig pond per uur rekende, omdat Foy het betaalde en gistermiddag nergens anders over had kunnen praten. Sinds zijn beroerte was hij geneigd onophoudelijk op een enkele kwestie door te gaan, tot hij zichzelf en iedereen die de pech had om zich tegelijk met hem in de zitkamer te bevinden had uitgeput.

Onder zijn arm had Nick alle kranten en een kopie van het persbericht dat de financieel toezichthouder gisteren had uitgegeven. Dat overhandigde hij aan Bryony, en zelf nam hij de kranten door op relevante artikelen. Hoewel er al een aantal journalisten en ten minste vier fotografen voor de deur hadden gestaan, voordat de onderzoekers zelfs maar vertrokken waren, had de toezichthouder zich aan zijn woord gehouden en slechts een uitgekleed persbericht over de inval bij het ochtendgloren uitgegeven.

'Vandaag heeft de Financial Services Authority (FSA) op twee plaatsen huiszoekingen uitgevoerd en twee medewerkers van vooraanstaande ondernemingen in de financiële sector gearresteerd op verdenking van handel met voorkennis.' Bryony las de bovenste paragraaf twee keer hardop, de tweede keer iets langzamer. Verward staarde ze ernaar en toen herhaalde ze het nog een derde keer.

'Er staat dat er twee mensen zijn gearresteerd en twee huiszoekingen zijn gedaan. Waar hebben ze het over, Nick? Bedoelen ze dat jouw kantoor ook doorzocht is?'

'Gewoon wat er staat: ze hebben tegelijkertijd nog iemand gearresteerd,' zei Nick, terwijl hij de eerste krant voor zich uitspreidde. 'Er is zogenaamd een medeplichtige.' Hij keek niet op. Ali vond zijn gemoedelijke toon geruststellend, alsof hij de absurditeit van de situatie benadrukte, maar Bryony leek er nerveus van te worden.

'Weet je wie het is? Was er dan nog iemand op het politiebureau? Hebben ze daar ook een inval gedaan?'

'Ja, ja en ja.' Nog steeds keek hij niet op van zijn krant.

'Wie is het dan?'

'Ned Wilbraham.'

'Ned Wilbraham?'

'Ned Wilbraham,' bevestigde Nick.
'Die ken je amper.'
'Dat heb ik ook gezegd. Het is belachelijk.'
'Wat zeiden ze?'
'Ze suggereerden dat we onder één hoedje speelden. Ze zeiden dat ik de informatie bemachtigde en doorspeelde aan Ned, waarna hij de aandelen kocht en wij de winst deelden. Ik heb gezegd dat ze een loopbaan in fictie schrijven moesten overwegen.'
'Dat verklaart wel waarom ze de schoollijst hebben meegenomen, hè?' zei Bryony bits. 'En de fotoalbums. Want dan vinden ze immers foto's van jou en Ned samen? Op ons feest, bijvoorbeeld, of bij de Petersons op Corfu. Zit Martha niet in hetzelfde volleybalteam als Izzy?'
'Je kunt geen zaak opbouwen met zulk opgeklopt bewijs,' zei Nick laatdunkend. 'Iedereen weet dat handel met voorkennis nauwelijks te bewijzen is. Ik koop toch voortdurend aandelen en obligaties.'
'Kennelijk denken ze dat ze iets hebben, anders zouden ze het toch niet doorzetten?'
'De FSA gooit af en toe zomaar een netje in zee en schept er de vissen uit die ze te pakken kunnen krijgen, om anderen af te schrikken. Het komt gewoon doordat het jachtseizoen op bankiers geopend is,' merkte Nick op.
Gedurende deze woordenwisseling zat Ali zich aan de tafel af te vragen of Nick soms vergeten was dat ze in de kamer zat. Ze aarzelde of ze zou vertrekken, maar was te verlegen om ineens op te staan en weg te lopen, terwijl zij midden in een verhit debat zaten. Zijn reactie zat Ali dwars. Hij zou verontwaardigd zijn onschuld moeten belijden, in plaats van redenen te zoeken waarom hij niet vervolgd kon worden.
'Waarom heb je me dat gisteravond niet verteld?' Het was moeilijk te zeggen wat Bryony meer irriteerde, dat Nick informatie had achtergehouden, of dat Ned Wilbraham bij de zaak betrokken was.
'Het leek me niet zo relevant,' verzuchtte Nick, alsof de hele affaire sowieso belachelijk was. 'Maar mochten we allebei de bak ingaan, dan kunnen Sophia en jij benzine besparen door samen naar het bezoekuur te rijden.' Hij bracht zijn kopje espresso naar zijn mond en dronk het in één teug leeg.
'Doe niet zo luchthartig!' zei Bryony boos.
'Sorry,' zei Nick. 'Ik kan dit gewoon niet serieus nemen. Ik was bepaald

niet onder de indruk van hun bewijs en mijn advocaat zegt dat het heel moeilijk zal worden om een connectie tussen ons aan te tonen.'

'Maar intussen zijn onze bankrekeningen bevroren en is jouw paspoort in beslag genomen, wat toch behoorlijk lastig is met het oog op onze reis naar Corfu volgende week, en jij mag niet naar je werk,' zei Bryony met stemverheffing. 'Corrigeer me vooral als je vindt dat ik het mis heb, maar volgens mij is dit toch een behoorlijke klotesituatie.'

'Mijn advocaat regelt het allemaal wel, Bryony. Blijf alsjeblieft rustig. Ze hebben me nog nergens formeel van beschuldigd. Ze moeten eerst een zaak opbouwen, voordat ze me kunnen aanklagen.'

'Het gaat ongetwijfeld heel veel mediabelangstelling genereren en tenzij je aangeklaagd wordt, is er niets voor de rechter,' zei Bryony zorgelijk. 'Artikelen over hebzuchtige bankiers met inhalige bonussen die door achterbakse handel nog meer geld binnenhalen zijn uitstekend voor de krantenverkoop. Op niemand wordt tegenwoordig zo neergekeken als op bankiers. Zelfs op pedofielen niet. Ze zullen op zoek gaan naar verhalen over ons.'

'Bryony, het punt is dat ik niets gedaan heb,' zei Nick kortaf.

Hij leek nog steeds niet verontrust. Hij drong er echter op aan dat ze zich zouden concentreren op wat er in de kranten stond, om een enigszins samenhangende reactie op te zetten. Misschien had Bryony gelijk, misschien werden zijn reacties verdoofd door de antidepressiva.

'Zodat we onze kant van het verhaal als eerste in beeld krijgen, dat adviseer jij toch altijd?' vroeg hij aan Bryony.

Hij begon met een van de tabloids, omdat hij wist dat hun versie het ergste zou zijn. Hij pakte de *Daily Mail* en vouwde hem op om zich te concentreren op de voorpagina.

Bryony ging naast hem zitten. Ali bracht haar bord naar de vaatwasmachine en kwam toen terug naar de tafel voor de rest van het vuile servies. Ze ving een glimp op van de eerste krantenkop en stond even stil om over Nicks schouder mee te lezen. 'Bankier bij onrustige Lehman Brothers gearresteerd wegens handel met voorkennis.' Er stond een feitenkader naast: bij tweeëndertig procent van de overnames in de City werd handel met voorkennis vermoed; handel met voorkennis wordt zelden alleen uitgevoerd – meestal laat de informatieverstrekker een ander de deal afsluiten met de effectenhandelaar en deelt in de winst; handel met voorkennis was tijdens de hausse alomtegenwoordig in de financiële sector. Er stond een foto bij van Nick en Ned, 'de vermoedelijke medeplichtige', genomen tijdens de kerstborrel van het jaar ervoor.

'Heel slecht nieuws dat de media dit zo in verband brengen met de bankencrisis,' zei Bryony. 'Zelfs als de aanklacht nooit bewezen wordt, kun jij de zondebok voor de hele sector worden. Vooral omdat jij met die subprime-effecten te maken had en Lehman zo hebzuchtig en overmoedig is geweest. Allemaal ingrediënten voor een perfect schandaal.'

'Ik hoop dat je jouw klanten in een crisis wat meer troost biedt,' zei Nick, die in Ali's ogen onwaarschijnlijk onverstoorbaar reageerde op het feit dat zijn leven zo openlijk in een nationale krant werd ontleed. Hij sloeg de volgende pagina van de krant op.

Daar stond een foto van Jake, languit op het gras buiten zijn faculteit in Oxford, wiet rokend uit hetzelfde pijpje dat hij op het feest met Ali had gedeeld. Zijn hoofd rustte op de blote buik van een meisje in een bikinitopje en een kort afgeknipte spijkerbroek. Duidelijk iemand anders dan Lucy. Hij hield zijn arm met een platte hand gestrekt naar de camera, om de lens te blokkeren. Maar kennelijk waren zijn reacties vertraagd door de drugs, en hij stond met een schaapachtige halve glimlach op de foto in een wolk van rook, zo stoned als een garnaal.

'O mijn god,' zei Bryony. 'Hij is aan de drugs.'

'Hoe kan hij ons dat nou aandoen?' kreunde Nick. 'We hebben toch gezegd dat hij zich gedeisd moest houden!'

Ali keek naar Nick. Ze wilde zeggen dat hij niet eerlijk was, want als hij niet was gearresteerd zou niemand immers belang stellen in een foto van zijn blowende zoon aan de universiteit? Het hele krantenartikel ging over de wilde levensstijl van de zoon van de in ongenade gevallen City-bankier, Nick Skinner. Er stond niet bij dat Jake zojuist cum laude zijn propedeuse had gehaald.

'Het is een oude foto,' wees Ali. 'Zijn nieuwe studentenhuis heeft geen tuin. Hij was zich gewoon aan het ontspannen na de examens. Als hij een probleem had met drugs, was hij niet cum laude geslaagd en ook niet elke dag op tijd op zijn werk verschenen.'

'Iedereen krijgt dit te zien,' zei Bryony, en ze begon te huilen.

'Denk je dat hij het weet?' vroeg Nick. Instinctief reikte hij naar zijn BlackBerry, maar natuurlijk waren al hun mobiele telefoons, met uitzondering van die van Ali, in beslag genomen.

'Ik ben totaal onthand zonder die verrekte telefoon,' zei hij. 'Mag ik de jouwe alsjeblieft even lenen, Ali?'

Ze stak hem haar BlackBerry toe en Nick scrolde door haar contacten op zoek naar Jakes naam.

'Jake staat er niet in,' zei Ali.

'Waarom niet?' vroeg Bryony.

'Ik heb hem verwijderd toen hij naar de universiteit ging,' prevelde Ali schutterend.

'Wat is zijn nummer?' vroeg Nick aan Bryony.

'Weet je het nummer van je eigen zoon niet?' vroeg Bryony, terwijl ze het intoetste. Haar hand trilde toen ze de telefoon aan Nick gaf. Arme Jake, dacht Ali, toen hij de telefoon opnam in de verwachting dat hij Ali's stem zou horen en in plaats daarvan werd gewekt door zijn vader met een vernietigende preek over zijn gedrag. Ze kon hem horen protesteren dat een vriend van hem die foto aan de krant moest hebben verkocht en dat hij zeker twee maanden geleden was genomen. Jake klonk verward, en terecht, want aan Nicks reactie te horen leek het wel alsof zijn gedrag de aantijgingen van handel met voorkennis in de schaduw stelde.

'Hoe ging het op het politiebureau?' vroeg Jake steeds. 'Wat is er precies aan de hand?'

'Probeer niet van onderwerp te veranderen,' zei Nick volhardend. Even was het stil. 'Je moeder is hier helemaal overstuur van.'

Hij gaat dit gebruiken om de druk van zichzelf af te wenden, besefte Ali. Bryony stond nerveus door de *Financial Times* te bladeren. Haar hele lichaam was gespannen en haar bewegingen waren snel en abrupt. Ze vond een klein artikeltje, beknopter en uit betere bron, grotendeels gebaseerd op het persbericht van de FSA, op de voorpagina van het katern *Companies & Markets*. Ze liet haar wijsvinger langs het artikel glijden en analyseerde de zinnen een voor een. Midden in het artikel stopte haar hand en ze wreef heen en weer over een zin tot de top van haar vinger zwart zag van de inkt.

'Hier staat dat jouw vrouw senior partner is in een financieel pr-bedrijf in de City, en dat een aantal van haar klanten hun positie heroverwegen naar aanleiding van de beschuldigingen. Wat bedoelen ze daarmee?'

Voordat Nick antwoord kon geven, rinkelde de telefoon op de boekenplank. Bryony sprong overeind om op te nemen en holde bijna naar de andere kant van de keuken. Uit de snelle woordenwisseling maakte Ali op dat het een van de partners op kantoor was, die Bryony liet weten dat haar Oekraïense energiemaatschappij had gebeld om te zeggen dat ze gezien de omstandigheden op zoek gingen naar een nieuw pr-bedrijf voor hun zaken.

'Heb je gezegd dat iemand anders hun account over kon nemen?' zei Bryony in paniek.

Haar partner zei dat ze dat had gesuggereerd, maar de klant was onvermurwbaar. Bryony zei dat ze contact met hen zou opnemen en haar zaak zou bepleiten.

Er viel een stilte in het gesprek. Bryony's collega zei aarzelend dat het misschien beter was als Bryony thuis en buiten beeld bleef tot de eerste belangstelling bekoeld was. Het was niet goed voor een pr-bedrijf om zelf in het nieuws te komen. Schoorvoetend ging Bryony akkoord. Ze legde de telefoon neer, stond er een poosje naar te kijken alsof ze haar gedachten verzamelde, en kwam toen terug naar de keukentafel.

'Is mijn Oekraïense klant soms een van de bedrijven waar jij aandelen in zou hebben gekocht?' vroeg ze. 'Geen bullshit, Nick.'

'Dat zou best kunnen,' zei Nick, die met gefronste wenkbrauwen zijn best deed om zich de details te herinneren. 'Ze hebben er in dat verhoor zoveel genoemd.'

'Weet je dat ik aan die overnamedeal heb gewerkt?'

'Natuurlijk,' zei Nick.

Ze sloeg met haar vuist op tafel en zei: 'Waarom heb je dat gisteravond niet gezegd?'

'Ik wilde je niet ongerust maken, voordat duidelijk is wat voor bewijzen ze tegen me hebben. Volgens mijn advocaat gaan ze allerlei onzin roepen om me erin te laten lopen.'

'Ook al blijk je onschuldig te zijn, dan heeft die "onzin" toch nog gevolgen voor mij,' zei Bryony. 'Ik vind het ongelooflijk dat je me niets verteld hebt. Je weet dat ze ons ontslagen hebben.'

'Ik wist toch niet dat iemand het aan de krant zou lekken,' zei Nick verontschuldigend.

'Dus, heb je het gedaan?'

'Heb ik wat gedaan?'

'Heb jij aandelen in die klant van mij gekocht net voordat ze verkocht werden?'

'Nee.'
'Wist je via mij van die deal?'
'Hoe noemde je die dan?'
'De codenaam was Project Odysseus.'
'Nooit van gehoord.'

Ali bestudeerde zijn gezicht terwijl hij Bryony's hand vastpakte. Iedereen had wel een tik waaraan te zien was dat hij loog. Bij Will MacDonald waren het zijn neusvleugels die openvlogen, de tweeling kon haar niet recht aankijken, Katya floot, haar zus trok met een vinger aan haar onderlip, haar moeder kon niet knipperen. Behalve een wat klaaglijke accordeon op zijn voorhoofd, bleef Nicks gezicht onaangedaan. Zijn blauwe ogen waren een beetje waterig, zijn gezicht was misschien wat blozender dan anders, maar dat kon allemaal komen van de cafeïne in die snel achterovergeslagen espresso. Zijn glimlach was oprecht. Maar Ali herinnerde zich de papieren die ze twee jaar geleden had gezien toen Jake hen samen op de bank in de zitkamer had aangetroffen, en ze wist dat hij loog.

Bryony stond van tafel op en zei: 'Ik zal kantoor nog maar eens bellen.'

'Voorzichtig met wat je zegt aan de telefoon,' zei Nick.

Voordat Bryony de telefoon kon pakken, begon hij al te rinkelen en dat bleef hij een uur lang doen. De eerste bellers waren de buren, de Darkes, die hulp en steun aanboden en voorstelden dat de kinderen, als ze de fotografen wilden ontwijken die al aan de overkant van Holland Park Crescent opgesteld stonden, over de tuinmuur mochten klimmen om via hun souterrain de straat op te gaan. Misschien was de inbreker ook wel zo weggekomen, zei Desmond Darke droogjes.

'Dat is aardig,' zei Bryony. 'Vooral omdat we tegen hen hebben gelogen over wat er aan de hand was.' Ze had de hoorn nog niet op de haak gelegd of de telefoon rinkelde alweer. Deze keer waren het Ali's ouders. Haar moeder verontschuldigde zich en verklaarde tegen Bryony dat ze Ali niet te pakken kregen op haar mobiel. Ali gebaarde vanaf de andere kant van de keuken dat ze haar niet wilde spreken. Kort daarna belde Hester om te zeggen dat ze zo snel mogelijk zou komen om hen bij te staan. Bryony probeerde haar af te poeieren.

'Nog een inval, dit keer van mijn zus,' verzuchtte Bryony. 'Ik weet niet of ik dat wel trek.'

Tita belde vanuit Corfu om te zeggen dat ze de eerstvolgende vlucht naar Londen zou nemen. Bryony zei dat wat hulp met Foy welkom zou zijn. Dat beaamde Tita, maar ze zei niet dat ze hem mee naar huis zou nemen. Lucy's vader belde om hen te laten weten dat zijn dochter op een lange wereldreis ging en dat ze het op prijs zouden stellen als Jake geen contact met haar zou zoeken voor haar vertrek, vooral gezien zijn drugsprobleem. Bryony schakelde het antwoordapparaat in en meteen rinkelde de telefoon opnieuw. Deze keer was het Sophia.

'Bryony, Bryony, ben je daar?' De paniekerige stem van Sophia echode door de keuken. 'Ned is gearresteerd. Vanwege iets wat met Nick te maken heeft. Bel me als je weet wat er aan de hand is. Hij wil me niets vertellen.'

'Praat onder geen voorwaarde met haar,' riep Nick vanonder aan de trap. 'Ik bel mijn advocaat weer op.'

'Heb jij geld?' riep Bryony hem toe.

'Veertig pond,' bevestigde hij.

'Hoe moeten we alles dan betalen?' vroeg ze.

'We krijgen driehonderdvijftig pond per week om van te leven tot ze besluiten of ze me aanklagen. We gaan in beroep om meer geld te kunnen opnemen. Als ik hen ervan kan overtuigen dat ik genoeg activa heb om de winst te dekken van de deals waar ze me van beschuldigen, krijgen we gemakkelijk meer.'

'Hoeveel beweren ze dan dat je verdiend hebt?' vroeg Bryony.

'Niet zo gek veel,' zei Nick. 'Vijf miljoen, hooguit.'

'Dat is verdomme een heleboel geld, en ze zullen je veel en veel meer laten terugbetalen!' ontplofte Bryony. 'En hoe moeten wij leven van driehonderdvijftig pond per week? De hypotheek voor de twee huizen is al tienduizend pond in de maand! Misschien moeten we Thornberry Manor maar verkopen?'

'Je kunt niets verkopen als je activa bevroren zijn,' legde Nick kalm uit. 'De enige manier waarop ik geld bij elkaar kan schrapen is misschien door een paar schilderijen of sieraden te verkopen via een sympathieke antiekhandelaar die cash wil betalen. Totaal *verboten* natuurlijk, maar het kan de moeite waard zijn, voordat ze onze spullen komen inventariseren. Misschien kan Ali je helpen om een paar dingen uit te zoeken?'

'Dit is een nachtmerrie,' zei Bryony. Nick kwam naar haar toe en legde zijn armen om haar heen. Ze bleef met gebogen hoofd en gekruiste armen zitten. 'Waarom overkomt dit ons?'

'Misschien heeft iemand iets tegen ons,' zei Nick. 'Of misschien wil iemand een zondebok creëren om te boeten voor de bankencrisis?'

Ali wilde zeggen dat de toezichthouder en de politie vast geen inval zouden doen bij een prominente bankier zonder fatsoenlijk bewijs om de beschuldigingen te staven, maar Bryony vroeg niet om logica. Ze wilde alleen maar gerustgesteld worden. Ali stond van tafel op en ging op zoek naar een oude klassenlijst. Ze vond een telefoonnummer voor de nanny van Storm, maar toen ze die een paar uur later eindelijk te pakken kreeg, legde ze verontschuldigend uit dat Storms moeder had gezegd dat ze niet met de tweeling mocht spelen.

'Waarom niet?' zei Ali, woedend uit naam van de jongetjes.

'Voor het geval er drugs in huis zijn,' zei de nanny.

'Maar Storms moeder is volkomen verslaafd aan slaappillen!' zei Ali, die van deze nanny genoeg verhalen had gehoord over het wispelturige gedrag van de moeder, waaronder het verleiden van een Poolse loodgieter, haar voorkeur om haar kinderen via de intercom welterusten te wensen, en het feit dat ze niet geloofde in het ontluizen van hun haar, omdat er dieren bij gedood werden.

'Dat klopt,' fluisterde de nanny. 'Misschien kunnen we in het park afspreken. Storm zal ze echt missen. Ik weet niet wat ik anders moet voorstellen. Ze zijn hier allemaal stapelgek. Ik blijf alleen maar vanwege het kleine meisje.'

Ali legde de telefoon neer en hij rinkelde bijna meteen weer. Misschien was de nanny van gedachten veranderd. Maar het was de huistelefoon.

'Ali, ben jij dat?' schreeuwde Foys stem. 'Komt er nog iemand om me uit bed te helpen? Je weet dat ik niet zelf op kan staan 's ochtends. Verrekte benen! Waar is Malea? Waar is mijn ontbijt? En waar is die verdomde advocaat? Als ik haar betaal, mag ik toch zeker wel kennis met haar maken?'

'Ik kom wel helpen,' bood Ali aan?

Een paar dagen later kwam Jake thuis uit Oxford; hij zag er bedrukt en gelouterd uit. Hij was ontslagen bij de wijnbar, omdat de eigenaar zijn foto in de krant had zien staan. Hij ging naar de zitkamer voor wat hij beschreef als een 'rituele uitbrander' en kwam vervolgens Ali en de tweeling zoeken in het souterrain.

Hij liet zich op de bank vallen en vroeg: 'Wat is er verdomme aan de hand? Pa wordt gearresteerd en iedereen doet net alsof ik de misdadiger ben.'

Buiten gehoorsafstand van Hector en Alfie, die een stad van Lego aan het bouwen waren op de vloer van de speelkamer, fluisterde Ali hem de chronologie van de gebeurtenissen toe.

'Je vader lijkt erop te vertrouwen dat hij onschuldig verklaard zal worden,' zei Ali.

'Maar mama is echt van slag,' zei Jake.

'Haar huis is doorzocht door een kudde rechercheurs, haar man is gearresteerd, haar huishoudster is ervandoor, ze is een van haar grootste cliënten kwijt,' zei Ali. 'Ze heeft een hoop om van slag over te zijn. En bovendien heeft ze net ontdekt dat haar zoon verslaafd is aan verdovende middelen.' Dat laatste zei ze op plagerige toon, in de hoop hem een glimlach te ontlokken.

'Weet je al dat ze de Priory gebeld heeft?' Jake lachte als een boer met kiespijn. 'Kun je je voorstellen hoe gênant het zou zijn om daar terecht te komen en in groepstherapie mee te discussiëren over verslaving als je heel af en toe een beetje wiet rookt?'

'Krankzinnig,' zei Ali.

'Hoe dan ook, ze kan me er niet naartoe sturen want hun bankrekeningen zijn bevroren,' zei Jake. 'Volgens mij gebruikt ze dat drugsgedoe als afleiding.'

Hij stond op en trapte per ongeluk op een kruispunt. Hector gilde tegen hem: 'Je hebt een politieagent vermoord!'

'Die een inval deed,' voegde Alfie eraan toe.

'Waarom stuur je geen ambulance?' stelde Jake voor.

'We kunnen een ziekenhuis bouwen!' zei Alfie opgewonden. Tot Ali's opluchting stemde Hector daarmee in.

'Waar is Izzy?' vroeg Jake. 'Mama en papa leken het niet te weten.'

'Ze is gisteren bij een vriendin gaan logeren en ze is nog niet thuis,' zei Ali.

'Zeg, zullen we deze twee meenemen naar het park? Ik moet er even uit,' zei Jake.

'Je bent er net.'

'Ik vind het hier al erg genoeg in goede tijden, en dit zijn heel slechte tijden,' zei Jake.

Ali belde de Darkes, die bereid bleken hen via de achtertuin en het souterrain naar buiten te helpen, buiten bereik van de lenzen van opdringerige fotografen. Hector en Alfie hadden onlangs *The Great Escape* weer gezien en genoten van het heimelijk gesluip.

'Heel vervelend allemaal, heel vervelend,' mompelde Desmond Darke nadat hij een ladder tegen zijn tuinmuur had geplaatst om hen eroverheen te helpen. Hij maakte zich duidelijk meer zorgen over het vertrappen van zijn pioenrozen door de tweeling dan over hun welzijn. Ali zag zijn vrouw met misprijzend samengeperste lippen vanuit de zitkamer op de eerste verdieping op hen neerkijken. Het was een lange, grofgebouwde vrouw met grote handen en voeten. Ze droeg een bloemetjesjurk met een hooggesloten kraag en een gestrikte riem om haar taille waarin ze eruitzag als Grayson Perry, de kunstenaar die geregeld als Claire door het leven ging.

'Hij zet ons allemaal voor schut,' zei Desmond tegen Ali, terwijl hij hen voorging over het gazon en het souterrain in op weg naar de voordeur.

'Wie allemaal?' vroeg Ali verbaasd.

'Wij zijn discreter met ons geld,' zei hij, met een vinger tegen zijn neusvleugel tikkend. 'Ik vind dat het Bryony's schuld is. Als zij niet had gewerkt, was ze thuisgebleven en had ze beter voor hem gezorgd, zodat hij niet telkens weer een nieuwe Aston Martin hoefde te kopen als zijn bonus binnenkwam. Opvallende hebzucht. Geen goed idee.'

'Is onopvallende hebzucht dat dan wel?' vroeg Ali. Hij keek haar aan alsof ze een flauw grapje maakte en blafte de tweeling toe snel naar boven te lopen en met hun vingers van het behang naast de trap af te blijven.

'Hoe is het met Foy?' vroeg Desmond. 'Hij heeft Nick nooit vertrouwd. Altijd gezegd dat hij niet van ons soort was. En Tita zal wel overstuur zijn. Volkomen overstuur.' Hij keek Ali verwachtingsvol aan.

Toen ze langs de keukentafel liepen zag Ali een *Daily Mail* liggen, opengeslagen bij de foto van Jake in zijn rookwolk.

'Daarmee kun jij je carrière in beleggingen wel vergeten,' fluisterde Ali.

'Tja, dan is er tenminste nog iets goeds uit voortgekomen,' zei Jake.

Ineens stootte Desmond Ali aan en zei: 'Moet je horen, als het ernaar uitziet dat ze het huis moeten verkopen, vertel ze dan maar dat ik ze een goeie prijs wil geven,' alsof hij hen een grote gunst verleende.

'U zou het ze zelf kunnen vertellen,' opperde Ali. 'Ze zullen vast wel graag een paar oude vrienden willen zien.'

'Zolang dat tuig buiten staat, kan ik ze hier niet hebben,' zei Desmond, en hij deed de voordeur open om hen naar buiten te laten. Toen Ali zich omdraaide om te bedanken, had hij de deur al in haar gezicht dichtgeslagen. In twee jaar tijd was dat het langste gesprek dat ze ooit met hem had gevoerd.

De zon stond al hoog aan de hemel toen ze in Holland Park aankwamen en ze zochten beschutting in een van de met bomen omzoomde paden. De tweeling liet Ali en Jake ver achter zich. Door de warmte klonken hun stemmen harder en bleven hun woorden langer in de lucht hangen dan anders, waardoor ze zich allebei slecht op hun gemak voelden. Jake had zijn beide handen in de zijzakken van zijn spijkerbroek gestoken en schopte tegen het pad alsof er bladeren op de grond lagen, maar hij raakte alleen maar stof, dat in kleine wolkjes rond hun enkels opstoof. Hector en Alfie wilden naar de Japanse tuin om over het bruggetje heen en weer te rennen.

'Prima,' zei Ali inschikkelijk, dankbaar voor hun doelbewustheid. 'Alles is beter dan de klauterspeeltuin. Die is een ware hel op een dag als deze. En het zit er vol mensen die weten wat er aan de hand is.'

'Je kunt de reactie van andere mensen toch niet in de hand houden,' zei Jake. 'Het beste wat wij kunnen doen, is ons integer gedragen tot het opgelost is. Mama zou moeten ophouden met verhalen en tegenverhalen verzinnen. De waarheid komt toch wel aan het licht. Laten we dus naar de Japanse tuin gaan omdat we daarheen willen, en niet omdat we bang zijn om iemand tegen te komen op het klimrek.'

Hij heeft gelijk, dacht Ali, verrast door zijn weloverwogen logica. Jake riep de tweeling en wees naar een pauw op het pad. Zijn tederheid en verantwoordelijkheidsgevoel waren onder deze omstandigheden nog ontroerender.

'Het komt doordat ze dat voor haar werk doet,' zei Ali. 'Instinctief wil ze haar kant van het verhaal in beeld brengen en alles ontkennen.'

'Ik heb dit jaar *Beowulf* bestudeerd en ik ben tot de conclusie gekomen dat public relations gewoon een moderne manier is om wraak te nemen op je vijanden. Eigenlijk betaal je andere mensen om uit jouw naam oorlog te voeren en vetes te onderhouden.'

Ali grinnikte. 'Hoe dan ook, ze zou die aandrang om te vechten moeten weerstaan, vooral omdat ze de feiten nog niet op een rijtje heeft.'

'Ze is ervan overtuigd dat je vader onschuldig is.'

Jake trok een cynische wenkbrauw op. Ali schrok ervan. Tot op dat moment had ze de mogelijkheid dat Nick schuldig was niet werkelijk overwogen.

'Papa heeft nooit helemaal lekker in zijn vel gezeten,' zei Jake. 'Hij komt uit een heel ander nest dan mama, en in plaats van hun verschillen te omarmen, heeft hij geprobeerd om van zichzelf een lid van de hogere middenklasse te maken, met Foy als rolmodel. Dus voordat je me vraagt of hij onschuldig is, kan ik je vertellen dat er volgens mij een grote kans bestaat dat hij dat niet is. Ik neem het hem niet kwalijk. Hij heeft heel lang geprobeerd om alle tegenstrijdige aspecten van zijn leven met elkaar te verzoenen, en dat moet op een dag onvermijdelijk misgaan.'

Ali keek hem aan. Een lok gitzwart haar verborg zijn ogen, wat het moeilijk maakte om de emotie achter zijn analyse te lezen. Ze wilde zijn arm aanraken omdat een fysiek gebaar soms meer troost bood dan woorden, maar voelde zich geremd door de nieuwe gelijkwaardigheid van hun relatie.

'Alle ouders zijn feilbaar,' beaamde ze uiteindelijk, al had ze liever een eleganter antwoord gegeven.

'Hoe is het met je zus?' vroeg Jake.

Ali was hun gesprek op het dak tijdens het feest vergeten.

'Ze heeft de behandeling afgemaakt. Nu wil ze alsnog eindexamen doen, maar mijn ouders vinden dat ze nog een jaar thuis moet blijven. Zij denkt dat ze er sterk genoeg voor is.'

'Wat denk jij?'

'Ik denk dat ze zich misschien gaat vervelen.'

'Als ze zich beter voelt over zichzelf, gaat het misschien wel goed. Ik bedoel, ik ken niemand anders die de calorieën in haar vitaminepillen telt, maar ik vind dat Izzy tegenwoordig meer zelfvertrouwen heeft en het in elk geval met een ironische draai doet.'

'Hoeveel calorieën zitten er dan in een vitaminepil?' vroeg Ali nieuwsgierig.

'Vijftien, naar het schijnt,' lachte Jake. 'En hoe zit het met jou?'

'Wat is er met mij?'

'Wanneer ga jij weg?'

'Ik zit de storm wel uit,' zei Ali met een glimlach. 'Met wat er allemaal gebeurd is, kan ik Hector en Alfie niet achterlaten.'

'Laten we de storm dan maar samen uitzitten,' zei Jake.

Ze wandelden naast elkaar, intiem genoeg om te suggereren dat ze samen waren, maar zorgvuldig niet al te dicht bij elkaar. Ze richtten hun blik naar de grond of recht vooruit op de tweeling. Ze vonden eensgezind dat de eekhoorns op moddervette bedelaars leken als ze kwamen aanwaggelen om gevoerd te worden. Ze besloten dat de pauwen er arrogant uitzagen, en dat hun staarten roffelden als drums wanneer ze die uitvouwden. Ze waren het erover eens dat de vrouwtjespauwen in mensengedaante Vivienne Westwood zouden dragen.

Af en toe, als er een ander tweetal langskwam of als een speelse hond op hen af rende, moesten ze wel dichter bij elkaar lopen. Op zeker moment botsten hun ellebogen en ze schoten uiteen als elkaar afstotende magneten. Die gezamenlijke intentie was goed, besloot Ali.

'Malea is vertrokken,' zei Ali.

'Dat zei mama al,' zei Jake.

'Ik denk dat ze bang was,' zeiden ze tegelijkertijd.

Hector stond hen op te wachten en zei met een nieuwsgierige blik: 'Spelen jullie dat je een tweeling bent?'

Ali en Jake vervielen weer in ongemakkelijk zwijgen. Toen begonnen ze tegelijkertijd weer te praten.

'En hoe gaat het met jou?' zeiden ze tegelijk.

'Onze timing is fout,' lachte Ali.

'Of juist niet,' zei Jake.

'Weet je al wie die foto van jou heeft verkocht?' vroeg Ali, terwijl ze een gemakkelijker tempo aannamen op een breder pad, waar ze niet zo dicht bij elkaar hoefden te lopen.

'Ik heb wel een idee,' zei Jake, 'maar ze ontkent het.'

'Lucy?' raadde Ali.

'De laatste keer dat ze bij me was en ik het eindelijk uit wist te maken, vond ze hem op mijn kamer,' zei hij. 'Ze was jaloers op het meisje en razend op mij, omdat ik tijdens het feest van mijn opa met jou op het dak zat.'

'Ach ja, niemand zo hels als een afgewezen vrouw,' zei Ali.

Ze liepen samen de Japanse tuin in. Hector en Alfie stonden erop dat ze allemaal tegelijk de brug zouden oversteken.

'Als één van ons sterft, sterven we allemaal,' verklaarde Alfie.

'Misschien liggen er wel explosieven onder,' zei Hector ernstig.

'Net als in *De brug over de rivier de Kwai*,' zei Alfie.

'Het is een Japanse tuin,' zei Hector.

'Het waren Britten die de explosieven plantten,' wierp Alfie tegen.

'Ze hebben nogal wat oorlogsfilms bekeken met je grootvader,' vertelde Ali Jake.

Ze namen het pad dat rondom de tuin liep. De tweeling wilde absoluut hand in hand tussen Jake en Ali in lopen. Naarmate ze dichter bij de beek kwamen, lieten ze elkaar los en ze gingen allemaal steeds harder lopen, zodat ze tegen de tijd dat ze bij de brug waren raceten om aan de overkant te komen.

'Snel, snel, voordat ze ons te pakken krijgen,' schreeuwde Hector, die vooropliep.

'Voordat wie ons te pakken krijgt?' gilde Ali vanuit de achterhoede.

'De gevangenenbewakers!' riep hij.

'En de haaien!' zei Alfie en hij wees naar de reusachtige karper in de vijver.

'En de FSA,' zei Hector.

'En de moeder van Storm,' zei Alfie.

'We worden achternagezeten door de toezichthouder,' giechelde Ali, terwijl Jake en zij naar de overkant stoven. Toen ze allemaal veilig waren, gingen ze languit op de grond om zichzelf liggen lachen. Er kwamen mensen langs die opmerkten wat een leuk gezinnetje ze vormden.

'Jullie ouders zullen wel heel trots op jullie zijn,' zei een van hen tegen Ali. Ze kakelden allemaal nog harder om de absurditeit van dat idee.

Hector en Alfie zeiden dat ze nog een keer wilden en vroegen Jake en Ali om op hen te wachten onder een enorme esdoorn aan de overkant van het water.

'Tuurlijk,' zei Jake en hij plofte midden op het bankje neer. Ali ging naast hem zitten.

'Ze moeten even stoom afblazen, ze zitten al twee dagen binnen.'

Ze leunden allebei voorover met hun handen rond de rand van de bank. Ali was blij dat ze zich op de tweeling konden concentreren, die nu weer bij het begin van het pad was. Ze begon Jake te vertellen over Storms moeder, die niet wilde dat ze bij haar kwamen spelen.

'Ze was dol op de tweeling voordat dit gebeurde,' klaagde Ali.

‘Het wordt interessant om te zien wie er overblijft,’ zei Jake. ‘De mensen die met je mee omhooggaan, zijn niet noodzakelijkerwijs degenen die op de terugweg naar beneden bij je blijven.’

‘Je ouders hebben honderden vrienden. Al laat vijftig procent ze in de steek, dan hebben ze nog altijd meer vrienden dan mijn ouders ooit hebben gehad.’

‘Ze hebben honderden kennissen. Dat is niet hetzelfde. De eerste hint van een mislukking en de uitnodigingen verdampen. Wacht maar af.’

De stilte tussen hen vulde zich met het geluid van het kabbelende water dat door een reeks stenen watervallen in de vijver eronder stroomde.

‘Dat doet me denken aan het zwembad op Corfu,’ zei Ali.

‘God, weet je nog toen je naar het zwembad kwam met de tweeling, en dat Lucy zo boos werd?’ vroeg Jake.

‘Nee, jij was boos,’ zei Ali.

‘Dat kwam omdat ze altijd jaloers was op jou,’ zei Jake.

‘Waarom zou ze jaloers zijn op mij?’

‘Ze vond altijd dat jij meer geïntegreerd was in de familie dan zij,’ schokschouderde Jake.

‘Daar word ik dan ook voor betaald,’ zei Ali droogjes.

‘Jij staat stevig in je schoenen en zij is onzeker,’ zei Jake. ‘Sommige mensen vinden dat bedreigend. Ik vind het aantrekkelijk.’

‘Vind jij het nou niet vreemd dat hier zoveel Japanse toeristen komen?’ vroeg Ali, in een poging om het gesprek op neutraler terrein te brengen. ‘Als ik naar Japan ging, zou ik echt niet op zoek gaan naar een Engelse tuin. Net alsof iemand uit China naar Londen komt om Chinatown te bezoeken, of Amerikanen die bij McDonald’s eten.’

‘Misschien hebben ze heimwee. Mijn opa eet ook altijd gerookte zalm als hij in Griekenland is.’

Ze bleven praten. Jake besprak welke schrijver hij aan het eind van zijn tweede jaar ging behandelen – Seamus Heaney of Thomas Hardy. Ali vroeg of het betekende dat hij *Beowulf* niet zou kunnen doen op zijn laatste tentamens als hij Heaney koos. Jake dacht dat hij misschien Hardy moest kiezen, omdat het idee dat mensen gevangenen waren van hun lot hem wel aanstond. Toen Ali hem vroeg waarom, zei hij dat het hebben van te veel kansen ook remmend kon werken en dat je niet hoefde te kiezen, als je toch van mening was dat het leven voorbeschikt was. Ali zei dat ze niet wist of ze ooit nog een essay zou kunnen schrijven, maar Jake zei dat het net fietsen was. De tweeling kwam om water vragen en om iets te eten, en keerde toen weer terug naar hun spel op de brug.

Ze voelde Jakes hand naast de hare en vroeg zich af hoe lang die daar al lag, en of hij wist dat de top van zijn pink het puntje van haar pink raakte. Haar hele lichaam was gefixeerd op die kleine aanraking. Ze durfde nauwelijks adem te halen om het contact niet te verbreken. Dit moet wel verkeerd aflopen, dacht Ali, toen ze de stroom energie tussen hen voelde, alsof hun vingers elektriciteit geleidden. De zon schoof om een boomtop heen en Ali kneep haar ogen toe tegen het felle licht en de warmte.

Ze keek niet omlaag. Ze staarden allebei recht voor zich uit. Toen voelde ze Jakes vinger dichterbij kruipen tot hij boven op de hare lag, en elke twijfel verdween. Met de top van zijn duim streelde hij haar hand, van boven naar beneden. Veel later zou ze op dit moment terugkijken en zich erover verwonderen dat zo'n klein gebaar de dingen zodanig kon veranderen, op manieren die je je op dat moment onmogelijk kon voorstellen. Ze vroeg zich af of ze, als ze had geweten wat er zou komen, haar hand zou hebben teruggetrokken met de woorden dat het tijd was om naar huis te gaan, en hoe dat het verloop van de gebeurtenissen zou hebben veranderd. Indertijd was ze echter zo vervuld van lust dat ze niet kon praten of bewegen. Ze was misselijk van verlangen, en daarnaast voelde ze niets anders dan de hartstochtelijke 'nuheid' van jezelf verliezen en opgaan in het moment.

Zonder haar aan te kijken zei Jake langzaam: 'Dit is om zoveel verschillende redenen zo overduidelijk een slecht idee.' Ali knikte instemmend. Nu lag zijn hand helemaal op de hare. Hij had de eerste stap gezet, maar zij had geen weerstand geboden. Hun vingers krulden om elkaar heen, en een paar minuten lang zaten ze woordeloos en met lege ogen te staren naar de Japanse brug, ook al was de tweeling ondertussen aan de andere kant van de tuin.

Ze kwamen het park uit door het weinig gebruikte hek aan de westkant, omdat ze daar minder kans liepen om onverhoeds een bekende tegen te komen. Die route bracht hen tot vlak tegenover het huis van Tita en Foy. Toen ze langs de verzorgde bloembakken bij de voordeur liepen, keek

Ali omhoog en ze zag een lamp branden in de zitkamer boven. Door het raam kon ze Tita aan het bureau een krant zien lezen. Ze droeg haar multifocale bril, die ze alleen opzette als ze zeker wist dat ze alleen was.

Ali was er vrij zeker van dat Tita tegen Nick en Bryony had gezegd dat ze morgen pas thuiskwam. Ze vroeg zich af of ze moesten aanbellen om op de thee te gaan, maar besloot dat Tita dergelijke spontaniteit wellicht niet zou waarderen. Ali had op dat moment heel weinig vertrouwen in haar instinct. Bovendien maakten Alfie en Hector ruzie over wiens beurt het was om op Jakes schouders te rijden, en na wat er zojuist was gebeurd, was het een opluchting om daarover in discussie te gaan en zich fysiek van Jake te verwijderen.

'Ik neem de tijd wel op,' zei ze. 'Ieder vijf minuten.'

'En dan moet ik rusten,' zei Jake.

Ali kreeg geen lucht meer. Haar zintuigen waren zo verscherpt, dat ze vanaf de overkant de Chinese jasmijn rook tegen het huis van Tita en Foy; ze voelde de beat van de muziek vanuit een ander huis aan de overkant in haar buik, en toen Jake tegen haar aan botste en op haar schouder steunde om zijn evenwicht te bewaren, wist ze zeker dat Hector de ontlading tussen hen moest voelen.

Wat je weet van de illusoire en voorbijgaande aard van lust is van geen enkel gewicht, besloot Ali, het is een hogere macht. Het leek op gevangenzitten in een getijdestroom, van de kust weggesleurd worden in een smalle stroom van onoverwinnelijk water, niet in staat om tegen het getij in te zwemmen. Ze herinnerde zich het advies van haar vader: probeer niet terug te zwemmen naar de kust. Blijf kalm. Na een poosje verliest het getij aan kracht en kun je diagonaal terugzwemmen naar de kust. Mik op plekken waar de golven breken. Die theorie in een bedreigende situatie in praktijk brengen was de grootste psychische uitdaging, zei hij altijd, maar als je dat niet deed, kon je verdrinken.

Ali durfde Jakes blik niet te ontmoeten, voor het geval hij ineens besloot dat hij een valse noot had aangeslagen.

'Willen jullie bij oma op bezoek?' vroeg Jake aan de tweeling. Ze knikten geestdriftig. Een paar minuten later waren Ali en Jake samen op weg naar huis.

22

Behalve de Darkes, die meer belangstelling hadden voor de nieuwe aanwas van journalisten op straat dan voor de verblijfplaats van de tweeling, merkte niemand dat Ali en Jake weer thuis waren. Leicester lag te zonnen op een stuk gazon dat niet met hondenpoep bezaaid was. Hij tilde slaperig zijn hoofd op en liet het weer op het gras zakken in afkeer over het leven dat hem was toebedeeld sinds Malea vertrokken was.

De televisie in de keuken stond op CNBC maar niemand keek. Een Amerikaanse commentator praatte over de crisis bij Lehman en interviewde een Britse bankendeskundige. Jake en Ali stonden even stil voor het scherm, elkaar zorgvuldig niet aanrakend.

'Men vreest dat Lehman nog meer afschrijvingen zal moeten incasseren en cashproblemen kan krijgen als de Amerikaanse Federal Reserve besluit tot sluiting van het noodleningenfonds voor beleggingsbanken, dat geopend werd na het omvallen van Bear Stearns,' zei een stem die Ali herkende als die van Felix Naylor. Hij was alomtegenwoordig geworden.

'Je peetvader,' zei Ali, en ze draaide het scherm naar zich toe.

'De aandelen dalen zo hard, omdat een aantal mensen ervan overtuigd is dat het bedrijf op het faillissement afstevent.' Een analist legde uit dat de aandelenprijs van de bank gezakt was tot negen dollar per aandeel, de laagste prijs sinds 1998, en er gingen geruchten dat er naar een koper werd gezocht om te verhinderen dat deze dominosteen als volgende omver ging na het omvallen van Bear Stearns, eerder dat jaar.

'Wat is de oorzaak van de kredietcrisis?' vroeg de verslaggever aan Felix.

'De lage rentevoet, goedkope leningen, deregulering van de banken, te veel vertrouwen in rekenmodellen, subprime, hybrids, hebzucht...'

'Ik heb het allemaal al eerder gehoord,' zei Jake.

'Het is net als een nieuwe taal leren, vind je niet? Telkens als je dezelfde woorden weer hoort, begrijp je iets meer.'

'Zullen we dit op mijn kamer verder bespreken?' vroeg Jake ineens.

'En Hector en Alfie dan?'

Jake streelde met een vinger over Ali's wang. 'Die zijn er niet. Weet je dat je het meest vertederend bent als je je ongerust maakt?'

Hij nam haar bij de hand. Toen ze onderweg naar boven langs de deur van de zitkamer liepen, hoorden ze Foy snurken. Ali vroeg zich af of Bryony eraan had gedacht om hem zijn thee te brengen om vier uur. De eerste trappen beklommen ze langzaam. Toen ze eenmaal voorbij de slaapkamer van Bryony en Nick waren, versnelden ze hun tred zodat ze tegen de tijd dat ze de laatste trap naar Jakes kamer bereikten, met twee treden tegelijk naar boven sprongen. Toen waren ze in zijn kamer. Ali deed de deur achter hen op slot.

De grote plafondlamp was kapot en de gordijnen waren dicht. Het enige licht in de kamer kwam dan ook van de paars met rode lavalamp op een bureau in de hoek. Ze waren allebei buiten adem. Ali probeerde te praten, iets te zeggen om de intensiteit van het moment te doorbreken, maar het geluid dat ze produceerde, herkende ze niet als haar eigen stem. Misschien tastte lust de hersenen wel net zo aan als een beroerte, dacht ze, denkend aan Foy die zichzelf beschreef als een acteur die zijn tekst wel kende, maar die niet kon uitspreken.

Ze leunde achterover tegen de deur en merkte dat haar hoofd op een paarse ochtendjas terechtkwam die ooit van Lucy was geweest. Ze herkende het parfum. Bloemig, met een hint van iets fruitigs. Jake boog zich over haar heen en legde zijn voorhoofd teder op haar hoofd, zodat ze zijn vertrouwde geur kon inademen. Haar vertrouwdheid met zijn familie maakte hem tot een bekende, ook al had ze nauwelijks tijd met hem doorgebracht. Zijn haar was langer dan ooit, een woeste wirwar, net als dat van zijn moeder. De exotische combinatie van zwart haar en blauwe ogen verbond hem met zijn vader en Izzy. Zijn lippen, vol en een beetje cherubijns, waren die van de tweeling.

Bij de gedachte aan Hector en Alfie vroeg Ali zich af of ze zich niet snel moest verwijderen van de rand van deze afgrond. Jake had gelijk, dit was zo overduidelijk een heel slecht idee. Zijn adem in haar hals deed haar beven van verlangen. Dat was het wonderbaarlijke van de alchemie van hartstocht dacht Ali, het minste gebaar werd iets schitterends.

Jake zei iets, dat zowel 'het is zo heet' als 'je bent zo heet' kon zijn geweest. Wanneer ze zich het tafereel later voor de geest haalde, probeerde Ali beide versies en koos uiteindelijk voor stilte, omdat ze zich dan de lome waakzaamheid in zijn ogen beter kon herinneren, of de manier waarop hij op zijn onderlip beet.

Het gaf haar de tijd om de exacte sensatie op te roepen van de kleine kringetjes die hij op de zijkant van haar nek kriebelde, met dezelfde vinger die haar in het park had aangeraakt, en ze trok hem naar zich toe. Ze kusten elkaar bijna kuis op de lippen en keken elkaar vervolgens aan, alsof ze de wederzijdsheid van de situatie wilden bevestigen. Ze balanceerden op een rand. Ali moest denken aan een sprong vanaf de pier in Cromer.

Ze zoenden weer; het leek een eeuwigheid, maar het duurde waarschijnlijk maar een paar minuten. Soms was zoenen nog intiemer dan seks, dacht Ali. Hij smaakte zoutig. Nu voelde Ali de vastberadenheid in Jakes lichaam. Hij drukte zich tegen haar aan, met een hand in haar haar, streelde de achterkant van haar hoofd, liet de andere over haar billen dwalen; ze voelde zijn hand door de zachte katoenen stof van haar rok. Ze voelde zijn erectie hard door zijn spijkerbroek heen.

Zonder elkaar los te laten zochten ze hun weg naar het bed, struikelend over schoenen, boeken en vuile was. Jake liet zich achterover op het bed vallen en trok Ali boven op zich. Ze ging op hem zitten en boog zich naar zijn gezicht, zodat ze kon zien hoe zijn mond zich wijder sperde en zijn ogen vertroebelden van genot. Het was zowel opwindend als angstaanjagend dat iemand even sterk naar jou verlangde, als jij naar hem.

'Sinds het feest fantaseer ik minstens een paar keer per dag dat ik met je vrij,' fluisterde Jake.

'Ik ook,' zei Ali, en ze leunde voorover om de knopen van zijn overhemd los te maken. Zijn huid was glad en donker. Ze zag kleine plukjes borsthaar, meer dan afgelopen zomer, dacht Ali, terwijl ze hem langzaam streelde met de vingers van haar rechterhand en zijn ogen half zag sluiten van genoegen. Zijn handen trokken de bandjes van haar T-shirt en haar beha omlaag tot haar borsten bloot waren. Hij trok haar naar zich toe en nam een tepel in zijn mond. Ali voelde nog meer golven van genot door haar lichaam trekken.

Ze kon zich later niet meer herinneren hoe ze ineens onder hem was terechtgekomen met haar slipje op haar knieën en Jake binnen in zich. Die eerste middag hadden ze zo vaak seks dat ze later moeilijk onderscheid kon maken tussen elke omwikkeling. Toen ze maanden later het ontstaan van hun seksuele relatie in kaart probeerden te brengen, redetwistten ze over de precieze volgorde van de gebeurtenissen. Zijn vingers binnen in haar, haar mond over zijn lichaam, zijn mond tussen haar benen, haar handen om zijn pik. Ali had zichzelf altijd gezien als iemand die zich wist te beheersen, maar bij Jake was ze volkomen ongebreideld.

Ze zouden die nacht waarschijnlijk niet meer uit bed zijn gekomen als de huistelefoon niet rond halfacht die avond was gegaan. Het was Bryony die aan Jake vroeg of hij wist waar Ali was. Ali keek geschokt, niet zozeer door de vraag, als wel door het feit dat er nog een andere wereld bestond naast die in zijn kamer.

'Ze zijn allemaal bij oma,' zei hij slaperig, zijn blik gericht op Ali die langs zijn lichaam omlaag gleed.

'Oma is hierbeneden met Hector en Alfie,' zei Bryony.

'Nou, ze was er in elk geval wel toen we de jongetjes daar lieten,' zei hij, terwijl hij zijn best deed om zijn stem in bedwang te houden.

'Wie zijn we?'

'Ik bedoel mezelf. Ik geloof dat Ali ergens anders heen ging.'

'Gaat het wel goed met je? Je klinkt een beetje vreemd?'

'Gewoon een beetje ongerust over alles.' Jake kreunde.

'Kom je beneden? Hester en Rick komen eraan.'

'Tuurlijk, geef me een paar minuten de tijd,' zei Jake. Hij sloot genietend zijn ogen toen Ali hem in haar mond nam. De telefoon viel op de grond.

Haastig trok Ali haar rok en haar T-shirt weer aan en ze vond haar slipje tussen de kreukels van het dekbed. Behoedzaam verliet ze Jakes kamer, ondertussen een aannemelijke reden verzinnend om daar überhaupt te zijn, voor het geval ze iemand tegenkwam op de overloop. Onderweg naar beneden drong het gezonde verstand zich weer op. Ze vroeg zich af hoe lang ze op zijn kamer was geweest en berekende dat ze bijna drie uur weggeweest was. Ze begon zich zorgen te maken over Hector en Alfie en vroeg zich af of iemand hen te eten gegeven zou hebben. Ze dacht aan wat er zojuist was gebeurd en merkte tot haar verbazing dat ze zich niet schuldig voelde. Voor het eerst in twee jaar tijd hield ze zich niet bezig met wat Bryony dacht.

Ze liep naar de zitkamer en verontschuldigde zich dat ze op haar kamer in slaap was gevallen. Bryony liet met een zwaai van haar hand weten dat het niet erg was, al zou die overtreding drie dagen geleden met veel tonggedraai en wellicht een paar afkeurende woorden zijn ontvangen.

De kamer zag er anders uit. Het duurde even voordat Ali besefte dat de Jupe-tafel uit de eetkamer was gehaald en nu aan de andere kant van het vertrek onder het raam stond. Izzy stond verschillende voorwerpen op de tafel aan een zorgvuldig onderzoek te onderwerpen, om de gunstigste hoek te zoeken om een beeld neer te zetten, of de mooiste schikking voor de set beschilderde emaillen doosjes die vroeger op de schoorsteenmantel in de eetkamer stond. Het was een onwaarschijnlijk schouwspel, de tiener in haar gothkleren in de weer met zulke fragiele antiquiteiten. Ze keek op toen Ali de kamer binnenkwam en schonk haar een glimlachje.

Ali krulde haar tenen in het vloerkleed terwijl ze keek waar ze zou gaan zitten, maar het hoogpolige tapijt tussen haar tenen bezorgde haar een zintuiglijke overdosis na wat er zojuist had plaatsgevonden. Ze werd er een beetje wee van. Alles leek naar seks te verwijzen: de ronding van de schoorsteenmantel, de elegante luchtgeesten op de zijkant van een vaas, de glimp die ze opving van Izzy's bovenbeen, de pioenrozen die Tita uit haar tuin had meegebracht.

'Zal ik Alfie en Hector naar bed brengen?' vroeg Ali, in de hoop te ontsnappen aan nog een avond in deze kamer in gezelschap van de voltallige familie Skinner.

'Straks,' zei Bryony vaag.

'Je bent vergeten mij thee te brengen,' zei Foy berispend. Hij praatte langzaam en sprak de woorden niet goed uit, maar het verwijt in zijn toon was onmiskenbaar.

'Ik was buiten met de tweeling,' zei Ali verontschuldigend.

'Nou, de zon heeft je duidelijk goedgedaan,' zei Foy. Hij bekeek haar goedkeurend van top tot teen en voegde eraan toe: 'Volgens mij zijn je benen langer geworden.' Daarop wendde hij zich weer naar de stapel kranten op de tafel naast hem. De krant in zijn hand trilde.

Ali ging naast Tita zitten, die alweer een historische biografie aan het lezen was. Ze liet zich tegen de rug van de bank zakken, klemde een kussen tegen haar borst en vouwde haar benen onder zich om zichzelf zo klein mogelijk te maken. Ze zag een kras die boven haar knie begon en zich naar haar dij uitstrekte, en bij het idee dat Jakes nagel dat spoor had achtergelaten wilde ze de kamer verlaten om weer naar zijn kamer boven te gaan. Afwezig raakte ze het begin van de onvolkomenheid aan met haar vinger en onmiddellijk miste ze hem zo erg, dat ze zichzelf een gedempt gekreun van verlangen hoorde slaken toen hij de deur in kwam.

'Was het zo'n goed boek dat je aan het lezen was?' vroeg Tita aan Jake toen hij haar een kus kwam geven. Jake keek even naar Ali om te zien wat zij verteld had.

'Heel goed,' zei Jake. '*Tom Jones*, van Henry Fielding. Het is een van mijn essayteksten. Ik heb zelfs een eerste druk met al zijn tekeningen.'

'Ik had een figurantenrol in de film,' zei Foy. 'Met Susannah.' Niemand reageerde.

'Wat leuk,' zei Tita. Haar ogen vernauwden zich, terwijl ze van Jake naar Ali keek en weer naar Jake. 'Trouwde Fielding niet uiteindelijk met de dienstmeid van zijn vrouw, omdat ze in verwachting was?'

'Na de dood van zijn vrouw,' bevestigde Jake.

Ali bloosde en bracht een hand naar haar wang. Haar trekken hadden zich verzacht. Ze voelde zich verlamd van apathie, zozeer dat ze niet wist of haar lichaam wel zou meewerken als Bryony haar vroeg om naar de tweeling te gaan kijken. Jake ging op de vloer tussen haar en Tita in zitten, zodat zijn schouder de bal van Ali's voet raakte. De nabijheid was tegelijkertijd exquis en ondraaglijk. Ze was opgelucht dat Nick ergens anders was, want hij zou zeker iets hebben gemerkt.

'Ik hoop dat je je van nu af aan zult beheersen, Jake,' zei Tita met een gebaar naar de *Daily Mail*. 'We zijn al genoeg door de modder gehaald. Zelfs die belachelijke vrouw van hiernaast weigerde een sigaret van me aan te nemen, alsof ik een drugsdealer was.'

'Dan zou u een drugspusher zijn,' corrigeerde Jake. Ali zag Izzy glimlachen aan de andere kant van de kamer.

Ali was blij dat de telefoon ging zodat alle aandacht zich richtte op de aanstaande komst van Hester en Rick. Bryony droeg haar zus op om de pers te mijden door via het souterrain van de Darkes binnen te komen, maar ze negeerde het advies en poseerde zelfs even op de bovenste trede van de stoep voor een paar foto's.

Zodra ze binnenkwam, deelde Hester aan iedereen uitbundige omhelzingen uit. Ze droeg een zwarte jurk, waarmee de indruk dat ze de situatie aanpakte als een soort sterfgeval nog benadrukt werd. Misschien had Hester gelijk, dacht Ali. Te oordelen naar het gedrag van de mensen om hen heen de afgelopen achtenveertig uur, was het in elk geval een soort sociale zelfmoord.

'Papa, wat zie je er vreselijk uit,' zei Hester en ze boog zich voorover om haar vader een kus op zijn hoofd te geven. 'Ik hoop dat ze je tegen de ergste stress beschermen.'

Het was even stil, terwijl Foy een passend antwoord opdiepte.

'Van vrouwen in zwarte jurken word ik altijd een heel stuk beroerder,' zei hij, 'maar ik ben nog lang niet dood.'

'Het komt doordat iemand hem gisteravond een fles Tenuta dell'Ornellaia heeft gegeven,' zei Tita. 'Ik vond het bewijs in zijn slaapkamer. Hij had de hele fles leeggedronken.'

Toen Ali aan de beurt was, sprak Hester haar medeleven uit over de situatie waarin ze beland was.

'Zo naar voor je,' zei Hester, terwijl ze haar even vastklemde, zodat Ali's topje van haar schouder dreigde te glijden. 'Het moet zo zwaar zijn om de emotionele gevolgen op te vangen. Die arme kinderen.' Ze richtte haar aandacht op Jake, die er zo ontspannen bij stond dat Ali hem een trap gaf met de punt van haar voet. 'Waar zijn Hector en Alfie?'

'Die zitten beneden televisie te kijken,' zei Bryony.

'Ik neem aan dat beperkingen van beeldschermtijd gezien de omstandigheden geen prioriteit hebben,' zei Hester.

'Correct,' zei Bryony.

'Ik zag dat de aandelen van Nicks bank vandaag weer een enorme klap hebben gekregen,' zei Rick. 'We leven in ongelooflijke tijden.' Vervolgens overhandigde hij Bryony een mand groenten uit hun volkstuin. 'Alle kleine beetjes helpen, weet je. Je mag Jake en Izzy sturen wanneer je maar wilt om groente te oogsten. De simpele dingen des levens hebben veel genoegens te bieden. Die les zullen jullie nu allemaal wel moeten leren.'

'Dankjewel,' zei Bryony met nauw verholen woede.

'Ik kan wel betere voorbeelden bedenken,' prevelde Jake tegen Ali.

'En, heb je al bedacht wat je met de scholen gaat doen? Welke opties heb je in de buurt?' vroeg Rick.

Bryony legde uit dat een antiekhandelaar die Nick al jaren kende binnen een paar dagen langs zou komen om een aantal van hun bezittingen te taxeren, zodat ze het schoolgeld voor volgend jaar zouden kunnen betalen.

'Dit lost zich in de loop van de maand wel op,' zei ze luchtig.

'O,' zei Hester, bijna teleurgesteld. 'Wat gebeurt er als ze besluiten hem aan te klagen?'

'Doen ze niet. Hij is onschuldig,' zei Bryony.

'En waar is de hoofdpersoon van dit grootse drama?' vroeg Rick, helemaal in de lerarenmodus; hij keek de kamer rond alsof Nick wellicht verstopt zat achter een meubelstuk.

'Nick is ondergedoken,' zei Bryony. Om zichzelf iets te doen te geven liep ze naar de schoorsteenmantel en stapelde de uitnodigingen op waaraan ze nu geen gehoor zouden geven. Ze stond met haar rug naar hen toe, maar Ali kon haar gezicht zien in de spiegel. Ze zag er nu nog ongeruster uit dan op de dag van de inval. Zelfs haar lippen waren bloedeloos.

'Waarschijnlijk is het een goed idee om zich gedeisd te houden,' zei Rick.

Bryony schudde de uitnodigingen door elkaar als een pak kaarten en zei: 'Hij komt een poosje niet thuis, bij wijze van tactiek om de aandacht van de pers af te leiden.' Ze haalde diep adem en draaide zich om naar de aanwezigen.

'Bedoel je dat papa ergens anders is gaan wonen?' vroeg Jake langzaam.

'Voorlopig,' zei Bryony.

'Wanneer komt hij terug?' vroeg Izzy.

'Als de media-aandacht wat afgenomen is,' zei Bryony. 'Papa's verhaal valt samen met het nieuws over Lehman. Ze proberen de bank te verkopen, maar ze kunnen geen koper vinden. Het is hun enige overgebleven reddingslijn.'

'Bedoel je dat papa's bank misschien omvalt?' vroeg Izzy.

Bryony's stem klonk vaster toen ze antwoordde: 'Er zijn nog wel een paar mogelijkheden, maar het wordt waarschijnlijk eerder een ondername dan een overname.'

'Wat betekent dat?' vroeg Jake.

'Het betekent dat de bank wordt opgekocht tegen een prijs die vér onder de prijs ligt waartegen de aandelen worden verhandeld. Rampzalig, maar minder rampzalig dan het alternatief.'

'Waar is papa dan nu?' vroeg Izzy.

'Hij logeert bij een vriend,' zei Bryony, zo vaag dat Ali zich afvroeg of ze het eigenlijk wel wist. 'We moeten dit gewoon een paar maanden uitzitten, tot we horen of hij aangeklaagd wordt. Als ze hem vervolgen, komt alles voor de rechter en dan mogen de journalisten niet meer over ons schrijven. Als ze hem niet vervolgen, wordt alles weer normaal en kunnen we gewoon verder leven.'

'Wanneer is hij weggegaan?' vroeg Foy. 'Hij heeft niet de moeite genomen om mij gedag te zeggen.'

'Mij ook niet,' zei Bryony zacht. 'Soms is dat beter.'

23

Augustus 2008

Dit waren de dingen die Ali niet aan Felix Naylor vertelde tijdens hun tweede afspraak in het café in Bloomsbury: ze vertelde niet dat er de dag na Nicks verdwijning een oude vriend van hem op bezoek was gekomen die honderdvijftigduizend pond in contanten betaalde voor de kikker met de smaragden ogen en de met juwelen bezette wratten, de twee bronzen beelden van Caffieri en de kleine Augustus John in de eetkamer. Kennelijk was het minder dan Bryony had moeten krijgen, vanwege een probleem met de afkomst. De antiekhandelaar had uitgelegd dat hij ze niet op de open markt kon verkopen en dat ze daarom waarschijnlijk naar Rusland zouden verdwijnen, tegen een iets lagere prijs. Hij telde het geld uit in stapels van duizend pond, die Bryony in de piano verstopte. Een tijdelijke maatregel, tot er een betere verstopplek werd gevonden, zei ze terwijl ze Ali haar loon voor zes weken in de hand drukte en haar opdroeg de pianolessen van de tweeling op te schorten.

Ze vertelde Felix ook niet dat Nick verdwenen was (volgens Foy) of zijn toevlucht had gezocht bij een vriend (volgens Bryony), maar dat was een verzuim uit barmhartigheid: ze wilde Felix niet het idee geven dat er een vacuüm op te vullen was. Al sinds ze Felix voor het eerst had ontmoet, was het Ali duidelijk dat hij meer om Bryony gaf dan goed voor hem was.

En ze vertelde hem niet dat ze sinds hun bezoek aan het park zes weken geleden elke avond, nadat ze de tweeling naar bed had gebracht, de trap op klom naar Jakes kamer, want ze wist dat hun relatie alleen levensvatbaar was zolang hij geheim bleef.

Sinds het begin van de crisis hadden de kinderen en Ali de bovenste twee verdiepingen van Holland Park Crescent overgenomen. Bryony was te druk om boven te komen en had haar kantoor ingericht op de keukentafel in het souterrain, omdat ze wilde werken in wat zij 'de onderbuik' van het huis noemde.

'Zodat ze de narigheid de volgende keer wél ziet aankomen,' had Foy wrang opgemerkt vanuit zijn stoel in de zitkamer, waar hij het merendeel van zijn dagen sleet. Tita kwam hem elke dag zijn bed in en uit helpen, maar een eventuele thuiskomst bracht ze nooit ter sprake. Ali had Tita er een keer op betrapt dat ze een fles whisky in de zijkant van Foys stoel verstopte.

'Ze probeert me het hoekje om te helpen,' had Foy gekscherend gezegd.

Aan die keukentafel bracht Bryony uren door aan de telefoon, met advocaten, collega's op haar werk en de paar vrienden die nog de moeite namen om contact te houden. Ze besteedde veel tijd aan het afhandelen van schulden, banken om clementie smeken, betalingen rangschikken op volgorde van urgentie, automatische afschrijvingen annuleren en de kunst aanleren om te leven van driehonderdvijftig pond per week. Een ondernemende tabloidfotograaf was erin geslaagd een foto te schieten waarop ze achter een amateuristisch volgepakt supermarktwagentje op de parkeerplaats van een goedkope groothandel liep. Iemand anders had een krant verteld dat ze kleren verkocht op eBay. Het was maar goed dat de lange lenzen niet tot in de keuken reikten, waar ze de dubbele gootsteen permanent vol vuile borden en pannen zouden aantreffen, de chromen kookplaat besmeurd met vet en aangekoekt eten, en een vloer die voornamelijk door Leicester werd schoongehouden. Af en toe leegden Bryony en Ali de wasmand en ze vulden de vaatwasser, op een dermate ongeorganiseerde manier dat Malea er afkeurend bij gepreveld zou hebben.

Sinds het vertrek van Malea was het hele huis tot wanorde vervallen, maar nergens zo erg als op de bovenste twee verdiepingen, die een heel eigen karakter hadden ontwikkeld. De gordijnen aan de voorkant van het huis bleven dicht, voor het geval een oplettende fotograaf zijn kans schoon zag, wat de donkere, bedompte sfeer versterkte. Bedden werden niet langer opgemaakt. Lakens werden niet meer verschoond. De vloerbedekking werd nooit gezogen. De cavia's liepen los en aten de restjes van het eten dat Hector en Alfie uit de voorraadkast stalen. Of misschien waren de keuteltjes die Ali zag wel van muizen. Zowel de kamer van de tweeling als de overloop lag bezaaid met boeken, voetbalkaartjes, op afstand bestuurbare autootjes en Nintendo-spelletjes. De jongetjes keken onbeperkt televisie en speelden computerspelletjes wanneer ze maar wilden.

De overloop was nu een gemeenschappelijke ruimte waar ze samen spelletjes deden: zwartepieten (het lievelingsspel van de tweeling) en monopoly (het lievelingsspel van Izzy), om de tijd te doden. Soms keken ze televisie op Ali's kamer. Sinds de Darkes de ladder hadden weggehaald aan hun kant van de tuinmuur wilde niemand het huis meer uit, voor het geval er fotografen buiten stonden, hoewel Nicks vertrek de zucht naar foto's leek te hebben getemperd.

Izzy's kamer zag eruit alsof er ingebroken was. Om haar bed in het midden te bereiken moest je door lagen kleren waden. Ze zat hele dagen te lezen of films te kijken. Haar e-mail of Facebook, waar iedereen wat hun gezin overkwam besprak alsof het een realityshow was, bekeek ze niet meer, en kranten vermeed ze zorgvuldig.

Maar de zolderverdieping behoorde Jake en Ali toe. De lucht in de kamer was een muskusachtige mengeling van feromonen en de vage geur van seks. Elke volwassene die ook maar enigszins gevoelig was voor de signalen van ongeremde seksuele losbandigheid, zou na één blik op de gekreukelde lakens, de vlekken in de dekbedhoes en de parafernalia van gehaaste anticonceptie weten dat de bewoners in de ban waren van een hartstochtelijke liefdesverhouding. Maar Foy kon niet boven komen, en Bryony nam de moeite niet.

In het begin hadden ze de deur nog op slot gedaan, maar naarmate de dagen weken werden en niemand iets leek te merken, werden ze blasé. Alleen Izzy bespeurde een zekere ontspanning in hun relatie en merkte op dat Ali en Jake minder ruziemaakten dan vroeger en meer tijd met elkaar doorbrachten dan met iemand anders.

'Van Ali weet ik tenminste zeker dat ze me niet aan de pers zal verlinken,' zei Jake tegen zijn zus.

Ze brachten uren door in zijn bed. Jake zei dat de rood met paarse lavalamp hem deed denken aan de zachte golvingen van Ali's lichaam, vooral haar borsten en haar kont. Ali zei dat de lamp haar deed denken aan de binnenkant van haar hoofd en het gevoel dat ze van de werkelijkheid wegdreef op een zeepbel van genot.

Soms lagen ze naast elkaar om te kijken hoe lang ze konden praten voordat ze door lust werden overmand. Jake vertelde dan hoe heerlijk hij het vond als ze boven op hem klom en hem langzaam neukte zonder haar blik af te wenden. Ali vertelde hem hoe heerlijk ze het vond om in slaap te vallen met haar bovenbeen tegen zijn dij geplakt. Jake beschreef hoe haar nagels, als hij zijn hoofd tussen haar benen begroef en haar klaarmaakte, zo hard aan de lakens krabden dat het katoen al op verschillende plaatsen doorgesleten was. En daarna hadden ze weer seks. Soms, als ze even verzadigd waren, bespraken ze hun situatie. Ze waren het erover eens dat ze volstrekt onbezonnen bezig waren en dat het weinig zin had om ergens specifiek op in te gaan.

Ali las in de krant dat de chemische samenstelling van mannelijke en vrouwelijke hersenen in de eerste fase van een romance weinig verschilde van die van mensen met een obsessief-compulsieve stoornis. Jake zei dat hij constant aan haar dacht en kledingstukken van haar in zijn kamer verstopt had, zodat hij haar kon ruiken als ze er niet was. Ali vergeleek hem met Leicester, die zijn deken door het hele huis achter zich aan sleepte.

Ze bevonden zich in de fase waarin elk detail van elkaars lichaam fascinerend was voor de ander en alles bezield was van betekenis. Toen ze dan ook ontdekten dat ze allebei hun adem langer dan een minuut konden inhouden en dat ze als kind dezelfde nachtmerrie hadden over verdrinken, versterkte dat hun gevoel dat hun verhouding voorbeschikt was.

Soms maakte Ali in haar hoofd een lijst van alle redenen waarom ze geen relatie zou moeten hebben met Jake: ze was de nanny, hij was pas negentien, ze schond Bryony's vertrouwen, het was het soort verhaal waar de tabloids van zouden smullen, het moest wel verkeerd aflopen. Dan besloot ze er een eind aan te maken, of hem in elk geval te ontwijken. Maar dan vroeg Bryony haar weer om te gaan kijken of Jake iets wilde eten, of Foy vroeg om een boek dat op Jakes kamer lag, of de tweeling vroeg Ali om Jake over te halen met hen te pokeren, en dan begon de hele lustige cyclus weer opnieuw.

'Hoe lang denk je dat deze toestand met je vader gaat duren?'

'Voor altijd, hoop ik,' had Jake geantwoord. Een verdienstelijke reactie in Ali's ogen, omdat hij zowel goed als fout was.

'Maak je je niet ongerust over hem?'

'Ik denk alleen maar aan jou,' zei Jake schouderophalend. 'Papa wordt straks schuldig of onschuldig verklaard, en ook al denk ik persoonlijk dat hij schuldig is, hij heeft zo'n goede advocaat dat hij waarschijnlijk onschuldig wordt bevonden.'

Ze lachten veel en voelden zich dan schuldig als ze naar beneden gingen en Bryony gespannen aantroffen in de keuken, op dezelfde plek als ze haar een paar uur eerder hadden achtergelaten. Ze was bijna altijd aan de telefoon. Soms praatte ze met klanten. Die vertelde ze allemaal hetzelfde verhaal.

'Mijn werk staat volkomen los van dat van mijn man... Hij woont niet bij ons... Er is hem niets ten laste gelegd... de beschuldigingen tegen hem hebben geen enkele impact op mijn capaciteit om mijn uiterste best voor u te doen... dit is werkelijk niet het moment om een nieuw financieel pr-bureau te zoeken... u hebt iemand nodig die uw bedrijf vanbinnen en vanbuiten kent...'

Naast de Oekraïners hadden ten minste twee klanten Bryony ontslagen, en nog drie andere overwogen hun positie. Een van de bedrijven beweerde dat ze 'een frisse blik nodig hadden op hun relaties met de media in deze economisch problematische tijden'. Dat wist Ali, omdat Bryony haar had gevraagd om de e-mail naar haar BlackBerry door te sturen. Eén keer had Ali Bryony met Nick horen praten.

'Kun je dan in elk geval de kinderen komen opzoeken?' fluisterde ze in de telefoon. 'Of kunnen we naar jou toe komen? Waar ben je?'

'Dan worden jullie gevolgd door journalisten,' hoorde Ali Nick antwoorden.

'Ik begrijp niet waarom je niet thuis kunt komen,' zei Bryony. 'Er staan alleen maar meer mensen op de stoep sinds je weg bent.'

'Als ik thuis was, zou het nog erger zijn,' zei Nick. 'En jij hebt meer kans om je klanten te behouden als ik niet in beeld ben.'

'Het kan toch al niet erger worden. En ik zou het beter aankunnen,' zei Bryony mat. 'Ned Wilbraham is ook nog thuis.'

'Gooi de pers een paar sappige brokjes over hem toe, dan laten ze jou met rust,' stelde Nick voor. 'Niemand heeft hun nog verteld over zijn verhouding met de nanny. Weet je dat hij haar nog steeds ziet?'

'Hoe weet jij dat, als je hem nooit spreekt?'

Twee dagen na deze woordenwisseling zaten Ali, Jake, Izzy en Foy op de bank in de zitkamer met de gordijnen dicht toen de deurbel ging. Hij klonk schor, even uitgeput als zij allemaal, hoewel dat in het geval van de deurbel waarschijnlijk te wijten was aan te weinig gebruik. Ali kon zich niet eens herinneren wanneer iemand het voor het laatst had gewaagd om aan de deur te komen zonder van tevoren te bellen. Iedereen, van Bryony's collega's tot de personal trainer die zijn geld kwam halen, wist dat ze eerst moesten bellen om precies af te spreken wanneer ze zouden komen.

Ze hadden allemaal de krantenfoto gezien van de nietsvermoedende pizzabezorger die bij het huis aankwam na een lange, vruchteloze dag voor de daar verzamelde fotografen. Van de zenuwen over de lange lenzen die op hem gericht stonden, terwijl hij met één hand de deurbel indrukte en met de andere drie margarita's in de lucht hield, was hij gestruikeld en had alle pizza's op de grond laten vallen. De volgende dag stond hij op de voorpagina van een tabloid onder een kop in de trant van 'Pizzajongen voor patsers op zijn plaat'. Toen de bel ging keken ze elkaar dan ook alle vier bezorgd aan, en deden niets.

'Fotograaf?' opperde Ali.

In het begin van het schandaal wilde een ondernemende tabloidfotograaf nog weleens aan de deur bellen, in de hoop een vroeg plaatje van een overspannen Bryony zonder make-up te schieten. De vroege vogels kregen Foy nog weleens te pakken als hij de kranten van de stoep raapte, en de eerste week was hij nog zo attent geweest om hun kolommen te helpen vullen door pompeuze verklaringen van zijn schoonzoons onschuld af te steken. 'Mijn dochter staat pal achter haar man,' zei hij op een dag. 'Mijn dochter is niet van het soort dat haar man bij het eerste spoor van problemen in de steek laat,' zei hij een andere keer. Beide opmerkingen gaven aanleiding tot nieuwe verhalen. Het irriteerde Bryony mateloos, want ze vond dat ze niet alleen schuldig klonk door associatie, maar ook nog eens werd voorgesteld als een hedendaagse Dolly Parton. Daarna gaf Foy schuldbewust gehoor aan haar smeekbeden om alleen nog beleefdheden uit te wisselen met de journalisten, die een neus hadden voor een man die zijn mening niet voor zich kon houden als hem ernaar werd gevraagd.

Nu was alles intussen meer gestroomlijnd. Nadat de Darkes zich bij de politie hadden beklaagd, bleven eventuele fotografen nu meestal achter een onzichtbaar kordon aan de overkant staan. Hun aanwezigheid vormde een handige barometer voor de zich ontvouwende gebeurtenissen. Als de toezichthouder op het punt stond om meer informatie uit te geven of als 'iemand uit de naaste omgeving van de familie' weer eens een verhaal aan de man had gebracht, zwollen hun aantallen op mysterieuze wijze aan, uren voordat er officieel iets werd aangekondigd. Het waren net haaien. Alleen hadden ze meer intuïtie, besloot Ali, want deze jongens leken het bloed al te ruiken voordat het vergoten werd.

Vandaag stond er zoveel pers, dat de fotografen hun keukentrapjes weer tevoorschijn hadden gehaald. Er was zelfs een televisieploeg. Dat alles maakte hun onverwachte bezoeker des te zorgwekkender. De bel rinkelde weer, met een lange, doordringende toon. Leicester wierp zich woest blaffend tegen de voordeur. Zonder de tafel, de bloemen en de stapels kranten in de gang, was er niets om het lawaai van zijn hoge gekef te absorberen. De hond krabde en snoof aan de deur, uitglijdend over de stapels ongeopende post. Hij was al minstens drie dagen niet echt uitgelaten. Sinds het vertrek van Malea wilde niemand de verantwoordelijkheid voor hem op zich nemen.

Uiteindelijk hees Foy zich overeind en slofte naar het raam van de zitkamer. Voorzichtig trok hij de zoom van het zware gordijn opzij en keek halsreikend wie er boven aan de stoeptreden stond. Zijn hand trilde. Ali zag hem ongelovig zijn hoofd schudden over dit nieuwe verraad van het lichaam dat zoveel decennia lang zijn trouwe bondgenoot was geweest.

'Waar zijn Hector en Alfie?' hijgde Foy, half naar Ali gewend. 'Zouden zij het kunnen zijn?'

'Beneden. Voor de tv,' zei Ali. Foy nam zijn verspiederspositie weer in.

'Het is een volwassene,' zei hij na een lange stilte.

'Dat maakt het al heel wat simpeler,' zei Ali, in een mislukte poging om hem een lachje te ontlokken.

'Kan het papa zijn?' vroeg Jake op neutrale toon. 'In vermomming misschien?'

Niemand lachte. Jake en Izzy bespraken geregeld of hun vader geen clandestien bezoek kon brengen om uit te leggen wat er precies aan de hand was. Ze voelden zich steeds meer in de steek gelaten door zijn afwezigheid. De mogelijkheid dat Nick nooit meer terug zou komen, werd niet besproken.

'Kun je wat meer details geven?' opperde Jake zonder van de bank te komen. Hij las de krantenknipsels die Foy had verzameld en zat midden in een verhaal uit *The Sun* waarin stond dat Nick Skinners waakhond een fotograaf van de krant had aangevallen. Er stond een foto bij van een been met hechtingen en een groot portret van Leicester, die er verward en bepaald ongevaarlijk uitzag. Hij droeg een witte glitterhalsband die Nick voor de grap voor Bryony had gekocht om Leicesters verjaardag te vieren. WITTEBOORDENCRIMINEEL luidde het bijschrift. Jake lachte, duwde Ali het stuk in handen en kuste de binnenkant van haar pols. Geschrokken keek Ali om zich heen om te zien of Foy of Izzy iets had gemerkt. Dat was niet het geval.

'Ze ziet er bekend uit,' zei Foy, even schor als de deurbel.

'Ken je haar?' vroeg Jake hoopvol.

'Ik herken haar niet echt, maar ze ziet er bekend uit,' mompelde Foy. 'Meer kan ik er niet van maken.'

'Misschien is het een vriendin van Izzy?' suggereerde Ali terwijl ze van Jake wegschoof.

'Wie durft er hier nou nog onaangekondigd te komen?' vroeg Foy. 'Het is net zo'n huis waar het teken van de pest op de deur staat.'

'Sommige vriendinnen van Izzy zijn er anders stom genoeg voor,' zei Jake, in de hoop op een reactie van zijn zus.

'Rot op, Jake,' schreeuwde Izzy vanaf de andere kant van de kamer, zonder van haar boek op te kijken. Niemand berispte haar. Ze was tegenwoordig zo teruggetrokken, dat elke respons al een vooruitgang was. Een paar weken nadat Jake in de krant had gestaan, was zij gefotografeerd bij het verlaten van een van die nachtclubs in Kensington die zo populair waren bij leerlingen van particuliere scholen, in een piepklein mini-jurkje aan de arm van een mannelijke vriend die, zo bleek, de zoon was van een hedgefondsmanager die aandelen van Lehman aan het shortsellen was. 'Heulen met de vijand', schreeuwden de krantenkoppen. Dat was de enige keer geweest sinds hij was verdwenen dat Nick contact had opgenomen met Ali. Hij stuurde een sms-bericht vanaf een telefoonnummer dat ze niet herkende: 'Pas goed op ze.' Ze vertelde het aan niemand en wiste het bericht meteen.

'Ik weet het al,' zei Foy opgewonden. Abrupt zette hij een stap achteruit en stootte tegen de arm van een stoel. Ali vloog op hem af en ving hem op met een hand in zijn onderrug. Hij voelde breekbaar en knokig aan toen ze hem voorzichtig overeind duwde. 'Het is die nanny die met Cupcakes man in bed lag.'

Ali keek uit het raam en volgde Foys vinger naar de voordeur. Maar ze wist al dat het Katya was voordat ze de lange benen en het slanke, lenige lichaam zag. Ze stond voor de intercom en probeerde zich met gebogen hoofd en hangende schouders zo onaanzienlijk mogelijk te maken.

'Ali, ben je daar?' riep Katya door de brievenbus. 'Laat me alsjeblieft binnen.' De fotografen aan de overkant roken een verhaal en bevestigden op hun gemak hun lenzen op hun camera's. Iemand vroeg Katya naar haar relatie tot de Skinners.

'Waar ken je ze van?' riep een stem. Katya negeerde ze.

'Weet je waar Nick Skinner is?' riep iemand anders. 'Heeft hij contact met je opgenomen?'

Foy leunde achterover tegen Ali aan. Ze verzette zich niet. Hij had de steun nodig en zijn nabijheid was troostend. De mouw van zijn jasje kietelde aan haar neus. Het rook muf. Hij ademde kort en onregelmatig. Tita zou echt met hem naar de dokter moeten, dacht Ali. Maar Tita maakte zich te bezorgd over haar dochter en haar kleinkinderen om zich met haar man bezig te houden. De prijs voor zijn ontrouw was echtelijke afstandelijkheid. Hij ademde uit en Ali rook de verschaalde alcohol van de vorige avond. Ze ving Jakes blik.

'Ken je Nick Skinner?' riep iemand vanuit de menigte aan de overkant.

'Zal ik haar binnenlaten?' vroeg Ali.

'Waarom niet?' vroeg Jake.

'Waar ben je geweest?' vroeg Ali zachtjes aan Katya. Ze zaten samen op de bank in de zitkamer. Leicester lag tevreden snurkend tussen hen in. Katya streelde hem en hij gromde in zijn slaap. Ze haalde haar hand weg.

'Ik heb nog nooit zo'n misantropische hond gezien,' zei Ali, blij met de ruimte tussen hen in, omdat ze erdoor kon ontsnappen aan de geur van goedkope parfum. Niet-begrijpend fronste Katya haar voorhoofd.

'Hij heeft een hekel aan mensen,' legde Ali uit. 'Trek het je niet persoonlijk aan.'

'Ik zag dit in de krant,' zei Katya, en ze pakte een portemonnee uit haar handtas. Deze keer haalde ze er in plaats van geldbiljetten een keurig opgevouwen kopie uit van de foto die Ali voor het etiket van Foys olijfolie had gemaakt, die ze Ali in handen drukte. Iemand had Ali's naam boven de foto met potlood omcirkeld. Katya haalde een pakje sigaretten tevoorschijn en bood Jake en Izzy een sigaret aan.

Gealarmeerd zei Foy: 'Je mag hier niet roken.' Hij tuurde om de rand van de fauteuil heen om zijn afkeuring te benadrukken. 'Het is al erg genoeg dat je schoenen aanhebt. Ik ben de enige die schoenen aan mag in deze kamer.' Katya moest lachen om zijn kregele toon.

'Als u de staat van mijn voeten zag, zou u me vragen om ze aan te houden,' zei Katya, frommelend met de rijen armbandjes om haar linkerpols.

'Ik dacht dat jij terug was gegaan naar Oekraïne?' vroeg Ali haar.

'Ik heb een andere baan gevonden in Londen,' zei Katya.

'Als nanny?' vroeg Ali.

'In een bar,' zei Katya schouderophalend. Ze zweeg even. 'Ze spelen livemuziek. Whispers, heet het.'

'Is het leuk werk?'

'Ik snap niet dat je hier nog steeds bent,' zei Katya op gedempte toon, 'terwijl hier alles op het punt staat in te storten. Iedereen zegt het. Waarom ga je niet weg? Ga je studie afmaken. Jij had altijd zoveel plannen. Wat doe je nog bij deze mensen?'

Alfie en Hector stoven de kamer in en renden naar Ali. Ze landden met zoveel kracht boven op haar dat ze achteruit tegen de bank werd gedrukt. Giechelend omhelsden ze haar, hun stemmen gesmoord omdat ze hun neus in haar oksels duwden. Ze ademden haar geur in en zij streelde hun rug met kleine ronde bewegingen, tot ze geleidelijk rustiger werden.

'Hier heb je mijn twee redenen,' zei Ali glimlachend.

'We misten je,' zeiden ze, en ze draaiden zich in haar armen om zodat ze de kamer in keken.

'Ik was de hele tijd al hier,' zei Ali. 'Kennen jullie Katya nog?'

'Waar is Thomas?' vroeg Alfie, die meteen het verband legde.

'Hij is thuis bij zijn ouders,' zei Katya op gelijkmatige toon.

De deurknop werd omgedraaid en Bryony kwam binnen.

'Wat doet zij hier?' vroeg Bryony met een gebaar naar Katya. De manier waarop Bryony nerveus door de kamer op hen af kwam, deed Ali denken aan een dier dat niet kon besluiten of hij wilde vechten of vluchten. 'Snap je dan niet dat de autoriteiten op zoek zijn naar de meest onbeduidende bewijzen voor een verband tussen Nick en Ned? Je moet echt weg.'

'Het spijt me,' zei Katya verontschuldigend. 'Ik wilde Ali zien.'

Bryony wees naar het raam en zei: 'Ze gaan op zoek naar informatie over jou. Iedereen die hier komt is meteen interessant. En gezien jouw verleden, zou ik verwachten dat je liever niet in de schijnwerpers komt te staan.'

'Rustig aan, mam,' zei Jake. 'Straks horen ze je buiten.'

'Ik ga meteen weer weg,' zei Katya. Ze drukte Ali een stukje papier in handen. 'Het adres waar ik werk,' fluisterde ze.

'Waarom staat de televisie niet aan?' vroeg Bryony driftig. Ze greep de afstandsbediening en gebaarde ermee naar Foy en Jake. 'Ze hebben een nieuwe invalshoek. Felix belde om me te waarschuwen. Ik geloof dat ze nog iemand gaan ondervragen.' Katya zei iedereen gedag, maar alleen Ali reageerde.

'Wat is er aan de hand?' raspte Foy verward. Hij drukte met zijn handen op de armleuningen van zijn stoel om zich er voor de tweede keer binnen een halfuur uit te hijsen. Zijn handen waren zo verschrompeld, dat je onder de losse huid de gespannen pezen kon zien. Foy sloot zijn ogen en beet op zijn onderlip om al zijn kracht in zijn verzwakte biceps te dwingen. Zijn bovenlichaam beefde van de inspanning toen hij zijn lichaam boven de zitting van zijn stoel verhief. Even hing hij daar, trillend in de lucht, als een zwaar voorwerp aan het uiteinde van een kraan. Toen begaven zijn armen het, en hij viel terug in de kussens. Niemand zei iets.

'Ik laat mezelf wel uit,' zei Katya toen Sky News op het scherm verscheen. Foy tuurde moeizaam om de hoek van zijn stoel heen. Hij wilde niet nog eens proberen om zelf op te staan, maar Bryony, Jake, Ali en Izzy stonden te dicht bij het scherm en belemmerden hem het zicht. Op televisie stond een verslaggever voor het gebouw van Lehman Brothers in New York. De bank had zojuist een verlies van 3,9 miljard dollar aangekondigd voor het derde kwartaal. De aandelen werden verhandeld voor zeven dollar per stuk, en het zag ernaar uit dat de laatste noodoplossing, een deal om de bank aan een Koreaans bedrijf te verkopen, niet doorging. Door haar opgetrokken wenkbrauwen leek het alsof de verslaggeefster opzettelijk een gezicht trok.

'Wat betekent het allemaal?' vroeg Jake aan Bryony.

'Het betekent dat Lehman Brothers, tenzij er een wonder gebeurt, gaat omvallen,' zei ze. 'En dat betekent dat je vader een fortuin heeft verloren in aandelenopties.'

Terwijl ze worstelden om die informatie in zich op te nemen, schakelde de uitzending over naar het gebouw van Lehman in Canary

Wharf, 'het centrum van een omvangrijk kartel voor aandelenhandel met voorkennis'.

'God, zo klinkt het net alsof die twee dingen iets met elkaar te maken hebben,' zei Bryony.

'Daar zijn we geweest!' zeiden Hector en Alfie opgewonden.

Even verscheen een foto van Nick op het scherm.

'Papa, papa!' riep de tweeling naar de televisie. Hector begon te huilen alsof het ineens tot hem was doorgedrongen dat zijn vader iemand was die hij nu alleen nog in de kranten en op televisie kon vinden. Het was een close-up van Nick in smoking bij een diner in Mansion House. Ali herkende de foto die vroeger op de tafel naast de deur stond. Ze keek naar de tafel. De foto was weg.

Ali wierp een blik op Foy en zag een traan van zelfmedelijden over zijn wang omlaag druppelen. Jake zag het ook en liep naar zijn grootvader om een hand op zijn schouder te leggen, voordat hij zijn blik weer op het televisiescherm in de hoek van de kamer vestigde.

'Gevluchte bankier heeft wellicht nog een medeplichtige,' flitste de kop.

'Hij is niet gevlucht!' schreeuwde Bryony tegen het televisiescherm. 'Hij heeft een verklaring afgelegd en is ondergedoken om aan jullie te ontsnappen, rotzakken!'

'Weet jij waar hij is, mama?' vroeg Jake.

'Hij is veilig. Meer hoeven jullie niet te weten,' snauwde Bryony zonder haar ogen van het scherm af te wenden.

Bryony zette het geluid zo hard dat de tweeling hun vingers in hun oren stak en eentonig begon te zingen.

'Zorg dat ze stil zijn, Ali,' smeekte Bryony.

'Koppen dicht!' riep Foy, wat ook al niet hielp.

Ali ging weer met de jongetjes op de bank zitten. Ze tilde Hector op schoot.

'Waarom kunnen we niet bij iemand gaan spelen?' snikte hij op haar schouder. 'Het is zo saai om de hele tijd hier te zijn.'

'Niemand wil ons hebben,' zei Alfie, op zijn knieën naast Ali om zijn broer op zijn rug te kunnen kloppen.

'Waarom niet?' vroeg Hector.

'Ze vonden ons leuk toen we rijk waren, maar nu zijn we arm,' legde Alfie uit, 'en ze zijn bang dat het besmettelijk is.'

'Alleen Ali wil met ons spelen,' zei Hector. 'Ga alsjeblieft niet weg, Ali.'

Hij klemde zich als een aapje aan haar vast.

Jake kwam bij hen zitten. Hij tilde Alfie op en zette hem op zijn knie. Alfie en Hector hielden elkaar vast. Ze luisterden in stilte naar het verhaal over Nick dat nu begon. Er gingen geruchten dat de van oneerbaar gedrag beschuldigde bankiers Nick Skinner en Ned Wilbraham wellicht niet alleen handelden toen ze aandelen kochten in beursgenoteerde bedrijven op het punt om gekocht of verkocht te worden. De verslaggever gaf een korte uitleg over handelen met voorkennis. 'Op handel met voorkennis staat maximaal zeven jaar gevangenisstraf.'

Hij begon weer over de aanklachten tegen Nick. Ali en Jake leunden voorover naar de televisie. Nick werd beschuldigd van een reeks transacties over een periode van drie jaar, met gebruik van informatie die naar verluidde steeds uit dezelfde bron afkomstig was.

'De FSA zou belangrijke vorderingen hebben gemaakt bij het identificeren van Skinners bron,' zei de verslaggever op een irritant toontje dat aangaf dat hij heel goed wist wie er werd verdacht, maar niet in staat was om diens identiteit te onthullen omdat het onderzoek daardoor in gevaar zou kunnen komen.

'Ik ga Felix vragen of zij weten wie het is,' zei Bryony en ze tikte een bericht in haar BlackBerry.

'Voorzichtig, ze houden waarschijnlijk je berichten in het oog, Bryony,' waarschuwde Foy.

'Ik weet wat ik doe,' zei Bryony. Haar telefoon ging meteen. Ze luisterde even zonder iets te zeggen, legde de telefoon weg en liet zich op de bank zakken. Even bleef ze daar liggen staren naar de kroonluchter boven haar hoofd.

'Wat zei Felix, mam?' vroeg Jake.

'Hij zei dat ze denken dat ik het ben,' zei Bryony aangeslagen. 'Ze denken dat ik degene ben die papa informatie voerde. Ik ben hun hoofdverdachte.'

Voor de tweede keer die dag ging de deurbel. Bryony ging opendoen. Voordat ze de deur opendeed, wist Ali al dat het de politie zou zijn met een arrestatiebevel voor Bryony.

24

September 2008

Het was akelig symmetrisch dat CNBC net het nieuws flitste dat de aandelen Lehman die nog geen jaar geleden 86,18 dollar waard waren, nu tegen 3,71 dollar per aandeel werden verhandeld – het laagste niveau ooit – toen Bryony later die dag Foy, Ali, Jake en Izzy naar de zitkamer riep om te melden dat de beschuldigingen van handel met voorkennis tegen Nick allemaal haar klanten betroffen. Ali herinnerde zich Nicks opmerking op Corfu en dacht: alle boten slaan tegelijkertijd om.

'Ik begrijp het niet. Wat betekent dat allemaal?' vroeg Foy verward; zijn blik ging van Bryony naar de televisie en weer terug. Hij zat midden in zijn lunch, een boterham met ham en mosterd, haastig gesmeerd door Ali. Er kleefden kruimels in de mosterd rond zijn mond, er lagen kruimels in de richel waar zijn trui over zijn buik kreukelde en er lagen kruimels op de vloer rond zijn stoel. Leicester zat met open mond aan zijn voeten te hopen dat er een stukje ham zou vallen. Foys greep op zijn boterham was zo zwak, dat het een hele prestatie was om hem op te eten voordat hij uit elkaar viel. Maar hij kon hem in elk geval zonder hulp naar binnen krijgen. Sinds een tijdje kon hij geen vork meer naar zijn mond brengen zonder Ali om hulp te vragen.

'Het betekent dat de toezichthouder denkt dat ik Nick informatie doorspeelde over deals waar mijn klanten bij betrokken waren,' zei Bryony met bevende stem. 'Ze nemen aan dat ik de tipgever ben.'

'Nick gebruikte informatie over jouw klanten om aandelen te kopen?' bevestigde Foy.

Bryony knikte instemmend.

'Het is allemaal te toevallig, hij kan bijna niet onschuldig zijn,' vertelde ze.

Op de televisie zakten de aandelen van Lehman Brothers weer, alsof er een soort magisch verband bestond tussen Bryony's verlies van vertrouwen in haar man en het verlies van vertrouwen van de wereld in het bankensysteem.

Bryony was bleker dan ooit en Ali zag dat haar handen beefden in haar schoot. Ze overwoog half om naar de rechte stoel te lopen waar Bryony stijf rechtop zat en die handen in de hare tot bedaren te brengen, zoals Bryony had gedaan die keer dat ze voor het eerst met de auto naar school reed, bijna op de kop af twee jaar geleden. Dat was nog altijd een van de intiemste momenten tussen hen tweeën.

Maar ze vermoedde dat Bryony te trots was voor medeleven. En het zou betekenen dat ze zich van Jake moest losmaken. Lichamelijk van hem gescheiden zijn voelde steeds meer aan als een groter verlies dan ze kon verdragen. De vorige avond hadden Ali en Jake voor het eerst een gesprek gevoerd waarin ze zich een toekomst samen durfden voor te stellen, buiten de grenzen van Holland Park Crescent 94. Jake had voorgesteld dat Ali zou proberen over te stappen naar Oxford om haar laatste jaar daar aan de universiteit met hem te doen. Ze zouden kunnen samenwonen. Ze zou zijn vrienden leren kennen. Ze konden een huisje op het platteland huren. Het klonk als een nummer van een alternatief bandje, dacht Ali, genietend van de dagdroom.

Ze hadden erover gepraat toen ze naakt naast elkaar op bed lagen, hand in hand, nadat ze zojuist voor de derde keer die nacht gevrijd hadden, en ze zagen zichzelf boodschappen doen bij Sainsbury's, cider drinken in een pub in de Cotswolds, de muren van hun slaapkamer schilderen. Het was een bitterzoet beeld. Want ook al begreep Jake dat niet, Ali wist dat hun relatie ten einde zou zijn zodra ze ermee naar buiten kwamen.

'Ik kan niet geloven dat hij me dit heeft aangedaan.' Bryony fluisterde bijna.

'Misschien probeert de toezichthouder maximale psychische druk uit te oefenen door jou aan te vallen, om papa iets te laten bekennen wat hij niet heeft gedaan?' opperde Jake. Als Bryony niet op een andere manier haar vermoedens kreeg, moest Jakes optimisme ten aanzien van de ramp die zijn familie overkomen was, die binnenkort wel oproepen. Hij had de beschonken vrolijkheid van iemand in de eerste stadia van verliefdheid. Zelfs Izzy draaide zich om en vermaande hem 'geen onzin te praten'.

Jakes arm lag over de rug van de bank en vrijmoedig streelde hij Ali's nek en hij liet zijn vinger op haar schouder rusten. Ali schoof opzij, bang dat iemand het zou merken. Ze keek om zich heen en zag dat Foy zich concentreerde op zijn boterham, terwijl Izzy aan het vel rond haar nagels zat te peuteren tot het bloedde en Bryony naar haar handen keek, verbijsterd over haar onvermogen om het beven te bedwingen.

'In de afgelopen vijf jaar heb ik aan vijf grote deals gewerkt en in elk van de betrokken bedrijven heeft Ned Wilbraham aandelen gekocht. Volgens de FSA kwam alle informatie van je vader,' zei Bryony zacht.

'Hoe weten ze dat?' vroeg Izzy.

'Ik geloof niet dat ze bewijzen hebben, maar ik denk wel dat het zo is,' zei Bryony. 'Hij had een bankrekening waar Ned elke paar maanden geld op overmaakte.'

'Papa kent Ned Wilbraham amper,' zei Jake.

'En hij mag hem niet eens,' zei Izzy.

'En mama heeft een hekel aan haar,' zei Jake.

'Ik bleef ze maar vertellen dat wij niets te maken hebben met de Wilbrahams. Ze lieten me een foto zien van Nick en Ned samen op Corfu en nog eentje van ons drieën op een sportdag van school. Ze wilden dat ik bekende dat we deel uitmaken van een misdaadsyndicaat. Het zou lachwekkend zijn, als het niet zo ernstig was.'

'Misschien is er een eenvoudige verklaring?' opperde Foy.

'Wat de FSA betreft, is het allemaal zo klaar als een klontje: ik gaf informatie over de deals waaraan ik werkte door aan je vader, die gaf hij dan weer door aan Ned Wilbraham, vervolgens kocht Ned de aandelen, en dan deelden ze de winst als ze eenmaal weer verkocht werden,' legde Bryony uit. 'Het zit keurig in elkaar.'

'En jij hebt Nick die informatie over je klanten beslist niet gegeven?' vroeg Foy. 'Zelfs niet onopzettelijk?'

'Natuurlijk niet,' zei Bryony ongeduldig. 'Waarom zou ik dat doen? Dat zou de zaak die ik in de loop der jaren heb opgebouwd te gronde richten, en mijn reputatie erbij. Ik ben nu al vijf klanten kwijt en iedereen is het erover eens dat ik mijn gezicht beter niet kan laten zien op kantoor.'

'Maar waarom zou papa dat dan doen?' vroeg Jake. 'Hij heeft dat geld toch helemaal niet nodig.'

Bryony wees naar het televisiescherm. De verslaggever van CNBC liet een grafiek zien van de daling van de aandelenprijs van Lehman waaruit bleek dat ze sinds 31 januari 93 procent van hun waarde hadden verloren.

'Dat weet ik niet, want ik krijg hem niet te pakken,' zei Bryony, Jake en Izzy aankijkend alsof ze niet zeker wist hoeveel ze konden incasseren. 'Maar ik vermoed dat het iets te maken heeft met de crisis bij Lehman.'

'Zeg het nou maar, mam,' zei Jake. 'Als je het niet vertelt, lezen we het straks toch wel in de krant.'

'Lehman betaalde de bonussen grotendeels in aandelen,' zei Bryony. 'Twee jaar geleden was het aandeel van je vader in de bank vijftien miljoen pond waard, nu minder dan één miljoen. Ik denk dat hij die bui zag hangen en dacht dat een beetje handel met voorkennis een goede verzekeringspolis zou vormen tegen de verliezen bij de bank.'

'Als dat zo is, is hij een grote idioot!' zei Foy explosief, met iets van zijn vroegere bravoure. 'En een nog grotere idioot dat hij zich heeft laten pakken. Zulke dingen gebeuren voortdurend, maar alleen de amateurs verschijnen op de radar.' Hij kreeg de smaak van zijn thema te pakken en wreef zijn handen op en neer langs zijn broekspijpen, zodat er een regen van kruimels op Leicesters kop belandde.

'Zo maakt u het niet draaglijker,' waarschuwde Jake zijn grootvader.

'Ik betaal goddomme zijn advocaat,' zei Foy, 'dus ik mag zeggen wat ik wil. Ik heb mijn zaak vanaf de grond steen voor steen opgebouwd. Nick heeft het altijd veel te makkelijk gehad. Hij heeft nooit echt hoeven werken voor zijn brood. Pakketten schuld verkopen is geen werk. Verrekte praatjesmaker.' Hij liet zich weer achterover in zijn stoel zakken.

'Papa werkte juist altijd heel hard,' protesteerde Izzy. 'Daarom was hij nooit thuis.'

'Maar nu zien zijn geweldige risicomatigende formules er lang niet zo slim meer uit, hè?' vervolgde Foy.

Hector en Alfie waren beneden in de keuken met het muzieksysteem aan het rommelen. Het geluid van Cat Stevens die *It's a Wild World* zong, klonk op volle kracht door het huis. Iedereen schrok. Toen schakelde het systeem over op *Two Little Boys*, de originele versie, die Foy voor de jongetjes had gekocht. Niemand verroerde zich; van de schrik waren ze allemaal even stil, en opgelucht dat het lawaai Foy overstemde.

'Zet die herrie af,' riep Foy schor, voorover geleund alsof hij wilde opstaan uit zijn fauteuil. Zijn boterham viel uit zijn hand en Leicester schrokte hem gulzig naar binnen.

'Ik heb een goede advocaat nodig die gespecialiseerd is in bedrijfscriminaliteit, papa,' zei Bryony. Ze had niet de kracht om met haar vader in discussie te gaan. 'Anders krijg ik de schuld van iets wat ik niet gedaan heb.'

'Gaat papa ze dan niet vertellen dat je onschuldig bent?' vroeg Izzy.

'Vast wel, maar dat betekent nog niet dat ze hem ook geloven,' zei Bryony botweg.

'We moeten Julian bellen,' zei Foy nadrukkelijk. Het was een zinnetje dat hij zo te horen al vaker had gebruikt als hij in een lastig parket zat.

'Waarom?' vroeg Jake ongelovig.

'Hij zou ons misschien kunnen helpen,' zei Foy.

'Hoe kan hij ons nou helpen?' vroeg Izzy. 'En waarom zou hij dat doen?'

'Eleanor heeft net een verhaal over jullie vijftig jaar durende verhouding aan een tabloid verkocht,' zei Bryony verbitterd. 'Dat soort hulp kunnen we missen als kiespijn.'

'Eleanor is de kluts kwijt,' verzuchtte Foy. 'Ze is niet goed bij haar hoofd.'

'Maar hoe wist Nick dan wie van jouw klanten ging kopen of fuseren als jij het hem niet vertelde, Bryony?' vroeg Ali. Het was de eerste keer dat ze iets zei. Bryony keek alsof ze verbaasd was om Ali in de kamer aan te treffen.

'Dat weet ik niet. Dat vroeg de politie ook al en ik kon ze geen antwoord geven. Heb jij enig idee?'

Op zondagavond, nadat Ali de tweeling vier hoofdstukken uit *Alice in Wonderland* had voorgelezen, een toepasselijke keuze in de huidige omstandigheden, ging Ali haar slaapkamer opruimen. Ze begon met de kledingkast, waar ze lukraak alles uit trok tot ze alleen de handvol kleren over had die ze bij zich had toen ze bij de Skinners kwam wonen.

Ze schikte een outfit op het bed die ze op de universiteit had gedragen en probeerde zich te verbeelden dat ze daarin een college over achttiende-eeuwse schrijvers bijwoonde. Ze streek het gekreukte paarse T-shirt en de spijkerbroek glad. 'John Locke, Daniel Defoe, Jonathan Swift, Alexander Pope, Samuel Richardson, Henry Fielding, Laurence Sterne.' Ali somde de schrijvers op die ze had bestudeerd, vergenoegd dat ze zich niet alleen hun namen herinnerde, maar ook de volgorde waarin ze tijdens de colleges waren behandeld.

Even sloot ze haar ogen en zag zichzelf in deze spijkerbroek en dit

T-shirt op haar rug in het gras liggen dromen over Will MacDonald, die citeerde: 'Woorden zijn slechts wind en kennis is niets meer dan woorden'. Ze probeerde zich het onderwerp van haar laatste essay voor de geest te halen. Was het de verkenning van eenzaamheid in de fictie van Richardson, Defoe en Sterne, of de relatie tussen castratie, klokken, vroedvrouwen en het leger in *Tristram Shandy*?

Toen herinnerde ze zich een rugzak vol boeken die ze achter op een plank boven in de kast had gestouwd, en impulsief sleepte ze een stoel dichterbij zodat ze die naar beneden kon halen. Er zat een boek bij over de opkomst van de City van Londen als financiële en commerciële hoofdstad van de wereld in de achttiende eeuw, eentje over de beheersing van politieke macht door handelsbelangen, een boek van Carole Pateman over de patriarchale samenleving en de seksuele onderdrukking van de vrouw, en *The Birth of a Consumer Society* van John Brewer.

Voorzichtig haalde ze de boeken een voor een uit de rugzak, veegde het stof eraf met het paarse T-shirt en legde ze in een keurige stapel op haar nachtkastje, waarna ze besloot van haar opsluiting gebruik te maken om zich alvast in te lezen ter voorbereiding op haar terugkeer naar de universiteit. Wat Nick ook gedaan mocht hebben en wat Bryony's rol daarin ook was geweest, het was Ali duidelijk dat ze in een kaartenhuis leefde. 'We naderen de slotfase,' zei ze tegen Jake. Het was een van haar weinige zekerheden.

Even stond ze zichzelf toe om te dromen over studeren in Oxford met Jake. Als hij bij haar was, leek het bijna mogelijk. Als ze niet bij elkaar waren, was het vooruitzicht even absurd als het theepartijtje van de Gekke Hoedenmaker. Ze richtte haar aandacht weer op de stapel kleren. De meeste had ze van Bryony gekregen: dingen die Bryony niet langer droeg of miskopen die ze had gedaan tijdens een van haar gejaagde uitstapjes met een personal shopper naar Selfridges of Harvey Nichols. Ali herinnerde zich een gesprek met Mira en de andere nanny's over de omgekeerd evenredige relatie tussen rijkdom en vrijgevigheid. 'Ze laat me mijn eigen melk betalen...' 'Ze bestellen kinderporties voor me in restaurants...' 'Ik moet zelfs kwitanties laten zien als ik alleen maar een pakje M&M's heb gekocht na school.' Geen van hun klachten klonk haar bekend in de oren.

Ali telde ten minste tien paar schoenen die ze van Bryony had gekregen. Ze trok een spijkerbroek aan die Bryony voor haar had gekocht in

New York, een paar Belstaff-laarzen die Bryony nooit had gedragen, en een topje van Sass & Bide. Ze bekeek zichzelf kritisch in de spiegel.

Veel van de kleren waren te formeel. Die stopte ze in een tas voor haar vriendinnen. Haar oude kleren uit Norfolk legde ze op een stapel voor het Leger des Heils. Vervolgens vestigde Ali haar aandacht op de ladekast. Ze trok alle vier de laden eruit en kieperde ze op de vloer: onderbroeken, sokken, sjaals, riemen, schriftjes, boekenlijsten die haar mentor haar in het begin had opgestuurd, in de hoop haar terug te lokken naar de universiteit, brieven van haar moeder, speelgoed van de tweeling.

Daarna diepte ze de poster van Francis Bacon uit de kast op en besloot dat ze die in de zitkamer zou hangen, waar het origineel ooit hing, om Foy aan het lachen te maken. Ze weet deze vlaag van energie aan een verlangen om een zekere orde op te leggen aan de opkruipende chaos die de Skinners in zijn greep hield. Dat was de mentaliteit die burgerbevolkingen beving in oorlogszones, of hulporganisaties na natuurrampen. Bryony had gelijk. Routine en orde waren het beste redmiddel tegen spanning en onzekerheid.

Midden in de wanorde, op het punt waarop alles er veel erger uitzag dan voordat ze begon, hoorde ze haar telefoon piepen. Ze keek en zag een bericht van Jake.

'Geen slaap, wil gezelschap?' stond er. Ze keek afkeurend naar zijn leestekens. Beweerde hij dat hij niet kon slapen of vroeg hij of zij niet wilde slapen? Ali tikte 'ja en ja' in op haar BlackBerry. Al voordat ze haar bericht had verstuurd zag ze de deurknop draaien en Jake stak zijn hoofd om de deur met een paar flesjes bier in zijn hand.

'Ze zijn warm,' zei hij verontschuldigend. 'En ik heb geen opener.'

Ali zag hem de kamer rondkijken, over haar schouder naar de kledingkast, de plastic zakken op de grond bij de kaptafel en de stapels op de vloer. Hij liep naar het nachtkastje en pakte een van de boeken die Ali daar had opgestapeld.

'Dit heb ik vorig semester gelezen,' zei hij terwijl hij door de pagina's van de *Consumer Society* van John Brewer bladerde en de priegelige aantekeningen die Ali in de kantlijn had gemaakt probeerde te ontcijferen.

'Wat waren je conclusies?' vroeg Ali.

'Dat alles wat er nu gebeurt de logische slotsom is van wat er in de achttiende eeuw begon,' lachte Jake. Hij legde het boek neer en keek naar Ali's telefoon met het nog niet verstuurde bericht aan hem. 'We zouden een geweldig essayschrijfteam vormen.'

'Ik moet even bij Hector en Alfie kijken,' zei Ali, die ondertussen kleren terug in de kledingkast propte.

'Ze liggen in Alfies bed te slapen met Leicester,' zei Jake.

'Zo voelen ze zich veilig,' zei Ali. 'Lagen ze onder hun dekbed?'

Jake kwam achter Ali staan en legde zijn armen om haar heen. Zijn hand verdwaalde onder haar T-shirt en ze leunde tegen hem aan.

'Hoe kom jij toch aan zoveel verantwoordelijkheidsgevoel?' vroeg Jake.

'Ik moest snel volwassen worden,' zei Ali. 'En ik word ervoor betaald.' Dat laatste was niet helemaal waar. Ondanks het geld in de piano was ze al weken niet betaald en ze voelde zich ook niet meer zo verantwoordelijk.

'Waarom ga je niet even zitten?' suggereerde Jake, terwijl hij haar zachtjes in de richting van het bed duwde.

'Ik ben te opgefokt,' zei Ali, en ze liet hem in haar nek neuzelen. 'Ik denk steeds aan dingen die ik heb gezien, die met je vader te maken hebben, en dan vraag ik me af of ze relevant zijn of dat ik ze misschien verkeerd interpreteer.' Ze zweeg even. 'Ik heb hem met Ned Wilbraham horen praten aan de telefoon. Ik heb hem met papieren bezig gezien die van je moeder waren. Het spijt me dat ik het allemaal niet erg duidelijk onder woorden breng.'

'Denk jij dat papa schuldig is?'

'Er zijn dingen die niet kloppen.'

'Papa was altijd al gesloten.' Jake was midden in de kamer stil gaan staan. Hij leunde tegen haar aan.

'Wat bedoel je?'

'Weet je dat zijn ouders nog leven en ergens in het noorden wonen? Dat heb ik gezien toen ik papieren bekeek die de FSA tijdens de huiszoeking heeft opgediept.'

'Denk je dat je moeder ervan wist?'

'Nee,' zei Jake kordaat.

'Waarom gaan we niet naar buiten?' vroeg hij ineens. Hij liep naar het raam en keek naar buiten. Er was niemand. Een voordeel van de arrestatie van Bryony en het exposé van Eleanor was dat de onverzadigbare honger van de media naar een nieuw verhaal over de Skinners voor vandaag in elk geval gestild was.

'Je moeder wil niet dat je 's avonds uitgaat.'

'Als jij erbij bent, geldt dat niet.' Hij trok Ali naar zich toe.

'Dan ben ik medeplichtig.'

'Ik ken een bar op Ken High Street die misschien open is.'

'Die zit vol vrienden van jou.'

'Of we kunnen gewoon een stuk lopen? Wanneer ben jij voor het laatst de deur uit geweest?'

Ali probeerde het zich te herinneren. Dat was haar afspraak met Felix Naylor geweest, twee weken geleden.

'Hoe moet het met geld?'

Jake haalde een stapel bankbiljetten uit zijn zak.

'Hoe kom je daaraan?' vroeg Ali.

'Uit de piano,' zei hij lachend.

Jaren later, tegen het einde van haar eerste termijn als universitair docent, vroeg Ali zich nog altijd af of het feit dat zij en Jake die avond bij nachtclub Whispers terechtkwamen toeval was of voorbeschikking. Ze had hun spoor al duizend keer opnieuw bekeken, op zoek naar nieuwe aanwijzingen, en oud bewijs herzien. Soms struikelde ze over de dubbele ontkenningen in haar pogingen om zich voor te stellen wat er niet gebeurd zou zijn als ze daar niet heen waren gegaan.

Dit waren de feiten: ze waren het huis uit gegaan, hadden over de donkere stoepen gedwaald die de randen van Holland Park omzoomden, naar het schrille nachtelijke gekrijs van de pauwen geluisterd. Ze waren Kensington High Street overgestoken en zuidwaarts door Warwick Gardens gelopen. In het souterrain van een van de huizen stond een radio aan.

'Russische oligarch,' zei Jake over de vreemde keelgeluiden die door het raam naar buiten zweefden.

'Oekraïense nanny,' corrigeerde Ali hem. In de afgelopen paar jaar had ze een goed oor ontwikkeld voor de verschillende nuances in de talen die er in haar omgeving werden gesproken. 'Ik ken de nanny die daar werkt. Ze komt uit een dorpje bij Kiev.'

Ze wandelden verder naar Earls Court. Ze liepen doelbewust, genoten van de vrijheid. Ze vroegen zich niet af waarom de ander linksaf besloot te gaan of een drukke straat wilde oversteken en een zijstraat inging. Voor het eerst hielden ze in het openbaar elkaars hand vast. Er waren geen fotografen om bang voor te zijn. Hector en Alfie waren er niet om hun tempo te vertragen. En door de aanwezigheid van Jake voelde ze zich veiliger dan eigenlijk geoorloofd was, om één uur 's ochtends in de straten van Londen.

'Heb je het niet koud?' vroeg ze aan Jake, toen ze plotseling opmerkte dat hij alleen een zwart T-shirt en een spijkerbroek droeg.

'Hou eens op met voor me te willen zorgen, Ali,' zei hij, maar ze hoorde de glimlach in zijn toon. 'Als je te veel voor mensen zorgt, ondermijn je hun vermogen om voor zichzelf te zorgen. Dat heb je zelf over je zus gezegd.'

Ali wikkelde het jasje dat ze van de Izzy-stapel had gepakt strak om zich heen. Het was van zwart fluweel met zilverkleurige sierspijkers rond de polsen en op de kraag. Ze voelde zich er vrouwelijk en sterk tegelijk in. Het was mooi, maar volstrekt ongeschikt voor de gelegenheid.

'Mooi jasje.'

'Van je moeder gekregen.'

'Mijn ouders waren altijd goed in cadeaus.'

'Heel vrijgevig,' beaamde Ali, waarmee ze zijn gebruik van de verleden tijd zorgvuldig niet bekrachtigde.

Ze bleven een tijdlang in kameraadschappelijk zwijgen doorlopen. Een groep tieners peddelde langs op mountainbikes en Jake botste tegen Ali's schouder aan toen hij voor ze opzij sprong.

'Nachtelijk Londen heb ik bijna alleen vanaf de achterbank van een Addison Lee-taxi meegemaakt,' zei Jake.

'Je ging toch met de metro naar school?' vroeg Ali.

'Meestal reed ik gewoon met de chauffeur van mijn vader mee,' bekende Jake. 'Ik vraag me af waar die gebleven is?'

Ali herinnerde zich de chauffeur die elke ochtend om kwart voor acht bij het huis aankwam. Hij was zo klein, dat het enige wat je van hem zag zijn tweed pet was, die net boven het stuur uitstak. Het hoofddeksel leek misplaatst midden in Londen, maar hij vertelde Ali dat het hem herinnerde aan het dorp in Armenië waar hij geboren was. Ali zei dat het haar ook aan thuis deed denken en hij glimlachte en ze zag dat hij ten minste drie gouden tanden had. Nick plaagde hem vaak dat hij eruitzag als een figurant in een van die typisch Engelse films over het interbellum, misschien *The Remains of the Day*, maar meneer Artouche was in Engeland nog nooit naar de bioscoop geweest en begreep de grap niet.

'Wist je dat zijn vrouw de hele nacht kantoren schoonmaakte, zodat ze hun oudste zoon naar een particuliere school konden sturen?' vroeg Ali.

'Dat wist ik niet,' zei Jake. 'En nu kan ik hem er nooit meer naar vragen, want hij is ook weg. Ik vraag me af wat er nog overblijft als dit straks allemaal voorbij is? Ik bedoel, hoeveel vrienden van papa en mama zijn er nog? Papa is weg. Malea is weg. En mijn opa verzuipt op de bodem van een wijnfles, wraakzuchtig aangeleverd door mijn oma.'

'Je kunt beter niet te veel nadenken over de toekomst,' zei Ali zacht. 'Leef maar liever bij de dag.'

'Of bij de maaltijd, zoals Izzy,' zei Jake. 'Weet je, soms wilde ik ook wel een borderline-eetstoornis hebben, om me ergens op te kunnen concentreren dat hier niets mee te maken heeft. Ik wou dat ik de luxe had om twee uur lang te overwegen of ik een bord gerookte makreel of een halve cracker zal eten.'

Ze liepen in een zijstraat, vlak bij Earls Court Road. Toen er een groepje slordig uitziende mannen uit een imposante dubbele deur in de smalle voetgangersstraat stroomde, stonden ze stil. De mannen droegen verkreukelde pakken, hun overhemden wapperden rond hun heupen in de wind en hun stropdassen, met van die kleine olifantjes erop, hingen scheef.

'Waar gaan we heen? We kunnen het er net zo goed van nemen, nu Rome brandt,' zei er één met dubbele tong.

'Heb jij onlangs nog berekend wat je netto waard bent?' vroeg een ander. 'Want onze aandelen zijn niks waard, sterker nog, minder dan niks.'

'Op zeven procent afgesloten vanavond, en maandag wordt een bloedbad,' zei degene die kennelijk het meest gedronken had.

'Wat ik niet snap, wat ik verdomme echt niet snap, is waarom Fuld zei dat de bank kapitaal genoeg had, en toen een verlies van 2,8 miljard pond aankondigde. Zo lijkt het net alsof wij goddomme niet weten waar we mee bezig zijn.'

'Skinner heeft ons allemaal genaaid. Door hem lijken we nu ook nog een stelletje criminelen, niet alleen maar incompetente klootzakken.'

'Maar hij had wel gelijk. Hij zag het aankomen. Dat moet je hem wel nageven. Hij probeerde gewoon te hedgen.' De anderen brulden van het lachen.

'Wie denk je dat hem de tips gaf?'

'Ik heb gehoord dat het zijn vrouw was.'

'Laten we wat gaan drinken,' zei Ali, en gespannen duwde ze Jake naar de deur van de club. Ze keek naar zijn gezicht en zag aan zijn strakke kaak en de sneer op zijn gezicht dat hij het had gehoord. Ze keken omhoog om te zien waar ze naar binnen gingen.

WHISPERS stond er op het enorme knipperende neonbord boven de deur.

Boven op de W lag een naakte neonvrouw met knipperende tepels.

Een van de mannen wendde zich tot Jake.

'Neem de katholieke meisjes, van al die schuld en boete krijgen ze een andere smaak,' zei hij, wellustig grijnzend terwijl hij met zijn vinger in Jakes borst prikte.

Een uitsmijter vroeg om identificatie. Hij bracht hen naar beneden in een enorme ondergrondse ruimte en vroeg of ze aan de bar wilde zitten of in een nis.

'Wat is het verschil?' vroeg Ali.

'In een nis heb je meer privacy,' knipoogde de uitsmijter.

'Een nis dan maar,' riep Ali boven het lawaai uit. Toen hun ogen zich hadden aangepast aan het donker zag Ali dat het vertrek vol jonge, in gevarieerde mate geklede en ontklede vrouwen was. Op een podium achter de bar waren vijf of zes meisjes aan het paaldansen. Mannen, het waren merendeels mannen, al telde Ali nog vijf andere vrouwen in het publiek, keken omhoog naar de danseressen die een voorstelling gaven. Af en toe zwaaide een van hen met een biljet naar een specifiek meisje, dat dan bukte om de man het biljet in haar slipje te laten steken.

'Volgens mij is dit een lapdanceclub,' schreeuwde Jake in haar oor.

'Uitstekend detectivewerk, mijn beste Watson,' zei Ali.

Ze had moeite om zich boven de muziek uit verstaanbaar te maken. De uitsmijter ging hen voor naar een halvemaanvormige nis met een comfortabel uitziend namaakleren bankje aan de andere kant van de zaal. Aan elk uiteinde van de halvemaan stond een tafeltje. Jake ging voor het midden en liet ruimte voor Ali aan zijn rechterhand. De uitsmijter overhandigde hen een in dik leer gebonden menu en Ali was enigszins verbaasd toen ze Jake kreeft thermidor en een fles champagne hoorde bestellen.

'Heb jij dit al eens eerder gedaan?' vroeg ze, boven een nummer van de Black Eyed Peas uit.

'Absoluut niet,' schreeuwde Jake terug in haar oor. 'Ik dacht alleen dat het wel fijn zou zijn om onze handen iets te doen te geven.' Hij wees naar de andere kant van het vertrek. Er stond een man aan de bar die zijn vingers magnetisch liet zweven voor een paar borsten terwijl een vrouw zich over hem heen boog om haar armen om hem heen te slaan. Om de hoek, in de nis naast hen, zat een vrouw wijdbeens op de schoot van een man van middelbare leeftijd die koortsachtig haar billen kneedde, ondanks de bordjes bij de bar die waarschuwden dat de mannen de danseressen niet mochten aanraken.

'Ik denk dat we hier weg moeten,' zei Ali, wier blik heen en weer vloog langs de bar die het midden van het vertrek besloeg. Ze kon Katya niet vinden, maar ze wist zeker dat ze hier werkte. Het was nog niet bij haar opgekomen dat Katya een van de danseressen zou kunnen zijn.

'Weet je,' zei Jake, achterovergeleund tegen de namaakleren bank. 'In zekere zin hadden we geen betere plek kunnen kiezen. Er is geen enkele kans dat die uitsmijters een fotograaf binnenlaten en het is zo donker dat ik zelfs jouw gezicht nauwelijks kan zien. Niemand merkt ons op. Ze hebben het veel te druk met lol maken.'

Hij sloot zijn ogen om te doen alsof hij blind was en zocht met zijn hand naar Ali's gezicht. Langzaam streelde hij met drie vingers van de top van haar voorhoofd omlaag over haar wenkbrauwen en haar neus naar haar kin. Een vrouw in een string en een klein bikinitopje onderbrak hen.

'Zal ik voor jullie samen dansen?' vroeg ze met een Oost-Europees accent. 'Ik doe graag paren. Ik kan voor jullie allebei een halve dans doen.'

'Nee, dank je,' zei Jake beleefd.

'Ik geef je korting,' zei het meisje, voorover geleund naar Jake zodat haar borsten gevaarlijk dicht bij zijn gezicht balanceerden. 'Het zou een plezier zijn om te dansen voor zo'n aantrekkelijk stel. Zeg twintig pond elk?'

'Misschien een ander keertje,' zei Jake. 'Probeer het straks nog eens.'

'Waarom zei je dat?' vroeg Ali, het meisje nakijkend dat op hoge, wankele hakken naar de volgende nis vertrok.

'Ik wilde niet dat ze zich afgewezen voelde,' zei hij.

‘Ik geloof dat je een iets te emotioneel beeld hebt van deze relatie,’ zei Ali. ‘Het gaat hier om zuiver zakelijke transacties.’

Jake keek naar de vrouw die aan de paal achter de bar danste en haar benen langzaam steeds wijder en hoger spreidde, tot ze in spagaat tegen de paal stond. Haar borsten wisten op de een of andere manier de zwaartekracht te weerstaan en bleven rechtop. Het was een professionele voorstelling, al waren de mannen van middelbare leeftijd die aan de tafeltjes rond de bar zaten te kijken meer geïnteresseerd in haar lichaam dan in haar techniek. Een paar juichten haar toe, eentje vroeg haar om haar slipje uit te trekken en hetzelfde kunstje nog een keer naakt uit te voeren. Toen ze weigerde, lachte hij en zwaaide met een stapeltje biljetten van twintig pond voor haar gezicht. Elke keer als ze nee zei, legde hij er twintig pond bij. Toen hij bij de honderd pond was, pakte ze het geld aan en gaf het in bewaring bij een van de uitsmijters. Ze haakte haar hoge hak in het elastiek van haar slipje, pelde het omlaag en zette haar dans opnieuw in. Ali zag dat het meisje achter de bar het slipje discreet weghaalde en netjes opvouwde, zoals ze voor een kind zou doen.

‘Ik had dit wel kunnen doen, in plaats van nanny te worden,’ zei Ali peinzend. ‘Er zijn zat studenten die dit doen.’

‘Je lichaam verkopen is de logische culminatie van de kapitalistische droom,’ zei Jake. ‘De globalisering van de Oost-Europese seksindustrie begon met de val van de Berlijnse muur en het einde van het communisme. Alles heeft zijn prijs. Dat hele boek op jouw nachtkastje gaat over de verandering van het sociale contract in het seksuele contract.’

‘Het is geen vrijheid,’ zei Ali.

‘Voor sommigen is het vrijheid, voor anderen niet,’ weerlegde Jake.

De uitsmijter die hen naar hun nis had gebracht kwam terug en vroeg of ze een speciaal soort meisje zochten. Aangezien ze de tengere Oost-Europese brunette hadden afgewezen, vroeg hij zich af of ze misschien liever een oriëntaals meisje wilden. ‘We hebben een paar heel exotische Thaise meisjes,’ legde hij uit, ‘en een paar pittige Latina’s. Die zijn heel goed met beginners. Heel hartelijk. Er zijn ook een paar Engelse meisjes, als jullie iemand in je eigen taal zoeken.’

Hij leek op een vriendelijke en geduldige ober die de specialiteiten van de dag kwam aanbevelen.

‘Kun je ons uitleggen hoe het allemaal werkt?’ vroeg Jake. ‘We zijn nieuw hier.’

‘Volslagen beginners,’ herhaalde Ali.

‘Een toplessdans kost twintig pond en tien erbij als het meisje naakt is,’ legde hij uit. ‘De regel is niet aanraken. Jullie moeten je handen op de bank houden. Zij mag jullie wel aanraken, maar jullie haar niet.’

‘Moet je betalen om te praten?’

‘Tijd is geld,’ zei de man met een glimlach. ‘Twintig minuten kost tweehonderd pond. Als je wilt praten, bel je maar een vriendin.’

‘Zijn er ook lange, blonde, langbenige Oekraïense meisjes met grote, stevige borsten?’ vroeg Ali hem.

‘Ali,’ lachte Jake, ‘schei uit, dit doen we niet.’

De uitsmijter haalde een klein zaklampje uit een van zijn zakken om een lijst met handgeschreven namen te bekijken die hij uit een andere zak opdiepte.

‘Wat denk je van Lara?’ vroeg hij, met een gebaar naar een verveeld uitziende vrouw aan een tafeltje naast de bar.

‘Grotere borsten en langere benen,’ verzocht Ali.

‘Of het meisje dat nu danst?’ stelde de uitsmijter voor. ‘Ze is duurder dan sommige anderen.’

‘Waarom?’ vroeg Ali.

‘Kijk maar hoe ze danst, dan snap je het,’ zei hij.

Ali stond op en zette een paar stappen in de richting van de bar, buiten Jakes gezichtsveld. Het meisje op het podium kronkelde zich als een slang om de paal heen. Ze bewoog zich loom, bijna lui, zonder naar de mannen te kijken die zich op de vloer verzameld hadden. Stralend wendde Ali zich tot de uitsmijter.

‘Geweldig,’ zei ze. ‘Die nemen we.’

‘Ik stuur haar als ze klaar is. Tonya doet vijftien minuten, daarna is ze voor jou,’ zei de man. ‘Als je wilt, hebben we boven faciliteiten die nog meer besloten zijn.’

‘Nog één vraag,’ zei Ali. ‘Zijn ze allemaal vernoemd naar personages uit *Dokter Zjivago*?’

‘Ik kan niet geloven dat je dat zomaar gedaan hebt,’ zei Jake hoofdschuddend, zo levendig dat zijn donkere krullen heen en weer zwiepten. Hij schonk zichzelf nog een glas champagne in. Het klotste over de rand. ‘Wat ga je doen als ze hier komt?’

‘Dan onderhandelen we over een prijs en laten we haar voor ons dansen,' zei Ali. 'Je kunt niet naar een lapdanceclub gaan en dan zonder lapdance weer vertrekken. Dat zou net zoiets zijn als naar Corfu gaan zonder de honing te proeven, of naar Cromer zonder krab te eten, of naar Australië zonder een koala te aaien...'

'Ja, ja, ik snap het,' zei Jake, 'al betwijfel ik of anderen er ook zo over zouden denken.'

'Hoe zouden zij er dan over denken?'

'Ze zouden het behoorlijk bizar vinden dat de nanny van de familie me meenam naar een lapdanceclub en daar een meisje koos om voor me te dansen. Zie je de koppen al voor je?'

'Doe niet zo, Jake,' zei Ali. 'Vaders brachten hun zoon vroeger heel vaak bij een prostituee voor zijn eerste seksuele ervaring.'

'Jij bent mijn vader niet en dit is niet mijn eerste seksuele ervaring,' preciseerde Jake.

'Maar ik heb wel gezag over je,' glimlachte Ali en ze boog zich naar hem toe om hem op zijn mond te kussen.

'En waar ben jij terwijl dat zich allemaal afspeelt?' vroeg Jake.

'Hier naast je,' zei Ali. 'Voor als er iets misgaat.'

'Wat kan er misgaan?'

'Misschien kom je wel in de verleiding om haar aan te raken,' opperde Ali. 'Of je bent vroeg klaar. Of je krijgt een stijve nek van het staren naar haar borsten.'

'Ik wil toch geen lapdance met jou naast me,' zei Jake. 'Wat ga jij dan ondertussen doen?'

'De kreeft thermidor eten,' zei Ali.

'Het zou echt niet tof zijn om dat te doen waar jij kreeft bij zit te eten, Ali,' pleitte Jake.

'Dan neem ik wel avocado met garnalen,' zei Ali.

'Het heeft niets met het eten te maken, het gaat om jou,' zei Jake.

'Die mannen doen het toch ook waar hun vrienden bij zijn,' zei Ali en ze wees naar de drie mannen aan een tafel vlakbij.

'Het voelt gewoon niet goed,' zei Jake, nerveus kijkend naar de vrouw die op hen af kwam. Ze droeg een piepklein minirokje, gouden schoenen en een rood topje met lovertjes. Toen ze ten slotte de nis binnen wiegde, realiseerde Jake zich echter dat hij haar kende.

'Katya?' zei hij, de uitdrukking op zijn gezicht afwisselend onthutst en opgelucht.

Ali knikte lachend en zei: 'Ik had je goed te pakken!'
'Wist jij dat ze hier zou zijn?' vroeg Jake.
'Gordijn open of dicht?' vroeg Katya.
'Dicht,' zei Ali.
'Het was een gok,' zei ze toen. 'Ik wil haar een paar vragen stellen. Ik denk dat ze je moeder kan helpen.'
'Hallo, Jake.' Katya woelde met haar hand door Jakes haar en zei iets in het Oekraïens.
'Hij is een knappe man geworden,' zei ze bewonderend voordat ze tussen hen in ging zitten.
Katya's kleren waren opzichtig en de zware make-up vestigde de aandacht op haar ogen en lippen. Ze was afgevallen, wat haar lange benen en brede schouders accentueerde.
'Welkom in het land dat de feministen vergeten zijn,' zei ze met een glimlach. Haar borsten werden precair in bedwang gehouden door een knap geconstrueerd rood topje, dat het midden hield tussen een beha en een bikini.
'Ik vind het echt heel naar wat jullie allemaal overkomen is,' zei Katya verontschuldigend tegen Jake.
'Het is niet erger dan wat er met jou gebeurd is,' zei Jake.
Ze boog zich voorover en nam een slok van Ali's onaangeraakte champagne. De uitsmijter stak zijn hoofd door het gordijn.
'Bereken hier een speciaal gastentarief,' droeg ze hem op. Ze wendde zich tot Ali: 'Anders betaal je tweehonderd pond voor twintig minuten van mijn tijd.'
'En, hoe is het om hier te werken?' vroeg Ali.
'Ik ga je de enige drie dingen over lapdanceclubs vertellen die je moet weten,' zei Katya, terwijl ze nog een slok van Ali's champagne nam. Jake bood haar een glas aan, maar ze zei dat ze niet dronk onder diensttijd. 'Eén: het is ideaal voor Engelse mannen, omdat ze niet kunnen dansen. Twee, het maakt het erg moeilijk om mannen nog leuk te vinden. En drie, je krijgt twee keer zoveel fooi tijdens je eisprong.'
'Hoe weet je dat?' vroeg Jake.
'Een stel Amerikaanse wetenschappers heeft het onderzocht.'
'Kun je niet iets anders gaan doen?' vroeg Ali.
Katya haalde haar schouders op. 'Ik verdien goed,' zei ze. 'Ik ben de beste danseres, dus ze zorgen goed voor me. De andere meiden zijn heel aardig.

Het zijn merendeels studenten, maar er zijn ook een paar verpleegsters en een gevangenenbewaarster bij, en een paar nanny's. Dit is een goeie club. Maar ik mis Thomas, en sommige mannen zijn echt afschuwelijk.'

'Heb je hem nog gezien sinds je vertrokken bent?' vroeg Ali.

'Ned heeft hem een paar keer meegebracht,' zei Katya.

'Heb je Ned nog gezien sinds het schandaal aan het licht is gekomen?' vroeg Jake. Katya keek even naar Ali.

'We zeggen niets,' beloofde ze. Katya knikte.

Ali legde Katya uit dat Bryony gearresteerd was en ervan werd beschuldigd dat ze informatie over haar klanten had doorgespeeld aan Nick. Katya schudde haar hoofd.

'Zij heeft het niet gedaan,' zei ze. Ze zweeg even. 'Maar Ned en Nick wel. Nick bespioneerde Bryony om informatie te krijgen voor Ned.'

'Zou je de FSA willen vertellen wat je weet?' vroeg Jake.

'Jawel,' bevestigde Katya.

Toen Jake en Ali weer in Holland Park Crescent aankwamen was het maandagmorgen vroeg. Ze troffen de tweeling slapend aan, in precies dezelfde houding, op hun zij, tegenover elkaar, met hun duim in hun mond. Volmaakt symmetrisch. Ze droegen pyjamabroeken, maar ze hadden hun jasjes uitgetrokken en Ali zag dat hun bovenlijfjes glommen van het zweet. Ze zette het raam open. De lange hete zomer had de energie uit de nachtlucht gezogen en de bries wist de gordijnen nauwelijks in beweging te brengen. Het dekbed lag op de vloer en de beide cavia's lagen erop te slapen. Alle lichten waren aan. Ali kuste beide jongetjes op hun wang, deed zachtjes de deur dicht en ging op weg naar Jakes kamer.

Ze glimlachte toen ze binnenkwam en het Arsenal-shirt met de handtekening en de poster van de White Stripes zag. Ze liep naar de foto's van Jake aan de muur en raakte ze teder aan. Haar hand dwaalde naar de ladekast. Er lagen zoveel spullen op verspreid, dat het hout eronder amper te zien was. Een iPod die opgeladen moest worden, haarschuifjes van Ali, een leeg condoomdoosje, losse sigaretten, een paar tampons, een dun zilveren armbandje van Ali dat Jake graag droeg, een oogpotlood. Even bleef Ali's hand erboven hangen. Ze wilde haar spullen uit de warboel halen, maar veranderde van gedachten. De terloopse vermenging van hun levens vertederde haar. Het suggereerde een geruststellende duurzaamheid.

De kamer was net een oude, vertrouwde vriend. Ze hield van de manier waarop hij naar Jake rook. Ze genoot van de dieprode muren. Ze vond het heerlijk dat hier nooit iemand kwam, zelfs Leicester niet, die tegenwoordig met zijn dekentje in zijn bek door het hele huis zwierf, op zoek naar een veilige plek. En Ali genoot vooral van de manier waarop het vertrek hen toebehoorde. Het was de enige plek waar ze volkomen ongeremd samen konden zijn.

Haar oren tuitten nog van het lawaai van de muziek in de nachtclub. Whispers was een aanslag op de zintuigen: te lawaaiig, te donker, te benauwd.

Dat zou wel opzet zijn, besloot Ali, zodat de bezoekers niet helder konden nadenken over wat ze daar deden. Anders zouden ze misschien merken dat de danseres die de briefjes van twintig oppakte een lelijke blauwe plek op haar rechterbil had, dat haar bikinitopje oud en versleten was, en dat haar glimlach ophield zodra het geld betaald was.

'Wat doe je?' vroeg Jake, die al op het bed lag met zijn handen achter zijn hoofd en zijn benen gespreid, en met een erectie die zo groot was dat Ali moest glimlachen om het komieke van het menselijk lichaam. 'Ik zit vol opgekropte frustratie die ik nodig kwijt moet.'

Ali lachte. Ze trok langzaam en verleidelijk wiegend haar kleren uit, propte ze tot een bal en gooide die naar zijn hoofd. Jake smeekte om genade. Ze voelde zich aangenaam dronken. Morgen zouden ze Bryony vertellen wat ze van Katya hadden gehoord. Misschien zouden ze haar later zelfs over hun relatie kunnen vertellen.

'Niet één van de danseressen in die club was mooier dan jij,' verzuchtte Jake toen Ali naakt en heupwiegend naar het bed kwam.

'Wil je een lapdance?' plaagde ze.

'Als het maar niet langer dan twee minuten duurt,' kreunde hij.

'Volgens mij bevorderen die clubs voortijdige zaadlozingen,' zei Ali en ze liet zich over zijn lichaam glijden.

Aan de andere kant van de Atlantische Oceaan was een eenzaam mens ook onderweg naar huis, na een lang weekend op kantoor. Dick Fuld, eregast bij de kerstborrel van de Skinners twee jaar geleden, werd naar zijn appartement in New York gereden vanuit het kantoor van Lehman op Seventh Avenue 745. Hij keek uitdrukkingsloos voor zich uit, als verlamd, terwijl de wagen zich door de lege straten spoedde. Zijn gebruikelijke arrogantie en drukdoenerij waren verdwenen toen het tot hem doordrong dat de deal met Barclays die hen op het laatste moment had moeten redden niet doorging, en dat zijn bank surseance van betaling zou moeten aanvragen in wat het grootste faillissement in de geschiedenis van de VS zou worden. Beneden in de keuken van Holland Park Crescent bekeek Bryony deze taferelen op televisie.

'Alle schepen kapseizen tegelijkertijd,' mompelde ze bij zichzelf. Op het scherm werd de voorpagina van *The Wall Street Journal* vertoond. 'Crisis op Wall Street: Lehman wankelt, Merrill wordt verkocht en AIG zoekt contanten.'

Een panel van deskundigen besprak de weerslag van deze nieuwe ramp. Een van hen beschreef het als een 'financiële tsunami'. Felix Naylor merkte op dat de werknemers van Lehman ongebruikelijk waren, in de zin dat zij een derde van het bedrijf bezaten in de vorm van aandelenopties die nu waardeloos waren. Iemand zei iets over hebzuchtige bankiers en noemde het voorbeeld van de beschuldiging van handel met voorkennis tegen Nick Skinner en Ned Wilbraham, 'twee van de bestbetaalde bankiers in de City'.

Bryony wierp een blik op de klok aan de muur en zag dat het zeven uur 's ochtends was. Ze keek op haar nieuwe prepaidmobieltje om te zien of er een bericht was van Nick. Dat was er niet. Ze liep naar de zitkamer en tuurde door een kier in de gordijnen naar buiten, waar ze een menigte fotografen zag wachten. Ze moest iedereen naar beneden halen om deze dag samen het hoofd te bieden.

Laaiend van nerveuze energie en opgekropte spanning rende Bryony met twee treden tegelijk naar boven, naar Jakes kamer. Ze nam niet de moeite om te kloppen, maar draaide onhandig aan de deurknop, waarmee ze Ali, die het lichtste sliep, meteen wakker maakte. Ali deed haar ogen open en zag Bryony in de deuropening staan, haar ogen half toegeknepen om ze aan te passen aan het schemerige licht in de kamer. Ze berekende dat ze een paar seconden had voordat Bryony het tafereel echt in zich opnam.

Ali dwong zich om oppervlakkig adem te halen. Ze bleef volkomen stil liggen, op haar zij, naakt, boven op het dekbed, naast Jake. Ze lagen tegenover elkaar en hielden elkaars hand vast. Ali probeerde haar vingers los te maken, maar Jake bood weerstand en greep ze vaster in zijn slaap, trok Ali naar zich toe en duwde zijn neus in haar hals. Bryony deed een halve stap achteruit naar de deur, alsof de adem haar benomen werd.

Even vroeg Ali zich af of Bryony hen had gezien en had besloten dat ze dit probleem later wel zou aanpakken, als ze alle dringendere zaken had afgehandeld. Of misschien vond ze het niet erg dat haar zoon met de nanny sliep, zolang ze hun relatie niet in het openbaar afficheerden. In werkelijkheid was Bryony, een paar seconden lang, verlamd.

Ali sloot haar ogen. Ze herinnerde zich dat Hector en Alfie vroeger dachten dat niemand hen kon zien als hun ogen dicht waren, en wenste dat het waar was. Het bleef nog een paar tellen stil, en toen werd de stilte verscheurd door gekrijs van Bryony. Ali kon zich niet herinneren wat ze eerst deed. Probeerde ze het dekbed om zich heen te trekken? Of was het gewicht van Jakes lichaam te zwaar om er greep op te krijgen? Misschien had ze Jake bij de arm gegrepen om hem wakker te maken? Waarschijnlijk dat laatste, besloot ze, want het geluid dat Bryony maakte, was zo dierlijk dat ze de tweeling wakker hoorde worden in de slaapkamer op de verdieping eronder. Ali zag de blik van afgrijzen op Bryony's gezicht en wist dat haar relatie met Jake voorbij was.

'Wat is er aan de hand?' vroeg Jake slaperig terwijl hij overeind ging zitten en in zijn ogen wreef.

Bryony keek hem niet aan. In een storm van woede vloog ze naar Ali's kant van het bed en begon willekeurig kleren van de vloer te rapen en naar haar toe te gooien. Slipjes, beha's, broeken, T-shirts. Vele ervan waren van Ali. Sommige waren zelfs van Bryony geweest, en dat leek haar nog razender te maken. Ze zag Ali's spullen op de ladekast liggen en zwiepte met haar arm alles op de vloer. Haar ogen vonkten en haar wilde haar stond alle kanten op. Ali dacht dat ze haar lijfelijk zou aanvallen.

'Eruit, eruit!' krijste Bryony telkens weer, haar hele lichaam trillend van woede. 'We hebben alles gedaan om het je naar de zin te maken en dit is ons loon!'

Ali had zich altijd voorgesteld dat ze op een dag een rationeel gesprek met Bryony zou kunnen hebben over haar relatie met Jake. Doortrokken van het optimisme van verliefden had ze zelfs durven denken dat Bryony hun geluk misschien zou delen. Ze was van plan geweest om Bryony te vertellen dat het pas onlangs begonnen was, dat er niets gebeurd was voordat Jake naar de universiteit ging, en dat ze echt verliefd waren. Ze had willen beamen dat het niet erg orthodox was, en gedroomd dat Bryony zou zeggen dat dat altijd gold voor de beste relaties. Ze had Bryony willen uitleggen dat ze begreep dat ze in de huidige omstandigheden niet wilde dat iemand ervan wist. Ze had haar willen zeggen dat haar gevoelens voor Jake oprecht waren, en dat ze van plan was om naar Oxford te verhuizen, zodat ze samen naar de universiteit konden. De werkelijkheid was een afschuwelijke puinhoop van lelijke woorden en beschuldigingen.

'Je hebt me belazerd, net als alle anderen!' gilde Bryony. Ali kroop in Jakes armen en hij boog zich om haar heen om haar te beschermen tegen de vliegende kleren en het incidentele boek. Wie had haar nog meer belazerd, behalve Nick? Had ze het over Foy? Of Izzy? Of nanny's uit het verleden?

Bryony beschuldigde haar van van alles en nog wat, van het verkopen van verhalen over hun gezin aan de kranten tot het stelen van de ontbrekende foto's uit de zitkamer. Ze suggereerde zelfs dat Ali met Nick naar bed geweest was. Ze schold haar uit voor van alles en nog wat, dingen die Ali later probeerde te vergeten. 'Slet, sloerie, hoer,' onthield ze wel. 'Ik dacht echt dat ik op jou kon vertrouwen! Ik wil dat je hier voor het eind van de dag weg bent.'

Het leek op het vergiftigen van een prachtige tuin, had Ali later aan haar vrienden verteld.

'Dit kun je niet doen, mam,' had Jake geroepen. 'Het is net zo goed mijn schuld als die van Ali.'

Zijn reactie kwetste Ali. Hij had hun relatie moeten verdedigen, in plaats van schuld te bekennen. Later begreep ze dat het een poging was om zachtmoedig om te gaan met iemand die buiten zichzelf was van stress. Indertijd leek het meer op een capitulatie.

25

December 2009

Ali zag de Skinners nog één keer terug. Het jaar daarop, net voor Kerstmis, raapte ze achteloos een krant op in een café waar ze naartoe gegaan was om de inleiding van haar laatste essay voor dat semester op poten te zetten. Ze maakte het laatste jaar van haar studie af in Londen en het café was een toevluchtsoord, weg van het lawaaiige appartement aan Mile End Road dat ze deelde met andere studenten. Ze bladerde naar het favoriete katern van studenten behept met uitstelgedrag: overlijdensberichten en necrologieën. Daar ontdekte ze naast de twee hoofdartikelen een kolom aan de rand van de pagina gewijd aan Foy Chesterton, 'entrepreneur die gerookte zalm binnen bereik van de massa bracht'.

Het artikel was precies twaalf alinea's lang. Ali zocht achter de feiten of er soms gehint werd op het schandaal dat de familie zeventien maanden eerder had omhuld en was blij dat ze niets vond, tenzij je een terloopse verwijzing naar Foy als bon vivant meetelde. Verder was het een eenvoudige chronologie van zijn leven.

Ali herinnerde zich hoe vaak hij had gedreigd haar te vergasten op de geschiedenis van Freithshire Fisheries, en hoe iedereen altijd had geroepen dat hij dat moest laten. Al lezend had ze spijt dat ze nooit de moeite had genomen hem te laten uitpraten, omdat het natuurlijk een kleurrijk verhaal was.

Het artikel beschreef hoe hij op zijn zestiende van school was gegaan, een jaar in Griekenland had doorgebracht en een bedrijf had opgezet voor de import van olijfolie naar het Verenigd Koninkrijk, in een tijd waarin die alleen verkocht werd door drogisten, die olijfolie aanbevalen om oorsmeer te verzachten. 'Alsof je Meursault gebruikt om vlekken van de traploper te verwijderen,' had Foy kennelijk gezegd. Toen hij twintig was, nam hij drie maanden verlof van zijn bedrijf om langs de kust van heel Groot-Brittannië te wandelen. Hij kwam echter nooit verder dan Sutherland in het noorden van Schotland, omdat hij werd afgeleid door een kleine zalmkwekerij en -rokerij die hij daar aantrof, en door Tita Marshall, de dochter van de eigenaar. Ze trouwden in datzelfde jaar, 1958, en hun eerste kind, Bryony, werd drie jaar later geboren.

Daarna werden andere belangrijke momenten in zijn leven beschreven: dat Foy een van de eersten was die zei dat vis gezond was en er een persoonlijke kruistocht van maakte om gerookte zalm te introduceren in elk huishouden in Groot-Brittannië; dat hij een figurantenrol had gespeeld in de film *Tom Jones* uit 1963 omdat hij bevriend was met Susannah York, die de vrouwelijke hoofdrol speelde. Was hij ook met haar naar bed geweest, vroeg Ali zich verwonderd af. En dat hij de hoofdpersoon was geweest in een documentaire van de BBC over de Hebriden, geregisseerd door zijn oudste vriend, Julian Peterson.

In zijn latere jaren was hij volgens de necrologie teruggekeerd naar zijn wortels en olijfolie gaan produceren in zijn kwekerijtje op Corfu. De laatste paragraaf beschreef hoe hij de gasten op zijn zeventigste verjaardag verbijsterde door alle zes coupletten van *American Pie* te zingen. Tot slot vermeldde het artikel nog dat hij in Holland Park Crescent had gewoond en dat hij zijn vrouw Tita en hun twee dochters Bryony en Hester achterliet. Beide namen waren van Griekse origine en weerspiegelden de langdurige liefde die de familie voor Corfu koesterde.

'Foy Peterson, entrepreneur, werd geboren op 9 juni 1938.
Hij stierf op 5 december 2009, op de leeftijd van 71 jaar.'

Er stond niet bij hoe hij was gestorven. Ali nam aan dat het nog een beroerte was geweest. Wat had het voor zin om alle plezier uit het leven te zuigen, alleen om een paar jaar langer op de wereld te blijven hangen, zei hij altijd tegen Ali. *Carpe diem* was het motto dat hij op zijn grafsteen wilde hebben. En dus was Foy sigaren blijven roken en rode wijn blijven drinken die Holland Park Crescent werd binnengesmokkeld door medeplichtige bezoekers, onder wie zijn vrouw, en soms zijn twee oudste kleinkinderen. 'Een goed doorleefd leven,' besloot de necroloog, en daar kon Ali niets tegenin brengen. Het probleem met mensen die het leven zo volledig leven, is dat ze hun vermogen om mensen in hun omgeving te kwetsen niet beseffen. Ze hebben het te druk met zich vermaken om te merken dat anderen dat wellicht niet doen.

Ze scheurde de pagina uit de krant en stopte hem in haar tas, zonder zeker te weten waarom ze hem wilde houden. Misschien zou ze hem aan haar ouders sturen. Zij zouden belangstelling hebben voor Foys levensverhaal, en nu ze gestopt was met haar werk en terug was op de universiteit, konden ze over de Skinners praten zonder de rancune van vroeger.

Ze bekeek de overlijdensberichten en zag dat zijn begrafenis het weekend daarop in een kleine kerk zou plaatsvinden, dicht bij het dorp waar hij geboren was. Het was maar een paar kilometer van de plaats waar het tweede huis van de Skinners had gestaan. Thornberry Manor was verkocht. Katya had haar de pagina met de verkoopadvertentie laten zien in een *Country Life* die Ned in haar appartement had laten liggen.

Ali stond achter in de kerk, net voor de consistoriekamer. Die plek bood het beste uitzicht om de rouwenden te zien aankomen, en het betekende dat ze zich achter de wijwaterbak kon verbergen wanneer de familie binnenkwam. De kerk zat vol en er moesten mensen buiten blijven staan. Op het kerkhof waren vier luidsprekers neergezet om de dienst uit te zenden. Het was een winderige, regenachtige dag en door de open deur zag Ali een kleurrijk landschap van opengeklapte paraplu's. Ze keek neer op haar horloge en zag dat ze al vijf minuten achterlagen op schema. Timing was nooit Foys sterkste punt geweest. Ze glimlachte bij zichzelf en sloeg het programmaboekje open.

Er zou twee keer gesproken worden. Jake zou een passage voorlezen uit *De storm* ('Van dezelfde stof zijn wij als dromen'), een besluit waarvan Ali graag wilde denken dat het geïnspireerd was door haar opmerking dat er een verband bestond tussen het toneelstuk en Corfu. Bryony las een gedicht van Dylan Thomas, *Ga niet gedwee die goede nacht in*, een briljante keuze, vond Ali, en ze prevelde de tweede regel voor zich uit, 'Oud moet juist laaien en razen aan het einde van de dag.' Dat zouden ze op Foys grafsteen moeten zetten.

Plotseling speet het haar dat ze hem niet meer had gezien voor zijn dood. Hij was een van de weinige volwassenen die haar gedurende haar twee jaar in Holland Park Crescent niet had behandeld alsof ze onzichtbaar was. Misschien kwam dat omdat hij met zijn enorme behoefte aan waardering de bevestiging nodig had van iedereen in zijn omgeving, maar toch was zijn aandacht meestal een zegen geweest. En juist de eigenschappen waardoor hij voor zijn familie zo onmogelijk was, maakten hem voor anderen zo vermakelijk. Bovendien was hij haar op het allerlaatst te hulp geschoten om haar te verdedigen tegen Bryony's aantijgingen.

Ze voelde tranen opwellen en keek weer naar de rest van het programmaboekje. Ze huilde om zichzelf, niet om hem. De psalmen bevatten geen verrassingen. *All things bright and beautiful* was misschien een beetje te vrouwelijk naar Foys smaak. *Jeruzalem* en *Dear Lord and Father of Mankind* waren robuustere keuzes.

Het zou een evenement worden dat eerder gekenmerkt werd door wat er niet gebeurde, dan door wat er wel gebeurde, besloot Ali. Nick Skinner zou geen acte de présence geven. Julian Peterson zou niet spreken; Hester zou niets voorlezen, omdat ze ruzie had gemaakt met haar moeder over biologisch afbreekbare doodskisten.

Ali keek halsreikend over de mensen heen die voor haar stonden om te zien wie ze herkende. Desmond Darke en zijn vrouw zaten in een bank achter in de kerk. Ali zag het profiel van zijn hoekige gezicht. Hij staarde in de verte, met strakke trekken, waarschijnlijk verzeild in een inwendig debat of Foy zijn aanwezigheid hier wel verdiende. Hij vermeed zorgvuldig om het kleine, donkere figuurtje naast hem aan te kijken, waarin Ali onmiddellijk Malea herkende. De kerk zat vol en ze werd ongemakkelijk dicht tegen zijn linkerzij gedrukt, haar gezicht even ondoorgrondelijk als altijd.

Een paar banken naar voren zag ze de ouders van Sophia Wilbraham. Sophia, noch Ned was aanwezig. Het had een enorme deining veroorzaakt, maar uiteindelijk had Sophia gewonnen. Dat wist Ali, omdat ze meteen nadat ze de aankondiging van Foys overlijden had gevonden naar Katya's appartement was gegaan. Ned was schaapachtig uit de slaapkamer gekomen en had Ali om advies gevraagd: moest hij zijn vrouw negeren en gewoon op de begrafenis verschijnen, of niet? Hij beloofde nog steeds dat hij Sophia zou verlaten en met Katya een baby zou krijgen. Hij had Thomas zelfs een paar keer overdag naar Whispers meegenomen om haar te zien. Maar dat was een wanhoopsdaad geweest, omdat hij voelde dat Katya hem ontglipte.

Aan het eind van de rij banken aan de linkerkant van het kerkje herkende Ali Julian en Eleanor Peterson. Eleanor hield een zakdoek in haar hand geklemd waarmee ze elke paar minuten haar ogen depte. Ze viel op in de menigte, omdat ze een citroenkleurige jurk uit de jaren 1950 droeg. Het was de jurk uit de droom die Foy had beschreven. Onlangs had Ali van Katya gehoord dat er bij Eleanor een niet opereerbare hersentumor was gevonden, waardoor haar gedrag onvoorspelbaar en soms agressief werd. Dat verklaarde haar explosieve uitbarsting op Foys verjaardagsfeest, maar het verzachtte Tita's houding jegens Foy niet; ze had hem nooit meer thuis laten komen. Fi Seldon-Kent zat op een stoel achterin en keek neer op haar blocnote. Het duurde een paar tellen voordat Ali begreep dat zij de begrafenis natuurlijk organiseerde.

Waarschijnlijk betaalde Nick de rekening. Ali wist van Ned dat Nick het heel druk had met zijn 'fantastische nieuwe baan' bij een andere beleggingsbank. Hij had de garantie gekregen van een eerstejaarsbonus die dubbel zo hoog zou zijn als zijn laatste bonus bij Lehman. Degenen die een rol hadden gespeeld in het creëren van de crisis, zouden de laatsten zijn om ervoor te betalen, dacht Ali.

Om kwart over twaalf viel de kerk stil toen de kist werd binnengebracht. Twee aan twee schreed de familie erachteraan. Tita kwam het eerst binnen, aan Izzy's arm. Ze was lang genoeg om over de ene krans op het eikenhouten deksel naar het einde van het schip te kijken en ze keek recht voor zich uit. Ze droeg een getailleerd grijs mantelpak in de kleur van haar ogen. Izzy droeg een zwarte mini-jurk en een korte jas waarin haar lange benen mooi uitkwamen. Ali dacht dat ze een paarse streep in het donkere haar zag, maar de dikke make-up en zwarte nagellak waren vervangen door een zachtere, vrouwelijkere look. Ze ging naast een jongen zitten die al op haar zat te wachten. Hij legde zijn arm om haar heen en Izzy vlijde zich tegen hem aan. Haar ogen waren gezwollen van het huilen. Izzy was meer aan haar grootvader gehecht geweest dan alle andere kinderen. Tita zat rechtop naast haar. Ze keek niet één keer om zich heen. Beide handen rustten op de rand van de bank en hielden het programmaboekje vast.

Jake kwam binnen met Bryony. Ali dwong zichzelf om naar Bryony te kijken en niet naar hem te staren, al kon ze zijn aanwezigheid tot in haar buik voelen. Bryony's haar was langer dan Ali zich herinnerde. Het contrast met haar zwarte mantelpak was oogverblindend, alsof je in de zon keek. Achter haar liepen Hester en Rick en de andere kleinkinderen.

Hector en Alfie droegen identieke zwarte pakken.

Ali had de tweeling niet meer gezien sinds de dag dat Bryony haar en Jake in bed had betrapt. Een paar uur later had ze in de zitkamer afscheid van hen genomen. Ze kon zich nog elk detail van die vreselijke scène herinneren. Voor het eerst sinds ze in Holland Park Crescent was komen wonen, had ze in die kamer haar schoenen aangehouden. Haar haastig ingepakte spullen stonden opgestapeld in de gang. De oude rugzak die ze bij zich had op de dag dat ze hier kwam wonen en nog een tas die Jake voor haar had gevonden. Jake had haar gesmeekt om niet te vertrekken, maar het was onmogelijk geweest om te blijven.

'Hoe zou ik dat dan moeten doen?' zei Ali tegen hem. Uiteindelijk gaf hij toe. Hij bood niet één keer aan om met haar mee te gaan.

Ali herinnerde zich hoe de tweeling zich aan haar blote armen en benen had vastgeklemd tot ze met elkaar verkleefd waren in een glibberige lijm van zweet en tranen. Bryony had geprobeerd ze van haar af te pellen, maar telkens als ze er eentje los had weten te krijgen, klemde de ander zich met nog meer volharding vast. De volgende dag zaten Ali's armen en benen vol met zoveel blauwe plekken en krassen van hun vingernagels dat ze wekenlang lange mouwen had moeten dragen. Ze hadden zo hard geschreeuwd dat Desmond Darke had aangebeld om te vragen of alles in orde was. Alfie en Hector hadden harder voor haar gevochten dan Jake, dacht Ali. Misschien besefte hij dat een relatie gesmeed in het duister zou verwelken in het felle daglicht.

'Ik kom alleen even vragen of alles goed gaat,' zei Desmond geïrriteerd toen Izzy de deur openmaakte. 'Jullie hebben de bewoners van deze straat al genoeg te schande gemaakt.' Hij probeerde over haar heen te kijken wat er aan de hand was.

'U bent een opgeblazen ouwe zak!' zei Izzy, en ze sloeg de deur in zijn gezicht dicht.

Bryony had Foy, Jake en Izzy gesmeekt om te helpen met de tweeling, maar ze hadden allemaal geweigerd.

'Ik keur hun relatie niet af,' had Foy boven het gekrijs van de tweeling uit geschreeuwd. 'Je bent volkomen onredelijk...'

'Omdat jouw morele kompas totaal uit het lood is!' had Bryony tegen hem gegild. 'Jij bent geen goed voorbeeld!'

'Je moeder en ik zijn al vijftig jaar samen, dat is toch een hele prestatie,' zei Foy met iets van zijn oude branie.

'Tegen welke prijs?' schreeuwde Bryony hem toe. 'Jullie wonen niet eens bij elkaar!'

'Leef je frustraties over mijn gedrag niet uit op Ali en Jake,' zei Foy. 'Dat is niet eerlijk.'

'Ze is de nanny!' had Bryony gegild. 'Ze hoort voor hem te zorgen. God weet wanneer dit begonnen is.'

'Ze is vier jaar ouder dan hij,' merkte Foy op. 'Dat maakt haar heus geen pedofiel. En toen ze hier kwam, heb ik je al gezegd dat het vragen om moeilijkheden was om een aantrekkelijk meisje in dienst te nemen met een hormonale tiener in huis.'

'Ze is een van onze werknemers!' schreeuwde Bryony. 'We betalen haar om loyaal te zijn.'

'Op dit moment is ze onze enige werknemer,' zei Izzy. 'En wanneer heb je haar voor het laatst betaald? Misschien is het een beter idee om haar te houden. En wat maakt het uit als Ali en Jake verliefd zijn? Vergeleken met Lucy is ze een hele verbetering.'

'Stel je voor dat die tabloidjournalisten erachter komen,' zei Bryony. 'Ik zie de koppen al voor me. Vind je niet dat ze intussen genoeg stront geharkt hebben?'

'Wie moet het ze dan vertellen?' daagde Foy haar uit. 'De enige mensen die het weten staan hier in de kamer en wij zweren immers allemaal de omerta?'

Dat was het enige moment waarop Ali had gedacht dat ze nog een kans had. Maar aan de koppige trek van Bryony's kin was te zien dat ze vastbesloten was.

'Ze hoort hier niet,' zei Bryony.

'Waar ga je heen?' vroeg Jake.

'Naar Katya,' fluisterde Ali. 'Ik bel je wel als ik er ben.' Het laatste wat ze hoorde was het gehuil van Hector en Alfie, en de stem van Foy die ze probeerde te troosten. Ze keek niet achterom.

In plaats van Jake belde Ali echter naar Felix Naylor en vertelde hem dat ze hem dringend moest spreken. Felix begon uit te leggen dat hij tot aan zijn nek in de verslaggeving van de Lehman-crisis zat. Op de achtergrond hoorde Ali blèrende televisies en harde stemmen. Hij klonk afwezig. Hij was zeker al op zijn werk, besloot Ali toen ze op haar horloge keek. Het was kwart voor negen 's ochtends.

'Het gaat over Bryony,' zei Ali. 'En Nick. Je zei dat ik moest bellen als ik iets belangrijks ontdekte.'

'Kan het niet wachten?' vroeg Felix, niet in staat om zijn ongeduld te verbergen. Ali dacht even na. Ze zou een afspraak voor de volgende dag met hem kunnen maken. Maar ze wist dat ze op haar besluit zou terugkomen als ze niet vandaag meteen zei wat ze op haar hart had. Ze moest het hem nu vertellen, voordat de pijn en de wrok greep op haar kregen en ze besloot dat Bryony het redden niet waard was.

'Ik heb informatie die Bryony kan helpen. Ik werk niet meer voor de Skinners en ik ben van plan om een tijdje weg te gaan.' Ali wist dat hij zou komen. Net zo goed als ze wist dat Jake, als ze hem belde, niet zou komen.

Ze spraken af in het café in Bloomsbury. De muziek was afgezet en in plaats daarvan meldde een televisie luidruchtig dat de vierde grootste beleggingsbank van Amerika, Lehman Brothers, maandagmorgen vroeg surseance van betaling had aangevraagd overeenkomstig het Amerikaanse Chapter 11.

Ze zaten kameraadschappelijk naast elkaar tegenover het scherm. Af en toe dwaalde de hand van Felix naar het scherm om een nieuwe invalshoek van het ontluikende drama aan te duiden, en dan las Ali weer een nieuwsflits. 'Merrill Lynch verkocht aan Bank of America'. 'Fed redt AIG'.

Elke keer vloekte Felix binnensmonds. Bij de iconische beelden van de werknemers van Lehman die met hun kartonnen dozen hun kantoren aan Canary Wharf verlieten, juichten een paar studenten aan het tafeltje naast hen.

'Hebzuchtige hufters,' zei er één.

'Dit is de 9/11 van de bankensector,' vertelde Felix tegen Ali. 'Het is een financieel armageddon.'

Felix was zo opgewonden dat zelfs de puntjes van zijn oren rood opgloeiden. Ali wist niet zeker hoe ze zijn aandacht moest krijgen. Dus kwam ze zelf met een krantenkop.

'Ik heb een relatie met Jake,' kondigde ze aan, terwijl ze keek naar opnames van Dick Fuld, de eregast op de kerstborrel van twee jaar geleden, die midden in de nacht werd weggereden van de kantoren van Lehman in New York. Voor het eerst wendde Felix zijn blik van het scherm. 'Bryony is erachter gekomen.'

'Jij bent met Jake naar bed geweest?' vroeg hij ongelovig, zijn wenkbrauwen opgetrokken in volmaakte bogen van verbazing. Ali knikte.

‘Ze heeft me de deur uit gezet.’ Ze wachtte op een paar meelevende woorden of een troostend klopje op haar arm. Er kwam niets.

‘Ga je je verhaal verkopen?’ vroeg Felix, en hij keek haar aan met een diepe, doordringende blik waarvan Ali zich voorstelde dat hij hem gebruikte als hij probeerde te beoordelen of een geïnterviewde op het punt stond een vraag naar waarheid te beantwoorden.

‘Natuurlijk niet,’ zei Ali beledigd. Felix keek opgelucht. Hij dacht even na.

‘Wil je geld?’ vroeg hij, alsof hij ineens begreep waarom ze hem wilde spreken. ‘Ik weet dat Bryony iets achter de hand heeft.’

‘Ik ga helemaal niets doen wat Jake zou kunnen kwetsen,’ zei Ali verontwaardigd. ‘Niet iedereen doet alles voor geld. Jij toch ook niet.’

‘Neem me niet kwalijk, ik nam gewoon aan...’ zei Felix.

‘Niets klakkeloos aannemen,’ zei Ali. ‘Hoort dat niet bij een goede journalist?’

‘Wat wil je me precies vertellen?’ vroeg Felix.

Ali drong erop aan dat hij zijn blocnote opensloeg en gaf hem een potlood uit haar zak. Het was er eentje waar Jake op had gekauwd. Ze voelde de eerste vlaag van pijnlijk verlies door haar lichaam trekken.

‘Schrijf het op, zodat je de details niet vergeet.’ Hij glimlachte om haar halsstarrigheid.

Ali vertelde alles wat ze van Katya had gehoord. Ze sprak langzaam en nauwkeurig en probeerde zich de precieze volgorde van hun gesprek te herinneren. Ze legde uit dat Nick Skinner en Ned Wilbraham hun plannen voor de handel met voorkennis vijf jaar geleden hadden bedacht als een gemakkelijke manier om zakgeld te verdienen. Gedurende het eerste jaar hielden ze hun transacties eenvoudig, kochten kleine hoeveelheden aandelen met behulp van informatie die Nick van Bryony had ontvreemd. Het was altijd Nick die de informatie leverde en Ned die via zijn effectenbroker de aandelen kocht, een modus operandi die nooit leek te mislukken.

‘Vertel je me nou dat Nick Bryony bespioneerde om aandelen te kopen in deals waaraan zij voor haar klanten werkte?’ vroeg Felix ongelovig. Ali knikte.

‘Hij doorzocht documenten die Bryony mee naar huis bracht. Hij kende de wachtwoorden van haar BlackBerry. Soms kochten ze aandelen in bedrijven waarvan ze wisten dat ze waarde zouden verliezen, om hun sporen te verdoezelen. Het geld ging naar een bankrekening op Katya's naam. Later deelden ze de winst.'

'Heeft Katya dit nog aan iemand anders verteld?' vroeg Felix, terwijl hij bedachtzaam op Ali's potlood kauwde.

'Ze dacht dat ze medeplichtig zou zijn, omdat de bankrekening op haar naam stond,' zei Ali. 'Afgezien van Jake ben ik ben de enige die ervan weet.'

Ali vertelde verder. Ze zei dat ze naarmate de tijd verstreek en niemand leek te merken wat ze deden, steeds roekelozer werden. Toen Nick zich realiseerde dat Lehman in moeilijkheden zat, begon hij hoger in te zetten om te compenseren voor de ramp die hij zag aankomen. Dat moet het moment zijn geweest dat de FSA iets merkte.

'Nick wilde weten waar Bryony naartoe reisde en wie ze daar sprak, om erachter te komen welke bedrijven wellicht met overnames bezig waren.'

Ze vertelde hem dat Nick en Ned communiceerden via prepaidmobieltjes, waarvan ze elke paar weken de simkaarten vervingen. Ze legde uit hoe Nick Bryony tegenover Ned beschreef als 'de gans met de gouden eieren', omdat ze informatie had die zij konden gebruiken om aandelen te kopen, net voordat bedrijven nieuwe deals aankondigden.

'Heb je hier bewijzen voor?' vroeg Felix. Zijn toon was geïnteresseerd, niet achterdochtig.

Ali begon bij het begin. Ze vertelde hem dat ze Nick vroeg in de ochtend had betrapt op Jakes computer, een paar maanden nadat ze op Holland Park Crescent was komen werken, en legde uit dat het de enige computer was die de FSA niet in beslag had genomen bij de inval, omdat Jake hem bij zich had in Oxford.

Felix leunde naar Ali toe en vroeg: 'Waarom denk je dat dat belangrijk is?'

'Ik denk dat hij Jakes computer gebruikte om documenten te lezen die hij naar zichzelf toestuurde vanaf Bryony's BlackBerry,' zei Ali. 'Hij had haar telefoon bij zich en hij kende haar wachtwoord, want ik heb hem haar e-mail zien lezen toen we op Corfu waren.'

Ali legde haar tas op tafel en haalde het in leer gebonden dagboek tevoorschijn. Ze gaf het aan Felix.

'Hier staan alle data en details in van Bryony's reizen,' zei ze terwijl ze het dagboek naar Felix schoof. 'Ik denk dat Nick dit gebruikte om erachter te komen aan welke deals ze werkte, zodat hij kon peilen welke aandelen hij moest kopen.'

Vervolgens haalde ze een luciferdoosje uit de tas. 'Dit zijn simkaarten die op Nicks werkkamer thuis verstopt waren. Die hebben ze niet gevonden, omdat Foy zich daar had geïnstalleerd. Daarop zul je zien dat Nick en Ned alleen met elkaar communiceerden. Denk je dat Bryony hiermee haar naam zal kunnen zuiveren?'

'Ik denk het wel,' zei Felix, en hij greep haar hand in de zijne. 'Je hebt iets heel goeds gedaan. Je verdient het niet om behandeld te worden zoals zij je behandelt.'

Zes maanden later waren de aanklachten tegen Nick wegens een technische fout afgewezen. Nicks advocaat wist te bewijzen dat er al geruchten over overnames waren gepubliceerd op internet in elk van de acht aanklachten van handel met voorkennis, hetzij in online chatrooms of in esoterische financiële onlinenieuwsbulletins. Aangezien de informatie al openbaar beschikbaar was, was het technisch gezien geen voorkennis meer. Nick was vrijgepleit.

Op basis van het bewijs dat Ali had geleverd wist Bryony echter dat Nick schuldig was en dat ze hem nooit meer zou kunnen vertrouwen. Bovendien hadden zijn daden haar zaak en haar carrière in gevaar gebracht. Ze was teruggekeerd bij haar bedrijf toen de aanklacht vervallen was, maar ze had haar klantenbestand helemaal opnieuw moeten opbouwen. Pas na het nieuws van hun scheiding bekeken mensen haar niet langer met wantrouwen. Niemand dacht dat Bryony medeplichtig was aan de daden van haar man, maar in de ogen van velen was ze onzorgvuldig geweest. Nu ze erover nadacht, hier in de kerk, zag Ali in dat ze door Bryony te willen redden, hun huwelijk had vernietigd.

Ali keek op en zag dat de tweeling midden in het gangpad tot stilstand was gekomen en zich naar elkaar toe had gewend, als een spiegelbeeld, hun armen langs hun zij. Iedereen keek in geboeide verrukking toe. Vanaf deze afstand kon zelfs Ali ze niet uit elkaar houden. Ze voelde dat ze een stap vooruit deed. Ze wilde ze omhelzen en zoenen, door hun haar strijken en ze geruststellen dat alles goed zou komen. Maar toen draaide Jake zich om en hij zei iets om ze door te laten lopen, en hij stak zijn hand naar hen uit zodat ze die konden vastpakken. De hand hing in de lucht en de vertrouwdheid ervan trof Ali als een stomp in haar maag.

Jake zag haar. Even keken ze elkaar aan. Ali voelde een vertrouwde steek van verlangen en wist dat hij die deelde. Ze was opgelucht dat in de algemene chaos van het schandaal niemand behalve zijn naaste familie ooit van hun relatie had geweten.

Hector en Alfie namen elkaar weer bij de hand en liepen verder door het gangpad. Jake beet op zijn onderlip en wendde zich af. De tweeling schoof in de bank achter Bryony met een vrouw van wie Ali veronderstelde dat ze de nieuwe nanny was. Ze was rond de veertig. Hector zat in het midden en de vrouw sloeg een zachte, troostende arm om hem heen. Ali was blij dat haar reactie tegenover haar vervangster ongecompliceerd was. Ze was opgelucht over haar hartelijkheid en voelde geen spoor van jaloezie.

Net voor het einde van de dienst glipte Ali naar buiten, terug in de schaduwen, voordat iemand merkte dat ze er ooit was geweest.

Dankwoord

Ik wil mijn redacteuren, Mari Evans in Londen en Sarah McGrath in New York, graag hartelijk bedanken voor al hun aanmoediging en enthousiasme, net als de rest van het team bij Michael Joseph in Groot-Brittannië en Penguin in de vs. Welgemeende dank ook aan mijn agent Simon Trewin en aan Ariella Feiner.

Veel dank voor Ed Orlebar, die ermee heeft moeten leven. Dank ook aan Mark Astaire, Aubrey Simpson-Orlebar en Rupert Pitt voor het ontraadselen van de financiële wereld, en aan Tom Jones voor zijn expertise over Collateralized Debt Obligations. Elizabeth Robertson is een onuitputtelijke bron van kennis over handel met voorkennis. Dank ook aan alle nanny's met wie ik gesproken heb, vooral aan Joanna Clark. Om inzicht te krijgen in de val van Lehman Brothers heb ik de volgende uitstekende en vermakelijke boeken gelezen: *Too Big to Fall* door Andrew Ross Sorkin, *De ondergang van het gezonde verstand* door Lawrence G. McDonald en *The Devil's Casino* van Vicky Ward.

Allerlei behulpzame achtergrondinformatie heb ik verworven uit *De kapitale crisis* van John Lanchester en *Fools Gold* van Gillian Tett.

Als altijd, dank aan mijn eerste lezers Helen Townshend en Henry Tricks en aan Rosa Chavez en Isis Calderon. De volgende mensen hebben me onmisbare bemoediging geschonken op moeilijke momenten: Becky Crichton-Miller, Charlotte Simpson-Orlebar, Hatty Skeet en Roland Watson.

Een aantal van de meest behulpzame en oordeelkundige mensen hebben gevraagd om niet bij name genoemd te worden, maar jullie weten wie jullie zijn en ik ben jullie oprecht dankbaar voor jullie tijd en verhalen.